Bernard Champigneulle

Paris

architectures, sites et jardins

seuil

Préface

Ce livre n'est pas un inventaire. Parmi tant de monuments et de sites parisiens, il fallait bien choisir. Et c'est toujours sur le choix que l'auteur doit s'attendre aux critiques. Pourquoi parle-t-il de ce monument-ci plutôt que de celui-là ? Ce charmant petit hôtel, pourquoi l'a-t-il oublié ?

Je serais d'abord tenté de répondre que j'ai retenu ce que je trouve bel et bon, voilà tout. Mais la réalité est différente. Si certains édifices ou certains paysages urbains devaient absolument figurer ici en raison de leur importance et d'un incontestable prestige, d'autres, il me fallait peser leurs pouvoirs d'attraction, les juger, réviser les arguments qui les désignaient à prendre place dans mon panthéon — une place qui m'était évidemment mesurée.

Parmi les monuments où chaque âge a voulu perpétuer les symboles de sa puissance, certains figurent ici non point au titre de chefs-d'œuvre, mais parce qu'ils sont des témoins majeurs de la civilisation parisienne. Sous prétexte que l'Hôtel de Ville n'est plus qu'une image approximative de son passé, pouvons-nous oublier qu'il gouverne la cité ? Et le Paris de Napoléon III que nous rencontrons à chaque pas, devons-nous l'ignorer ?

Nous n'avons pas voulu suivre les savants historiens qui baissent les yeux devant toute architecture, ou tout fragment d'architecture « moderne » (terme qui s'applique, selon le vocabulaire archéologique, à tout ce qui a été construit depuis le XIXᵉ siècle) et qui parlent d'avant-hier sans même signaler ce qui est d'aujourd'hui.

Comment se servir de ce livre

Tout classement alphabétique est l'expression d'un compromis entre des données souvent contradictoires. Un ordre systématique, qui ne souffrirait nulle dérogation, paraît en ce domaine illusoire, sinon impraticable. D'ailleurs, aucun dictionnaire sur Paris n'échappe à ce mal d'autant moins guérissable que le livre abonde en noms de lieux et de personnages.

Nous avons tenté d'appliquer un principe simple. Le mot clé retenu pour le classement alphabétique de ce livre est le nom que l'histoire attache à un lieu donné, et non pas la dénomination de ce lieu en tant que tel. Ainsi, le temple de l'Oratoire est classé à ORATOIRE, l'hôtel de Rohan à ROHAN, la tour Eiffel à EIFFEL, etc. Bien entendu, des exceptions ont dû être consenties, que requéraient l'usage et les réflexes acquis. N'eût-il pas été inhabituel et quelque peu spécieux de placer le Palais-Royal à ROYAL (Palais) et le Pont Neuf à NEUF (Pont) ? En revanche, si le conservatoire des Arts et Métiers a choisi de se reconnaître au mot ARTS, nous avons laissé le PALAIS de Justice là où le cherche et le trouve la *vox populi*.

Aux esprits mathématiciens que troubleraient ces accommodements avec l'inflexible loi, on ne saurait trop recommander de faire preuve d'initiative —

Il va sans dire que nous nous sommes arrêtés avec prédilection devant ce qui appartient à ces époques privilégiées où Paris a tant imaginé et si magnifiquement construit : l'éclosion du gothique, quand s'élevèrent Notre-Dame puis la Sainte-Chapelle, l'épanouissement de ce classicisme français déjà si savoureux sous Louis XIII, l'apothéose des Invalides et de la brillante théorie des demeures nobles.

Depuis quelques années, Paris, après avoir stagné d'une guerre à l'autre, s'est métamorphosé avec une étonnante rapidité. Tout me portait à faire large place à l'architecture contemporaine ; mais ici un choix plus rigoureux encore devait s'exercer ; il répond à un critère bien défini : seules sont retenues les œuvres marquées d'un caractère monumental. Se trouvent donc éliminés les innombrables immeubles de bureaux ou de logements qui ont trop souvent champignonné dans le désordre et portent atteinte à des perspectives urbaines savamment établies. Les commentaires à leur sujet seraient d'ailleurs voués à une accablante monotonie.

Une exception : le quartier de la Défense, parce qu'il témoigne d'une audace et d'une logique exemplaires. Sans doute se trouve-t-il hors des limites de Paris, mais, dans le prolongement d'une avenue incomparable, il en est solidaire. Enfin, si le château et le bois de Vincennes figurent dans ces pages, ce n'est pas seulement en vertu de leur intérêt historique et de leur attrait, mais parce qu'ils appartiennent à un territoire devenu parisien — rattaché au XIIe arrondissement.

B. C.

celle, par exemple, qui consiste à rendre aux Arènes ce qui appartient à Lutèce, et non l'inverse. Nous ne doutons pas qu'ils déjouent facilement ces pièges classificateurs, s'il est vrai qu'un « piéton de Paris », par définition, est le meilleur des détectives.

Comment utiliser ce livre, à la fois dictionnaire et guide ?

Chaque notice est suivie d'un numéro d'identification et d'une lettre, N (nord) ou S (sud). La lettre renvoie à l'une des deux cartes, Paris-Nord et Paris-Sud, sur laquelle figure le monument que décrit la notice. Le numéro d'identification permet de repérer l'emplacement du monument sur la carte concernée.

De la même manière, s'il veut connaître les monuments, architectures ou sites proches de celui dont il lit la notice, le lecteur-promeneur repérera sur la carte les numéros voisins, qui lui indiqueront les sujets intéressants auxquels l'auteur consacre une notice.

Exemple : Porte Saint-Martin, 168 N. La notice 168 est consacrée à la porte Saint-Martin, qui figure sur la carte Paris-Nord. Sont situés à proximité : la porte Saint-Denis (notice 155), les Boulevards (26), le pavillon de Gouthière (77) et l'hôtel de Bourrienne (29).

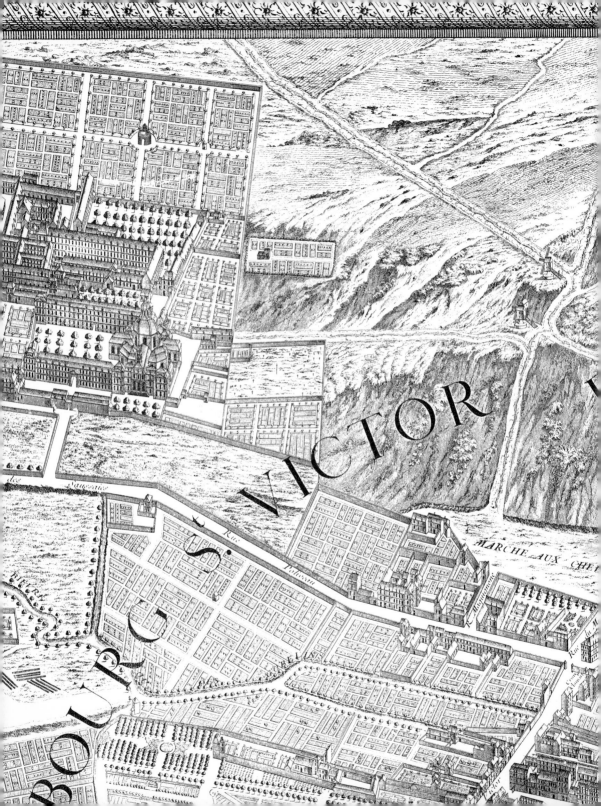

ministère des
Affaires étrangères

37, quai d'Orsay, VIIe. C'est un des rares ministères importants qui ne soient pas installés dans un ancien hôtel aristocratique. Il fut en effet bâti en 1845 par l'architecte Lacornée. L'hôtel du ministre, sur ce quai d'Orsay dont le nom désigne le ministère lui-même dans le langage des chancelleries, est un exemple du style classique d'influence italienne pratiqué au milieu du XIXe siècle. La façade est décorée de quinze médaillons symbolisant des États européens. Les bureaux élevés sur l'esplanade des Invalides et sur la rue de l'Université n'ont cessé de se développer.   1 S

hôtel
d'Albret

31, rue des Francs-Bourgeois, IVe. Un très joli cartouche figure sur la façade avec l'inscription : « ancien hôtel de Jeanne d'Albret ». N'en croyons rien. La mère de Henri IV n'habita jamais cet hôtel dont la façade est du plus pur style Louis XV. Il y eut sans doute confusion avec l'un des propriétaires, César-Phœbus d'Albret, maréchal de France, petit-fils du bâtard d'Albret, dont la femme reçut l'héritage en 1635. Le corps central de cette façade est d'une grâce sans pareille. C'est un sourire qui nous est adressé dans cette rue des Francs-Bourgeois où alternent la splendeur et la laideur. La porte, sommée d'un écu, est encadrée de longues et fines consoles qui portent un balcon dont les courbes et contre-courbes rivalisent avec celles de la ferronnerie. La porte-fenêtre est coiffée d'une archivolte fortement moulurée, reposant sur des consoles. A la clef un motif sculpté, exubérant mais très lisible, se continue sur un petit fronton avec de ravissants feuillages en haut-relief. Ils encadrent un oculus ovale placé dans le fronton et posé sur les pilastres qui encadrent la fenêtre. Des modillons se prolongent sous le larmier au long de la façade. On ignore le nom des auteurs de ce petit chef-d'œuvre. Le bâtiment entre cour et jardin (un jardin que l'on espère restituer) date du milieu du XVIIe siècle, c'est-à-dire de l'origine. Il est très simple, mais, actuellement, fort dégradé. Toutes les boiseries et peintures de l'hôtel d'Albret ont disparu.   2 N

Le balcon de l'hôtel d'Albret : les charmes de la ferronnerie du XVIIIe siècle.

Commencé le 7 octobre 1896, le pont
Alexandre III est l'un des derniers
témoins de la Belle Epoque. L'exubérance décorative s'y allie aux techniques de l'architecture métallique.

Devant l'esplanade des Invalides, VIIe. Avec le Grand et le Petit Palais, c'est la seule œuvre d'urbanisme monumental qui ait survécu à l'Exposition universelle de 1900. Avec sa double file de candélabres porteurs de lanternes ouvragées, ses amours joueurs, ses lions de pierre massifs et doux, ses grands pylônes dominés par les éclats d'or de ses chevaux ailés, le pont Alexandre IIe symbolise l'esprit décoratif de l'époque. Une époque où la prodigalité des charmes étouffait le génie. La statuaire est d'une extrême abondance, mais aussi d'une grande faiblesse. Tout ce luxuriant décor ostentatoire ne doit pas nous faire oublier la rigueur et l'audace de la technique. La grande arche métallique franchit la Seine d'une lancée de 107 m; et sa largeur est de 40 m.

Cette ampleur sans précédent devait mettre en valeur l'esplanade des Invalides. Mais son style fin de siècle le rattache bien davantage aux deux palais des Beaux-Arts qu'à l'austère façade de Libéral Bruant. En somme, c'est un bel objet d'exposition, qui a du panache et remplit son but. N'oublions pas que ce pont Alexandre III fut le symbole de l'alliance franco-russe (1896), lorsque la population était en pleine euphorie et les rues de Paris pavoisées en l'honneur du tsar et de la tsarine de drapeaux jaunes marqués de l'aigle bicéphale. Il continuait l'avenue Nicolas II et porte en son milieu deux gros écussons de cuivre représentant les nymphes de la Seine et celles de la Néva.

pont
Alexandre III

3 N

hôtel des Ambassadeurs de Hollande

Au fronton de la magnifique porte, le chiffre des Amelot de Bisseuil.

47, rue Vieille-du-Temple, IVe. Avant même d'en avoir franchi le seuil nous sommes assurés qu'il s'agit d'un bâtiment exceptionnel. Le portail est le plus majestueux que l'on puisse voir au Marais. Les vantaux compartimentés présentent des masques de Méduse surmontés de médaillons et d'angelots. Le fronton est orné de figures assises de la Guerre et de la Paix. Et le revers non moins riche, sculpté de figures allégoriques, est sommé d'un fronton où figurent en bas-reliefs Romulus et Rémus. L'ensemble, bois ou pierre, est l'œuvre de Regnaudin.

A cet emplacement, un hôtel appartenait à la famille de Rieux depuis le XIVe siècle. Il tombait lentement en décrépitude lorsqu'il fut acheté, en 1638, par Denis Amelot, seigneur de Chaillou, qui entreprit sa réfection complète. L'ouvrage fut confié à l'architecte Pierre Cotard. A partir de 1655, les travaux furent continués avec les mêmes soins par Jean-Baptiste Amelot, vicomte de Bisseuil, qui l'avait reçu en héritage. Il serait sans doute normal de rendre à cet hôtel le nom des Amelot de Bisseuil; mais, pour d'obscures raisons, c'est le titre « Hôtel des Ambassadeurs de Hollande » qui prévaut. Une tradition orale relate qu'un certain diplomate hollandais y aurait habité au XVIIIe siècle, mais aucun texte ne le confirme. Nous n'allons pas établir la longue liste de ses occupants, faisant seulement exception pour Beaumarchais qui y écrivit Le Mariage de Figaro en 1778. Pendant la Révolution, l'hôtel devint maison de danse, après quoi, ce fut le lot commun aux hôtels du Marais : livré au commerce, divisé en magasins et ateliers, des appentis encombrant les cours, l'intérieur badigeonné de peinture, les reliefs dorés grattés pour en récupérer l'or, il était tombé dans un triste état lorsque, en 1924, le colonel Brenot en fit l'acquisition avec l'intention de le restaurer. Des travaux prolongés permirent de le sauver. A partir de 1960, M. Paul-Louis Weiler, le nouveau propriétaire, fit entreprendre les travaux de restauration les plus délicats.

Etat de la seconde cour en 1905.

La première cour est étroite, mais quatre grands cadrans solaires peints sur les façades en grisaille et rehaussés d'or lui apportent de la personnalité. Le rez-de-chaussée toscan et l'étage sont dominés par un fronton soutenu par de curieuses petites cariatides à tête d'angelots que l'on retrouve aux entablements des côtés. Un grand passage voûté orné de bustes en niches conduit à une seconde cour qui ménage un effet de surprise. Le mur du côté droit est un véritable décor scénique. Sur le soubassement du rez-de-chaussée, une fausse baie, encadrée de pilastres corinthiens, est coiffée d'un fronton entièrement orné d'attributs des arts, des sciences et du théâtre, où était peinte une perspective de jardin encadrée de statues. Une balustrade court sur l'ensemble. En face, une remise à carrosses, surmontée d'une terrasse à balustrade en fer forgé, est ornée sur un côté d'un aimable fronton soutenu par deux colonnes ioniques. Une autre perspective peinte le décorait.

L'intérieur de cette précieuse demeure a été traité comme une œuvre d'art avec un constant souci de qualité. Le grand escalier, qui a été déplacé au XVIIIe siècle en récupérant de nombreux éléments décoratifs, mène au salon de Flore et au cabinet des Zéphirs, orné de lambris peints de fleurs et d'oiseaux, avec des portes décorées par Van Boucle. L'ancien plafond de Simon Vouet a été remplacé par une toile peinte par Vien. La salle à l'italienne, autrefois somptueusement décorée, n'a gardé que sa coupole où Louis de Boullongne a représenté le mariage d'Hercule et d'Hébé. Comme les plus grands seigneurs, Amelot de Bisseuil avait fait construire une galerie, la galerie de Psyché, mais à la mesure d'un hôtel de dimensions relativement modestes. Elle n'en avait pas moins l'excellence du décor : les peintures de Michel Corneille au plafond compartimenté ainsi que les figures et bas-reliefs répartis avec prodigalité possèdent un sens souverain de l'harmonie décorative. A l'étage supérieur, beaucoup plus sobre, plusieurs pièces sont décorées de peintures inspirées par la mécanique, la mathématique ou l'astronomie. Elles révèlent un autre aspect de la personnalité d'Amelot de Bisseuil qui n'était pas seulement ami des arts, mais encore amateur de curiosités scientifiques.   4 N

hôtel
Amelot de Gournay

1, rue Saint-Dominique, VIIe. Par miracle, la percée du boulevard Saint-Germain a épargné, au ras du mur, ce remarquable édifice, chef-d'œuvre de composition architecturale. Boffrand l'a construit en 1712. Tout vaut par l'ingéniosité du plan qui distribue sur un terrain relativement exigu des pièces, diverses d'importance et de forme, avec une impeccable élégance. Tout s'ordonne en courbes autour d'une cour ovale dont les sommets touchent la porte d'entrée et le perron, et tout prend sa place légitime. Si les pièces de service et les écuries refusent la symétrie quadrangulaire, si le grand escalier se contourne plus qu'il n'est d'usage, les salons se développent en correcte enfilade sur le jardin. Le salon central y fait saillie. Soulignons que le grand appareil de la pierre est d'une remarquable précision. La magistrale trouvaille de Boffrand c'est d'avoir décoré la petite façade arrondie du corps de logis, — cinq fenêtres et un seul étage —, d'un ordre colossal qui lui confère noble allure.   5 S

Hôtel Amelot de Gournay : la cour d'honneur bâtie par Boffrand.

pont d'Arcole

28 juillet 1830. « Un enfant de quatorze à quinze ans alla planter l'éten-
dard de nos libertés au milieu de ce
pont en s'écriant : Mes amis, si je
meurs, souvenez-vous que je m'appelle d'Arcole. » Le jeune porte-dra-
peau mourut et le pont fut nommé
d'Arcole.

De la place de l'Hôtel-de-Ville à la rue d'Arcole, IVᵉ. Il a remplacé
en 1854 un pont suspendu construit en 1830, particulièrement
inesthétique. Son arche unique, en fonte et tôle de fer, a une portée
de 80 m. Il doit son nom à l'un des insurgés qui, le 28 juillet 1830,
s'y précipitèrent pour envahir l'Hôtel de Ville. C'était un tout
jeune homme. Dans l'ardeur du combat il s'écria : « Si je meurs,
souvenez-vous que je m'appelle d'Arcole. » Une balle le tua.
Sans doute avait-il voulu évoquer à ce moment la victoire de
Bonaparte, car ce n'était pas son nom. La fiction étant plus belle
que la réalité, le pont fut quand même nommé d'Arcole.   6 N

Arènes de Lutèce

Rue des Arènes, Vᵉ. Les vestiges de l'époque gallo-romaine sont
fort rares à Paris. Lutèce n'était qu'une modeste cité à côté de
Lyon, Arles ou Nîmes. Si des villas romaines ont été construites
au sud de la Cité jusque dans la région occupée aujourd'hui par
le Luxembourg, elles n'eurent qu'une existence éphémère : craignant à juste titre d'être envahis par les Barbares, les habitants se
replièrent sur leur île et élevèrent des remparts avec les pierres
qui se trouvaient à leur portée. Les monuments ont servi de carrière selon le sort habituel de ceux qui restent à l'abandon. Il est
difficile de savoir à quels moments s'échelonnèrent les atteintes
portées aux « arènes de Lutèce »; les plus graves datent probablement de la construction de l'enceinte de Philippe-Auguste qui passait à proximité. Et il n'est d'ailleurs pas plus facile de déterminer
sa date de naissance. Les historiens ne s'accordent que sur une
période qui va de la fin du Iᵉʳ siècle à la fin du IIᵉ.

    Ces « arènes » n'étaient plus qu'un vague souvenir lorsque, en

1869, des travaux de voirie en mirent au jour quelques fragments. Grand émoi chez les archéologues. La rue Monge n'en fut pas moins percée, en sacrifiant une partie des gradins. Enfin, en 1883, des fouilles furent entreprises qui permirent de dégager ce qui restait de l'ouvrage romain. Ce reste n'était plus que ruines. Au prix de restaurations téméraires on est arrivé à reconstituer (approximativement) une bonne partie du monument. Il se présente sous la forme d'un *théâtre-amphithéâtre*, c'est-à-dire un hémicycle de gradins se développant autour d'une arène circulaire prolongée par une scène surélevée. Formule qui permettait les jeux du cirque ou le spectacle théâtral. L'ensemble est vaste (132 m dans sa plus grande largeur) : il pouvait contenir au moins dix mille spectateurs. Mais on doit avouer qu'il n'a rien d'imposant. Contrairement à la plupart des ouvrages de l'Empire romain, celui-ci fut construit en vulgaires moellons; il se trouve dominé par les tristes pans de murs qui constituent la face arrière des immeubles de la rue Monge. Enclavé dans des rues étroites, la végétation du square (créé en 1919) permet, en certains points seulement, de les oublier.

   Les arènes de Lutèce sont l'ancêtre des monuments parisiens; mais leur reconstitution, leurs pierres neuves apparaissent avec tant d'évidence qu'elles parviennent difficilement à nous émouvoir.

7 S

Localisées lors du percement de la rue Monge, les arènes de Lutèce durent de n'être pas détruites aux interventions de Victor Hugo et de Duruy.

bibliothèque de l'Arsenal

3, rue de Sully, IVe. Des magasins d'armes appartenant à la ville de Paris étaient disséminés dans l'espace compris aujourd'hui entre le pont de l'Arsenal, la Seine et la rue du Petit-Musc. François Iᵉʳ ajouta une fonderie de canons et installa une poudrière qui sauta en 1538 en ravageant le voisinage. Henri IV fit construire des bâtiments sur une petite partie de l'immense enclos du couvent des Célestins : le Petit Arsenal occupait une bande de terrain à l'est près des fossés de Charles V, tandis que le Grand Arsenal s'étendait au long du petit bras de la Seine qui le séparait alors de l'île Louviers. C'est là que fut bâti l'hôtel de l'Arsenal, profondément modifié à partir de 1599 lorsqu'il fut destiné à Sully, grand maître de l'artillerie. Mais les nombreuses transformations qu'il eut à subir par la suite l'ont rendu méconnaissable. Du côté de la Seine, Boffrand a élevé une nouvelle façade (1715-1718) qui doublait le bâtiment ; puis la façade nord fut complètement remaniée au milieu du XIXᵉ siècle par François Labrouste, frère d'Henri, l'architecte de la Bibliothèque nationale.

On y trouve encore quelques éléments épars datant du temps de Sully, et l'on peut admirer surtout les deux pièces très précieuses aménagées vers 1631 pour la maréchale de la Meilleraye, épouse du grand maître de l'artillerie successeur de Sully. Situées maintenant à l'extrémité des bâtiments du XIXᵉ siècle, elles semblent dépaysées. Mais, malgré quelques peintures altérées par les restaurations, elles restent un très bel exemple de ces cabinets Louis XIII entièrement ornés de panneaux peints et bordés de sculptures dorées. Partout la variété des sujets s'exprime avec la plus charmante fantaisie sans nuire à l'impression d'unité. Dans la chambre de la maréchale, ils s'étagent sur trois registres. En bas, paraissent des oiseaux d'eau parmi des plantes et des roseaux, traités avec

Visite des ambassadeurs orientaux au « Magasin royal des armes » sous Louis XIV.

un réalisme poétique d'une délicieuse saveur. Au-dessus, en largeur, s'alignent des paysages et des batailles d'une autre main et d'une tout autre échelle. A la partie supérieure, à hauteur des yeux, de grands panneaux où un décor très raffiné de grotesques sur fond clair entoure un petit personnage à l'antique qui se fond dans l'ensemble de la composition. Le plafond est peint de scènes vivement colorées dans des caissons séparés par des guirlandes de fleurs. L'une des extrémités de la pièce marque l'alcôve à la mesure du lit, dont le plafond est décoré d'une peinture figurant le Sommeil. Dans le petit cabinet voisin, deux séries de panneaux sont séparées par des pilastres, une grande corniche peinte de motifs floraux est surmontée de toiles peintes représentant les « femmes fortes » : Lucrèce, Judith, Jeanne d'Arc, etc. Ici, plus encore qu'à l'hôtel Lauzun, tout semble mis en œuvre pour faire de chaque pièce un coffret, un écrin où la générosité ornementale ne contrarie ni l'intimité, ni le haut goût. Les appartements du XVIIIᵉ siècle sont en partie conservés. On y voit notamment un salon de musique dont les boiseries et une partie du mobilier sont parvenus intacts jusqu'à nous.

La chambre de la maréchale de la Meilleraye fut décorée à l'antique de panneaux peints aux motifs raffinés.

La bibliothèque de l'Arsenal a puisé son fonds d'origine dans les abondantes et précieuses collections du marquis de Paulmy, bailli de l'artillerie, qui passa la fin de son existence à rassembler de beaux livres, et, chose rare à l'époque, des manuscrits du Moyen Age. Sa bibliothèque n'avait d'égale que celle du roi. Elle fut encore enrichie par le comte d'Artois, et par des saisies de la Révolution avant de revenir à l'Etat en 1830. C'est ainsi qu'avec les dons et acquisitions postérieurs, la bibliothèque de l'Arsenal est riche d'un million et demi de volumes, de 15 000 manuscrits et de 120 000 estampes, dont celles de la collection Rondel, ensemble sans égal de documents sur l'histoire du théâtre.   8 N

musées d'Art moderne

11, avenue du Président-Wilson, XVIᵉ. Ces musées, établis dans les deux corps d'un même bâtiment, ont été construits à l'occasion de l'Exposition internationale de 1937. Ils occupent un terrain d'environ 2 ha, entre l'avenue du Président-Wilson et le quai de Tokyo, où ils ont remplacé les locaux de la Manutention, lesquels se trouvaient à l'emplacement de la manufacture de la Savonnerie fondée par Louis XIV. Les jeunes architectes Dondel, Aubert, Viard et Dastugue ont adopté l'heureux parti de ménager une ouverture entre les deux musées — celui de l'Etat et celui de la Ville — ouverture marquée par un portique à double colonnade qui a permis de les scinder en les reliant par un symbolique trait d'union, et de laisser une échappée sur la Seine grâce à la déclivité du terrain.

La dénivellation et l'irrégularité du sol posèrent de délicats problèmes. Extérieurement, entre les deux ailes, un patio en terrasse et de larges degrés ont permis l'aménagement d'une perspective intéressante. Mais, à l'intérieur, la multiplication des escaliers, des passages et des salles de formes les plus diverses engendraient des cimaises et des sources d'éclairage déplorables pour les tableaux, des enchevêtrements où les visiteurs ne cessaient de s'égarer.

Le style général est un compromis qui se rattache plus aux Arts décoratifs de 1925 qu'aux premiers essors de l'architecture moderne. Les amples bas-reliefs de Janniot qui décorent les surfaces pleines tournées vers le quai et les statues alignées aux côtés du miroir d'eau, ont vite contribué à donner à l'ensemble un caractère désuet. Commandés pour une exposition, ces bâtiments possédaient l'agréable caractère superficiel recherché pour les palais d'exposition de cette époque — et aussi, hélas! leur fragilité. Ils ont fort mal vieilli, au physique et au moral. Les conservateurs et le public ont pu s'apercevoir qu'ils répondaient de moins en moins aux nécessités de la muséologie moderne. En 1972, l'aile de la Ville de Paris a bénéficié d'un remaniement intérieur complet : cloisons et plafonds mobiles permettent l'adaptation à tous les genres de manifestations de l'art contemporain.   9 N

Créés en 1937, les Musées d'Art moderne, au même titre que le Palais de Chaillot et l'ex-Musée des Travaux publics, illustrent une architecture d'avant-guerre aux audaces éphémères.

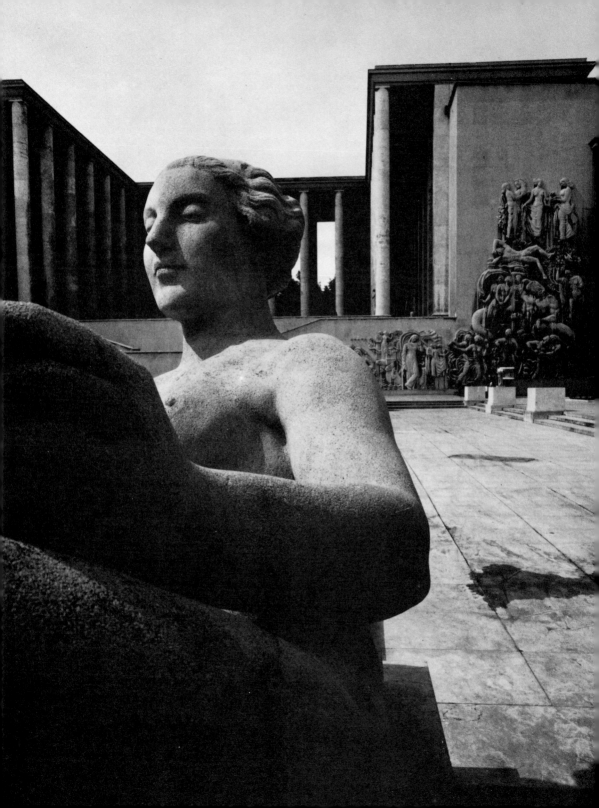

pont des Arts

De l'Institut au Louvre, Ier. Etait-il nom mieux choisi pour un ouvrage qui reliait le Louvre au palais Mazarin ? Selon la volonté de Napoléon, il fut construit dès 1804. Grande nouveauté : c'était un pont métallique. Il n'y avait de précédents qu'en Angleterre, mais qui manquaient totalement d'élégance. C'est le premier exemple parisien d'architecture en fer apparent, l'avant-garde de ces monuments d'ingénieurs qui s'imposèrent avec tant de succès à la fin du siècle. Réservé aux piétons, il était composé de neuf arches en fonte de 17 m supportant un tablier en charpente de fer (qui a fait place, en 1933, pour des raisons de sécurité, à un tablier de béton armé). Les piles et les culées sont en maçonnerie. Lors de l'élargissement du quai Conti, la dernière arche a été remplacée par une autre, en fer, de 23 m, ce qui a défiguré le majestueux soubassement plongeant dans le fleuve que Le Vau avait conçu comme un socle devant le Collège des Quatre-Nations. Le pont des Arts n'en suscita pas moins l'admiration générale. Orné de bancs et de caisses d'orangers, il était très fréquenté. C'est un passage, sans doute, mais aussi un promenoir et un belvédère d'où l'on a vue sur la Cité et sur les palais des deux rives. Il appartient aux flâneurs, aux peintres, aux poètes. Heurté en 1969 par un gros chaland en difficulté, il fut, en 1972, condamné à mort. Un ouvrage moderne doit lui succéder.

Depuis toujours, l'orgue de Barbarie est un familier du pont des Arts.

292, rue Saint-Martin, IIIᵉ. Que de disgrâces ont accablé cette abbaye située au plus épais de la circulation parisienne et dont le nom nous rappelle qu'elle fut élevée au milieu des champs! Avant de parler des maux qu'elle eut à subir de la part de ses démolisseurs, reconstructeurs et réparateurs, avant de pénétrer dans les deux seules parties où subsiste encore une architecture d'un intérêt inestimable, malgré les incongruités dont elles sont affligées, rappelons qu'en application d'un décret de la Convention l'abbaye Saint-Martin-des-Champs est affectée au Conservatoire des Arts et Métiers. Visiter ce monument vénérable, — du moins ce qu'il en reste —, risque d'infliger de gros déboires.

Le Conservatoire des Arts et Métiers est établi sur l'emplacement de l'ancien monastère dont l'église fut consacrée en 1067 en présence du roi Philippe Iᵉʳ. C'était un « prieuré royal » dépendant de l'abbaye de Cluny dont elle fut la troisième « fille ». Il ne tarda point à devenir riche et puissant : sa juridiction s'étendait sur une partie du Parisis. Au XIIᵉ siècle, un chœur important fut édifié devant l'église primitive, et le monastère fut entouré d'une enceinte fortifiée comprenant quatre grosses tours d'angle et dix-huit tourelles. Au milieu du XIIIᵉ siècle cette enceinte fut reconstruite, en même temps qu'étaient édifiés la nef de l'église prieurale et de nouveaux bâtiments monastiques. Ceux-ci seront démolis dès les premières années du XVIIIᵉ siècle, à l'exception du réfectoire; puis ils seront reconstruits — probablement par Delatour et Soufflot le Romain qui doteront l'église médiévale d'un portail « jésuite ». En 1790 l'abbaye fut occupée par une manufacture d'armes; huit ans plus tard, elle sera attribuée au Conservatoire des Arts et Métiers qui venait d'être créé. Celui-ci, institution éducative remarquable et nécessaire, n'a cessé de se développer en englobant les vestiges de l'ancienne abbaye. Il n'en reste plus que deux mais d'une telle importance dans l'histoire des arts que nous devons les situer en premier lieu.

L'église Saint-Martin-des-Champs, qui remplaçait l'église romane, est peu homogène, ayant été construite ou modifiée à différentes époques. Vers 1230, — c'est-à-dire, soulignons-le, une dizaine d'années avant la construction du chœur de la basilique de Saint-Denis — les moines décidèrent d'élever un nouveau chœur et une nouvelle abside. Le plan et les partis de construction étaient tout à fait nouveaux. Autour du sanctuaire fut édifié un double déambulatoire flanqué de six petites chapelles arrondies et d'une grande chapelle axiale sur plan tréflé, couverte d'une voûte d'ogives dont chacune des huit branches retombe sur une colonnette. Les arcades du chœur, toutes différentes de proportions, sont en ogive, sauf celle du centre, qui est en plein cintre et laisse la vue sur la grande chapelle. Celle-ci est voûtée en étoile irrégulière à six compartiments dont les branches s'unissent au sommet à une clef creuse et retombent sur des chapiteaux à gros tailloirs. C'est là le principe essentiel de l'architecture gothique tel qu'il venait de prendre forme au déambulatoire de Morienval (Ile-de-France) et

L'abbaye Saint-Martin-des-Champs fut fondée par Philippe Iᵉʳ en 1067.

L'abbaye Saint-Martin-des-Champs vue du clocher de Saint-Nicolas au XVIIᵉ siècle.

tel qu'il apparaîtra, calculé par Suger de façon beaucoup plus savante et précise, à Saint-Denis. Nous assistons ici à des recherches, à des tâtonnements souvent maladroits. Les retombées de voûte sont approximatives et corrigées de façon empirique ; les moulures sont lourdes ; les chapelles comptent un nombre de travées inégales ; de même varie le nombre des colonnettes qui cantonnent les piles de l'abside. En général, les différentes parties se raccordent mal, et le chœur est surhaussé de près d'un mètre au-dessus du déambulatoire. On remarquera les chapiteaux qui sont encore d'inspiration romane, sculptés de rinceaux, d'entrelacs, de feuilles de vigne et d'animaux. Pour renforcer les contreforts extérieurs et supporter la poussée des voûtes d'ogives, dont on ignore encore la pression, de petits « murs-boutants » ont été placés à l'intérieur au-dessus des arcs doubleaux. Ce dispositif de précaution fut employé ensuite dans quelques autres édifices avant l'apparition de l'arc-boutant. Le clocher, à l'emplacement du bras sud du transept de l'église primitive, date du XIIᵉ siècle ; il a été décapité d'un étage sous le premier Empire et servit de château d'eau pour les pompiers. La nef, édifiée au milieu du XIIIᵉ siècle, est couverte d'un berceau de bois moderne (elle n'avait jamais été voûtée) ; comme elle est dépourvue de bas-côtés elle se raccroche tant bien que mal au chœur et à son double déambulatoire.

Pendant la Révolution, Saint-Martin-des-Champs abrita une fonderie de canons qui l'endommagea gravement. La restauration de Vaudoyer au XIXᵉ siècle l'a dépouillée de toute espèce de sensibi-

lité. Cet architecte voulut faire preuve d'esprit créateur en remplaçant la facade « jésuite » par une autre, encadrée de tourelles, en gothique-troubadour. Bien entendu rien n'est resté du mobilier, statues ou tableaux qui décoraient l'église. Nous trouvons à la place un incroyable encombrement de machines historiques, d'automobiles et d'aéroplanes — dont celui de Blériot. Ce sont les grosses pièces du musée des Arts et Métiers qui ont été rangées dans cette église respectable et captent évidemment toute l'attention des visiteurs. On ne saurait nier l'intérêt de ce musée très apprécié, dont les premiers éléments remontent au legs des collections de Vaucanson sous le règne de Louis XVI. (Un décret ambitieux de la Convention (1794) avait spécifié que « les originaux des instruments et machines inventés ou perfectionnés doivent être déposés au Conservatoire ».) Il n'en est pas moins vrai que leur présence est ici scandaleuse et qu'un local mieux adapté à sa fonction doit leur être trouvé.

En même temps que l'église, fut édifié le réfectoire des moines qui se trouve, aujourd'hui, à droite de la cour d'honneur, contre le bâtiment des amphithéâtres. C'est l'une des œuvres les plus parfaites du temps de Saint Louis. Il est conçu selon les mêmes principes que ceux de Royaumont et de Saint-Germain-des-Prés (disparu). Il a été attribué sans preuves à Pierre de Montreuil. Quoi qu'il en soit, cet édifice est d'une hardiesse étonnante et de la plus délicate légèreté (longueur : 42,80 m, largeur 11,70 m). Il est divisé en deux vaisseaux dont les voûtes reposent sur une file de sept colonnes monolithes baguées d'une finesse incomparable, (les chapiteaux et les clefs ont été restaurés ou refaits). Chaque travée est percée de baies géminées surmontées d'une rose. La chaire du lecteur est un bijou. Elle fait saillie à l'extérieur et son escalier à arcades est pris dans l'épaisseur du mur. C'est une tribune voûtée d'ogives, entourée d'un garde-corps ajouré, qui repose sur un puissant cul-de-lampe généreusement ciselé de ceps de vigne et de feuillages. Une petite porte faisait communiquer ce réfectoire avec le cloître (démoli). Sa face extérieure est décorée avec raffinement. Lors des restaurations de Vaudoyer le réfectoire devenu bibliothèque avait été entièrement peint de figures symboliques sur les murs et d'étoiles sur les voûtes. Tout a été décapé en 1965 : la belle pierre est apparente. Le mobilier a été simplifié. Malgré tout, la présence de cette bibliothèque est gênante. C'est évidemment moins grave que les avions dans l'église, il n'empêche que les lignes de l'architecture sont perturbées, ce qui est regrettable dans un monument d'une si rare qualité.

A la suite du décret de la Convention instituant le Conservatoire des Arts et Métiers, le Conseil des Cinq-Cents lui avait affecté, en 1798, les bâtiments de l'abbaye Saint-Martin-des-Champs. En fait, une bonne partie était occupée par la mairie du Ve arrondissement qu'il ne pourra récupérer que sous Louis-Philippe. A l'intérieur de l'enceinte, ses jardins s'étendaient à l'est presque jusqu'à l'actuelle place de la République. Ce terrain fut coupé, sous l'Empire, par la rue Vaucanson. Un marché était établi sur l'autre partie que devait occuper l'Ecole centrale après qu'Haussmann eut remodelé le quartier en perçant les rues Réaumur, Turbigo, Conté, Montgolfier et Volta. C'est alors que le Conservatoire s'agrandit et prit l'ampleur que nous lui connaissons. Il ne disposait guère, à son origine, que des salles édifiées au cours du XVIIIe siècle par Pierre Bullet, puis, probablement, par Soufflot le Romain. Il en reste quelques morceaux, notamment le grand escalier intérieur, au centre, avec son vestibule, dit « salle de l'Echo ».

Sous le second Empire, Léon Vaudoyer entreprit des travaux d'aménagement considérables, qui, après lui, devaient se prolonger jusqu'en 1890. A l'opposé de l'ancienne entrée, il édifia l'entrée monumentale et les longs bâtiments sur la rue Saint-Martin, disposa, autour d'une vaste cour d'honneur, amphithéâtres et laboratoires et, au fond, les galeries d'un musée qui, aujourd'hui, aurait évidemment besoin pour s'étendre de locaux plus spacieux. De cette époque datent les restaurations du réfectoire et de l'église. Dans la cour, visible depuis la rue à travers des grilles, fut dressé le monument de Boussingault par Dalou. La suppression des maisons de la rue Réaumur, en 1911, permit de retrouver les soubassements d'une absidiole de l'église primitive. En 1932, on construisit trois amphithéâtres souterrains sous la cour d'honneur; une aile importante a été édifiée en 1955 sur la rue du Vert-Bois. L'affectation de l'École centrale au Conservatoire (1971) doit entraîner des agrandissements et des modifications de grande ampleur.   11 N

Route de Madrid, XVIe. Dès les années 1930 l'idée avait pris naissance de rassembler des collections de documents concernant les civilisations populaires. Sous l'impulsion de Georges-Henri Rivière, le conservateur en chef du musée, des enquêtes sont menées dans les provinces et des pièces — qui vont de l'estampe populaire aux instruments agricoles et au mobilier — s'accumulent dans les caves du palais de Chaillot. En 1955, la Ville de Paris concède un terrain du Jardin d'Acclimatation pour y élever un musée dont la construction est confiée à l'architecte Jean Dubuisson. Un volume horizontal est attribué aux galeries de présentation et aux réserves (en sous-sol). Un haut volume vertical renferme les laboratoires, ateliers, archives, bibliothèque, photothèque, phonothèque, salles de consultations, salles de conférences et bureaux d'administration. C'est un musée modèle parfaitement adapté à ses multiples fonctions : il est à la fois un organisme d'études et un lieu de présentation au public de pièces sélectionnées. Son aménagement fonctionnel délimite des espaces savamment éclairés et particulièrement harmonieux. Les surfaces satinées de l'acier contrastent avec le bois verni et de grandes glaces permettent d'unir les salles d'accueil à la végétation extérieure. La grande « galerie d'étude » a été ouverte au public en 1972. 12 N

musée des
Arts et Traditions
populaires

Par son architecture et ses fonctions, le nouveau Musée des A.T.P. est un remarquable exemple de muséographie moderne.

Dessin du couvent de l'Assomption
en 1821.

église de l'Assomption

263 *bis*, rue Saint-Honoré, Ier. Il n'est pas d'église à Paris d'une structure aussi disgracieuse. Son dôme énorme et d'un profil mal tourné écrase un bâtiment quadrangulaire peu saillant flanqué d'un portique corinthien des plus mesquins. Pour ajouter à sa malchance, l'église a été étroitement enserrée par les immeubles qui ont remplacé des bâtiments conventuels. Ce sont en effet des religieuses augustines, nouvellement installées rue Saint-Honoré, qui avaient demandé au peintre Errard, fondateur de l'académie de France à Rome, de leur envoyer des dessins d'églises romaines (1669). L'entrepreneur s'est sans doute référé à des exemples concernant des monuments différents, sans avoir su les mettre à l'échelle. Au sommet de la coupole à caissons, en faux marbre, figure une peinture de Charles de La Fosse représentant l'Assomption de la Vierge (fortement restaurée). L'*Adoration des mages*, un bon tableau de Van Loo, a été placé dans la nef. Depuis 1850, l'église est spécialement affectée aux Polonais de Paris.   13 N

7, rue de Jouy, IVᵉ. Quand Michel Scarron, oncle du poète, eut acheté quelques pâtés de maisons vétustes sur la rue de Jouy et la rue de la Mortellerie (rue de l'Hôtel-de-Ville), il les fit abattre pour construire un hôtel auquel travaillèrent successivement Le Vau et François Mansart. Son gendre, Antoine d'Aumont, marquis de Villequier, s'en rendit acquéreur (1655). Ce n'était pas un homme ordinaire. De très ancienne famille, il s'était illustré sur les champs de bataille et avait été nommé maréchal de France avant de devenir, en quelques années, gouverneur de Paris, duc et pair. Aimant le faste, les œuvres d'art, les beaux objets, il fit agrandir les bâtiments et dessiner un jardin élégamment ponctué de statues. Les pièces furent lambrissées, les plafonds peints par Simon Vouet et par Le Brun. Son fils aîné hérita de l'hôtel qui fut transmis à ses petit-fils et arrière-petit-fils. Ce fut une dynastie d'hommes robustes, intelligents et décidés qui tenaient de leur ancêtre ses vertus militaires, l'autorité dans les charges qu'ils occupaient, tout en menant une vie privée fort tapageuse. Et tous moururent d'apoplexie, du moins au dire de leurs médecins. Saint-Simon, parlant de Louis d'Aumont, ambassadeur en Angleterre, troisième duc propriétaire, nous dit qu'il « était d'une force prodigieuse, débauché à l'avenant, d'un goût excellent mais extrêmement cher en toutes sortes de choses, meubles, ornements, bijoux, équipages ». Au milieu du XVIIIᵉ siècle, le cinquième duc d'Aumont souhaitant, comme tant d'autres personnages de son espèce, habiter un nouveau quartier plus distingué, abandonna la maison de famille et s'installa dans un des hôtels de la place de la Concorde que venait

hôtel d'Aumont

La façade sur le jardin, aujourd'hui dégagée, est de Mansart.

Veuë de l'Hôtel de Mʳ le Mareschal Daumont, du costé du Jardin a Paris
Siluestre fecit   *Israel ex. cum priuil. Regis*

de construire Gabriel. L'hôtel d'Aumont passa en différentes mains plus ou moins roturières, mais sans en souffrir. Quand survint la Révolution il appartenait à Antoine Tenay qui fut décapité. En 1802, il devint mairie de l'ancien IXᵉ arrondissement, puis pensionnat et enfin, en 1859, pharmacie centrale de France. On allait de déchéance en déchéance. Chaque nouvelle affectation était prétexte à nouvelles transformations. La pharmacie centrale, qui occupa les lieux jusqu'en 1938, avait peu à peu saccagé les boiseries, multiplié les verrues. Hangars, galeries, verrières s'adossaient aux façades. L'escalier d'honneur de François Mansart avait été démoli.

L'hôtel d'Aumont, acheté par la Ville, a été dégagé lors de la démolition de l'îlot 16 — il devint visible de la Seine — et sa restauration fut enfin décidée. Les travaux commencèrent lentement. Leur arrêt pendant la guerre, et trop longtemps après, ne laissa pas de porter de graves préjudices au bâtiment. Une voûte de béton le maintenait. L'abri-parapluie, qui le protégeait sommairement, resta là pendant douze ans. Les détériorations étaient profondes, et les crédits de restauration manquaient toujours. (On découvrit de façon presque fortuite un magnifique plafond d'origine à poutres et solives peintes, dissimulé sous un faux plafond.) La décision d'y installer le Tribunal administratif de la Seine a permis de hâter les choses, mais au prix de transformations intérieures que l'on peut regretter. (Il reste encore un beau plafond de Le Brun.)

La porte monumentale — sur la rue de Jouy —, encadrée de pavillons, ouvre sur une cour d'entrée, dont les plans sont de Le Vau, toute de distinction et de sobriété. Ses façades n'ont qu'un étage. Des perrons de quelques marches arrondies conduisent aux ailes latérales, plus hautes que le corps central. Celui-ci est percé de fenêtres séparées par des guirlandes. Au centre, la fenêtre à corniche est décorée d'un masque de femme et de draperies. Une lucarne rectangulaire à fronton est encadrée d'œils-de-bœuf. La façade sud, vers la Seine, un peu agrandie sur la droite, a retrouvé sa solennité.

14 N

On a découvert un splendide plafond à poutres et solives peintes.

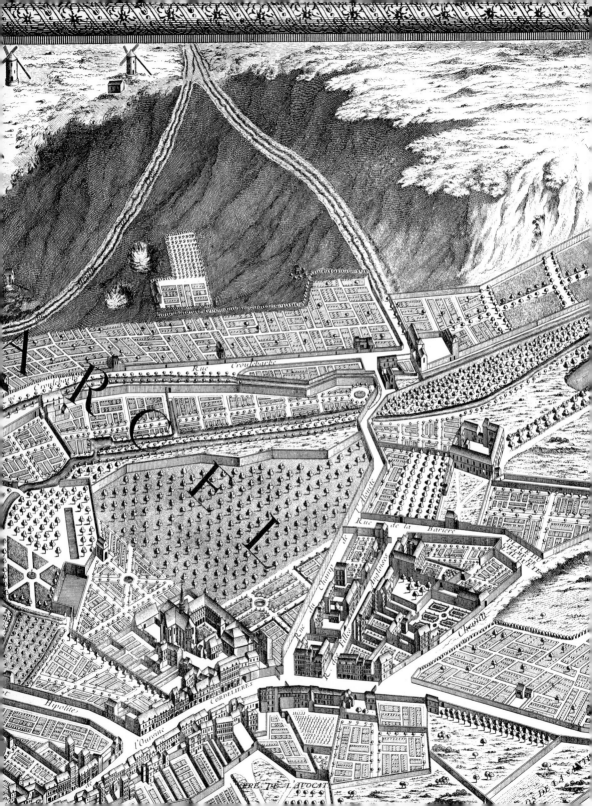

RIVIERE DE BIEVRE

PATIN

PETIT

GENTILLI

Gentilli

de Gentilli

Hopital
de la Sante

Chemin

Chemin de l'Orie

Bagatelle

Route de Sèvres à Neuilly. Bien qu'administrativement rattaché au bois de Boulogne (depuis 1905), le domaine de Bagatelle en est isolé par de hauts murs et ne lui ressemble en rien. Une contribution modeste étant demandée à l'entrée, justifiée par un gardiennage particulier, il est surtout fréquenté par des amis du calme et de la solitude, par des amateurs de paysages bien composés. Mais la saison des tulipes, des jacinthes, des crocus et des narcisses, celle des rhododendrons et des nénuphars, et celle de l'épanouissement de l'immense roseraie voient accourir des foules.

Il y avait là, sous la Régence, un aimable pavillon qu'avait fait construire le complaisant maréchal duc d'Estrée pour y organiser des réceptions fort galantes dont le principal but était de s'attirer les faveurs du Régent. Cette maison aimable et discrète fut nommée *Bagatelle*. Elle fut achetée, en 1775, par le comte d'Artois, frère de Louis XVI. Sa belle-sœur Marie-Antoinette s'étant un peu moquée de cette acquisition, il s'engagea à la recevoir, sept semaines plus tard, dans un pavillon tout neuf, entièrement décoré et meublé. Le pari parut absurde, mais il le gagna. Plus de neuf cents ouvriers y avaient travaillé jour et nuit. Il est vrai que des travaux complémentaires, et surtout l'aménagement des jardins, ne devaient être terminés que dix ans plus tard. Jardins de délices où chaque détour menait à la découverte de petits paysages artificiels à la mode du jour, montagnettes de rochers transportés de Fontainebleau, grottes à cascatelles, fausses ruines enrobées de lierre, faux tombeaux environnés de cyprès.

Des sphinges gardent l'entrée de la façade Nord.

Le nouveau pavillon de Bagatelle était l'œuvre de Belanger. Bijou d'un goût exquis : rez-de-chaussée surélevé, attique surmonté d'un comble en coupole : au nord, des sphinges gardaient l'entrée. Ce fut, cette fois, le cadre de fêtes de haute tenue. Il passa la Révolution sans grand dommage alors que ses voisins, les châteaux de Madrid et de la Muette, furent détruits. La commune de Neuilly avait réussi à le préserver en en faisant un lieu de réjouissances populaires. Quand le comte d'Artois revint d'émigration il retrouva sa propriété pillée mais à peu près intacte. Après avoir appartenu à la Couronne, le domaine fut acheté en 1835 par Lord Seymour. Cet homme richissime agrandit le domaine en y apportant des transformations regrettables. Il modifia le pavillon de Belanger pour le rendre plus habitable. L'attique fut surélevé et couronné de balustres. On rectifia le contour des allées jugées trop fantaisistes et l'on démolit la plupart des charmantes et naïves « fabriques » imaginées dans le goût préromantique. En 1870, la propriété passa entre les mains de Richard Wallace, grand amateur d'art et philanthrope aussi discret qu'efficace, dont le nom est resté attaché aux petites fontaines publiques qu'il fit placer dans Paris. Grâce à lui Bagatelle fut très soigneusement entretenu, même après sa mort. Acquis pour six millions et demi par la Ville de Paris en 1905, il a bénéficié d'heureux aménagements, notamment de la célèbre roseraie établie sur le terrain où Lord Seymour avait fait exécuter une piste d'équitation pour le prince impérial. Malheureusement furent alors vendues les sculptures qui étaient l'ornement des jardins.   15 N

VUE DU PAVILLON DE BAGATELLE.

47, rue Raynouard, XVIᵉ. Un modeste pavillon en contrebas de
la rue; un jardin dont les allées contournent des massifs de lilas.
Cette maison prend aujourd'hui une valeur et un charme particuliers, non seulement en raison des souvenirs qui s'y rattachent
mais parce que, enserrée de hauts bâtiments, elle nous fait songer
au Passy à demi campagnard du siècle dernier. Balzac y habita
entre 1841 et 1847. Il avait vendu les Jardies et, poursuivi par ses
créanciers, l'avait loué au nom de Mme de Brugnol qui était, à la
particule près, celui de sa gouvernante. Il la quitta pour se marier
avec Mme Hanska et s'installer dans la demeure beaucoup plus
luxueuse qu'il avait aménagée pour elle à la Folie-Beaujon. L'écrivain se livrait alors à un travail forcené. La lampe de son cabinet brillait toute la nuit. Ce petit bâtiment a été acheté par la
Ville de Paris qui l'a transformé en musée. Au vrai, les manuscrits
et les gravures qui y sont rassemblés n'évoquent que bien impar-
faitement l'auteur de la *Comédie humaine*.

    La maison de Balzac possédait une autre issue sur la rue Berton,
chose appréciable pour un homme qui avait à redouter les visites
inopportunes, une rue qui a plutôt l'apparence d'une ruelle
(1,50 m de large). Longée par de vieux murs, elle se trouve maintenant, dans ces beaux quartiers, seule de son espèce.   16 N

maison de
Balzac

Par une porte dérobée donnant sur
la pittoresque rue Berton, Balzac
échappait à ses créanciers.

La Galerie dorée.

Banque de France

1, rue La Vrillière, Ier. Le marquis de La Vrillière, secrétaire d'Etat, fit construire par François Mansart l'un des plus somptueux hôtels de Paris (1635-1645), qui resta longtemps la haute référence de l'architecture privée. Il fut acheté en 1713 par le comte de Toulouse, fils légitimé de Louis XIV, et transformé par Robert de Cotte. Derrière la grande porte au fronton décoré de figures assises, la cour d'honneur était de dimensions exceptionnelles. Le corps central, décoré de pilastres, se présentait entre les ailes en retour qui se prolongeaient en péristyles jusqu'à la rue. Sur le jardin, quatre grandes pièces d'apparat en enfilade avaient requis le travail des meilleurs décorateurs de l'époque. L'hôtel, véritable palais, avait alors pris le nom d'hôtel de Toulouse, et les armes de France figuraient au fronton. Il était occupé par le duc de Penthièvre quand survint la Révolution. Ce fut le début de ses malheurs. L'Imprimerie nationale s'y installa en 1793 et ne céda la place qu'en 1808, lorsque l'hôtel fut acheté par la Banque de France, fondée huit ans auparavant.

Alors commença une reconstruction presque totale, suivie d'agrandissements considérables qui n'ont guère cessé de se poursuivre jusqu'à nos jours. De l'hôtel de La Vrillière ne reste que la magnifique Galerie dorée qui se prolonge en saillie sur la rue Radziwill. Sous une voûte d'abord traitée en grisailles, elle atteint 50 m de longueur. L'art de Robert de Cotte et de son collaborateur Vassé s'exprime avec la plus grande aisance. Les panneaux

peints dans des encadrements (c'étaient alors des innovations décoratives) alternent avec les glaces qui reflétaient le jardin. (Des restaurations abusives sont intervenues sous le Second Empire. Toutes les peintures, dont les originaux ont été dispersés pendant la Révolution, sont des copies. Pourtant la célèbre *Fête à Saint-Cloud* de Fragonard, dont la Banque reste propriétaire, avait été commandée par le duc de Penthièvre.) En 1853, une façade monumentale fut élevée sur la rue des Petits-Champs jusqu'à la hauteur de la rue Coquillière. La façade de l'hôtel de La Vrillière fut entièrement refaite de 1870 à 1875. Les travaux reprirent après la guerre de 1914-1918, puis de 1932 à 1952, sous la direction des architectes Faure-Dujarric et Paul Tournon, pour englober l'important îlot compris entre la rue La Vrillière, la rue Croix-des-Petits-Champs, la rue de Valois et la nouvelle rue du Colonel-Driant. L'architecture est d'un style néo-académique; à l'intérieur, les salles principales ne manquent pas de la solennité requise pour un tel établissement. La construction la plus singulière — la moins connue aussi, car on n'entre pas là comme dans un moulin — est la salle souterraine entreprise par l'architecte Defrasse en 1925 pour mettre à l'abri le trésor de la France. C'est une énorme cuve étanche en béton, enfoncée à 27 m de profondeur, qui mesure environ 10 000 m²; soutenue par sept cent quatorze piliers de 75 cm de diamètre, elle n'a qu'une seule entrée défendue par un massif de béton et d'acier qui peut pivoter sur lui-même.

La Fête à Saint-Cloud, un tableau de Fragonard dont est propriétaire la Banque de France.

hôtel de Beauharnais

78, rue de Lille, VIIe. Dans les premières années du XVIIIe siècle, Boffrand avait construit plusieurs demeures sur la rue de Lille dont les jardins s'avançaient jusqu'aux rives de la Seine. Il sut mettre à profit ces terrains — dont nos promoteurs actuels vanteraient à juste titre la « situation exceptionnelle » — et il édifia pour lui-même une maison qu'il vendit trois ans plus tard au marquis de Seignelay (80 rue de Lille). La maison voisine, plus importante, fut construite en 1713 pour le marquis de Torcy. Boffrand voulait que la noblesse d'un monument ne lui fût acquise que par les seules proportions de son architecture; il répudiait l'ornement. L'hôtel de Beauharnais était donc dépourvu de décor sur ses façades. Cet architecte puriste n'eût sans doute pas compris que la curiosité serait un jour aiguisée par la présence d'une décoration insolite : un lourd péristyle à l'égyptienne encadre un volumineux perron. Cet appendice, assez semblable à une entrée de temple soutenue par deux colonnes lotiformes, fut commandé en 1804 par le prince (très récent) Eugène de Beauharnais, qui pensait sans doute flatter l'empereur par ce majestueux « retour d'Egypte ». Toute la décoration intérieure fut alors remise à neuf dans le style Empire. Quand Napoléon prit connaissance de la dépense, il fit une colère, semonça Beauharnais, appela le décorateur, un nommé Bataille, et obtint qu'il réduisît le montant des factures de près de moitié. Beauharnais, nommé vice-roi d'Italie, n'aura guère occupé plus d'un an son hôtel rénové. Quand il venait à Paris, c'était pour constater qu'on en avait disposé en son absence. C'est sa sœur Hortense qui, plus tard, s'y installa. Pendant l'occupation

Le péristyle à l'égyptienne ne date que de 1804, hommage d'Eugène de Beauharnais au Premier Consul.

des Alliés, le roi de Prusse Frédéric-Guillaume en fit sa résidence. Evénement qui devait marquer jusqu'à nos jours la destination de l'hôtel. Il devint en effet le siège de la légation de Prusse en 1818, puis de l'ambassade d'Allemagne en 1871. Il fut agrandi en 1938 de l'hôtel Seignelay. Après la guerre, des services français s'y installèrent, puis il fut restitué à l'Allemagne en 1961.

Les aménagements intérieurs commandés par Eugène de Beauharnais composent l'ensemble Empire le plus complet et le plus réussi que l'on puisse voir. Ce que l'on reproche à ce style, sa froideur, sa solennité davidienne, se trouve ici, dans cette maison privée, compensé par les plus précieux raffinements. Tout est resté presque intact. Le grand salon des Quatre-Saisons, à l'étage, dans des tonalités mauves, décoré de pilastres, de frises d'aigles, de palmettes, de rinceaux et de victoires ailées, où luisent des bronzes ciselés de Thomyre, a reçu de grandes peintures qui ont été attribuées à Prud'hon. La chambre de la reine Hortense possède d'étonnantes portes de marqueterie ornées de bronze, et un somptueux lit encadré de colonnes d'acajou. Un boudoir turc, un salon de musique sont pleins de recherches éclectiques, originales sans tomber dans le mauvais goût, tandis que le style pompéien accorde à une salle de bains toutes les finesses de son répertoire.   18 S

Le grand salon des Quatre-Saisons reçut une décoration de style pompéien.

hôtel de Beauvais

68, rue François-Miron, IVᵉ. L'architecture, comme beaucoup d'autres choses, est souvent servie par la contrainte. Le terrain mis à la disposition d'Antoine Le Pautre pour y édifier un hôtel de grand prestige était exigu, biscornu, ce qui s'appelle impossible. Pour l'utiliser au mieux, l'architecte imagina un plan des plus singuliers. Et il réussit à édifier une demeure à laquelle son caractère insolite donne une saveur délicieuse. Il est vrai que sa cliente n'était pas une femme ordinaire. Madame de Beauvais, née Catherine Bellier, surnommée Cateau la Borgnesse, était première femme de chambre d'Anne d'Autriche et fort bien en cour. Elle entrait dans les confidences de sa maîtresse et savait en tirer profit. Douée pour l'intrigue, disgraciée de visage mais fort libre de mœurs, elle servait d'agent secret à Mazarin. Ses amants ne se comptaient pas et son mari se montrait d'autant plus complaisant qu'elle avait su le pousser à la charge de contrôleur général des Finances. Elle eut enfin le privilège de « déniaiser » Louis XIV lorsqu'il eut quinze ans.

Rien n'était trop beau pour satisfaire l'ambition de cette femme insatiable. Elle se rendit propriétaire, par échange, de vieilles maisons qu'elle fit démolir pour les remplacer par l'hôtel que nous voyons aujourd'hui. La place étant trop mesurée pour établir la classique cour d'honneur, la façade donne directement sur la rue. Dans un léger avant-corps à refends la grande porte à voussure sculptée soutenait un balcon cintré devant une porte-fenêtre surmontée des armes de la reine et de grandes figures ailées. Les arcades du rez-de-chaussée étaient aménagées en boutiques. Au premier étage deux groupes de trois hautes fenêtres encadraient la baie centrale, tandis que de petites fenêtres carrées éclairaient un attique. Cette façade a été défigurée et ses sculptures ont disparu. Mais quand nous passons dans le vestibule, que d'agréments! Huit colonnes doriques accouplées le décorent et il s'avance sur la cour en demi-rotonde à coupole surbaissée. Les frises sont ornées de têtes de lion et de têtes de bélier — celles-ci se voulant emblèmes allusifs au nom de jeune fille de la maîtresse de maison. Des amours jouent avec des guirlandes de fleurs. L'escalier qui occupe toute la partie gauche sur la cour, solennisé à son départ par des colonnes corinthiennes et par une rampe de pierre ajourée, est décoré avec la plus grande richesse de motifs en bas-reliefs de Martin Desjardins. Le plan de la cour a permis d'ordonner de façon originale les bâtiments implantés sur un terrain difforme; il se présente comme une suite de figures géométriques : un rectangle suivi d'un trapèze dont le sommet est un demi-cercle. Cette disposition produit un effet de « perspective accélérée », qui corrige visuellement l'étroitesse de la cour et confère aux bâtiments régularité et souplesse. Les appartements dont les façades sont décorées de pilastres sur les deux étages se trouvaient sur la droite, la partie gauche n'est qu'un décor en réplique plaqué sur un mur. Au fond, le bâtiment arrondi repose sur des arcades. Dans l'axe, comme dans un jeu de construction, se superposent des logettes encadrées de colonnettes. Une grosse corniche sur consoles fait

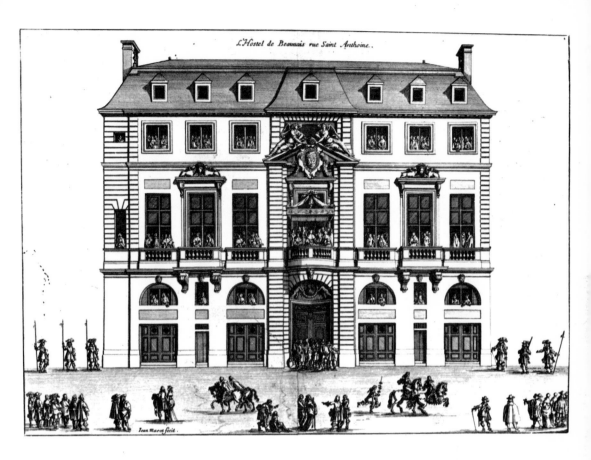

L'Hostel de Beauvais rue Saint Anthoine.

tout le tour de la cour, relie et unit ses éléments variés. Tout cela semble jeu d'illusion, décor de théâtre, en gardant la dignité d'une architecture noble et poétique.

L'hôtel de Beauvais fut inauguré en 1660 à l'occasion d'une fête exceptionnelle : l'entrée de Louis XIV et de la jeune Marie-Thérèse à Paris. Le balcon du milieu était couvert d'un dais de velours cramoisi où avait pris place la reine mère qui avait à sa droite la reine d'Angleterre. Plus loin se trouvait Mazarin, à côté de Turenne. Toutes les fenêtres étaient bourrées de personnages de la cour. Un siècle plus tard, en 1763, l'hôtel qui avait été loué au comte Van Eyck, ambassadeur de Bavière, devait accueillir, pendant cinq mois, Mozart accompagné de son père et de sa jeune sœur. Au XIXe siècle il abrita quelque temps un pensionnat de jeunes filles. Il a été acheté par la Ville de Paris qui l'a fait restaurer, non sans difficulté, car depuis longtemps de nombreux mal logés s'y étaient installés. L'hôtel s'élève sur de superbes soubassements gothiques.

L'inauguration de l'hôtel de Beauvais lors de l'entrée de Louis XIV et de Marie-Thérèse à Paris (1660). La gravure représente, au balcon central, la reine mère et la cour.

19 N

La cour du Mûrier.

école des Beaux-Arts

14, rue Bonaparte, VIe. Avec ses deux entrées (rue Bonaparte et quai Malaquais), le plan de l'école des Beaux-Arts est biscornu. Il faut en voir les raisons dans la disposition irrégulière du terrain d'origine et surtout dans les agrandissements nécessités par le développement de l'école. En 1807, une école des Beaux-Arts est créée par l'union des enseignements de l'Académie royale de peinture et de sculpture et de l'Académie d'architecture. Elle s'établit alors à l'Institut de France dans la partie des locaux qui donnent sur la rue Mazarine, avant de s'installer dans des bâtiments conçus pour elle à l'emplacement de l'ancien couvent des Petits-Augustins, rue Bonaparte. C'est là qu'Alexandre Lenoir, accomplissant dans des conditions difficiles, ingrates, souvent téméraires, l'œuvre à laquelle il vouait sa vie, avait transféré les œuvres d'art monumental qu'il avait pu soustraire au vandalisme. Son « musée des monuments français » fut dispersé en 1816, en principe pour restituer aux églises parisiennes ce qui leur avait été enlevé par la Révolution.

Du couvent des Petits-Augustins subsiste la chapelle, à droite de l'entrée, où Lenoir avait déposé des œuvres sauvegardées. Sur sa façade, l'attention est d'abord retenue par un haut portique, un ouvrage capital de la Renaissance française : c'est, sur trois étages, le décor d'entrée du château d'Anet, œuvre de Philibert de l'Orme, qui fut plaqué là par Lenoir après la destruction partielle du château. La chapelle a été construite en 1617 sur l'ordre d'Anne d'Autriche. Le vaisseau, long de 40 m, est couvert en berceau ; la charpente apparente est sobrement sculptée. Les moulages et les copies de tableaux qui y ont été entassés occultent les fenêtres ; l'éclairage est diffusé par de gros œils-de-bœuf percés postérieurement dans la voûte. En arrière, se trouve une petite chapelle à coupole sur plan hexagonal, la « chapelle des Louanges », qui date de l'installation des Petits-Augustins par la reine Marguerite de Valois (1609). Ce bâtiment de qualité a été honteusement maltraité.

La construction de l'école a été commencée par Debret et continuée, après 1833, par Duban. Celui-ci, formé en Italie, féru d'art gréco-romain, avait l'ambition de recréer en France une sorte de nouvelle Renaissance inspirée de l'antique qui devait servir de modèle à des générations d'architectes. Heureusement, Duban avait du talent. Au fond de la seconde cour, il éleva la bibliothèque, sur ossature métallique. La façade s'inspire de Florence et de Rome ; le premier étage se compose de grandes baies en plein cintre séparées par des colonnes adossées et surmontées d'une forte corniche. A la place du cloître conventuel l'architecte disposa les arcades de la cour du Mûrier, doucement colorée et de saveur florentine.

De ce côté, l'école s'est agrandie avec des raccords assez compliqués, vers le quai Malaquais, où elle a absorbé plusieurs édifices dont l'ancien hôtel de La Bazinière construit par François Mansart vers 1640. Sur le quai s'ouvre avec solennité la salle Melpomène, du nom de la statue colossale qui la domine. Selon le désir des Académies, qui avaient trouvé en Duban un exécutant des plus convaincus, l'école des Beaux-Arts devait être un lieu où les élèves pourraient constamment avoir sous les yeux d'exaltants motifs d'inspiration. Ainsi, avec ses pièces authentiques, ses moulages et ses copies, avec ses prix de Rome exposés en permanence, l'Ecole devint un véritable musée pédagogique de sculpture et de peinture. Sont disposés dans les cours et le jardin d'importants morceaux rescapés de la basilique de Saint-Denis, des châteaux d'Anet et de Gaillon, des hôtels de La Trémoille et de Torpane. Ces deux derniers, démolis en 1830 et 1840, étaient parmi les derniers édifices civils du Moyen Age, et les plus raffinés qui existaient encore à Paris. **20 S**

collège des Bernardins

24, rue de Poissy, V^e. Il faut avoir de sérieuses connaissances d'histoire et de topographie pour se douter, en longeant la caserne des pompiers de la rue de Poissy, qu'on se trouve devant l'un des plus importants monastères de Paris. Edifié au XIVe siècle, le collège des Bernardins eut à subir bien des avanies, mais on peut encore y trouver un réfectoire de 80 m de long, avec trois nefs voûtées d'ogives, portées par 32 piliers ; il surmonte un cellier en sous-sol de mêmes dimensions.

Le collège des Bernardins fut fondé en 1244. Il appartenait à l'ordre de Cîteaux et tenait son nom de saint Bernard, abbé de

Le cellier de l'ancien couvent des Bernardins.

Clairvaux, qui lui avait donné sa règle de renoncement et d'austérité. Dès l'origine il reçut les moines destinés à se perfectionner en théologie et en d'autres branches du savoir. L'extraordinaire épanouissement de l'ordre nécessita un établissement beaucoup plus vaste (1324), qui bénéficia de l'appui de Jacques Farnier, l'un de ses anciens professeurs devenu pape sous le nom de Benoît XII. Il couvrait alors tout l'espace compris entre la rue des Bernardins et la rue de Poissy, la rue Saint-Victor et les abords de la Seine. L'église fut démolie en 1797 et, de ce côté, les derniers vestiges disparurent avec la percée du boulevard Saint-Germain. Au XVIIIe siècle le cellier, inondé lors des crues de la Seine, fut comblé jusqu'au départ des voûtes. De lourde structure, il est le soubassement du réfectoire. Celui-ci, dont les voûtes d'ogives reposent sur des piles d'une extrême légèreté, est un des édifices privés les plus vastes et les plus élégants du Paris médiéval. Malheureusement, comme il est transformé en caserne de pompiers depuis 1845, même les privilégiés qui en obtiennent l'accès ne peuvent le découvrir que de façon fragmentaire tant il est entrecoupé de cloisonnements. Contre cette occupation dite « provisoire » les historiens, les archéologues, les amis du vieux Paris ne cessent de s'élever sans avoir obtenu jusqu'ici la moindre réponse à leurs protestations.

58, rue de Richelieu, IIe. La Bibliothèque nationale est un de ces bâtiments dont le noyau d'origine, encore visible, est étouffé par le développement progressif de constructions qui n'ont cessé de s'étendre autour de lui. La cellule originelle est l'hôtel Tubeuf que nous découvrons derrière une grille au n° 8 de la rue des Petits-Champs. Sa forte façade en brique et pierre, d'aspect sévère, est caractéristique du style Louis XIII. La bibliothèque s'est étendue autour de cet élément architectural historique, morceau par morceau, pour couvrir, dans le quadrilatère limité par les rues de Richelieu, Colbert, Vivienne et des Petits-Champs, une surface de 16 500 m², bien trop étroite d'ailleurs puisque, malgré la création de multiples annexes, les conditions de travail posent sans cesse de nouveaux problèmes.

Cet hôtel Tubeuf avait été construit en réalité pour le président Duret de Chévry, contrôleur général des finances, par Le Muet (1635). Il mourut deux ans après et son fils le vendit à Jacques Tubeuf, président de la Cour des comptes, lequel devait le céder à

Bibliothèque nationale

A l'origine de la Bibliothèque nationale, l'hôtel Tubeuf.

Mazarin peu après. L'ambitieux cardinal ne pouvait s'en contenter : il fit édifier par François Mansart, sur un côté du jardin longeant la rue Vivienne, un bâtiment contenant deux galeries superposées qui furent ornées avec magnificence. Celle du rez-de-chaussée (dite galerie Mansart), destinée à ses collections de sculptures, a perdu presque tout son décor. La galerie supérieure (galerie Mazarine) a conservé ses embrasures à paysages de Grimaldi, ainsi que ses somptueux plafonds à caissons peints de scènes mythologiques par Romanelli. Elle abritait des collections de meubles précieux, des orfèvreries, tapisseries et tableaux appartenant à Mazarin (ces galeries servent maintenant de cadre aux expositions temporaires organisées par la bibliothèque). Mazarin avait apporté bien d'autres décorations à l'hôtel Tubeuf. Il n'en reste qu'un cabinet dont le plafond a été peint par Simon Vouet (aujourd'hui inséré dans le département des Cartes et Plans).

A la mort du cardinal, le terrain fut partagé entre Marie Mancini (Hôtel de Nevers) et Hortense de la Meilleraye (Hôtels de Chevry, Tubeuf et galerie). Le Régent, Philippe d'Orléans, lors de la faillite de Law — qui avait acquis ces biens — les confisqua et y transporta la Bibliothèque du Roi riche d'environ cent vingt mille volumes provenant des « librairies » que les rois de France s'étaient constituées depuis Charles V. Puis, en 1733, il acheta une autre partie, où fut transféré le cabinet des Médailles. Entre-temps, il avait acquis également l'hôtel de La Meilleraye qui devint le siège de la Compagnie des Indes avant d'être, à partir de 1769 celui du Trésor public. La Bourse des valeurs occupa la galerie, ce qui explique la disparition de ses décorations. La Bibliothèque royale se trouvant beaucoup trop à l'étroit, un long bâtiment fut construit par le fils de Robert de Cotte entre la rue Vivienne et la rue de Richelieu, celui que nous voyons aujourd'hui au fond de la cour d'honneur. Mais ce n'est qu'en 1826 que la bibliothèque royale put s'annexer intégralement l'hôtel Mazarin.

Le fonds s'était considérablement accru pendant la Révolution à la suite des confiscations de manuscrits et imprimés appartenant aux abbayes et couvents. Le dépôt légal, institué par François Ier, avait amené un flot de journaux, périodiques, livres et imprimés de toutes sortes (qui a pris de nos jours d'énormes proportions). La décision s'imposait de faire construire des locaux pratiques, facilement accessibles au public et dignes d'abriter la bibliothèque royale. On s'adressa à Visconti, qui venait d'aménager le tombeau de Napoléon aux Invalides. Il proposa de raser l'hôtel Tubeuf, et de construire un grand immeuble de six étages au long de la rue des Petits-Champs. Il mourut, par bonheur, l'année suivante, et c'est Labrouste qui fut désigné à sa place (1854). Celui-ci venait de construire la bibliothèque Sainte-Geneviève où il avait largement employé la fonte et l'acier, ce qui était une grande nouveauté. Ses façades sur la rue de Richelieu et la rue des Petits-Champs, avec une rotonde d'angle, restent d'esprit classique; mais l'organisation intérieure, à l'époque, était surprenante. La grande salle de travail répond en effet à des principes fonctionnels que seuls pouvaient

permettre l'emploi de structures métalliques. Des colonnes d'une grande sveltesse soutiennent neuf coupoles revêtues de céramique et éclairées chacune par un oculus central. De vastes baies en arcades contribuent à distribuer largement la lumière dans cette salle qui répond parfaitement à sa destination et n'a rien perdu de ses qualités. L'encombrement des points d'appui est pratiquement nul. Les lecteurs peuvent trouver les « usuels » dans la salle même. Une abside surélevée, dite salle de l'hémicycle, est réservée aux bibliothécaires. En arrière, près de 3 km de rayonnages étaient distribués sur cinq niveaux en fer ajouré. Il convient de souligner que, malgré l'esprit routinier du public, cette salle de lecture fut universellement admirée.

Dans la seconde partie du XIXᵉ siècle les travaux se poursuivent : des bâtiments sont élevés rue Vivienne. La cour d'honneur est complétée ; la grande porte d'entrée est ouverte sur la rue Richelieu.

Soutenues par des colonnes en fonte, neuf coupoles éclairent la célèbre salle des imprimés de la Bibliothèque nationale.

Plan de défense contre le feu de la Bibliothèque nationale imaginé en 1798.

Un escalier d'honneur conduit au cabinet des Médailles, héritier de précieux objets des collections royales, et au département des Manuscrits, le plus riche du monde. Des bustes ou des médaillons d'écrivains célèbres contribuaient à la décoration générale. Dans le salon d'honneur figure le plâtre original de la statue de Voltaire par Houdon. On construit la grande salle des périodiques, dite « salle ovale », éclairée par une vaste coupole.

En 1932, le nombre des imprimés devenant toujours plus considérable, un réaménagement général est demandé à l'architecte Roux-Spitz. Un très important dépôt est construit à Versailles où sont classés journaux et périodiques. Les magasins de Labrouste sont surélevés et complétés par des niveaux souterrains. La contenance s'en trouve plus que doublée. Le département des Cartes et Plans, et le cabinet des Estampes (qui reçoit cinquante mille pièces par an) sont entièrement réorganisés, de même que la salle de la réserve et la salle du catalogue établie en sous-sol.

Ces travaux devaient aboutir à une forte extension du volume utilisable et à un fonctionnement totalement modernisé. D'autres projets, commandés par une nécessaire extension de la bibliothèque, sont en cours de réalisation au Centre Beaubourg, où doit être installée une bibliothèque d'information générale encyclopédique ouverte à tous pour la consultation sur place.   22 N

22, 24, rue des Archives, IVe. Le couvent des Billettes fut fondé en 1290 en réparation d'une profanation commise par le Juif Jonathas, qui avait beaucoup impressionné la population. Selon la tradition, Jonathas avait lacéré une hostie consacrée puis l'avait plongée dans une chaudière d'eau bouillante. Sa maison fut démolie pour faire place à une chapelle expiatoire. Elle était desservie par une petite communauté de frères hospitaliers qui furent curieusement surnommée les Billettes. Au XVIIe siècle, les Carmes qui leur ont succédé conservèrent le surnom. Ce furent eux qui remplacèrent la chapelle gothique par l'édifice que nous voyons (1758) et dont la façade est d'une triste médiocrité. Sans être très expressif, l'intérieur a plus d'originalité : les bas-côtés sont dotés de deux étages de tribunes scandés par des pilastres et le chœur s'élève sur un plan en arc outrepassé. En 1812, cette église fut affectée au culte protestant.

Le cloître du XVe siècle a survécu. Il est de dimensions réduites et ses ogives sont simplement moulurées; mais c'est le seul cloître du Moyen Age qui subsiste à Paris. Il a été dégagé et restauré en 1972. Bien qu'enclavé dans des bâtiments sans style, sa présence insolite intrigue, et séduit par sa simplicité. 23 N

temple des Billettes

77, rue de Varenne, VIIe. Tout ici porte la marque de l'équilibre et du bonheur. Ces fenêtres altières, ces rythmes gais que ne vient rompre aucune surcharge inutile rayonnent d'une beauté heureuse. Que l'édifice soit isolé dans un grand jardin, comme un château, au lieu de s'accrocher à des murs mitoyens ainsi que la plupart des demeures parisiennes, c'est un agrément et un privilège de noblesse qui sont des plus mérités. Une ombre : il est un peu décevant d'apprendre que cette demeure seigneuriale, modèle de distinction et d'élégance française, a été édifiée pour un homme qui ne méritait point cette faveur. Abraham Peyrenc, fils d'un perruquier, valet de chambre chez un fournisseur aux armées, réussit à séduire la fille de la maison et à l'épouser. Ce fut le premier échelon vers les grandes affaires; et les spéculations de Law, qui ruinèrent tant d'autres, l'enrichirent considérablement. Il se rendit acquéreur d'un domaine dont il porta le nom, et, devenu Peyrenc de Moras, acheta une charge au Conseil d'Etat.

On pardonnera pourtant beaucoup à ce nouveau riche, qui ne manquait probablement pas d'intelligence, pour s'être adressé à deux architectes de la valeur de Jacques Gabriel et de Jean Aubert, lesquels ont conçu un des chefs-d'œuvre de l'architecture Louis XV. Peyrenc avait en même temps que pour son hôtel acheté un terrain très important qui lui permit de faire tracer un jardin dont le des-

hôtel Biron

Hôtel Biron : la façade sur le jardin.

sin a été en partie reconstitué. Il mesurait alors sept hectares et comprenait l'espace occupé aujourd'hui par le lycée Victor Duruy. Les communs, les bâtiments de services occupaient l'espace compris de la rue de Varenne au boulevard des Invalides.

La construction de l'hôtel fut terminée en 1731. En 1736, la veuve de Peyrenc le vendit à la duchesse du Maine, qui fit construire à côté le petit hôtel du Maine pour les officiers (démoli en 1910). En 1728, la demeure passa à Loùis Gontaut, duc de Biron, maréchal et pair de France, qui s'intéressait particulièrement au jardin et l'ouvrait facilement au public. Sa veuve fut décapitée pendant la Terreur.

La propriété devait ensuite être soumise à bien des vicissitudes. Le duc de Charost la mit en location ; puis, en 1820, elle fut vendue aux Dames du Sacré-Cœur qui y installèrent un pensionnat. Elles ajoutèrent vers 1880 une chapelle pseudo-gothique sur un côté de la cour d'honneur et, poussées par des besoins d'argent, vendirent toutes les boiseries qui recouvraient les murs. En 1904, les religieuses furent expulsées et le séquestre loua l'hôtel morceau par morceau. On vit alors y camper une curieuse société de femmes peintres américaines et de sculpteurs russes. Rilke et le tout jeune Cocteau avaient été des premiers locataires, séduits par un prix invraisemblablement bas. Isadora Duncan, Matisse, de Max y habitèrent, puis Rodin, au faîte de la gloire, qui installa ses ateliers dans les grands salons du rez-de-chaussée. En 1916, l'hôtel Biron accueillit les collections que le maître avait léguées à l'Etat. C'est parce qu'il est devenu le musée Rodin que l'hôtel Biron et son jardin, contrairement aux autres hôtels du faubourg Saint-Germain, demeures privées ou services d'Etat, sont ouverts au public.

Des œuvres monumentales du sculpteur, comme *la Porte de l'Enfer* ou *les Bourgeois de Calais*, figurent dans les jardins. Les salons abritent de très importantes collections de sculptures et de dessins. De la décoration d'origine n'existent plus que quelques lambris récemment retrouvés et remis en place.

La façade sur cour est centrée sur un avant-corps à fronton où s'ouvrent deux étages de grandes baies en plein cintre avec un décor d'agrafes et de mascarons. Sur les côtés, les fenêtres rectangulaires, ou à peine cintrées, se raccordent aux deux pavillons. La façade sur jardin est plus animée. Les fenêtres centrales sont unies par un grand balcon de ferronnerie. Le fronton est sculpté. Autrefois des statues se dressaient sur l'entablement. Les pavillons sont construits sur plan à pans coupés avec de légers arrondis qui déterminent à l'intérieur un salon ovale. Tout se compose avec subtilité. Ainsi le perron d'entrée sur cour s'incurve sur la façade presque rectiligne tandis que celui sur le jardin, dont les pavillons sont incurvés, est angulaire. Et devant cette façade une vaste terrasse domine le jardin où l'on descend par un large escalier également incurvé.   24 S

Dessin de Rodin conservé au musée.

32, rue de Trévise, IXe. On ose espérer que ce témoignage caractéristique d'une demeure parisienne de la Restauration survivra à l'état de dégradation qui l'affligeait encore en 1972. Il tient son nom de l'architecte qui l'a construit en 1826. Situé alors au milieu d'un jardin, son entrée se trouvait au nº 13 de la rue Bleue. Des bâtiments sont venus masquer une façade encore peuplée de statues en niches. Sans avoir les justes proportions des demeures du XVIIIe siècle, la façade d'entrée, du côté de la rue de Trévise, est pleine d'agrément. Il y a peu, c'était un jardin ; c'est maintenant un vilain petit parking de ciment. Un péristyle orné de quatre colonnes corinthiennes anime cette maison où deux portes d'entrée s'ouvrent de part et d'autre. Les baies du premier étage, encadrées de pilastres, sont arrondies. L'attique repose sur un fort entablement. Avec ses colonnes et ses statues, la froide élégance du vestibule est celle qui convient pour desservir des pièces qui ont gardé leur décor de femmes drapées à l'antique, de chevaux ailés, de bucranes, de guirlandes et de palmettes.   25 N

hôtel
Bony

Promenade du Boulevart Italien.

Boulevards

Les grands boulevards... Mots magiques pour les hommes du XIXᵉ siècle, et chargés d'un prestige universel si puissant qu'il suffisait de dire « les boulevards » pour se faire entendre ; on parla longtemps des cafés et des théâtres « du boulevard » au singulier, et le mot engendra l'adjectif « boulevardier » qui passa au rang de substantif pour définir une quintessence des mœurs et de l'esprit parisiens. Leur création remonte à Louis XIV. Jugeant que la France était désormais suffisamment puissante pour ne point se laisser envahir, et ses frontières mêmes ayant été mises en état de défense par Vauban, le roi fit détruire ce qui restait des remparts de Charles V et combla les fossés de la courte enceinte bastionnée élevée par Louis XIII. A leur place, il se garda bien de laisser construire. Un large espace en demi-cercle s'étendit entre Paris et ses faubourgs du nord et de l'est, qui, une fois nivelé, sablé, planté de quatre rangées d'arbres s'appela le Nouveau-Cours. Mais le vieux mot « boulevard » d'origine militaire passa dans le langage courant. Il n'était alors bordé de maisons que sur un côté. Les portes Saint-Martin et Saint-Denis s'élevèrent, inutiles, comme des signes de majesté. Le Cours fut d'abord un lieu de promenade recherché en même temps qu'une voie de circulation de plus en plus active qui joignait la Bastille à la future place de la Madeleine. Il com-

La promenade du boulevard des Italiens — le « Petit Coblentz » — sous le Directoire.

mença par se peupler de guinguettes, de théâtres ambulants et de boutiques installées dans des baraquements. Puis vinrent les maisons locatives, les hôtels aristocratiques.

La vogue boulevardière ne commença réellement qu'à la Restauration qui apportait un certain faste à la vie publique. Des bancs, des chaises en location sont installés dans les larges contre-allées et donnent aux boulevards leur caractère de promenade publique. Des trottoirs sont aménagés sur toute leur longueur en 1830. On verra dès lors s'affirmer certains particularismes : l'ensemble des boulevards Madeleine-Bastille présente des aspects diversifiés par leurs activités et leur fréquentation. La localisation des théâtres jouera son rôle, mais, depuis l'origine, le boulevard Beaumarchais, le boulevard des Filles-du-Calvaire et le boulevard du Temple ont un caractère populaire — qui change de coloration entre le boulevard Saint-Martin et le boulevard Montmartre — alors que les vrais boulevards, ceux des boulevardiers, seront les boulevards des Italiens, des Capucines et de la Madeleine.

Cette géographie sociale est d'ailleurs assez mobile et parfois remise en question. Dès le Directoire, un snobisme lança la partie ouest des grands boulevards. Fréquenté par d'anciens émigrés, le boulevard des Italiens fut surnommé le Petit-Coblentz, et devint sous la Restauration le boulevard de Gand où l'on rencontrait en fin d'après-midi d'élégants personnages que l'on nomma les « gandins ». Les dandys veulent se montrer dans les cafés célèbres : le Cardinal, le café Riche, le café de Paris, le café Anglais réputé par ses cabinets particuliers, le café Hardy, qui deviendra La Mai-

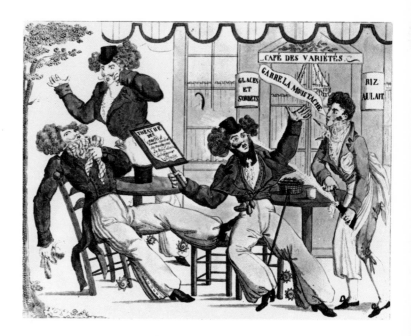

son Dorée, Tortoni, le premier glacier napolitain installé à Paris. Ces cafés polarisent un certain parisianisme artistique et littéraire; les restaurants ont repris les grandes traditions culinaires des établissements du Palais-Royal. Celui-ci n'a encore rien perdu de sa vitalité, mais il la doit surtout à ses maisons de jeux et à la prostitution qui s'affiche sous ses galeries. Le glissement de la société du Palais-Royal vers les grands boulevards ne fera que s'accentuer. La plupart de leurs cafés et de leurs restaurants auréolés de gloire mondaine, leurs marbres, leurs glaces, leurs lustres, leurs dorures ont survécu jusqu'à la guerre de quatorze.

Les grands boulevards étaient devenus les artères parisiennes de beaucoup les plus fréquentées. Des affiches demandaient aux piétons de marcher sur les trottoirs. Une statistique de 1853 décompte le passage quotidien des « colliers », c'est-à-dire le nombre de chevaux attelés. Sur le boulevard des Capucines défilent

Six heures du soir.
— Il fait très beau, Mesdames!
— Il fait très faim, Monsieur!

9 070 colliers par 24 heures, sur le boulevard des Italiens 10 750 —
c'est la circulation la plus dense de Paris —, après quoi, en allant
vers l'est, le mouvement diminue régulièrement pour tomber à
4 856 au boulevard des Filles-du-Calvaire. De ce côté-là, l'animation était d'une autre espèce. Le boulevard du Temple, qui sera
nommé « boulevard du Crime », aligne une file de théâtres comme
les Délassements comiques, les Folies dramatiques, les Funambules
ou le Théâtre lyrique. La percée du boulevard du Prince-Eugène
(boulevard Voltaire) leur fut fatale; seul le théâtre Déjazet, mieux
placé, put subsister. A l'autre extrémité, sur la rue Amelot, Hittorf
construisit en 1852 le cirque Napoléon (Cirque d'Hiver). Sur le
boulevard Saint-Martin triomphèrent le théâtre de l'Ambigu
(détruit en 1969) et celui de la Porte-Saint-Martin, spécialisé dans
le mélodrame (incendié en 1871 et aussitôt reconstruit). Suivirent
les théâtres du Gymnase, des Variétés et de la Renaissance.

L'esprit « fin de siècle » caractérise l'apothéose finale. On a peine à croire qu'il faisait ou défaisait les réputations. Les successeurs des dandys se montrent au café Anglais à partir de minuit. Le café Napolitain est le rendez-vous des journalistes et écrivains à la mode : Catulle Mendès, Jean Lorrain, Ernest Lajeunesse y trônent en permanence. Le bureau d'Arthur Meyer, directeur du Gaulois, est juste à l'angle de la rue Drouot et du boulevard Montmartre. Tout cela appartient à un autre monde. La décadence des grands boulevards s'est accentuée rapidement. La fascination qu'ils exerçaient sur une certaine société parisienne s'est éteinte. Les provinciaux, les étrangers qui n'imaginaient guère un voyage à Paris sans se rendre sur les boulevards se dirigent vers les Champs-Elysées. Les magasins de luxe, les grands restaurants ont cédé la place aux boutiques de série et aux prix fixes. Les cinémas l'ont envahi avec la vulgarité de leurs panneaux publicitaires. Gens du monde, écrivains et artistes ont disparu.

Disparus aussi la plupart des hôtels particuliers qui les bordaient. Sur la partie Madeleine-Poissonnière des maisons du XVIIIe siècle subsistent encore, mais on les distingue à peine du tout-venant tant elles ont été remaniées, surélevées et bariolées d'enseignes de toutes sortes. Avec un peu d'effort, on distinguera à l'angle du boulevard de la Madeleine et de la rue Caumartin (n° 1) les restes

Omnibus, voitures de place et premiers taxis vers 1900.

de l'hôtel de Radix de Sainte-Foy, contrôleur des Finances très
habile puisqu'il arriva à s'enrichir sous tous les gouvernements, de
Louis XV à l'Empire. Construit par Aubert en 1779, l'angle en
demi-rotonde a conservé ses fenêtres à balustres et de précieux
ornements en haut-relief. En face, au n° 2, l'hôtel d'Aumont, construit par le même architecte, possède un décor de pilastres et de
guirlandes sculptées. Devant l'hôtel Montholon, 23 boulevard
Poissonnière, il faut faire abstraction des étages supérieurs surajoutés pour découvrir un orgueilleux hôtel du XVIIIe siècle dont la
façade présente six puissantes colonnes ioniques engagées derrière
une terrasse; dès l'origine, le rez-de-chaussée était loué à des
magasins. Les grandes fenêtres à balustres de l'étage sont celles
de magnifiques salons Louis XV. Cet hôtel est l'œuvre de François
Soufflot, dit le Romain, neveu de l'auteur du Panthéon. Les vieux
Parisiens se souviennent du ravissant pavillon de Hanovre, à l'angle
du boulevard des Italiens et de la rue Louis-le-Grand, qui avait
été édifié au XVIIIe siècle pour le maréchal de Richelieu. En 1930,
il a été démonté pierre par pierre et transporté au fond du parc de
Sceaux. Si l'on décernait un prix de laideur, le bâtiment qui l'a
remplacé le remporterait certainement.   26 N

bois de Boulogne

XVIe. Le bois de Boulogne est né par la volonté de Napoléon III qui gardait un souvenir nostalgique des grands *parks* londoniens. Ce fut le premier acte d'un programme de dissémination de jardins et de verdure dans la ville et à ses abords, qu'il jugeait indispensable à l'agrément et à la santé des Parisiens. Rien de ce qui avait été fait jusque-là, et rien de ce qui fut fait depuis ne peut être comparé à cette grande œuvre que l'on doit inscrire à l'actif et à l'honneur du Second Empire. Haussmann adoptant, comme toujours, la pensée de son empereur est allé au-delà de ses désirs. Il créa un « Service des promenades et plantations » et plaça à sa tête l'ingénieur Alphand qui assura avec la plus grande compétence la direction de tout ce qui concernait le bois, les jardins, les squares et les plantations de voies publiques.

La forêt de Rouvre, ou de Rouvray — du latin *robur :* chêne — couvrait aux premiers siècles une étendue considérable qui s'étendait à l'est et au nord de Lutèce. Vinrent les défricheurs. Pour semer leurs céréales ils labourèrent le meilleur, laissant à la végétation sauvage les confins les plus ingrats. Ceux-ci s'étendaient jusqu'aux Mesnuls-lez-Saint-Cloud, hameau de bûcherons qui dépendait de la paroisse d'Auteuil. Au retour d'un pèlerinage à Notre-Dame de Boulogne-sur-Mer, Philippe le Bel fit construire aux Mesnuls une église dédicacée à la Vierge miraculeuse qu'il était allé prier. En 1469, par un édit de Louis XI, le hameau, qui commençait à devenir un vrai village, devint à son tour un but de pèlerinage. Il fut baptisé Boulogne-sur-Seine et donna son nom à la forêt voisine. Forêt royale, on y courait le gros gibier. Dans sa jeunesse,

L'abbaye royale des religieuses de Longchamp au XVIIe siècle. Elle fut détruite sous la Révolution.

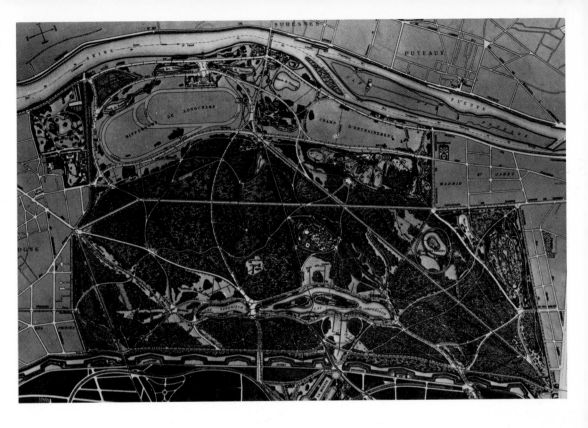

Le plan du bois de Boulogne dressé par Alphand, l'architecte que Napoléon III chargea d'aménager les parcs et jardins de Paris.

Louis XIII y tua deux loups. Sur la lisière, à l'ouest, François Ier fit construire le château de Madrid, ainsi surnommé par ironie, les Parisiens se plaignant de n'y pas voir davantage leur roi que lors de sa captivité dans la capitale espagnole. Il avait ordonné des reboisements et pris des mesures de police contre les braconniers, vagabonds et détrousseurs qui infestaient les lieux. Mesures qui ne devaient avoir toute leur efficacité que sous le règne d'Henri III, lorsque celui-ci mit à exécution le projet de faire élever un mur tout autour de ce domaine de 1 000 ha avec une dizaine de portes bien gardées. (Ce sont encore nos principaux accès). Sous le règne de Louis XIV, qui n'y vint d'ailleurs jamais, de grandes avenues rectilignes furent tracées, avec des carrefours en étoile marqués de grandes croix de pierre.

Fondée au XIIIe siècle, rasée pendant la Révolution, l'abbaye de Longchamp était située au nord du champ de courses actuel. Le tombeau de sainte Isabelle y attirait les pèlerins. Au début du XVIIIe siècle une chanteuse de l'Opéra s'y retira et apporta aux offices le concours d'une voix magnifique. Il fut de mode d'aller « faire Longchamp », et surtout de « faire Ténèbres » durant la semaine sainte, au point que l'archevêque dut intervenir pour mettre fin à une turbulence mondaine qui risquait de troubler la vie monastique. Mais ces singuliers pèlerinages avaient lancé le bois de Boulogne. De somptueuses « folies » furent bâties à ses extrémités ou à ses abords, comme la Muette, la folie Saint-James, Bagatelle, avec de grands parcs paysagers enrichis de sculptures décoratives et de pittoresques fabriques. D'autre part, le Rane-lagh, avec ses bals publics, où dansèrent Marie-Antoinette et le comte d'Artois, devait connaître ses instants de succès. La Révo-lution mit fin à cette première vogue du bois de Boulogne. Le plus gros coup devait lui être porté en 1815 lorsque y campèrent les armées alliées qui abattirent la plupart des arbres, laissant derrière elles une forêt ravagée qu'il fallut des années pour nettoyer et replanter. Lorsque Napoléon III décida de transformer ce mauvais terrain sans relief et sans eau en jardin paysager, on n'y voyait guère que des baliveaux.

Les terres de l'abbaye de Longchamp, du château de Madrid et de Bagatelle furent administrativement rattachées au Bois. Une loi de 1852 céda le domaine à la Ville à charge pour elle de l'entre-tenir selon des conditions précises. Son mur d'enceinte fut supprimé.

L'hippodrome des courses au bois de Boulogne, par Guérard.

L'ensemble s'étendait alors sur 847 ha. L'erreur de niveau commise par Varé en établissant le cours de la rivière artificielle fut tout de suite mise à profit par Alphand qui fit creuser les deux lacs à des niveaux différents, soutenus par des levées en pente douce. Les Parisiens voyaient Napoléon III monter les Champs-Elysées à cheval, suivi d'un aide de camp : leur empereur allait surveiller les travaux du Bois et jalonner lui-même la répartition des espèces d'arbres avec les forestiers.

Ce furent de gros travaux : les plantations presque entièrement renouvelées (près de deux cent mille arbres), la terre rapportée aux endroits les plus démunis. Des anciennes allées rectilignes ne sont conservées que la route de Longchamp, dite allée des Acacias, et celle de la Reine-Marguerite. Ailleurs sont tracées des allées sinueuses, des sentes de piétons, des allées cavalières à la manière des parcs anglais qui veulent donner l'illusion de la nature sauvage. Des clairières semées de gazon étaient ornées de corbeilles de fleurs.

La cascade, par Donjean.

Des pavillons, des kiosques, des restaurants, des abris étaient disséminés. On admirait les cascades et cascatelles. La plaine de Longchamp, sous l'inspiration de Morny, fut en partie transformée en champ d'entraînement. Dans l'île du grand lac, plan d'eau de 11 ha, fut monté un chalet en bois verni venu de Suisse.

La métamorphose semble alors miraculeuse. On ne reconnaît plus l'ancienne forêt, repaire de mauvais garçons et de malandrins où l'on n'osait s'aventurer. Avant même la fin des travaux, le Bois est devenu l'endroit à la mode, la promenade obligée du *high life*. Dès lors, il ne fera que s'embellir par le choix et la variété des plantations. L'entrée majeure est celle de la porte Dauphine, la seule entrée de Paris qui ne soit pas accablée de disgrâces. On peut regretter que pour répondre aux besoins de la circulation sa belle grille dorée à trois portes ait été sacrifiée (1931).

Les points d'attraction de nature variée ajoutent à son agrément. La Croix-Catelan, muée en petite pyramide, a été ainsi baptisée du nom d'un capitaine des chasses de Louis XV. Un pré voisin en prit le nom. Lors de l'aménagement du Bois une carrière y fut ouverte. Puis la Ville de Paris autorisa sa concession à Nestor Roqueplan, homme de grande imagination qui, pour monter ses féeries parmi les buissons de roses, dépensa tant d'argent que, malgré les succès, il se ruina. Aujourd'hui, c'est un jardin clos, bien que public ; on y trouve un grand restaurant et un hêtre pourpre dont la ramure couvre 546 m². En 1953, l'ancien théâtre de verdure de Nestor Roqueplan a été aménagé en « jardin Shakespeare ». Le lac supérieur, le lac inférieur et ses îles restent les grandes attractions. Leurs rives sont délicieuses, et les amateurs de canotage ne manquent pas. D'importants travaux hydrauliques furent nécessaires pour faire jaillir la Grande Cascade en creusant une retenue d'eau pittoresque. 4 000 m³ de rochers provenant de Fontainebleau ont permis d'organiser ce paysage que l'on surnommait la « petite Suisse ».

Le champ de courses de Longchamp occupe l'emplacement des terres de l'abbaye de Longchamp. La société d'encouragement eut bien du mal à tenir les engagements spécifiés par sa concession, l'hippodrome se trouvait à la place d'un ancien bras de la Seine dont le nivellement exigea des armées de terrassiers. Vers l'est, devant les luxueux immeubles construits sur les anciennes fortifications, s'étend le champ de courses d'Auteuil (créé en 1875). A côté, la butte de Mortemart est constituée par la décharge des terres déblayées lors du creusement des lacs. En bordure de Seine, de Neuilly à la porte de Saint-Cloud, les terrains ont vocation sportive : le grand champ d'entraînement derrière Bagatelle, le Polo, l'hippodrome de Longchamp. Des clubs célèbres sont dispersés : le Racing, le Tir aux pigeons, l'Etrier. Le Jardin d'Acclimatation fut concédé (1854) à une société qui devait créer un « jardin didactique des espèces animales » sous le patronage de Geoffroy Saint-Hilaire et faire connaître les mœurs des différents peuples du globe. Il est devenu surtout parc d'attractions pour les enfants — sans perdre complètement sa vocation initiale. Le musée

des Arts et Traditions populaires, modèle de muséologie, s'est établi récemment sur une partie de son domaine.

Le bois de Boulogne fut un théâtre de la vie parisienne. Son beau décor factice, avec ses allées contournées, ses rochers, ses lacs et ses cascades, ses petits ponts de ciment rustique, ses restaurants cossus et ses chalets, s'accordait au style de vie de la grande bourgeoisie à son apogée — celle du Second Empire ou celle de la Belle Epoque, celle de Constantin Guys, des calèches et des crinolines, puis celle où les personnages de Proust se trouvaient aimantés par l'allée des Acacias. Ces processions d'équipages, ces cavaliers, ces amazones, leur livrée, leurs chevaux fringants, c'était la parade d'une petite armée sûre de sa force, férue de titres de noblesse et de titres de rente, où la « cocotte » empanachée rivalisait avec la duchesse.

Remplaçant le jardin classique dont ennuyaient les géométries

rectilignes, le jardin paysager du XVIIIe siècle était apparu comme une révolution, une mini-révolution qui annonçait la grande. Le Petit Trianon, Bagatelle, les « folies » des grands représentaient une avant-garde que le siècle suivant embourgeoisa. Cet immense jardin était devenu d'emblée le haut lieu des promeneuses parées, admirées et adorées comme des idoles dont les règnes éphémères personnifiaient une société qui, sans le savoir, était déjà prête à mourir.

L'évolution des mœurs, le règne de l'automobile ont apporté au Bois un tout autre genre d'animation. Les avenues du temps des équipages sont des routes de passage vers l'autoroute de l'ouest. Chaque dimanche un peu ensoleillé la foule l'emplit et les voitures

y stationnent en files ininterrompues. Ce qui était jardin de promenades dans la campagne est maintenant un espace entièrement
cerné par la ville. La conservation du Bois doit se livrer sans cesse
à des opérations de défense et de sauvegarde contre les dégradations,
souvent inconscientes, des promeneurs. L'exploitation forestière
y est strictement réglée, notamment par des enclos de reboisement. On n'a pu empêcher d'y faire passer le boulevard périphérique, opération qui, bien qu'en partie souterraine, a provoqué des
dévastations. Le bois de Boulogne continue cependant à jouer
son rôle en apportant de l'agrément aux Parisiens qui aiment
retrouver la couleur des saisons sur des feuillages sans avoir trop
de chemin à parcourir.

hôtel Bourbon-Condé

12, rue Monsieur, VIIe. Il a été construit en 1781 pour une jeune fille de vingt-quatre ans, la sentimentale et pieuse princesse de Condé, fille de Joseph de Condé et de Charlotte de Rohan, qui l'habita à partir de 1784, mais pour peu de temps : elle dut, dès le 16 juillet 1789, suivre son père qui allait devenir un chef de l'émigration. Profondément amoureuse de Monsieur de la Gervaisais que, pour des raisons de convenance de rang, elle ne pouvait épouser, elle devait, vingt ans plus tard, entrer en religion sans l'avoir jamais oublié. Elle adorait cette maison qu'elle fit décorer et meubler avec le goût le plus délicat et qui fut pour elle le refuge de ses rêveries. Elle y réunissait des amis et organisait de petits concerts d'amateurs. C'est peut-être le chef-d'œuvre de Brongniart qui sut unir la discrétion aux trouvailles d'un goût raffiné. Sur la rue, entre des bâtiments de service, un portail s'ouvre sur la cour au fond de laquelle s'élève une façade toute simple qui ne vaut que par ses très sûres proportions. Un bandeau, une corniche, une balustrade masquent un toit plat; c'est tout son décor. Mais, de chaque côté de la cour, sont disposés des murs aveugles avec de fausses baies en arcades qui étaient ornées de deux très importantes scènes en terre cuite de Clodion. Il n'en reste que le cadre, l'œuvre ayant été détachée avec une incroyable sauvagerie pour être vendue à un antiquaire. Dans ce mur-décor, les portes latérales laissaient passage vers les communs et les écuries qui se trouvaient de part et d'autre et avaient une entrée directe sur la rue.

La façade sur jardin, inspirée de Palladio, présente un avant-corps arrondi du plus heureux effet, avec des pavillons en léger retrait. Partout le travail de la pierre et le dessin des refends sont traités avec le soin habituel à Brongniart. Le décor intérieur, très architecturé, est du Louis XVI le plus pur. Un salon de musique se trouve dans la rotonde avancée sous un plafond en calotte. Les lambris sont soulignés de rangs de perles et de filets d'or. Les portes encadrées de pilastres sont surmontées de hauts-reliefs représentant des amours à la lyre. Le cabinet bleu de la princesse, de forme semi-circulaire, est légèrement décoré d'arabesques et de reliefs à l'antique. L'institut ménager qui s'est installé dans ces appartements les a fort bien respectés.   28 S

hôtel de Bourrienne

58, rue d'Hauteville, X[e]. Cet hôtel fut commandé en 1787 par Madame de Dampierre et ne fut terminé que pendant la Terreur (les deux pavillons sur rue ont été remplacés depuis par un immeuble locatif). Il échut ensuite à Joséphine de Beauharnais; c'est de son passage que date la décoration de la façade sur le jardin. Bourrienne, l'ami et secrétaire de Bonaparte, s'en rendit acquéreur en 1801 et fit renouveler toute la décoration intérieure. C'est un témoignage d'autant plus précieux pour les arts décoratifs qu'il est un des très rares exemples du style Consulat qui

La chambre de Bourrienne, le secrétaire de Bonaparte.

subsiste à Paris. Les peintures avec leurs oiseaux, cygnes, griffons, guirlandes, candélabres, s'inspirent du style pompéien, qui s'allie parfois à des éléments de nouveauté : ainsi, dans le grand salon, les harmonies de jaune et vert de bas-reliefs à l'antique qui jouent sous un plafond peint représentant un grand parasol étendu. La salle à manger ressemble à un Wegdwood à décor blanc sur fond bleu pâle. Dans la chambre à coucher c'est un envol d'oiseaux et de papillons; le plafond est décoré d'une scène gracieuse d'Amour et Psyché. La salle de bains a conservé des grâces pompéiennes. Il faut croire que ces petites merveilles exercent un pouvoir particulier de séduction puisque, lors de l'invasion du commerce, elles furent soigneusement préservées par leurs propriétaires successifs. L'un d'eux, un fondeur de caractères, qui s'y était installé en 1886, n'avait pas hésité à percer un tunnel sous l'hôtel pour correspondre avec ses ateliers édifiés au fond du jardin. Et son propriétaire actuel est président d'une société de sauvegarde.   29 N

Place de la Bourse, IIe. Le centre des activités financières, d'abord étroitement liées à celles des courtiers en marchandises, n'a cessé de se déplacer à travers la ville. Au Moyen Age, les transactions avaient lieu sur le Pont-au-Change. Les agents de change obtinrent leur statut au début du XVIIe siècle, mais il n'y eut de bourse officiellement reconnue qu'en 1724. Elle s'installa au palais Mazarin, qu'elle quitta en 1793 pour les appartements d'Anne d'Autriche au Louvre, d'où elle partit deux ans plus tard pour occuper — c'est à ne pas croire — l'église Notre-Dame-des-Victoires. Nous la trouverons au Palais-Royal de 1809 à 1818, puis, jusqu'à 1827, dans le magasin des décors de l'Opéra, rue Feydeau. Napoléon avait voulu mettre bon ordre à cela. La finance n'avait-elle pas à jouer dignement son rôle dans l'Etat? Parallèlement au temple de la Gloire (la Madeleine) il décida d'élever le temple de l'Argent. Et c'est un temple, en effet, qu'il demanda à Brongniart, un temple imité des Grecs : c'était sa volonté. Il discuta longuement les plans de son architecte que celui-ci disait inspirés du temple de Vespasien. La Bourse devait s'implanter sur l'enclos du couvent des Filles-Saint-Thomas et il fallait le démolir, ce qui n'allait pas sans difficultés. L'empereur décida d'adjoindre à la Bourse le Tribunal de Commerce.

Les fondations étaient établies en 1809. Les travaux durèrent longtemps et, quand Brongniart mourut en 1813, ils étaient loin d'être terminés. Les crédits restant toujours parcimonieux, l'édi-

Bourse

Ci-contre : l'intérieur de la Bourse peu après son achèvement.

« Les Boursichipoteurs », caricature du XIXᵉ siècle.

fice ne fut achevé qu'en 1826. Sur plan rectangulaire (69 m × 41 m) il est entouré d'un péristyle corinthien. Les larges degrés qui s'étendent à l'est et à l'ouest sont flanqués des statues de la Justice, de la Fortune, de l'Abondance et de la Prudence, sculptées dans la pierre par Cortot, Pradier, Petitot et Roman. La fameuse salle de la corbeille, haute de 25 m, est entièrement cernée de deux étages de galeries à arcades en plein cintre. Les hautes voussures ont été peintes en grisaille par Abel de Pujol et Meynier. Cet ensemble assez lugubre motiva les sarcasmes de Victor Hugo qui n'aimait que le gothique; « Il est grec par ses colonnades, romain par le plein cintre de ses portes et fenêtres... Il est couronné d'un attique comme on n'en voyait pas à Athènes, belle ligne droite, gracieusement coupée çà et là de tuyaux de poêle... » Face aux spéculations financières du XIXᵉ siècle la Bourse des valeurs se trouva bientôt à l'étroit. Le tribunal de Commerce émigra près du Palais de Justice, et les opérations sur marchandises se tinrent dans une Bourse installée dans l'ancienne Halle au blé. Au début du siècle, deux ailes à colonnades furent ajoutées. Cette imitation de monument religieux antique n'est certes point appropriée au fonctionnement moderne des activités boursières. A grand renfort de cloisonnements et de barricades, de tableaux lumineux et d'ordinateurs, c'est devenu pourtant une sorte d'usine modèle du marché international de la finance.

1, rue de la Perle, IIIe. La demeure qu'un architecte construit pour soi est révélatrice de ses goûts profonds. Celle de Libéral Bruant témoigne de simplicité et d'une volonté de symétrie qui rejoint l'épure géométrique. Au vrai, ce sont là les caractères qu'il avait fait dominer aux Invalides, et surtout à l'église de la Salpêtrière. Ils s'expriment ici, dans une maison moyenne, sans faste et sans tapage. Il l'édifia en 1686 et mourut douze ans plus tard. Sa veuve la loua au marquis de l'Hospital, géomètre, membre de l'Académie des sciences. En 1769, l'ingénieur Perronet y fonda la première Ecole des Ponts et Chaussées.

Dans la cour, de proportions modestes, une remise à droite, et, à gauche, une étroite galerie à arcades dont la terrasse est accessible des appartements. La façade est ordonnancée par un jeu de trois arcades au rez-de-chaussée et de trois autres identiques à l'étage. Quatre niches circulaires ponctuent les écoinçons qui, par miracle, ont conservé les bustes d'empereurs romains que l'architecte y avait placés. Le fronton couvre l'ensemble de la façade : au centre un oculus est accosté d'amours, de guirlandes, de cornes d'abondance d'un style aimable. Tout ce qui souligne l'architecture, bandeaux, cordons, archivoltes est d'un modelé extrêmement soigné. L'intérieur a été dévasté. Seul un plafond peint en trompe-l'œil est conservé au-dessus de l'escalier.   31 N

hôtel de Libéral Bruant

XIXe. Un plan du XVIIIe siècle représente la « Butte de Chaumont très escarpée et creusée par des carrières de plâtre ». Devant les parcs et jardins de Belleville elle s'avance en proue vers Paris toute ceinturée de récifs. Longtemps ce fut un terrain vague parsemé de fondrières. Des gravures nous montrent ses coteaux dénudés et ponctués de moulins à vent. C'était le « chaumont » : *calvus mons*, mont chauve, homonyme de tant de villes, villages et lieux-dits. Ses pentes étaient percées de galeries souterraines qui permettaient d'en retirer du sable, des moellons et, principalement, du plâtre. Ce plâtre était de qualité si réputée qu'une bonne partie partait pour l'Amérique. La rue des Carrières d'Amérique, en contrebas, perpétue ce souvenir. Les gibets de Montfaucon, bien en vue, étaient inutilisés depuis longtemps, mais on disait que les fantômes des pendus venaient jeter des maléfices. Au début du XIXe siècle les plâtrières étaient un repaire de vagabonds et de malfaiteurs, où la police venait de temps à autre opérer des rafles fructueuses. La proximité des faubourgs ouvriers, à l'époque où ils furent les plus sinistres, c'est-à-dire au début de l'autre siècle, avait fait des buttes un dépotoir. Le terrain était si friable et si irrégulier qu'on n'y pouvait construire. Les parties les plus accessibles devinrent le domaine de l'équarrissage, des vidanges et des ordures. Comment ne pas saluer bas ceux qui ont pu métamorphoser cette zone ignominieuse en paysage de conte de fées, baroque et insolite?

parc des Buttes-Chaumont

Plan des Buttes-Chaumont
par Alphand.

Dès l'annexion des communes suburbaines, en 1860, Napoléon III avait posé le principe de doter les nouveaux arrondissements
de parcs destinés aux « classes laborieuses ». Au parc Monceau,
amputé et remanié, il opposa les Buttes-Chaumont, aménagées
dans les régions les plus déshéritées. Alphand eut la haute main,
durant tout le règne, sur les parcs, jardins, squares et plantations.
Et l'on en créa alors davantage que durant les cent ans qui suivirent. Pour les Buttes-Chaumont, il s'adjoignit Barillet; Davioud
avait été nommé architecte-conseil, comme pour le bois de Boulogne. Mais la postérité a voulu oublier le nom de celui qui eut
peut-être le plus d'influence dans la conception des jardins de
cette époque, le prince Hermann Pückler-Muskau, auteur de traités populaires en Allemagne sur les jardins paysagers, en qui
Napoléon III avait trouvé un homme de l'art qui partageait ses
idées. L'empereur et le prince furent les véritables promoteurs de
l'esthétique qui se manifesta avec ampleur au bois de Boulogne
et aux Buttes-Chaumont, avec l'originalité que permettait la disposition des lieux. C'est là que nous trouvons poussée à son plus
haut point l'application du principe, d'ailleurs très contestable,
formulé par Pückler-Muskau : « La Nature est plus chère à ses

fervents là où elle apparaît unie à la main créatrice de l'homme. »

La main de l'homme eut fort à faire. Le terrain du parc mesure 27 ha d'un relief partout inégal. Les travaux durèrent trois ans, de 1864 à 1867. Le sol pelé de « Chaumont » était fait d'argile, de gypse, de glaise verdâtre hostile aux végétaux. Il fallait non seulement creuser, perforer, terrasser pour donner à ces lieux informes la silhouette et le pittoresque que nous leur connaissons, mais y amener de la terre fertile, dégager des sommets, faire surgir de faux torrents en puisant de l'eau 100 m plus bas dans le canal Saint-Martin. On dut remuer 800 000 m³ de terre pour les terrassements et transporter 200 000 m³ de terre végétale. Mille ouvriers, cent chevaux étaient utilisés quotidiennement. Un chemin de fer fut posé pour amener la terre meuble et évacuer les déchets.

Le résultat? Nous sommes devant l'un de ces paysages imaginaires que rêvaient les peintres préromantiques. Des premiers plans bocagers, une rivière, des lacs, des fonds rocheux, des antres, des cascades, une île montueuse dont le faîte est coiffé d'un petit temple imité de celui de la Sibylle à Tivoli.

Bien entendu, tout est illusion. Le truquage y prend même un caractère superlatif qui en fait le chef-d'œuvre du genre. Un vertigineux pont de pierre enjambe un ravin. Un pont suspendu de 65 m de portée, comme s'il s'agissait de franchir un fleuve torrentueux, domine un lac de ciment de 50 cm de fond alimenté par une cascade. Ce ne sont qu'allées sinueuses qui contournent le lac, pelouses et massifs d'arbres. Qui songe encore aux équarrissages nauséabonds, aux malfaiteurs poursuivis dans leurs repaires souterrains et aux pendus de Montfaucon ?   32 N

L'île possède un petit temple à l'italienne.

Rue des murs de la Roquette

HOSPIT. ILIERE

Rue de la

Rue des Amandiers

Pancourt

Rue du bas

INNOSCLIDES DE PINSCOURT

Popincourt

Rue de

P I N C

musée Nissim de Camondo

63, rue de Monceau, VIIIe. Il n'est pas de lieu accessible au public qui permette de se rendre aussi bien compte de ce que pouvait être la demeure d'un grand bourgeois parisien ami des arts au début du XXe siècle. Elle est située entre cour et jardin — un petit jardin qui bénéficie des frondaisons du parc Monceau. Le comte Moïse Nissim de Camondo la fit construire en 1910 par l'architecte Sergent dans l'esprit du XVIIIe siècle avec mission de ne lésiner sur rien pour mettre en valeur une somptueuse collection de peintures, de boiseries, d'orfèvrerie, de porcelaines et surtout de meubles extrêmement précieux. Son fils Nissim, aviateur, ayant été tué en 1917, il donna l'hôtel, avec tout son contenu, à l'Union centrale des Arts décoratifs; l'hôtel devint ainsi une sorte d'annexe du musée du pavillon de Marsan. Aujourd'hui, il abrite également le musée du Costume. Par son agencement — qui n'a rien de muséographique — il restitue le cadre de vie familière de ses occupants.   33 N

chapelle des Carmes

70, rue de Vaugirard, VIe. Sous la régence de Marie de Médicis, quelques carmes déchaussés venus d'Italie arrivèrent à Paris pour fonder un couvent. En 1613, la reine mère posait la première pierre de leur chapelle. C'est une petite église très simple, placée sous le vocable de saint Joseph, qui comprend une nef de deux travées voûtées en berceau et flanquées de quatre chapelles. L'architecture en est assez rudimentaire et, dans l'ensemble, plutôt médiocre. La communauté étant en relation avec l'Italie, il est probable que le plan fut envoyé de Rome (il rappelle le style de certaines églises romaines) et que l'exécution fut confiée à un constructeur de faible compétence. La façade a été refaite sur le modèle de l'ancienne, qui n'était pas particulièrement gracieuse; la nef est surmontée à la croisée d'une coupole. C'était la première fois qu'apparaissait un dôme dans le ciel de Paris. En vérité, sa construction, en bois et plâtre, est malhabile; sa silhouette est à la fois lourde et mesquine; le lanternon qui le coiffe est aussi grand que lui. A l'intérieur, les carmes firent décorer le tambour de cette coupole par un artiste flamand qui représenta l'ascension d'Elie avec des fulgurances assez remarquables. Les chapelles ont reçu leur décoration au cours du XVIIe siècle. La deuxième à gauche est enrichie, à la voûte et aux murs, de peintures de Van Mol insérées dans un décor Louis XIII d'une abondante générosité. On doit noter deux chefs-d'œuvre de boiserie de la même époque : les deux portes sculptées en hauts-reliefs qui font communiquer la nef avec le chœur bas. Le maître-autel monumental offert par le chancelier Séguier (1633) a été remanié; mais on y voit encore, entre quatre colonnes de marbre noir, un tableau de Quentin Varin donné par Anne d'Autriche. Dans le transept, à droite, l'autel de la Vierge, aligne des colonnes de marbre encadrant une niche où une Vierge à l'Enfant en marbre blanc est assise sur un rocher. Exécutée d'après un modèle du Bernin

elle fut commandée par le cardinal Barberini qui l'offrit aux
carmes en 1663.

Le jardin, les bâtiments conventuels, très dépouillés, sont émouvants par le souvenir qui s'y rattache. C'est là, en effet, que furent
mis à mort, de façon effroyable, plus de cent prêtres insermentés, le
2 septembre 1792. Des ossements ont été rassemblés dans la
crypte de l'église où est vénérée la mémoire des martyrs des
« massacres de Septembre ».   34 S

23, rue de Sévigné, IIIᵉ. L'hôtel de Carnavalet est bien connu des
Parisiens qui s'intéressent au passé de leur cité. Il est en effet
devenu à la fin du XIXᵉ siècle le musée d'Histoire de Paris, une
histoire racontée par les plus attrayantes collections de souvenirs
et d'œuvres d'art. Il fut édifié en 1548 pour Jacques de Ligneris,
président au Parlement, par le maître maçon Nicolas Dupuis.
Pierre Lescot en fut-il l'architecte, comme le veut une tradition ?
Seul l'historien Sauval a mentionné son nom, qui ne figure point
comme signataire du marché. L'hôtel de Ligneris fut un des premiers exemples de ces hôtels parisiens élevés entre cour et jardin

musée
Carnavalet

qui devaient se multiplier par la suite. Les galeries en retour, ouvertes en arcades, qui joignaient deux pavillons latéraux sur la rue encadrant le portail, ne comportaient alors qu'un rez-de-chaussée.

En 1572, l'hôtel fut vendu à Mme de Kernevenoy, dont le nom fut travesti en Carnavalet. Cette dame, dont parle Brantôme, aimait le plaisir et la dépense ; elle se ruina en voulant réaménager sa demeure, qui fut saisie (on peut se demander pourquoi l'hôtel porte son nom, ou plutôt son sobriquet). Claude Boylève l'acheta en 1654 et demanda à François Mansart d'agrandir les appartements. Intendant des Finances, il avait tant trafiqué avec les fournitures aux armées qu'il fut traduit devant la Chambre de justice, qu'il dut rendre gorge et que l'hôtel, une fois encore, fut saisi.

Mansart l'avait métamorphosé. Il avait surélevé tous les bâtiments d'un étage. Les arcades à l'italienne des galeries latérales furent fermées ; sur la rue, des bâtiments en surélévation unirent le portail aux pavillons. Ces transformations architecturales s'imposent avec évidence et portent la marque de leur auteur. Les décors sculptés, particulièrement abondants, appartiennent donc pour une part à l'ancien hôtel de Ligneris (Renaissance) et pour l'autre à sa réfection (environ 1660). Elles ont parfois été déplacées et elles sont l'objet de controverses qui concernent surtout l'attribution à Jean Goujon. Au claveau de l'arc du portail d'entrée une figure très étirée personnifie l'Abondance ; l'aisance de l'attitude et les plis de la draperie se composent avec une liberté qui révèle le génie de l'artiste (plus tard, fut ajouté au pied un masque de carnaval : allusion à Carnavalet). Deux lions, d'un style étonnant, sont traités en bas-reliefs rectangulaires sur un fonds d'armes qui est une curiosité décorative ; ils se trouvaient sur la cour et ont été transférés lors des surélévations de Mansart. Au tympan du portail figure un groupe d'enfants, plus tardif, d'un style assez mou et conventionnel.

En entrant dans la cour pavée se découvrent au fond les grands reliefs des Saisons. Il est difficile de suivre une tradition qui les attribue à Goujon, bien que par leurs attitudes, leurs dimensions,

Mme de Sévigné, par Mignard.

Elévation de la cour d'entrée.

la nature de leur travail, ils rappellent les Nymphes de la fontaine des Innocents. Leur dessin, en effet, est d'une sécheresse et d'une rusticité — celle-ci d'ailleurs savoureuse — qui indique plutôt le travail d'atelier; on peut croire qu'elles sont l'œuvre de compagnons de Goujon qui travaillaient alors avec lui aux façades de la cour du Louvre. Au tympan de l'arc sur cour de la porte d'entrée, nous voyons une figure bien en chair, traitée avec une admirable légèreté; de part et d'autre, deux Renommées, en tuniques transparentes, démesurément allongées, d'un art comparable à celui de Goujon. On remarquera aussi au fond de la cour, sur une porte à gauche, deux petits génies porteurs de flambeaux. Les grandes figures mythologiques qui règnent sur les côtés datent de la seconde campagne de travaux. Van Obstal, Regnaudin et Tuby ont cherché à les harmoniser aux Saisons. Il convient de s'arrêter devant les têtes de satyres qui ornent les arcades latérales : leur expression, leur diversité, l'habileté décorative qui les anime sont d'un maître.

Cette cour, avec la noble ordonnance de ses fenêtres, François Mansart a su lui conférer, malgré ce qui sépare les styles d'origine,

Les armes de Paris, à la façade du Pavillon des marchands drapiers.

une remarquable unité. Au centre s'élève la superbe statue de Louis XIV, par Coysevox. D'abord à l'Hôtel de Ville, cette effigie royale est la seule qui ait pu résister aux émeutes de la Révolution et de la Commune.

L'hôtel de Carnavalet possède un titre de gloire : il a conquis Mme de Sévigné. Après ses multiples déménagements à travers le Marais sans avoir rencontré logis à sa convenance, elle trouva enfin là une demeure qui la ravit. Elle le loua, y tint salon, y vécut de 1677 jusqu'à sa mort, en 1696. L'hôtel changea plusieurs fois de propriétaires jusqu'à la Révolution. Après quoi, il connut un destin fort différent de celui pour lequel il avait été conçu. En 1814, il reçut l'Ecole des Ponts et Chaussées, puis divers collèges et établissements d'éducation qui, bien entendu, ne laissèrent rien de sa décoration intérieure. Enfin, en 1866, il fut acheté par la Ville de Paris. La riche donation des collections d'Alfred de Liesville permit de constituer l'embryon d'un musée d'histoire (1880). Les archives et bibliothèques qui composaient le premier fonds du musée furent transférées en 1897 à l'hôtel Le Peletier de Saint-Fargeau, acquis par la Ville pour abriter la Bibliothèque historique de Paris. Celle-ci émigra à l'hôtel Lamoignon en 1969 pour céder la place, selon un projet longuement mûri, aux collections archéologiques de Carnavalet.

Le musée n'ayant cessé de s'enrichir, il a fallu bâtir, avant et après la guerre de 1914, des bâtiments importants sur un terrain voisin qui déterminent d'autres cours décorées de parterres très soignés.

Des fragments de monuments ont été transférés à Carnavalet au titre de curiosités historiques. L' « arc de Nazareth », remonté sur l'entrée de la rue des Francs-Bourgeois, se trouvait dans l'enceinte du Palais de Justice où il faisait communiquer la Chambre des Comptes avec ses archives. Lors de l'incendie de la Préfecture de Police, en 1871, il subsista, à peine endommagé. L'intérieur de la voûte est entièrement sculpté. Les chiffres de Henri II et de Catherine de Médicis permettent de dater son origine. La façade du Pavillon des marchands-drapiers est de Jacques Bruant; en médaillon, une nef de Paris très historiée est encadrée de jolies filles dont les bras levés soutiennent le fronton. Enfin le pavillon de l'hôtel de Choiseul, qui a été remonté sur une galerie à colonnades, date des premières années du XVIIIe siècle.   35 N

121, rue de Ménilmontant, XXe. Le petit village de Ménilmontant, comme ceux de Charonne et de Belleville, était entouré de prairies, de champs et de vignobles. A flanc de coteau (à la hauteur de la rue Pelleport) s'élevait un château appartenant à la famille Le Pelletier. Entouré d'une propriété rurale importante, le domaine fut loti peu à peu. Sous le Second Empire, rien ne restait plus du château, ni des terres. A la fin du XVIIIe siècle le goût s'était

maison
Carré de Beaudoin

L'une des rares maisons de campagne qui aient échappé à la disparition du village de Ménilmontant.

répandu chez les Parisiens qui en avaient les moyens de se faire bâtir une maison de villégiature (que nous dirions aujourd'hui résidence secondaire) sur les pentes tournées vers Paris de ces coteaux ensoleillés. Ce n'étaient point des châteaux : selon l'esprit de l'époque, ces « folies » étaient de moindres dimensions, mais délicates et souvent ravissantes.

Quand eurent lieu les démolitions haussmanniennes au centre de Paris, et que la population ouvrière dut déguerpir, elle se porta surtout vers ces quartiers nouvellement annexés où elle trouvait à se loger à bon compte, généralement dans des conditions misérables et dans le plus grand désordre. Les élégants pavillons du siècle précédent disparurent les uns après les autres. Si l'un d'eux subsiste rue de Ménilmontant, c'est miracle : depuis l'Empire il a été englobé dans un orphelinat qui existe encore, tenu par des sœurs de la Charité. Sa façade est tournée vers le centre de Paris, c'est-à-dire qu'elle est perpendiculaire à la rue d'où on l'aperçoit en partie ; devant le perron un jardin la met en valeur. Elle a été construite en 1773 pour Nicolas Carré de Beaudoin qui mourut dès qu'elle fut teminée. C'est un bâtiment à deux étages unis par une colonnade ionique à fronton triangulaire. Elle est parfaitement insolite dans un quartier qui a retrouvé sa tradition d'incohérence amplifiée, cette fois, par des immeubles géants de tous genres et plantés en tous sens.   36 N

arc de triomphe du Carrousel

Place du Carrousel, Ier. Depuis qu'il avait reçu la couronne impériale, Napoléon rêvait d'un Paris monumental qui eût marqué dans la pierre les gloires de son règne. Il voyait très grand et très loin. Ses architectes, Percier et Fontaine, le poussaient naturellement dans cette voie. Leur goût pour l'antique s'accordait avec celui de leur souverain qui avait l'ambition d'embellir la ville, d'en faire une nouvelle Rome, d'éterniser le souvenir de ses victoires et de ses conquêtes. A travers le désordre des vieilles maisons encore debout entre le Louvre et les Tuileries, une avenue était projetée. Au revers du château des Tuileries, où il passait sa garde en revue, l'empereur souhaitait une entrée digne de son empire. Fontaine avait fait à Rome un relevé de l'arc de Septime Sévère. Pouvait-on trouver meilleur modèle ? Les choses ne traînèrent point. Napoléon avait fait part de sa décision le 12 février 1806. Fontaine remit ses dessins le 12 mars. Le 7 juillet on posait la première pierre, et à la fin de l'année suivante la construction était suffisamment avancée pour que la garde, retour de Friedland, défilât sous ses voûtes.

C'est le premier monument napoléonien. Comme l'arc romain dont il s'inspire, l'arc central est flanqué de deux autres de moindres dimensions, et de deux ouvertures sur les côtés. Sa hauteur est de 14,60 m. Mais il diffère de son modèle par une décoration originale, et même la plus originale qui ait été conçue à l'époque.

Huit colonnes de marbre rose proviennent du Château-Vieux de Meudon. Les chapiteaux sont en bronze. L'ouvrage est voué à la Guerre et les personnages qui le décorent ne sont pas, selon l'usage, nus ou drapés à l'antique : ce sont des soldats en uniformes de l'armée impériale traités avec beaucoup de réalisme. Sur l'attique, dans l'axe des colonnes, s'élèvent huit statues, où l'on reconnaît aussi bien le cuirassier que le sapeur, voisinant avec des bas-reliefs à l'antique, tandis que les tympans des petites arcades sont ornés d'un décor de pièces d'équipement militaire.

Allégorie du traité de Presbourg.

L'élément le plus extraordinaire était certainement le célèbre quadrige des chevaux de Saint-Marc de Venise, transporté en France avec bien d'autres tributs de guerre en cortège triomphal. Le sculpteur Lescot les avait attelés à un char escorté par les figures de la Guerre et de la Paix et où il avait prévu un Napoléon en manteau impérial. L'empereur l'ayant appris alors qu'il guerroyait en Espagne, adressa un message courroucé : « Je veux que le char, si l'on n'a rien de mieux à y mettre, reste vide. » Après 1815 les Autrichiens feront réintégrer les prises de guerre, et les chevaux reprendront leur place à Saint-Marc. Les Alliés avaient aussi exigé l'enlèvement des six grands bas-reliefs représentant des victoires de Napoléon ou son entrée dans des capitales étrangères. En 1828, on les remplacera par d'autres bas-reliefs représentant des scènes de la guerre d'Espagne sous le commandement du duc d'Angoulême. A la place des chevaux de Venise, furent installées leurs répliques tandis que figuraient sur le char des statues allégoriques assez neutres pour n'éveiller aucune susceptibilité politique. L'ensemble a ainsi survécu à travers tous les régimes.

L'empereur était peu satisfait de ce monument; il le trouvait mesquin en le comparant à celui que Louis XIV avait fait élever à la porte Saint-Denis. Aujourd'hui, après la disparition du château des Tuileries, il paraît un peu perdu dans le grand vide des jardins, mais il a acquis le privilège de se situer dans la visée de la perspective jalonnée par l'Obélisque et par son grand frère de l'Etoile dont les dimensions, quatre fois plus grandes, sont parfaitement proportionnées à la distance qui les sépare.   37 N

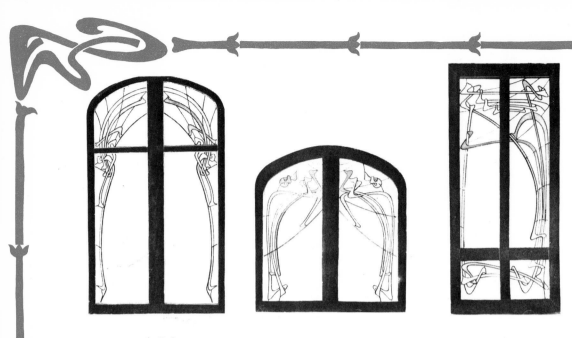

castel Béranger

14, rue La Fontaine, XVIᵉ. Construit par Hector Guimard, le Castel Béranger (1896-1898) est le premier exemple, et le plus complet, d'un immeuble de style Art nouveau à Paris. L'architecte n'est pas seulement l'auteur des plans et des façades, il a lui-même dessiné tous les éléments qui le composent et le décorent, des revêtements de sol aux plafonds, des portes et de leur ferronnerie, aux meubles et aux luminaires. La porte d'entrée en fer forgé et cuivre rouge, les sculptures des colonnettes qui l'encadrent révèlent une volonté d'asymétrie des volumes et de flexibilité des lignes, principales caractéristiques du « Modern Style ». Le vestibule avec ses revêtements de grès flammés, le mur intérieur en briques de verre soufflées, les inventions florales stylisées sur les murs et les vitraux, tout répond à un nouveau lyrisme poétique sans que soient négligées pour autant les recherches d'adaptation pratique correspondant à un âge nouveau. L'œuvre de Guimard, dont l'esprit novateur allait au-delà de l'ornement, fut appréciée par une certaine élite, et il construisit quelques autres maisons du même style dans le XVIᵉ arrondissement. Mais ce qu'il nommait lui-même le « style Guimard » resta sans suite. Plusieurs de ses constructions ont été démolies malgré l'intérêt qu'elles présentaient pour l'histoire de l'art. Il eut toutefois la bonne fortune de recevoir la commande des entrées de la première ligne du Métropolitain (1900) qu'il a traitées, avec la plus grande originalité, en fonte et en céramique.

38 N

Dessins d'Hector Guimard.

Centre international de Paris

Porte Maillot, XVIIᵉ. Longtemps, trop longtemps, la porte Maillot fut la plus incohérente de Paris. Entre l'avenue de la Grande-Armée et celle de Neuilly s'étendait un grand espace vide affleuré au nord par la pointe du bois de Boulogne auquel, de l'autre côté, faisait face le terrain qui reçut entre les deux guerres le parc d'attractions de Luna-Park, transformé depuis en parking. Les bâtiments d'alentour ne faisaient pas honneur, c'est le moins qu'on puisse dire, à cette étape de la voie triomphale. La Ville de Paris s'était préoccupée, dès 1925, d'aménager ces lieux de façon plus digne. Des projets furent dessinés, entre autres, par Auguste Perret, Le Corbusier et Jacques Gréber. Pour des raisons financières ils ne virent pas le jour.

La fièvre de discours, rencontres et congrès internationaux qui s'est répandue sur le monde, coïncidant avec l'expansion générale du tourisme, posait des problèmes : la Ville de Paris, centre d'attractions universel, s'apercevait qu'elle ne disposait pas de salles d'assemblées, ni d'hôtels de capacité suffisante pour accueillir tout ce monde. C'est alors que le Conseil municipal, la Chambre de commerce, avec l'appui de l'Etat, firent étudier les programmes qui devaient permettre de faire face à la situation en créant sur les terrains disponibles près de la porte Maillot un « Centre international de Paris » dont l'organisation et l'ampleur pourraient répondre à des demandes multipliées. L'architecte Guillaume Gillet fut chargé de coordonner les études et de les intégrer dans un plan d'ensemble. Les travaux commencèrent en 1971.

Maquette du Centre international par Guillaume Gillet.

La création du boulevard périphérique, qui franchit les lieux en souterrain, permet d'assurer des relations rapides avec les aérodromes : l'aménagement de la circulation est conçu comme un terminal d'Air France. L'ensemble des bâtiments occupe les 3,5 ha de l'ancien Luna-Park; il se compose de deux parties dissemblables par leurs formes et leur destination. Un volume bas et de lignes arrondies s'étend en avancée vers l'axe de l'avenue de la Grande-Armée, tandis que, largement en arrière, par souci de ne pas perturber la perspective de l'Etoile, s'élève une tour de 130 m, comme une colonne puissamment cannelée sur plan en forme d'amande. Ce contraste répond évidemment à un programme précis. Précédé de parcs de stationnement et de gares routières en souterrain, l'ensemble abrite le palais des congrès dont l'élément majeur est une grande salle de 3 000 places — qui peut, en cas exceptionnels, recevoir un équipement complémentaire portant sa capacité à 4 200 places. Son utilisation est également prévue pour des concerts, ballets, etc. Des salles de conférences, de commissions, d'expositions à cloisons mobiles, et une centaine de bureaux sont répartis alentour, accompagnés d'un centre commercial.

D'autre part, mille chambres d'un hôtel de luxe sont installées dans la tour, qui fait corps avec le palais des congrès; 5 500 m² de bureaux fonctionnels sont aménagés, sur trois niveaux, dans son socle. Toutes ces formes elliptiques répondent au dessin général de la place et s'harmonisent avec les courbes imposées par la circulation. Elles apportent à l'ancien carrefour confus de la porte Maillot le geste architectural qui lui manquait.   39 N

Place du Trocadéro, XVIe. Si la colline de Chaillot marqua l'orientation de Paris dans sa poussée vers l'ouest, elle était aussi un obstacle. L'arasement de la butte de l'Etoile s'est poursuivi de la fin du XVIIIe siècle à la construction de l'Arc de Triomphe. Plus tard, Napoléon III fera araser la place du Trocadéro en y conduisant des avenues convergentes (le cimetière de Passy en surplomb en montre l'ancien niveau). Le paysage était incomparable. Une pente douce descendait vers la Seine dont on voyait se dérouler les larges boucles jusqu'aux coteaux boisés de Meudon. En face, le Champ-de-Mars, l'Ecole militaire, toute la rive gauche de la ville. Ce côté de la colline était à peine peuplé : le couvent de la Visitation et celui des Bonshommes n'avaient pas survécu à la Révolution. C'est là que Napoléon Ier imagina d'élever l'immense palais du Roi de Rome, pour lui-même, pour sa cour, pour les rois et les reines de son Europe impériale lorsqu'il voudrait les avoir à ses côtés. Un palais qui surclasserait tous les autres, « un Kremlin cent fois plus beau que celui de Moscou ». Percier et Fontaine élaborèrent un projet grandiose dont les dispositions générales, les grandes horizontales, les rampes, les soubassements

palais de
Chaillot

en arcades s'adaptaient assez heureusement au site. Les travaux avaient commencé en 1811; mais au retour de la campagne de Russie, l'Empereur dut réduire singulièrement ses ambitions. « Je voudrais un palais moins grand que celui de Saint-Cloud, mais plus grand que celui du Luxembourg... un palais de convalescence pour un homme sur le retour de l'âge. » On continuera lentement les terrassements en face du pont d'Iéna. Et tout sera abandonné après les adieux de Fontainebleau.

C'est seulement au début de la IIIe République que l'on vit naître un monument sur ce précieux terrain vacant. Après l'écrasement de la défaite, l'Exposition universelle de 1878 voulait témoigner du relèvement de la France. Au-dessus du grand hall éphémère disposé au Champ-de-Mars, il convenait d'édifier un ouvrage « artistique » et durable. Deux architectes de la ville, Davioud et Bourdais, eurent mission d'élever un palais des Arts, qui dominerait l'exposition, Ils conçurent un palais fantastique où d'interminables galeries déployaient leurs ailes (deux fois 195 m) de part et d'autre d'une rotonde centrale d'où s'élançaient deux grêles minarets qui avaient l'ambition d'évoquer la Giralda de Séville. (Le nom de Trocadéro commémorait une bataille livrée par le duc d'Angoulême en Andalousie.) L'architecture, d'un vague style romano-hispano-mauresque, était décorée de terres cuites, de mosaïques, de céramique dans une inhabituelle et réjouissante polychromie. Ce fut un succès. Mais rien ne passe aussi vite qu'un style d'exposition. Le Trocadéro ne tarda pas à être brocardé. Et, lorsqu'on parla de le jeter bas pour céder la place aux besoins d'une autre exposition, celle de 1937, il ne rencontra guère de défenseurs.

Pour cette manifestation internationale, dite « des Arts et des Techniques », la direction des Beaux-Arts demanda un projet à Auguste Perret. Celui-ci avait remplacé le vieux palais par une architecture de noble ordonnance qui couronnait la colline. Deux grands bâtiments rectangulaires étaient destinés à grouper des musées dispersés, reliés par un portique qui encadrait le paysage. Deux immenses terrasses étaient destinées aux rassemblements de plein air. A droite, là où l'architecte devait construire un peu plus tard le musée des Travaux publics, était prévu un bâtiment hémisphérique destiné à abriter, entre autres, une grande salle de spectacle. Mais ce projet fut écarté au profit d'une solution de compromis qui consistait à habiller de neuf les vieux bâtiments en les épaississant. Le palais de Chaillot fut donc établi en partie sur les fondations de l'ancien monument. Les architectes Carlu, Boileau et Azéma supprimèrent la rotonde centrale pour ouvrir une percée, vaste parvis au pied duquel s'étend le Champ-de-Mars. Deux pavillons massifs l'encadrent d'où partent les grandes ailes recourbées sobrement traitées dans un style classique modernisé. Une salle de spectacle est creusée en souterrain sous le parvis.

Les jardins en pente vers la Seine ont été réorganisés; sur les côtés ils ont gardé un aspect paysager tandis que le centre forme une composition géométrique monumentale articulée sur la façade du théâtre où jouent de somptueux effets d'eau. Place du Trocadéro,

L'ancien « palais des Arts » de l'Exposition de 1878.

au-dessus des entrées, se détachent des épigraphes de Paul Valéry. Quarante sculpteurs ont été appelés à décorer le palais de bas-reliefs et de statues en bronze doré alignées sur le parvis. Dans le jardin, deux grandes sculptures de Poisson et de Drivier s'accordent, dans leur inspiration néo-classique, avec le monument. Des peintures très diverses ont décoré des surfaces réparties dans les dégagements du théâtre. Dans cet ensemble considérable les musées, bien dégagés, bien éclairés, occupent 50 000 m² dans les deux ailes : côté Passy, le musée de l'Homme qui a trouvé l'occasion de renouveler magnifiquement l'ancien « musée d'Ethnographie », et le musée de la Marine ; côté Paris, le musée des Monuments français dont les moulages réunissent les plus beaux témoignages de l'architecture et de la sculpture monumentale françaises. En 1950, la salle de spectacle, qui convenait à l'orientation des nouveaux aménagements scéniques de Jean Vilar, fut affectée au Théâtre national populaire.   40 N

Les architectes du palais furent Carlu, Boileau et Azéma.

hôtel de
Châlons-Luxembourg

26, rue Geoffroy-L'Asnier, IVe. Pour symboliser le style Louis XIII dans toute sa force expressive il n'est pas d'exemple plus pertinent que le portail de l'hôtel de Châlons-Luxembourg. Des pilastres portent une majestueuse voussure à frise de rinceaux profondément accentués. Sur le tympan se détache une immense coquille dont les rebords « cartilagineux » se courbent et présentent au sommet un mufle de lion dont la crinière retombe et enveloppe un cartouche épigraphique. De très fines draperies sont accrochées à la partie inférieure. Les vantaux sculptés sont un remarquable ouvrage de menuiserie, mais d'un caractère moins personnel. L'ensemble, avec, çà et là, quelques détails discrets d'une originale fantaisie, possède une puissance souple et musclée qui en fait l'une des plus grandes œuvres d'un style alors dans sa plénitude. Cette entrée est si imposante qu'une fois franchie, l'hôtel lui-même paraît modeste, bien qu'il soit aussi d'un bon style Louis XIII. La façade sur jardin où la brique et la pierre sont heureusement réparties, soulignée de sculptures discrètes, possède, avec ses deux petites ailes en retour, une distinction pleine de charme.

Ce beau titre d'hôtel Châlons-Luxembourg qui figure au portail ne doit pas faire illusion. Il est composé du nom de ses locataires de 1625, les Châlons, commerçants rouennais, et une dame Béon-Luxembourg du Masset, épouse d'un conseiller du roi (1659). 41 N

VIIe. Dépendant de l'Ecole militaire, le Champ-de-Mars était le terrain d'exercice de ses élèves. Ils s'y déployaient à l'aise puisqu'ils n'étaient que cinq cents alors que sur ce terrain parfaitement nivelé, cerné d'infranchissables fossés, dix mille soldats pouvaient s'aligner devant les huit files d'ormes qui le bordaient de part et d'autre. C'était aussi, à l'occasion, un terrain de parades et de manœuvres pour toute la garnison de Paris. Sans doute paraissait-il tout de même insuffisant puisqu'on entreprit de le raccorder, en comblant le petit bras de la Seine, à l'île Maquerelle, dénommée depuis plus gracieusement « île des Cygnes ».

Le Champ-de-Mars ménageait une belle perspective sur l'Ecole militaire. C'était une réplique, plus vaste encore, de l'esplanade des Invalides. C'est pourquoi Gabriel, qui avait prévu l'entrée de l'Ecole sur la demi-lune de la place de Fontenoy dessinée à cet effet, modifia son projet et ouvrit également vers la colline de Chaillot une entrée solennelle.

On a vu s'envoler du Champ-de-Mars les premiers ballons. La montgolfière qui s'est élevée en 1783, n'avait encore pour équipage que deux canards et un mouton. L'année suivante, Blanchard voulut prouver qu'il avait inventé un ballon dirigeable et qu'il se rendrait dans sa nacelle à la Villette. Il atterrit à Billancourt. Ces inventions charmantes — l'enveloppe des montgolfières était délicieusement décorée de festons de couleurs tendres et des chiffres du roi et de la reine — passionnaient les Français. Il ne serait venu à l'idée de personne que la conquête de l'espace pût un jour servir à des fins cruelles.

Avec la Révolution, le Champ-de-Mars devint le théâtre de rassemblements extraordinaires où le spectacle, l'éloquence et le culte de nouvelles religions humanitaires s'achevaient dans le sang. 14 juillet 1790 : le Champ-de-Mars est transformé en une sorte de cirque romain de forme allongée. D'énormes talus sont prévus tout autour pour les spectateurs. Bien que douze mille ouvriers aient été embauchés, il apparaît que les travaux ne seront pas terminés en temps voulu. Les résultats de l'appel à la population dépassent les espérances. Des récits nous relatent les processions d'hommes et de femmes vers le Champ-de-Mars, avec des pelles et des brouettes, derrière des bannières ornées d'inscriptions civiques. Des moines et des soldats voisinent avec des magistrats, des marquises avec des filles de joie. Un arc de triomphe en carton s'élève du côté de la Seine; devant l'Ecole militaire, la tribune royale est tendue de bleu; au centre, un immense autel, l'autel de la Patrie, s'élève au sommet d'une tribune pyramidale de trente marches. Les fédérés des provinces auxquels se sont joints deux cent mille Parisiens assistent à la messe, une messe étonnante célébrée par Talleyrand, évêque d'Autun, entouré de trois cents prêtres. La Fayette reçoit de Louis XVI le texte de la Constitution, monte à l'autel et prête serment de fidélité; serment qui sera répété par le roi, la famille royale et les membres de l'Assemblée nationale. Marie-Antoinette tend son fils à la foule, et c'est un délire d'enthousiasme. 14 juillet 1791 : l'anniversaire de la Fédération est célébré avec

dignité par un grand concours de peuple aux cris de « Vive la Nation ». 17 juillet 1791 : des citoyens se rendent au Champ-de-Mars pour réclamer la déchéance du roi et déposent leur manifeste sur l'autel de la Patrie. C'est alors que Bailly, astronome et maire de Paris, marchant en tête d'une compagnie de la garde nationale pour faire respecter l'ordre public, est accueilli par des coups de pistolet et une grêle de pierres. Il devait être guillotiné plus tard à l'emplacement de l'autel de la Patrie quand la foule cria à la profanation et exigea que la guillotine fût montée dans un fossé pour que la peine fût d'un caractère plus infamant.

Les fêtes nationales se succèdent à un rythme précipité : fête d'anniversaire de la Fédération, fête d'anniversaire de l'exécution de Louis XVI, fête de la Liberté, fête de l'abolition de l'esclavage, etc. Le 8 juin 1794, une montagne de carton peint, disposée au milieu du Champ-de-Mars, servait de tribune aux membres de la Convention. Deux mille quatre cents choristes accompagnés par tous les musiciens professionnels de Paris entonnent la cantate à l'Etre suprême. Robespierre discourt au milieu des acclamations. Le 27 juillet suivant, il est arrêté à l'Hôtel de Ville, sa mâchoire fracassée par un coup de pistolet. Le lendemain, on lui coupe la tête.

Le Champ-de-Mars servira longtemps aux apothéoses. Napoléon y passera sa garde en revue, remettra des aigles. Louis XVIII, Charles X, Louis-Philippe, y évolueront à tour de rôle au milieu des drapeaux et des marches militaires. Le roi des Français y donnera une grande fête populaire à l'occasion du mariage d'un de ses fils, et tant de monde accourut qu'un assez grand nombre de personnes périrent étouffées.

Il appartenait à Napoléon III de distraire ce terrain de sa voca-

La fête de la Fédération, le 14 juillet 1790, se déroula dans une sorte de cirque romain. Au fond, du côté de la Seine, un arc de triomphe en carton.

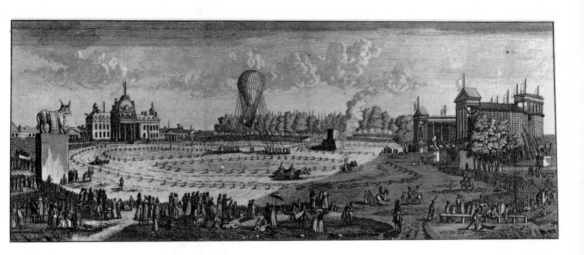

tion militaire. Le Champ-de-Mars deviendra un champ de courses. C'était une pâle imitation de l'Angleterre; mais tous les snobs de Paris tiendront à y paraître. Une fois installé le spacieux hippodrome de Longchamp, celui du Champ-de-Mars disparut. Ce sera désormais le lieu des grandes expositions. Le Directoire avait montré le chemin lorsque François de Neufchâteau se fit l'animateur, en 1798, d'une Exposition des produits de l'industrie — grande nouveauté. S'y installèrent successivement, débordant de plus en plus sur les berges de la Seine, aux Champs-Elysées, aux Invalides, les expositions internationales ou universelles de 1867, 1878, 1889, 1900 et 1937.

Dans les premières années de ce siècle, les jardins et le quartier du Champ-de-Mars prirent leur physionomie actuelle. Le terrain où venait de se tenir l'Exposition universelle, et où la Galerie des machines s'élevait encore devant la façade de l'Ecole militaire, était amputé de chaque côté par la Ville de Paris qui lotissait ainsi plus de la moitié de sa superficie. Un quartier de luxe s'édifiait, qui s'insérait entre les quartiers grouillants et populeux du Gros-Caillou et de Grenelle.

Les immeubles en bordure du Champ-de-Mars étaient évidemment les plus recherchés, car c'était un véritable jardin qui commençait à verdir, et que l'on mettra vingt ans à aménager sous la direction de l'architecte Formigé. La perspective centrale Chaillot-Ecole militaire est respectée : la partie centrale est garnie de pelouses et d'allées rectilignes, les abords du monument, très aérés, étaient occupés par des plantations à la française. Les bosquets latéraux et ceux qui se trouvent près du quai Branly sont traités dans l'esprit du XIXe siècle. La tour Eiffel, avec ses quatre énormes pattes agrippées au jardin, y fait figure d'intruse. Peut-elle être considérée comme un élément du Champ-de-Mars ? Elle appartient aux nuées. Elle échappe vertigineusement aux habitués du jardin pour se consacrer aux visiteurs de l'univers.   42 S

Le 22 septembre 1798, une montgolfière s'éleva du Champ-de-Mars.

Champs-Élysées

VIIIe. Le vocable désigne à la fois un jardin et une avenue. Jardin soigné, mais assez indécis, parsemé de pavillons de l'autre siècle. Avenue très large (70 m), très longue (2 km), bordée de façades hétéroclites qui vont de la banalité à la laideur agressive. Miracle du site! Le choix du relief, de l'orientation et du tracé ont permis de composer, sinon une œuvre d'art, du moins une œuvre de vie. Et le regard, qui oublie les façades disparates, suit la longue coulée d'arbres qui s'étend de la place de la Concorde au sommet couronné par l'Arc de Triomphe de l'Etoile.

Vue des Champs-Elysées, la Concorde est un grand vide solennel limité par les terrasses ombragées des Tuileries, avec la pointe fine de l'Obélisque, qui ponctue d'un signe exotique, mais apprivoisé, l'auguste perspective. Quant à l'Arc de Triomphe, il s'impose avec une telle autorité que les Champs-Elysées ne semblent vivre que par lui et pour lui. Son volume colossal, au sommet d'une pente égale et douce, est exactement à l'échelle de cet ensemble urbain magistral.

En dehors des fossés de la ville, Marie de Médicis avait fait planter, derrière les terrains vagues qui sont devenus notre place de la Concorde, une allée plantée d'une quadruple rangée d'ormes

Le Cours de la Reine fut à l'origine du jardin des Champs-Elysées.

longeant la Seine sur un kilomètre et demi jusqu'à la Savonnerie (près de notre place de l'Alma), qui fut baptisée Cours de la Reine. Elle était fermée à ses deux extrémités par des grilles et des portes monumentales, et scandée par une demi-lune, à hauteur du futur hôtel des Invalides. Promenade très animée, si nous en croyons Saint-Simon : on y donnait des concerts nocturnes et des danses sur la demi-lune à la lumière des torches. Ce fut le point de départ des jardins des Champs-Elysées.

La place Louis XV une fois créée, des quinconces d'ormes sont plantés sur la « plaine du Cours ». Elle est peu fréquentée et les promeneurs ne s'y aventurent qu'avec prudence. Cependant, le duc d'Antin et le marquis de Marigny cherchent à embellir les lieux. Le sommet de la colline de Chaillot est déjà tranché pour servir de socle à quelque futur arc de triomphe. Une large avenue est tracée entre le Rond-Point et le Cours de la Reine. Des places gazonnées sont aménagées parmi les quinconces. Gabriel dessine une nouvelle avenue derrière les jardins des grands hôtels du faubourg Saint-Honoré. Des baraques champêtres essaiment alentour, laiteries, estaminets, marchands de friandises, cafés, comme celui de Doyen, futur Ledoyen, qui s'installe au bord d'une clairière réservée aux joueurs de quilles. Un bâtiment d'attractions, de bois et de stuc, s'établit à la hauteur de la rue Marbeuf. Sa forme en rotonde le fera pompeusement nommer : le Colisée. Pendant dix ans, il attirera des foules joyeuses, pressées de se divertir aux loteries, aux combats d'animaux, aux tirs à l'arc, aux joutes qui animent un grand bassin. Il y a surtout une salle de bal où règne un orchestre de trente musiciens. Dès lors, la vocation des Champs-Elysées est définie : ils sont faits pour le divertissement. Mais, à la fin du XVIIIe siècle, ces quinconces sont trop étendus ; et cette avenue centrale trop large, à peu près déserte, les coupe en deux morceaux trop distincts. Ni clos, ni gardés, ils sont hantés par des garçons de mauvaise mine et des filles de mauvaises mœurs. Vers la barrière de l'Etoile, où sont deux pavillons de Ledoux, ils se perdent dans la campagne. La Révolution a donné à ces lieux le nom qui leur est resté et elle l'animera de fêtes populaires. Des clubs viennent banqueter sous ses ombrages. Des bals de plein air sont organisés. En 1793, après avoir joui du spectacle des décapitations de la place de la Concorde, on s'égaille sous les ormes où se nouent rondes et farandoles.

Pendant le Directoire, les muscadins lancent la mode des Champs-Elysées. Sous prétexte de retour à l'antique, des dames s'y promènent vêtues d'une simple tunique de gaze, lorgnées par les face-à-main des « incroyables ». Des concerts ont lieu au carré Marigny ; des bals attirent la jeunesse sous des tentes à rayures tricolores. Pour les fêtes civiques, des lampions sont accrochés aux arbres. Les concessions accordées à des limonadiers, à des restaurateurs, à des cafés-chantants se multiplient. Les avenues sont parcourues par des montreurs d'ours, des bateleurs, des acrobates, des chanteurs, des marchands ambulants et des bonimenteurs.

Le palais de l'Industrie s'élevait
sur les Champs-Elysées.

David a solennisé l'entrée des Champs-Elysées en faisant venir
de Marly les superbes chevaux qu'il présente sur des piédestaux
qu'il a lui-même dessinés, chevaux frémissants, maintenus par des
« Africains », que Guillaume Coustou a taillés dans le marbre avec
un art incomparable. Sous l'Empire l'avenue se prêtera aux défilés
militaires. En novembre 1807, un banquet monstre est offert aux
grenadiers par la municipalité. Les tables des soldats s'alignent sur
les contre-allées. Les officiers prennent place sous des tentes disposées au milieu de la chaussée. Mais en 1815 les fêtes de l'armée
française vont faire place à des bivouacs de cosaques. Pendant des
mois les troupes des alliés camperont sous la tente, leurs chevaux
attachés aux arbres. Il faudra des années pour remettre les jardins
en état. Sous la Restauration, les jours de fête carillonnée, et particulièrement à la Saint-Louis, on y distribue gracieusement le vin,
la charcuterie et les pâtisseries.

Ce n'est vraiment qu'avec Louis-Philippe et surtout avec le
Second Empire que les jardins des Champs-Elysées prendront la
physionomie que nous leur connaissons : jardins anglais, massifs
d'arbustes, corbeilles de fleurs, arbres d'essences choisies, constructions légères. L'élégance des jardins ira de pair avec la métamorphose de l'avenue même où s'élèvent les hôtels des financiers, des

Les Lionnes, par Gustave Doré.

Cavaliers aux Champs-Elysées vers 1830.

grands négociants, de la nouvelle aristocratie et de la galanterie.

Napoléon III veut des pelouses de *ray grass* toujours vertes, comme à Hyde Park. L'anglomanie pousse à donner à la nouvelle rue de l'Elysée l'aspect d'un morceau de Londres en plein Paris. La chaussée centrale est pavée, des trottoirs sont aménagés, les contre-allées sont asphaltées. Hittorff, qui vient de transformer la Concorde, établit au long de l'avenue des lignes de luminaires où brûlent douze cents becs de gaz. Les établissements qui parsèment les jardins sont les témoins de l'évolution des divertissements et plaisirs chers aux Parisiens. Au XVIIIe siècle, un des nouveaux palais de la place Louis XV — celui de Crillon — était destiné à loger des ambassades extraordinaires; un café des Ambassadeurs fut autorisé à s'installer sous les quinconces voisins. Au siècle suivant, il devint café chantant, fut reconstruit par Hittorf, en 1871, en même temps et dans le même style que son voisin l'Alcazar d'Eté. Des tables étaient répandues sous les arbres, protégées par une palissade d'où émergeaient les têtes des badauds qui voulaient profiter de la fête sans payer l'écot. C'est là que Thérésa créa *La Femme à barbe* et que, au temps du boulangisme, Paulus soulevait l'enthousiasme avec sa chanson : *En revenant de la revue*.

Au beau temps du café-concert les Ambassadeurs connurent la grande vogue. Puis ce fut le tour des « revues », lesquelles étaient tout autre chose que des exhibitions. Celles de Rip enchantèrent les premières années de notre siècle. En 1929, le bâtiment fut remplacé par un théâtre, où triomphait Bernstein, auquel était joint un restaurant. Il a été repris, et adapté à des formules nouvelles (1970) par Cardin, prince de la couture.

Le théâtre Marigny, rotonde à pans coupés, a lui aussi sa petite histoire. Au XIXe siècle, les salles de spectacle s'étaient réparties sur la longueur des Grands Boulevards, de la rue de Richelieu à la Bastille; d'autres s'établirent aux Champs-Elysées, d'allure agreste, ouverts seulement pendant la belle saison. Pour éviter le chômage saisonnier, la direction possédait deux salles. Ainsi, l'Alcazar d'Eté correspondait à l'Alcazar d'Hiver, faubourg Poissonnière, le Cirque d'Eté au Cirque d'Hiver, le théâtre des Bouffes d'Eté aux Bouffes-Parisiens. Les Bouffes d'Eté avaient fait suite à une petite salle de prestidigitation et de magie dite le Château d'Enfer et à un théâtre lyrique dont le premier directeur fut Offenbach. Celui-ci, pendant cinq ans, y produisit quantité d'opérettes en un acte applaudies par le Tout-Paris. Ambitionnant d'autres scènes, il abandonna celle-ci à Deburau, fils du mime des Funambules, dont les affaires périclitèrent. Son théâtre fut démoli. C'était l'époque des « panoramas ». En 1883, Garnier construisait à la place une grande salle « panoramique », ancêtre de celle de Marigny, où l'on pouvait voir Paris à travers les âges, Constantinople et Jérusalem. Ce genre de spectacles inanimés n'eut qu'un temps et la salle abrita un théâtre d'opérettes. Cette rotonde, qui avait un charme si particulier, fut malheureusement mise au goût de 1925, puis à celui de 1960.

AMBASSADEURS

Yvette Guilbert

Tous Les Soirs

Champs-Elysées

CHAMPS-ELYSÉES

ALCAZAR D'ÉTÉ

LIDIA

Un concert donné par Hector Berlioz
au Cirque d'Été en janvier 1845.

A côté du théâtre Marigny se trouvait une autre rotonde, celle
du Cirque d'Eté. Remplaçant un vieux cirque de bois et de toile,
Hittorf avait édifié un monument d'apparat en s'adressant aux
meilleurs sculpteurs du temps. Le Cirque d'Eté devint Cirque de
l'Impératrice, puis végéta et disparut à la fin du siècle. Sur l'autre
versant du jardin, Hittorf avait conçu un « panorama » où l'on
pouvait admirer les batailles victorieuses de l'Empire et l'incendie
de Moscou. Un porche à l'antique se dressait à l'entrée. Il devint
en 1894 ce Palais de Glace où patinèrent tant de messieurs en haut-
de-forme, tant de dames à grand chapeau et petit manchon sous
la conduite de professeurs à dolmans. Malgré l'invasion des automobiles, le jardin des Champs-Elysées, avec ses restaurants de luxe,
ses petits kiosques en bois, son guignol, a conservé un peu de son
atmosphère d'autrefois.

Il nous faut saluer l'envergure d'esprit des hommes qui ont
prévu l'avenir de la ville alors qu'il n'y avait là que prés et labours.
Louis XIV, Colbert, Le Nôtre sont les initiateurs d'une décision
qui fut le point de départ d'une composition d'urbanisme qui
deviendra l'épine dorsale de Paris. Dès 1667, des arrêts du Conseil
d'Etat avaient enjoint aux propriétaires des terrains qui se trouvaient dans l'axe du château des Tuileries « jusques au-dessus de
la montagne de Chaillot » de produire les titres nécessaires à leur
estimation. Il s'agissait en effet de prolonger l'allée centrale du

jardin des Tuileries par une double file d'arbres vers la limite
de l'horizon. Cette limite n'était autre que celle où Napoléon
dressera l'Arc de Triomphe cent cinquante ans plus tard. D'autres
files d'arbres amorçaient également les futures avenues qui croi-
saient celle du grand axe au « grand rond », notre rond-point
des Champs-Elysées. En 1713, Germain Brice vantait « la grande
étoile de Chaillot » située au sommet, avec des allées rayonnantes
dont la principale, longeant le bois de Boulogne, conduisait au
village de Neuilly, sur la Seine, où était déjà prévu un pont de
pierre qui permettrait sa prolongation jusqu'à Saint-Germain-en-
Laye.

Ces avenues centrales, rayonnantes ou convergentes, celles où
nous circulons aujourd'hui, n'étaient alors qu'un dessin presque
irréel, matérialisé seulement par des lignes d'arbrisseaux au milieu
de prairies ou de labours qui appartenaient à des particuliers. C'est
seulement en 1709 — les ormes étant devenus de beaux arbres
solidement enracinés — que la circulation fut autorisée entre les
doubles files de chaque côté, la ligne centrale étant toujours occupée
par des parcelles cultivées. Notre avenue des Champs-Elysées était
alors nommée « grande avenue du palais des Tuileries ». A la même
date, une pièce d'archives mentionne un grand pré planté d'arbres
en quinconces — sans doute un verger — appelé « les Champs-
Elysées ».

L'avenue ne fut bâtie que très lentement. A la fin du XVIIIe siècle
le pavillon de Langeac (disparu) avait été construit par Chalgrin

On se réunissait chez Ledoyen lors de
l'ouverture du Salon.

à l'angle de la rue de Berri; l'hôtel de Massa (transporté rue Saint-Jacques en 1928) se trouvait à l'angle de la rue La Boétie. Au début du XIXᵉ siècle il n'y avait sur l'avenue que huit maisons d'habitation. Mais le faubourg Saint-Honoré, le quartier du Roule se développaient, et ce qui était maison de campagne devenait maison de ville.

Sous le Second Empire, les Champs-Elysées devinrent le rendez-vous privilégié de l'aristocratie, la grande promenade des élégances, le défilé mondain des équipages vers l'avenue du Bois. De cette époque si brillante restent bien peu de choses. Sur le Rond-Point, derrière de belles grilles dorées, nous voyons un hôtel Louis XV-Napoléon III bâti pour la comtesse de Léhon, femme de l'ambassadeur de Belgique, et maîtresse du duc de Morny. Celui-ci, pour se rapprocher d'elle, fit construire à côté un petit hôtel pour lui-même (nº 15) que les Parisiens nommèrent « la niche à Fidèle ». Il n'avait qu'une seule pièce sur l'avenue, éclairée par une grande baie, où régnait le luxe le plus opulent. Il fut exhaussé d'un étage lorsque la princesse Poniatowska en devint propriétaire. L'hôtel de la Païva (nº 25) a été presque intégralement conservé; mais il est maintenant en partie masqué par des bureaux installés au rez-de-chaussée devant la cour. Il a gardé sa somptueuse décoration caractéristique du Second Empire, entre autres un prodigieux escalier d'onyx et une cheminée très admirée, ornée de sculptures exécutées par Dalou. Après la guerre de 1914-1918, la disparition des hôtels particuliers se précipita. Vouée au commerce de luxe, l'avenue devint une immense vitrine de la distinction parisienne qui exerçait encore partout sa fascination.

Vers 1950 eut lieu une nouvelle mutation. Les magasins de prestige disparaissent peu à peu au profit des bureaux et des sièges sociaux qui envahissent les locaux professionnels et d'habitation. Il ne reste à peu près plus d'appartements habités. C'est le résultat d'un renchérissement inouï des valeurs foncières. Le prestige des Champs-Elysées est si grand que toutes les grandes sociétés du monde voudraient s'y loger. Ainsi le mètre carré de plancher y est devenu le plus cher du monde. Restent les cinémas d'exclusivité, les agences de voyage, les magasins de confections, les snack-bars, les drugstores, les halls de vente d'automobiles; tout cela attire un public nouveau, très différent de celui qu'il a remplacé. D'autre part, la chaussée, organe de liaison le plus facile entre le centre et l'ouest, est une sorte d'autoroute (cinquante mille voitures par jour en 1970). Les trottoirs servent de garage. La largeur de 70 m que la monarchie avait établie, comme à Versailles, pour des raisons de magnificence est devenue insuffisante. Mais tel est le renom de « la plus belle avenue du monde » qu'elle reçoit toujours la visite obligée des étrangers. Sans doute les façades qui la bordent sont-elles trop souvent disgracieuses et disparates. Mais, que l'on monte ou que l'on descende, l'attention est captée par l'Arc de l'Etoile ou par l'Obélisque de la Concorde. Et les Champs-Elysées restent, malgré tout, un site prestigieux, une sorte de « voie sacrée ».

43 N

L'escalier d'onyx de l'hôtel de la Païva, somptueux vestige de l'art décoratif du Second Empire.

théâtre des Champs-Élysées

13, avenue Montaigne, VIIIᵉ. La façade, bien qu'elle soit un modèle d'équilibre et d'harmonie, ne répond pas tout à fait au désir de l'architecte. Auguste Perret, qui voulait conférer au béton sa noblesse architecturale, souhaitait le laisser apparent. Mais la société financière du Théâtre des Champs-Elysées, qui avait déjà admis courageusement bien des audaces, craignait la pauvreté du matériau de façade et l'estimait incompatible avec l'air de fête que devait répandre l'un des futurs rendez-vous de la plus brillante société parisienne. La façade fut donc revêtue de marbre. Les trois métopes sculptées par Bourdelle à la partie supérieure n'en sont pas moins parfaitement intégrées à l'édifice.

Celui-ci est un complexe de trois théâtres imbriqués : l'un de 2 100 places pour les spectacles lyriques, les ballets ou les concerts, un autre de 750 places pour la comédie, et un petit studio de 250 places (qui fut l'un des premiers « théâtres d'essai »), sans parler de vastes et nombreux dégagements, salles d'études et de répétitions. Il fut inauguré en 1913. La première du *Sacre du printemps* de Stravinsky devait déchaîner dans la salle un mémorable tumulte. Le bâtiment lui-même était aussi un scandale qui suscita de vives polémiques. Sa « nudité » et ce qu'on croyait être « un parti pris de modernisme » provoquèrent une surprise parfois indignée. Sa conception architectonique était en effet franchement révolutionnaire. L'emploi exclusif du béton avait permis des solutions constructives particulièrement efficaces, mais qui rompaient avec les habitudes. Quatre groupes de deux colonnes cannelées qui s'élancent des fondations au sommet supportent entièrement la

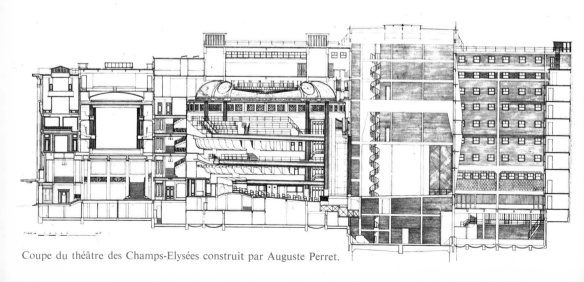

Coupe du théâtre des Champs-Elysées construit par Auguste Perret.

grande salle bâtie sur plan circulaire. L'ossature apparente assure partout un rythme heureux. La corbeille, les balcons, les gradins se déploient en arrondi, sans support, avec une remarquable élégance en laissant un champ de vision qui permet à tous les spectateurs de découvrir entièrement la scène, ce qui était une innovation. N'oublions pas que l'on ne connaissait jusque-là que des théâtres à l'italienne, en forme de fer à cheval, bourrés de loges du haut en bas, couverts avec prodigalité d'une décoration aussi clinquante que possible.

La décoration du théâtre des Champs-Elysées, très rigoureusement localisée, est au service de l'architecture. C'est pour s'y soumettre, pour s'incorporer au mur, que Bourdelle s'est fait fresquiste. Au-dessus de l'escalier à double révolution, très dégagé — c'était encore l'époque des tenues de soirée — l'artiste a conçu une suite de panneaux dont les couleurs amorties assurent une transition entre les claires structures de l'entrée et la chaude atmosphère de la salle. D'inspiration très différente, la grande peinture de Maurice Denis déploie ses symboles musicaux sur la coupole de la grande salle comme une imagerie. Des compositions de Vuillard, d'une intime saveur, décorent le bar de la Comédie.

Le théâtre des Champs-Elysées, le premier édifice du XXe siècle classé parmi les monuments historiques, fut le point de départ, après presque un siècle d'abâtardissement et de pastiche, d'une architecture monumentale moderne se référant à des principes fonctionnels.   44 N

Valentine Hugo dessina en 1913 quelques figures du *Sacre du printemps*.

Square Louis-XVI, 62, rue d'Anjou, 29, rue Pasquier, VIIIe. Le monument est bâti sur un terrain qui avait été offert à Louis XVIII par l'avocat Descloseaux. C'était l'ancien cimetière de la Madeleine où avaient été entassés les corps de la famille royale avec ceux d'autres victimes décapitées pendant la Révolution. Descloseaux, qui habitait une maison voisine, avait repéré l'emplacement où étaient enfouies les dépouilles royales avant d'être transportées à Saint-Denis le 21 janvier 1815. C'est sur ce lieu même que Louis XVIII fit élever une chapelle expiatoire par Fontaine, l'architecte de Napoléon, assisté par son confrère Lebas. Ils cherchèrent à s'inspirer des « nécropoles antiques ». L'ensemble, lourd et tassé, se compose d'un vestibule, d'une cour rectangulaire, bordée de portiques à arcades où des alvéoles sont dédiés à la mémoire des Suisses massacrés aux Tuileries. La chapelle, sur plan en croix grecque, n'est éclairée que par des oculi percés dans les voûtes qui laissent tomber une lumière de circonstance. Elle contient le monument de Louis XVI, par Bosio, et celui de Marie-Antoinette, par Cortot.   45 N

Chapelle expiatoire

hôtel du Châtelet

127, rue de Grenelle, VIIe. « Ministère du Travail, de l'Emploi et de la Population ». Tel est le titre actuel (ils changèrent fréquemment) de cette imposante maison. Elle fut construite en 1770 par l'architecte Cherpitel, qui, quelques années plus tard, éleva au n° 110 l'hôtel de Rochechouart d'un style très voisin. Le duc du Châtelet ayant été guillotiné, sa veuve, née Rochechouart, le vit confisquer au bénéfice de l'Ecole des ponts et chaussées. En 1811, il reçut les bureaux de la liste civile de Napoléon, puis ceux de Louis XVIII. En 1835, il devint ambassade de Turquie et, en 1843, ambassade d'Autriche. En 1849, il fut affecté à l'archevêché, qui abandonnait l'hôtel Chenizot, dans l'île Saint-Louis, et en fut expulsé en 1906. L'année suivante s'y installait le ministère des Affaires économiques. La façade s'orne d'un péristyle de colonnes d'ordre colossal, mis à la mode par Ledoux, dont l'aspect imposant était la fierté de leurs propriétaires. L'entablement est surmonté de balustres sur toute sa longueur, cachant en partie un attique. Sur le jardin fait saillie un avant-corps à trois pans dont les fenêtres cintrées sont sculptées avec un goût discret. Les pièces d'apparat ont pour la plupart conservé leurs boiseries. 46 S

Le péristyle de la façade, avec ses colonnes d'ordre colossal, reflète l'influence de Ledoux.

L'escalier d'angle.

hôtel de Châtillon

13, rue Payenne, IIIe. Deux hôtels de moyenne importance, les hôtels de Châtillon et de Marle, voisinent sur la rue Payenne. L'un et l'autre sont disposés de même façon : corps de logis principal avec deux ailes latérales, l'ensemble étant fermé sur la rue par un haut mur où s'ouvre une porte cochère. Tous deux sont du XVIIe siècle, mais non point jumeaux. Chacun possède sa personnalité.

Cet hôtel doit son nom à la veuve du général duc de Châtillon qui y résida à partir de 1762. Il est assez simple d'aspect. Les pavillons en retour sont coiffés de lucarnes à triglyphes. Des arcades à refends donnent de l'accent aux ailes latérales. L'escalier d'angle, d'une audacieuse conception, possède une belle rampe en fer forgé. 47 N

ancienne école de Chirurgie

5, rue de l'Ecole-de-Médecine, VIe. Considérés jusque-là par les médecins comme de vulgaires artisans, les chirurgiens obtinrent leur autonomie par lettres patentes de Louis XIII. Leur confrérie décida de créer un collège d'enseignement. Sur un terrain dépendant de l'église paroissiale Saint-Cosme et Saint-Damien, leurs saints patrons, un amphithéâtre de dissection fut édifié en 1690 par les frères Joubert. C'est un édifice octogonal coiffé d'un dôme et éclairé par de hautes baies.

A proximité de cette école de Chirurgie se trouvait le couvent des cordeliers dont la très grande église avait son entrée sur la rue de l'Observance (rue Antoine-Dubois). Dégradée, elle fut abattue en 1802, tandis que le cloître et les autres bâtiments conventuels disparurent au cours du XIXe siècle pour faire place à l'Ecole pratique de médecine. Seul le réfectoire-dortoir des cordeliers, édifié en 1495 par Anne de Bretagne, tout proche de l'amphithéâtre, a survécu.

L'Académie royale de chirurgie, fondée en 1748, est à l'origine des bâtiments de la Faculté de médecine commencés en 1774. Ses anciens locaux furent alors attribués à l'Ecole gratuite de dessin où se sont formées des générations d'ornemanistes de toutes disciplines. Devenus Ecole nationale des arts décoratifs (maintenant installée rue d'Ulm), ses bâtiments ont reçu l'Institut des langues modernes. Quant au réfectoire des cordeliers, après avoir abrité des écoles de métiers d'art, des cours de médecine opératoire, et le musée Dupuytren (anatomie pathologique), il est tombé dans un tel état de décrépitude qu'il a dû être désaffecté. On espère que la ville de Paris, propriétaire, pourra le faire restaurer. 48 S

L'église des Cordeliers fut abattue en 1802.

île de la Cité

Ier et IVe. Comment capter tant de lointaines résonances de notre histoire dans la Cité d'aujourd'hui ? Comment retrouver, autrement qu'en esprit, cette île de Seine telle qu'elle apparut aux légions de César, relais fluvial, petite agglomération de pêcheurs et de batteurs d'eau, enfouie dans les roseaux, protégée par les marécages des rives voisines ? Au siècle dernier, elle fut métamorphosée, de propos délibéré, en centre administratif neutre et glacé. D'une ville alors grouillante et tortueuse, hérissée de clochers et de clochetons, n'ont guère subsisté que deux monuments insignes : la cathédrale, devant un parvis sans mesure, la chapelle palatine, au milieu d'un palais démembré.

Notre île-mère recèle de mystérieux témoignages des hommes qui s'y sont succédé d'âge en âge, et dont, au hasard de travaux de voirie, on découvre des vestiges superposés dans le sol. Les blocs de pierre sculptés découverts au XVIIIe siècle lors des aménagements du nouveau chœur de Notre-Dame, maintenant déposés au musée de Cluny, font voisiner dans leurs reliefs des divinités romaines et gauloises avec des cortèges de bateliers. Appartenaient-ils à un temple, à une porte triomphale, à un monument votif ? Quel est ce long mur à parements de briques mis au jour en 1970 en creusant un garage souterrain ? Et quelle est cette « grande église » dont parlent les premiers textes chrétiens sinon la « basilique Saint-Etienne » dont les substructures s'étendent au nord du parvis et se prolongent sous notre cathédrale ? Retenons au moins qu'avant la construction de Notre-Dame, des temples païens, des églises chrétiennes, des chapelles, des oratoires avaient déjà sacralisé la pointe orientale de la Cité.

Lorsque les Romains occupèrent Lutèce (53 av. J.-C.), c'est de l'autre côté, à la pointe occidentale, que le gouverneur, ses fonctionnaires et ses militaires firent construire leur résidence et ses dépendances fortifiées. Nous voyons déjà se dessiner la double vocation de la Cité — qui s'est perpétuée : en amont, le pouvoir religieux, en aval le pouvoir civil. Au milieu s'organisait la vie gallo-romaine.

L'île est alors plus petite qu'aujourd'hui et

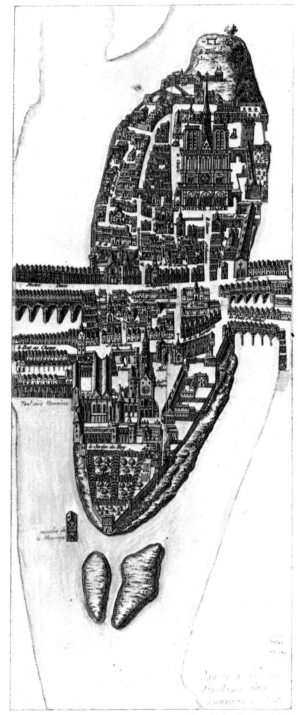

Plan de la Cité en 1560.

se trouve presque au ras de l'eau. Des remblais, des emprises sur des îlots, qui la bordaient à ses extrémités, ont augmenté de plus d'un tiers sa superficie. Les Romains l'ont urbanisée selon la méthode qu'ils répandaient dans tout l'Empire ; ils bâtirent leurs monuments sur la rive gauche en direction de la colline Sainte-Geneviève (Arènes de Lutèce, thermes de Cluny). Lutèce compte au IIIe siècle environ vingt mille habitants. C'est une ville prospère. En 276, lorsque les Barbares approchent, tous refluent dans la Cité en brisant les ponts de bois derrière eux. En grande hâte, ils construisent un petit mur d'enceinte. Ce qui n'empêcha point la destruction à peu près totale de Lutèce.

Lorsqu'après ses victoires Clovis s'installera au palais, la ville capitale des Francs se nommait Paris depuis un siècle et demi (du nom de ses habitants, originaires de la tribu des Parisii). L'activité de ses commerces s'était ralentie. L'incendie de 586 ravagea une bonne part de la ville. La rive droite étant marécageuse, elle commençait à s'étendre sur la rive gauche reliée par le Petit Pont, tandis que le Grand Pont, proche de notre pont Notre-Dame, l'attachait à la rive droite. C'est la croisée de la « voie de terre » nord-sud, Senlis-Orléans — qui passe aujourd'hui par la rue Saint-Martin et la rue Saint-Jacques —, et de la « voie d'eau » est-ouest qui s'étend jusqu'à la mer. Telles sont les origines de ce carrefour militaire, spirituel, commercial. Ajoutons à cela les liaisons avec la Marne, l'Oise, l'Aisne, l'Yonne. Ne nous étonnons point que les nautes aient bénéficié d'une corporation privilégiée, et que leur nef figure aujourd'hui encore dans les armes de Paris.

Mais cette situation fluviale qui fit sa fortune devait aussi faire ses malheurs. Au IXe siècle les agiles embarcations des Normands gagnant à plusieurs reprises les abords de la Cité, tout ce qui était à leur portée sera pillé. Le siège de 885 fut long et terrible. Les Parisiens s'étaient encore regroupés dans leur île. On ne peut qu'imaginer le nombre des victimes de la bataille, de la disette, de la maladie.

Le christianisme avait pénétré les hommes et les choses. L'évêque régnait tout autant que le roi. La Cité s'était revêtue d'églises, de monastères, d'hôpitaux. Nous en connaissons parfois les noms. La légende dorée fleurit les récits de mille miracles venus jusqu'à nous par tradition ; mais les documents sont absents. Même les précieux écrits de Grégoire de Tours renseignent peu sur ce point, et quand saint Fortunat décrit les merveilles rencontrées dans les églises c'est avec plus de jubilation que de précision. Quels bâtiments ont précédé Notre-Dame ? On en disputera probablement longtemps. Mais on peut affirmer qu'après l'an mille, il y eut une période d'exaltation spirituelle d'un rayonnement intense et que la période romane produisit au moins autant à Paris qu'ailleurs des bâtiments civils, et surtout religieux, qui surpassaient en nombre et en éclat ceux des siècles précédents. Tout, ou presque tout, disparaîtra au fur et à mesure que monteront et s'épanouiront l'âge gothique et l'âge classique.

Les alentours du quai Saint-Bernard sous François Ier. Détail d'une toile de l'Ecole flamande.

Alors même qu'elle était encore en chantier, Notre-Dame-de-Paris exerçait au loin son rayonnement. Des écoles épiscopales se sont fondées à son ombre et à sa lumière où enseignaient des maîtres comme Abélard, Gerbert ou Guillaume de Champeaux. Mais les écoles de Notre-Dame disparurent lorsque, sous Philippe-Auguste, fut créée une université au pied de la montagne Sainte-Geneviève. Le Cloître devint alors un lieu d'études et de recueillement réservé aux chanoines et aux laïcs affectés au service du chapitre. C'était une petite cité enclose dans la Cité. Notons que des écrivains qui appréciaient cette oasis de paix purent en profiter. Joachim du Bellay et Boileau y eurent leur maison. Ce cloître s'étendait entre la façade nord de la cathédrale et la Seine. Il comprenait une quarantaine de maisons dont certaines étaient particulièrement bien situées avec un jardin sur le grand bras de la Seine. Quatre portes y donnaient accès dont la principale se trouvait au pied de la tour nord de Notre-Dame, derrière la petite église Saint-Jean-le-Rond, laquelle avait été construite à l'emplacement d'un ancien baptistère en forme de rotonde. Elle paraissait d'autant

plus minuscule qu'elle était écrasée contre l'énorme nef de la cathédrale. Reconstruite au XVIIᵉ siècle dans un style classique très
simple, elle fut démolie en 1748. Une autre toute petite église se
trouvait dans le Cloître, la chapelle Saint-Aignan qui, bien que
mutilée, existe encore. Toujours très discrète (on dit que, pendant
la Révolution, des prêtres réfractaires y venaient célébrer la messe
en cachette) elle l'est maintenant davantage encore. Au XIXᵉ siècle,
elle servit d'écurie puis de remise à meubles jusqu'à ce qu'elle fût
classée parmi les monuments historiques (1966). Confondue avec
les maisons d'habitation, on peut passer devant le nº 19 de la
rue des Ursins sans remarquer son existence. Ainsi les archéologues la mentionnaient-ils comme détruite avec les autres édifices
religieux de la Cité. Elle possède de beaux chapiteaux romans,
choses fort rares à Paris. Les chanoines avaient en outre une
paroisse particulière, Saint-Denis-du-Pas, qui se trouvait derrière
le chevet de Notre-Dame et jouxtait les nouveaux bâtiments du
palais des évêques après ses agrandissements du XVIᵉ siècle. Bâtie
au XIIᵉ siècle, plusieurs fois remaniée, elle disparut en 1813.

Ce quartier de l'ancien cloître est le seul qui ait survécu à l'arasement de la Cité sous Napoléon III, avec la place Dauphine,
partiellement abattue. On peut encore y trouver quelques maisons
canoniales que notre temps n'a pas trop défigurées. En face de la
façade nord de Notre-Dame, au nº 8 de la courte rue Massillon,
la maison de la Maîtrise nous rappelle qu'elle fut fondée là en
1355 et que le noble bâtiment actuel date de 1740. Un peu plus
loin, au nº 12 de la rue Chanoinesse, s'élève un élégant hôtel du
XVIIᵉ siècle fort bien conservé. S'il existe encore quelques points
de vue pittoresques, d'ailleurs très restreints, comme la rue de la
Colombe en contrebas du quai aux Fleurs, c'est par exception.
Le quartier a été martyrisé par des mutilations et constructions
incongrues, notamment par des annexes de la préfecture de
police. Le plus provocant, le plus scandaleux est l'immeuble de
briques et de céramiques polychromes placé à quelques mètres de
la Porte Rouge, ce joyau de Notre-Dame. Construit par un grand
magasin pour ses écuries et voitures de livraison, il abrite maintenant les cantines de la police.

Le palais épiscopal avait été édifié en même temps que la cathédrale et communiquait avec elle par une galerie. C'était un bâtiment allongé situé à peu près à l'emplacement de la sacristie et du
presbytère « gothique » de Viollet-le-Duc. Il fut maintes fois
transformé et agrandi au cours des âges. La dernière métamorphose, dans un style classique, fut commandée en 1697 par le
cardinal de Noailles pour le chapitre et pour lui-même. Il devait
être mis à sac et en partie incendié en 1831 à la suite des émeutes
qui s'étaient produites lors du service funèbre à la mémoire du
duc de Berry, à Saint-Germain-l'Auxerrois. Louis-Philippe fit
établir à sa place le jardin de l'Archevêché (square Jean XXIII)
qui fut le premier square parisien.

Vu de Notre-Dame, le Palais. A gauche, Saint-Germain-le-Vieux. Gravure du XVIᵉ siècle.

Entre Notre-Dame et le Palais, c'était la vie populaire, active, grouillante et contrastée. On y comptait cinquante rues et ruelles, vingt-deux églises et chapelles, qui voisinaient avec les tavernes et les tapis-francs. Rues tortues et surpeuplées dont certaines n'avaient pas 4 m de large. Seule la rue Neuve-Notre-Dame alignait ses maisons dans l'axe du portail central de la cathédrale dont le parvis ne mesurait pas le quart de la surface qu'il occupe aujourd'hui. Les rues de la Cité médiévale ont été rebâties au cours des siècles et leur tracé même est souvent perdu. Ainsi les églises Saint-Christophe et Sainte-Geneviève-la-Petite, où le corps de la sainte avait été transporté lors des invasions normandes, et dont la fondation remontait au VIIIᵉ siècle, furent démolies sous Louis XV pour faire place à l'hôpital des Enfants-trouvés, imposant bâtiment dessiné par Boffrand, dont les pavillons d'angle étaient remarquables par l'ordonnance colossale de leurs façades. La chapelle avait reçu un décor à perspectives en trompe-l'œil d'un effet magique, œuvre de Natoire et de Brunetti, qui simulait la crèche de Bethléem. Les sœurs de la Charité recevaient là sans formalité les nouveau-nés qui leur étaient présentés et les élevaient jusqu'à ce qu'ils puissent exercer un métier.

Philippe-Auguste avait fait construire entre la rue Neuve-Notre-Dame et le petit bras de la Seine une grande salle hospitalière, premier noyau de l'Hôtel-Dieu que développeront Blanche de Castille et saint Louis. Une chapelle fut édifiée en face du Pont-au-Double. Au XVe siècle étaient construits de nouveaux bâtiments dans le style flamboyant. A la fin du XVIe siècle, on agrandissait encore. Et plus tard, comme la place manquait, on enjamba la rivière. C'était sans doute fort pittoresque et le paysage devait tenter les graveurs romantiques. Sous Louis-Philippe le préfet Rambuteau dégagea le chevet de Notre-Dame et fit percer la rue d'Arcole.

Au début du règne de Napoléon III, comment se présentait la Cité ? A l'ouest, le triangle de la place Dauphine et le palais de Justice dont l'extension paraissait indispensable; à l'est, Notre-Dame et cet amas de maisons et de bâtiments considérés comme indésirables. Les plans d'Haussmann étaient bien définis. En premier lieu il fallait établir la liaison du grand axe de circulation boulevard de Sébastopol et boulevard Saint-Michel en perçant l'île à la hauteur du palais. Quant au projet d'assainissement de la Cité, ce n'était pas une nouveauté; il en était question depuis le Premier Empire. La situation n'avait fait que se dégrader, et la littérature d'Eugène Sue peut donner à penser que l'île entière était un mauvais lieu peuplé d'ivrognes, de filles de joie et de truands. C'était évidemment exagéré. En réalité, le préfet cherchait surtout à détruire des rues enchevêtrées à proximité de l'Hôtel de Ville qui auraient pu facilement devenir un repaire d'émeutiers.

Le quai des Orfèvres et le Pont Neuf en 1850.

La construction de l'Hôtel-Dieu sous Haussmann.

Toute la partie centrale fut retracée en damier et occupée par des bâtiments publics. Devant la cathédrale s'étendit le « lac de bitume » (200 m × 150 m) qui ne permet plus de voir le monument selon l'échelle voulue par ses bâtisseurs. C'était un terrain de manœuvres pour la caserne de la garde républicaine (aujourd'hui Préfecture de police) qui s'était édifiée en face avec d'épaisses décorations sculptées jusqu'aux combles d'une grandiloquence pénible dans un tel site. L'Hôtel-Dieu, au nord, est, par contraste, d'une grande sobriété. Les efforts communs des urbanistes et des archéologues ont abouti à un aménagement du parvis (1972). Son sous-sol est transformé par les premiers en garage souterrain, par les seconds en site archéologique destiné à mettre en valeur les résultats de leurs fouilles.

A la pointe orientale de l'île, sur le terrain dit « La motte aux papelards », qui était autrefois une décharge de gravois, fut installée la lourde et lugubre morgue, ce qui dénotait un sens dépravé de l'appropriation au site. On n'arriva à la faire disparaître qu'en 1910. Le square de l'Ile-de-France la remplaça heureusement. Depuis 1962, le Mémorial de la Déportation est aménagé en contrebas.

On pourrait croire que c'est pour donner un peu de joie au cœur des visiteurs du Palais et de la Préfecture de police qu'a été installé dans leur voisinage le délicieux marché aux Fleurs. Il est là par tradition que l'on voudrait croire durable, puisque la licence d'occupation des trottoirs entre le pont Notre-Dame et le pont-au-Change date de Napoléon Ier. Il se trouve près du tribunal de Commerce qui, lui, a été voulu par Napoléon III. Haussmann, préoccupé surtout de placer un dôme bien visible dans l'axe du boulevard de Sébastopol, s'était adressé à l'architecte Bailly. Celui-ci en fit la pièce majeure, et fort pesante, de son édifice (elle couvre le grand escalier). L'architecte disait avoir trouvé son inspiration à Brescia.

Si nous tenons compte des agrandissements de la Préfecture de police et de ceux du Palais de justice qui allèrent jusqu'à mettre bas un côté de la place Dauphine, nous constatons que la petite ville d'où naquit Paris n'est plus une ville, mais un carrefour jalonné de bâtiments énormes, disparates, où le sublime de Notre-Dame et de la Sainte-Chapelle est enserré dans la médiocrité ou la hideur. En « aménageant » la Cité, Haussmann l'a vidée de sa substance humaine. Ses habitants devaient déguerpir sans délai. La plupart, fort démunis, n'avaient la ressource que de se bâtir des masures dans les zones périphériques qui venaient d'être rattachées à la ville. Ils laissaient derrière eux une cité administrative dont le préfet n'était pas peu fier, mais qui, avec ses nouvelles carapaces de pierre, n'était plus qu'une ville morte. 49 N Le Marché aux fleurs.

musée de
Cluny

24, rue du Sommerard, V^e. L'hôtel de Cluny retient l'attention
à bien des titres. Avec l'hôtel de Sens — dont les restaurations ont
perturbé l'architecture d'origine — c'est la seule demeure civile
qui nous reste à Paris. Demeure patricienne, demeure d'humaniste.
Elle fut édifiée par Jacques d'Amboise, abbé de Cluny, personnage
important par sa fonction et son rayonnement personnel, pour en
faire sa résidence parisienne. Il était le frère du fastueux cardinal
Georges d'Amboise, archevêque de Rouen, ministre de Louis XII,
qui fit construire le château de Gaillon. Rapprochons les dates :
Cluny fut terminé en 1498 ; Gaillon fut commencé en 1500. Dans
cet intervalle de deux ans s'insère le grand tournant. Cluny appartient encore à l'âge gothique, tandis que l'ornementation de
Gaillon peut être considérée comme le départ de la Renaissance
française. Jusque-là les Français, par amour pour cet art gothique
qu'ils avaient inventé, s'étaient montrés rétifs aux influences italiennes. L'hôtel des abbés de Cluny, construit dans les dernières
années du XVe siècle, nous en apporte le témoignage. Contrairement à l'hôtel de Sens, qui avait encore une allure de forteresse,
nous voyons ici que s'il reste des principes d'architecture militaire
ils sont tournés à des fins purement décoratives. L'entrée même est
sans défense. La porte cochère en anse de panier voisine avec une
petite porte piétonne décorée d'une accolade (la sculpture des
voussures a été reconstituée). Le mur est coiffé de créneaux inutilisables. La façade qui donne sur la cour est percée de deux étages
de fenêtres relativement importantes dont plusieurs ont été ajoutées au milieu du XIXe siècle, à une époque où les restaurations
étaient durement accusées. A certains endroits, il convient même
de parler de reconstructions.

Des bandeaux rompent la nudité de la façade. Une tour à échau-
guette renferme un vaste escalier à vis. L'une des ailes, très remaniée, abritait les communs, l'autre s'élève sur une galerie ouverte
d'arcades à gâbles. Près des combles court une balustrade flam-
boyante devant un chemin de ronde. Les lucarnes sont d'un grand
effet : la croisée surmontée d'un gâble sculpté aux armes abbatiales
s'inscrit dans des motifs ajourés d'une extrême finesse ; des animaux allongés grimpent sur les côtés. La tour à pans coupés est
également couronnée d'une balustrade. La façade nord, sur jardin
(c'est-à-dire vers le boulevard Saint-Germain), est beaucoup plus
sobre, et cette sévérité contribue à mettre en valeur une petite
chapelle en saillie dont l'abside repose sur un pilier au-dessus d'un
passage voûté d'ogives. L'intérieur, dont l'exiguïté avive la distinction, est d'une grâce tout à fait extraordinaire : salle carrée
dont un seul pilier reçoit, dans un jeu de géométrie subtile, la
retombée des voûtes en étoile. Des niches à consoles et à dais très
travaillées marquent la place de statues disparues. L'abside est
décorée de peintures et de sculptures polychromes représentant le
Christ en croix et Dieu le Père entouré d'anges. Un angle est revêtu
du haut en bas d'une tourelle en dentelle de pierre qui n'est autre
que la cage d'un escalier à vis. Cette chapelle, avec quelques pièces
adjacentes, c'est ce qui reste de l'intérieur de l'hôtel. Tout a été

Musée de Cluny : la façade sur cour.

modifié dans la distribution des pièces de l'agréable logis qui abrita non seulement les abbés de Cluny, mais la reine Marie d'Angleterre, troisième femme de Louis XII, et les nonces du pape.

Après la Révolution, qui le mit fort à mal, l'hôtel de Cluny, devenu bien national, fut vendu et partagé entre différents propriétaires. Le premier étage devait être loué plus tard à Alexandre du Sommerard, grand collectionneur d'antiquités du Moyen Age et de la Renaissance, qui aménagea les pièces principales pour y entasser meubles et objets de tous genres. Le tout fut acheté par l'Etat en 1842, et les architectes restaurèrent les bâtiments selon les méthodes en cours. Les collections d'Alexandre du Sommerard furent l'embryon d'un musée administrativement rattaché au Louvre (inauguré en 1844). Dans ses entassements pittoresques il répondait aux goûts romantiques. Un programme plus muséologique a été décidé après la Seconde Guerre mondiale : les collections furent épurées, les objets mis en valeur, et tout ce qui était postérieur au Moyen Age éliminé, mis en réserve dans l'attente d'autres musées spécialisés. L'hôtel de Cluny est édifié sur les substructions des thermes gallo-romains dont certains vestiges monumentaux lui sont accolés.   50 S

thermes de Cluny

24, rue de Sommerard, V^e. Ce vestige gallo-romain se trouve à présent encastré dans le musée de Cluny. On a longtemps cherché sa destination. Il était nommé, à tout hasard, « palais de Julien », parce que Julien chérissait Lutèce. En 1946, des fouilles profondes et difficiles ont été entreprises sous la direction de M. Paul-Marie Duval. La base des constructions romaines se trouvait enfouie à 4 m sous les déblais accumulés par les siècles. Après dix ans de travaux, le plan des bâtiments put être restitué avec précision. Aucun doute : malgré le scepticisme affiché auparavant par des historiens ce sont des thermes bâtis avec l'ampleur et le luxe que les Romains apportaient à ce genre d'établissement. Ils semblent dater de la fin du IIe siècle, c'est-à-dire d'une cinquantaine d'années seulement avant les invasions. Ils occupent une surface d'environ 6 500 m². De l'extérieur on ne découvre guère que les bâtiments enfoncés derrière les grilles du boulevard Saint-Michel, qui sont traités selon le mode de construction romaine classique à cette époque : moellons entrecoupés de chaînons de briques. La façade d'entrée se trouvait au nord, du côté du boulevard Saint-Germain ; ses murs ont 2,50 m d'épaisseur à la base. Deux immenses salles symétriques s'étendaient de part et d'autre. De tout le palais il ne reste plus qu'une seule salle dont l'architecture soit presque intacte. Elle a conservé ses voûtes — seul exemple en Gaule — et fait grande impression dans sa nudité, ses parois ayant été dépouillées de leurs stucs, de leurs marbres, de leurs ornements. C'était le *frigidarium*, qui communiquait avec le *tepidarium* (salle tiède) et avec le *caldarium* (salle chaude) très vaste, situé à l'angle du boulevard Saint-Michel et de la rue du Sommerard. La disposition habituelle des thermes romains, où tout était ménagé pour les agréments de la vie, permet d'imaginer que les autres pièces, très nombreuses, étaient affectées aux massages, aux exercices physiques, aux repas, aux bibliothèques, aux salles de conversation et de délassement.

Les voûtes en berceau du *frigidarium* retombent sur de fortes consoles en forme de proue de vaisseau, chacune dominant une baie en plein cintre et des niches. Une piscine est en contrebas. Malgré l'usure du temps on discerne sur les consoles des motifs sculptés représentant des tritons, des rames ou autres attributs nautiques. A Lutèce, la corporation des nautes, c'est-à-dire des bateliers ou marchands d'eau, était la plus puissante. C'était d'eux que dépendait l'existence de la cité. A-t-on voulu célébrer les nautes ? Ou bien, ceux-ci ont-ils eux-mêmes apporté à l'édifice une contribution qu'ils ont signée de leur emblème ? Un emblème qui est la préfiguration de la nef symbolique de Paris.

Dans cette salle grandiose ont été placés des blocs de pierre sculptés particulièrement émouvants : ils scellent l'identité originelle de Paris. Découverts en 1711 sous le chœur de Notre-Dame lors de travaux dans son sous-sol, ils datent du règne de Tibère (14 à 37 après J.-C.), ainsi qu'en témoignent des inscriptions lapidaires. On y trouve à la fois les dieux de la Gaule et de Rome qui attestent la rapide fusion, voulue par les Césars, qui s'est réalisée entre les deux religions polythéistes. Ce que l'on appela longtemps « l'autel des nautes » est peut-être, comme semblent l'indiquer par leur configuration d'autres pierres sculptées, un fragment de pilier d'un arc de triomphe.

51 S

Collège de France

Place Marcellin-Berthelot, Vᵉ. François Iᵉʳ fonda le Collège de France en 1530; il le dota de savants mais non de locaux. On dut attendre le règne de Henri IV pour qu'un bâtiment, dont les plans étaient dus à Claude Châtillon, fût construit au pied de la colline Sainte-Geneviève, dans un quartier voué aux collèges, après avoir été, à l'époque gallo-romaine, occupé par des thermes dont on retrouva les fondations. C'est à l'emplacement des collèges de Cambrai et de Tréguier que fut construit le Collège de France dont les structures intérieures étaient sans précédents. La première pierre fut posée en 1610 par le petit Louis XIII âgé de neuf ans. C'était un bâtiment de belle allure, orné et soigné. Mais il semble que, dès le siècle suivant, il ne répondait déjà plus aux besoins des professeurs, car il fut rebâti par Chalgrin en 1778, de façon peut-être plus pratique, mais certainement moins décorative. C'est l'édifice que nous voyons aujourd'hui. Les progrès des sciences expérimentales obligèrent à des agrandissements. Depuis 1935, un vaste programme de modernisation a été mis en œuvre; des laboratoires, des amphithéâtres ont été ajoutés, confiés notamment aux architectes Guibert et Leconte.

52 S

« Le Grand Collège Royal basti à Paris du règne de Henri le Grand 4ᵉ du nom Roy de France et de Navarre. » Gravure de Chastillon.

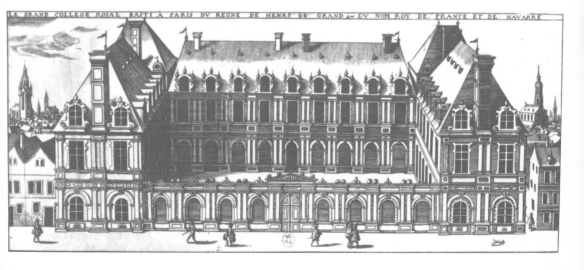

Dépendance de l'appartement de Catherine de Médicis, la colonne de la rue de Viarmes passe pour avoir servi d'observatoire à Ruggieri, l'astrologue favori de la superstitieuse Florentine.

Colonne astrologique

Rue de Viarmes, Ier. Respectée malgré la destruction de l'important château de Soissons, en 1748, et malgré la construction de la Chambre de Commerce et des Halles qui l'ont enserrée, cette colonne dorique, haute de 31 m, s'élève, insolite, dans un environnement qui lui est hostile. Bien que l'on connaisse précisément son origine, elle continue à poser des énigmes. Construite en 1575 par Jean Bullant, l'architecte de l'hôtel de Soissons, sur l'ordre de Catherine de Médicis, elle flanquait l'appartement de la reine et contenait un escalier à vis qui lui était relié par une petite porte. Bien des hypothèses ont été émises sur le rôle de cette colonne. Nous nous rangeons à la plus plausible. Très superstitieuse, la reine interrogeait souvent les astrologues, en particulier Ruggieri. Les angles du chapiteau sont orientés vers les points cardinaux, ce qui peut suggérer qu'il constituait un belvédère pour l'interrogation des astres. Les curieux entrelacs du grand motif de fer forgé placé au faîte ont certainement une destination autre que purement décorative; mais les spécialistes versés dans la connaissance historique de l'astrologie ne peuvent la définir. 53 N

Colonne de Juillet

Place de la Bastille, XIIe. Au milieu d'une place, qui n'est qu'un carrefour incohérent, cette colonne porte la marque du règne de Louis-Philippe. Le roi voulut célébrer la révolution de 1830 qui avait élevé un prince d'Orléans au pouvoir. Ce grand cierge repose sur un soubassement, construit par Duc, contenant des caveaux où sont inhumés des insurgés. Le génie de la Liberté surmonte les 52 m du cylindre de bronze dessiné par Alavoine. Victor Hugo écrivait à son sujet : « C'est le monument manqué d'une révolution avortée ». 54 N

Place du Théâtre-Français, Ier. C'est une lettre de cachet, signée de Louis XIV et de Colbert, datée du 21 octobre 1680, qui est à l'origine de cette institution. Elle consacrait la fusion de la troupe de Molière, celle de l'Illustre Théâtre, de la Troupe de Monsieur, dirigée par Lagrange depuis la mort de son fondateur, et de celle de l'Hôtel de Bourgogne administrée par Mondory. Il n'y en avait donc plus qu'une, celle des Comédiens du Roi — ce qui ne veut pas dire que l'ancienne troupe errante de Molière eût trouvé ses assises. C'est seulement en 1689 qu'elle installera le Théâtre Royal sur la rue des Fossés-Saint-Germain, notre rue de l'Ancienne-Comédie, où elle joua, cas très rare à l'époque, durant près de quatre-vingts ans. En 1770, les Comédiens bénéficièrent de la magnifique salle des Machines, au château des Tuileries, avant d'occuper, en 1782, le nouveau théâtre du Luxembourg, qui deviendra l'Odéon. Pendant la Terreur, ayant pourtant pris pour enseigne : Théâtre de la République, la salle fut fermée et les comédiens arrêtés. Le théâtre que Victor Louis avait construit près du Palais-Royal, qui fonctionnait depuis 1790 sous le nom de Théâtre des Variétés amusantes, fut enfin affecté à la Comédie-française par le Directoire en 1799. Elle y est toujours. Gratifiée d'un commissaire du gouvernement, ce fut le début d'une réforme administrative que Napoléon, reprenant à peu près tout ce qui était en germe dans la lettre de cachet de Louis XIV, codifia par son décret de Moscou (1812).

Victor Louis venait de construire le théâtre de Bordeaux, un incomparable chef-d'œuvre d'architecture, lorsqu'il lui fut demandé d'annexer à l'ensemble du Palais-Royal une grande salle de spectacle. Il faut bien dire que nous n'y retrouvons guère le génie dont il avait fait preuve à Bordeaux. Les conditions du programme architectural n'étaient évidemment pas les mêmes puisqu'il s'agissait, avec de moindres crédits, de raccrocher les nouveaux bâtiments à ceux qui existaient déjà, et sur un terrain fort étroit. Sur la place, une colonnade dorique est établie qui, en retour de la rue Montpensier, devient une série d'arcades. Des pilastres unissent un étage et une sorte d'attique surmonté d'un autre étage, d'une balustrade et d'un comble à lucarnes; le tout coiffé d'un dôme aplati, insolite et disgracieux. Le vestibule ovale paraît écrasé, et l'escalier principal sur un côté, aussi mesquin que celui de Bordeaux est triomphal. La salle, couverte d'une coupole, repose sur de grands arcs; balcons, loges, amphithéâtre sont répartis selon les dispositions habituelles à l'époque, peu favorables aux spectateurs placés sur les côtés. C'est plutôt dans les nouveautés techniques que l'architecture du Théâtre-Français présente un

Comédie-Française

La Comédie-Française en 1790.

intérêt. Louis fut l'un des premiers architectes à utiliser des charpentes de fer. Contre l'incendie, il employa sur des supports
métalliques des remplissages de poteries dans les planchers, les
voûtes et les combles. D'autre part, la disposition des locaux,
aussi bien du côté du public que du côté de la scène et de ses dégagements, comportait des inconvénients qu'il fallut corriger par la
suite.

C'est dans ce bâtiment imparfait que se maintiendra cependant
au cours du XIXe siècle, grâce surtout aux grandes interprétations
du répertoire classique, une tradition d'esprit français que l'on ne
retrouvera nulle part ailleurs. Il règne au Théâtre-Français une
dignité familière, un amour du métier, un respect des textes, une
courtoisie qui lui donnent son climat particulier. Ses locaux ont été
remaniés à plusieurs reprises, par Fontaine d'abord, dès 1822, par
Chabrol, en 1863, qui aménagea le foyer du public. Le nouveau
siècle commença mal : en 1900, la salle fut dévastée par un incendie
qui exigea une totale remise en état. Le plafond d'Albert Besnard,
qui connut un très vif succès, fut inauguré en 1913. Des moderni-
sations, qui n'affectaient pas l'esprit initial, furent entreprises par
Marrast à partir de 1935. Le Théâtre-Français est aussi un musée
de l'histoire du théâtre, grâce à des donations d'œuvres d'art,
de manuscrits et de livres qui ont enrichi sa bibliothèque. La pièce
la plus célèbre est le *Voltaire* de Houdon, mais il faut citer parmi
les œuvres répandues dans le foyer, les galeries ou les coulisses, le
portrait de Molière, par Mignard, le buste de Corneille, par Caffieri, le portrait de Mlle Duclos, par Largillière, celui de Rachel personnifiant la Tragédie, par Clésinger, celui de Jeanne Samary, par
Renoir, et une foule de documents précieux pour tous ceux qui s'intéressent à l'histoire de la Maison et des comédiens-français. 55 N

VIIIᵉ. Alors que les autres places royales ressemblent à des salons de plein air, à des cours d'honneur, celle de la Concorde apparaît comme un espace aux vastes horizons, ouvert à la ville tout entière pour lui livrer ses magnificences, des aises, des dispositions destinées à ses activités quotidiennes ou aux déploiements de ses festivités. Les deux palais à colonnades semblent posés là comme des ornements magistraux et non point pour fermer la place.

La Concorde se trouve à la croisée du grand axe parisien est-ouest (8 km), qui s'étend du Louvre à la Défense, et de l'axe, beaucoup plus court, que limitent les façades similaires de la Madeleine et du Palais-Bourbon. La Seine, le jardin des Tuileries, le jardin des Champs-Elysées, une perspective illimitée, deux façades nobles de l'élégance la plus rare, telles sont les composantes de ce lieu où s'allient l'architecture et la nature ordonnancée, la verdure et l'étendue du ciel.

Rien n'est plus intéressant dans l'histoire de l'urbanisme au temps de Louis XV que de suivre dès son origine le mouvement d'esprit qui a permis de la concevoir et de l'organiser. Pour célébrer la paix d'Aix-la-Chapelle, des villes de province érigèrent des statues au Bien-Aimé. Ne voulant pas être en reste, les échevins de Paris, en 1748, demandèrent au roi de permettre la création d'une place dans la ville qui servirait de cadre à sa statue équestre. L'emplacement et le projet devant, bien entendu, être soumis à son choix, ils espéraient que le service des Bâtiments du Roi contribuerait aux frais. Membres de l'Académie d'architecture ou simples amateurs envoyèrent quatre-vingt-dix projets, les uns très élaborés dans le détail, d'autres se bornant à esquisser des idées. Pour le choix du lieu, l'exécution, la dépense, toute invention pouvait s'exprimer. Mais c'est l'Académie qui classa les projets, présentés sous l'anonymat. Ils sont des plus variés, par leur conception architecturale aussi bien que par les emplacements choisis. Tous se trouvaient à l'intérieur de Paris, du Luxembourg aux Halles, de la rue Saint-Antoine à la rue du Bac. Louis XV les refusa tous : il ne voulait pas que « des quartiers marchands fussent dévastés » et que « la commodité et les intérêts d'un grand nombre de ses sujets fussent sacrifiés ». Il proposa une autre solution : il offrit le grand terrain vague qui s'étendait alors à l'extrémité des Tuileries et qui faisait partie de son domaine. Sage décision, et génératrice des plus heureuses conséquences pour l'avenir de Paris.

Personne n'avait songé que la statue royale pût être érigée en un endroit qui servait de dépôt de pierres et se trouvait encore en dehors de la ville. Louis XV étudia tous les projets et demanda à Jacques-Ange Gabriel, son premier architecte, un plan qui pourrait tenir compte des meilleures suggestions.

Gabriel se met à la tâche. Le roi signe son accord en 1753. Mais l'architecte n'est pas de ceux qui se satisfont facilement. Dix-huit fois il reprendra ses projets, corrigeant, modifiant, simplifiant, et ce n'est qu'en 1756 que le roi pourra signer le dessin définitif.

La place Louis-XV était en forme d'octogone, entourée de

place de la
Concorde

fossés secs protégés par des balustrades. Aux angles, huit puissantes guérites étaient destinées à servir de socles à des groupes de marbre symbolisant les grandes villes de France. Au nord, de chaque côté de la nouvelle rue qui devait conduire à la future église de la Madeleine, Gabriel avait implanté deux grands bâtiments jumeaux conçus dans l'esprit de la colonnade du Louvre. D'un moindre volume, plus simples, deux autres bâtiments seront placés à leurs côtés pour mettre en valeur et compléter l'aspect général.

La statue équestre de Louis XV justifiait la place et fut sa première raison d'être. En 1745, la Ville de Paris l'avait commandée à Bouchardon, le meilleur sculpteur du temps; il fit de multiples études, exécuta maquette sur maquette. En 1749, le modèle définitif fut approuvé. L'importance de ce monument, la scrupuleuse conscience de Bouchardon, les difficultés qu'avait à résoudre le fondeur Varin représentaient un travail de treize ans. L'inauguration, grande fête parisienne, eut lieu en 1762. Bouchardon était mort depuis un an. Pigalle fut désigné pour terminer les statues et bas-reliefs qui décoraient l'important piédestal. Le monument est alors considéré unanimement comme un chef-d'œuvre. De la France et de l'étranger des amateurs viennent l'admirer. L'esprit baroque s'exprime alors partout dans la rocaille. Presque tous les autres concurrents l'avaient fait régner dans leurs projets. Mais l'esprit classique de Gabriel devait triompher dans la composition et la sobre ornementation de ses deux palais, et dans tout l'ensemble du décor urbain. Des fontaines en forme de coquilles portées par des nymphes agitées restèrent à l'état de projet; le sage Bouchardon lui-même, qui avait d'abord conçu une statue où le roi dans un envol de draperies montait un cheval cabré, exécuta en définitive un cavalier digne comme un empereur romain montant sur un calme coursier.

Gabriel avait d'abord prévu un seul monument, qui aurait fermé le fond de la place. Puis l'idée d'un axe central, d'une perspective nécessaire sur la statue, s'imposa à son esprit. C'est ainsi qu'il fut amené à concevoir les deux façades séparées par la rue Royale, laquelle fut grevée de servitudes (toujours applicables) jusqu'à la hauteur de la rue Saint-Honoré. S'il a retenu le principe de la colonnade du Louvre, il en a changé les dispositions : pas d'avant-corps central, mais deux sur les côtés coiffés d'un fronton encadré de trophées. Ces frontons sont sculptés par Michel-Ange Slodtz et Guillaume II Coustou. Le bâtiment de droite, aujourd'hui ministère de la Marine, était affecté au garde-meuble de la Couronne, limité par la rue Royale et la rue Saint-Florentin. Il comprenait deux cours intérieures et de vastes magasins de chaque côté de l'entrée. Le premier étage contenait les salles destinées aux meubles précieux, objets d'art, orfèvrerie, bijoux, etc., qui étaient périodiquement ouvertes aux visiteurs. C'est là qu'eut lieu en 1792 l'incroyable vol de diamants de la Couronne. Les appartements du garde (conservateur) et ceux de l'intendant général

des finances, du côté de la rue Saint-Florentin, ont conservé une partie de leur décoration d'époque (salons, galerie dorée).

Le palais situé à gauche fut vendu dès sa construction, en quatre lots. Le premier, du côté de la rue Royale, appartint à la marquise de Coislin jusqu'à sa mort en 1817. Les n° 6 et 8 sont le siège de l'Automobile-Club. L'angle de la rue Boissy-d'Anglas est occupé par l'hôtel Crillon, qui tient son nom du maréchal duc de Crillon, second propriétaire, et, après la Révolution, par ses descendants qui le vendirent en 1907. A l'intérieur subsistent quelques éléments anciens dont le plafond du grand salon.

Gabriel avait pris le parti d'élever deux hôtels en retrait à chacun des angles de la place. Disposition heureuse qui lui assurait un digne accompagnement. Voisin du garde-meubles, l'hôtel de la Vrillière fut construit par Chalgrin, très fidèle exécutant des études de Gabriel, qui avait eu pour principal but de l'harmoniser aux palais. S'il n'en a pas les dimensions et l'éclat, il en a la noblesse. Il fut longtemps habité par Talleyrand. Malheureusement l'hôtel qui devait lui être symétrique, à l'autre angle, ne fut jamais construit par suite de la mauvaise volonté du fermier général Grimod de la Reynière, propriétaire du terrain, lequel, après bien des tergiversations, obtint de faire bâtir, derrière le jardin, un hôtel marqué par l'élégance de son temps, bien que de moindres proportions et fort différent de celui dont il aurait dû être la réplique. Il a été

La statue équestre de Louis XV était au centre de la place conçue par Gabriel. Lui faisaient face, à l'entrée du jardin des Tuileries, les chevaux de Marly qui n'occupèrent leur actuel emplacement qu'à partir de 1794.

acheté en 1928 par le gouvernement des Etats-Unis et démoli pour faire place à son ambassade. La construction fut soumise à des règles très strictes : ainsi ces nouveaux bâtiments ont-ils retrouvé (partiellement) le programme initial de Gabriel.

Le décor de la place était d'une rare qualité. Les fossés, larges de 20 m, étaient alors gazonnés, plantés d'arbustes et de fleurs; avec les six ponts qui les franchissaient l'ensemble était entouré de balustrades d'un mouvement très étudié. L'entrée du jardin des Tuileries avait reçu, depuis 1719, les ravissants chevaux ailés de Coysevox montés par des personnages d'une aérienne légèreté représentant « Mercure » et « la Renommée ». Ils provenaient de l'abreuvoir du château de Marly dont ils avaient été enlevés parce que leurs proportions ne cadraient point avec l'ampleur des lieux. Ils avaient été remplacés par les très beaux chevaux de Guillaume Coustou. Après la déchéance de Marly, ils furent à leur tour transportés (1794), à l'instigation de David, à l'entrée du jardin des Champs-Elysées. Notons enfin que le pont Royal, commandé à Perronet, fut ouvert en 1790.

On sait quels événements dramatiques se déroulèrent sur la place Louis-XV, qui devait prendre le nom de place de la Révolution en 1792, puis, sous le Directoire, ce nom chargé d'espérance : place de la Concorde. Lors de l'envahissement du château des Tuileries, les Suisses qui tentaient de fuir par les jardins furent massacrés sur la place. Les « statues de la tyrannie » furent partout renversées, dont celle de Louis XV. Sa main droite, seule rescapée, se trouve au Louvre.

La place reste alors quasi déserte. Quelques cabarets louches qui se sont installés dans les fossés s'animent un peu, la nuit tombée. La foule se pressera le 21 janvier 1793 pour assister à la décapitation de Louis XVI. La guillotine avait été dressée entre le piédestal de la statue de Louis XV (dont tous les ornements avaient été envoyés à la fonte) et l'entrée des Champs-Elysées. Peu après fut érigée en grande pompe, face aux Tuileries, une grande statue de plâtre figurant la Liberté. C'est près d'elle que furent décapités Marie-Antoinette et tout un cortège d'aristocrates, hommes ou femmes, et de Girondins. Les exécutions eurent lieu ensuite sur la place de la Nation — jusqu'à ce que vînt le tour des premiers chefs révolutionnaires qui eurent le droit de mourir à cet emplacement de choix.

La Convention ouvrit un concours pour « l'embellissement » de la place. Des projets extravagants furent envoyés, et l'on frémit à la pensée qu'ils auraient pu être réalisés. Sous le Directoire furent commandés des modèles de monuments dédiés à la Concorde et destinés à reposer sur le socle de Louis XV volontairement et symboliquement désagrégé. Peut-être faute de temps, ils restèrent sans suite. Dès 1800, Bonaparte lance l'idée de colonnes érigées dans chaque chef-lieu de département à la mémoire des « braves morts sur les champs de bataille. » La colonne nationale devait se dresser place de la Concorde. Elle seule prendra corps, mais sur la place Vendôme. On ne peut décrire les projets qui se multiplièrent sous le Consulat et l'Empire. Le style néo-classique régnait exclu-

Un décor Louis-Philippe :
les fontaines d'inspiration romaine
de l'architecte Hittorff.

sivement, chargé d'intentions historiques ou philosophiques. Il y avait des temples, des obélisques, des fontaines symboliques. L'un d'eux transformait la place en une ellipse ceinte de galeries, un autre y implantait de longs bâtiments destinés à la présentation des œuvres d'art amenées triomphalement d'Italie.

Après la Restauration, des modèles de statues de Louis XV, puis de Louis XVI, furent commandés à Cartellier et à Cortot, la place ayant été successivement rebaptisée (1814 et 1824) pour commémorer les souverains. Le Louis XVI était sur le point d'être fondu lorsque éclata la Révolution de 1830. Les Parisiens se plaignaient de cette place trop vaste et vide, désert poussiéreux pendant l'été et, pendant l'hiver, un bourbier.

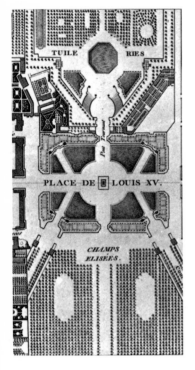

Il appartenait au règne de Louis-Philippe de lui donner l'aspect que nous lui connaissons aujourd'hui. Les quartiers de l'ouest ne cessaient de s'agrandir. L'architecte Hittorff fut chargé de donner un caractère de place centrale à ce qui ressemblait à une vague entrée de la ville. Il dessina les colonnes rostrales et les candélabres, d'une ornementation somptueuse et sans lourdeur, qui ponctuaient l'espace ainsi que les deux fontaines inspirées de celles de la place Saint-Pierre de Rome. Fontaines à deux vasques où s'appuient des figures symbolisant les fleuves, les océans, la pêche, la navigation, ou la récolte des biens de la terre. Des sirènes sortent de l'eau du bassin en jouant avec des tritons. Ce décor avait été implanté en fonction de l'obélisque qui devait se dresser au centre. Par ce choix, Louis-Philippe témoignait d'habileté. Au lieu de statues célébrant des gloires fugaces, un monument vieux de trente-trois siècles risquait peu de subir les avatars qu'avaient connus ses prédécesseurs. Et justement le roi disposait de l'un des deux obélisques figurant devant le temple de Louqsor que Méhemet-Ali, vice-roi d'Egypte, avait offert à Charles X pour se concilier ses bonnes grâces. Le voyage de ce monolithe de 220 t ne fut pas facile. Un bateau spécialement conçu et des appareils de levage sans précédents vinrent le chercher. Il ne put être érigé qu'en 1836. Cet exploit, dû à l'ingénieur Lebas, est perpétué par un commentaire gravé sur le socle de l'obélisque couvert d'hiéroglyphes. Répondant à l'idée de Gabriel qui prévoyait des groupes de marbre sur ses guérites, des statues des villes de France furent commandées. Mais l'esprit n'y était plus. Ces dames assises sont d'une lourdeur écrasante; à peine le talent de Pradier (Lille et Strasbourg) se distingue-t-il dans cet ennuyeux rassemblement.

La Concorde était le théâtre habituel des fêtes nationales. Souvent décoré d'architectures factices, rendez-vous des Parisiens pour les défilés et les feux d'artifice, elle connaissait alors les grandes foules, ses enthousiasmes et ses remous. Napoléon III fit combler les fossés-jardins. C'est la seule modification — fort déplorable — qui ait été apportée au plan de la place Louis-XV. Devant le flot envahissant de la circulation elle est devenue presque impénétrable aux piétons, d'autant qu'elle est encombrée par le stationnement des autos. Pour y remédier un parc souterrain a été ouvert en 1972. Elle doit peu à peu retrouver sa dignité.

56 N

Place de la Concorde, VIIIe, quai Anatole-France, VIIe. Les petits bacs devenant insuffisants pour assurer le trafic entre la place Louis-XV et la rive gauche, l'ingénieur Perronet proposa de construire un pont de charpente. Plusieurs projets furent présentés qui se heurtaient à l'hostilité du Conseil de la Ville, lequel prétendait qu'un tel pont ne servirait qu'à « des citoyens opulents » et n'aurait pas d'utilité pour le commerce. Louis XVI mit fin aux discussions en édictant (1786) qu'un pont de pierre serait construit, et que, d'autre part, toutes les maisons qui restaient encore juchées sur les ponts de Paris seraient démolies. Perronet présenta un nouveau projet dont la mise en œuvre commença aussitôt. Le pont était terminé en 1791. Il se compose de cinq arches en arc de cercle. En 1931, comme il ne répondait plus aux besoins d'une circulation particulièrement dense, sa largeur passa de 16 à 35 m.

pont de la Concorde

57 N

111, rue Saint-Honoré (angle de la rue de l'Arbre-Sec), Ier. On peut imaginer que la rue de l'Arbre-Sec doit son nom à un surnom d'inspiration villonienne donné à la potence qui s'élevait au carrefour de la Croix-du-Trahoir. Quant à l'étymologie du mot Trahoir on se perd en conjectures. C'est en 1529 qu'une fontaine fut construite, plus tard surmontée d'un réservoir destiné à recueillir des eaux de l'aqueduc d'Arcueil. Soufflot fut chargé de la réédifier en 1775 pour en faire un château d'eau à la mesure et selon le goût de l'époque. L'ensemble, percé de fenêtres vigoureusement architecturées, est abondamment décoré de coquilles et de congélations. Fort bien restauré en 1968 ce petit monument s'est trouvé parfaitement apte à accueillir les bureaux touristiques de la petite principauté d'Andorre.

fontaine de la Croix-du-Trahoir

58 N

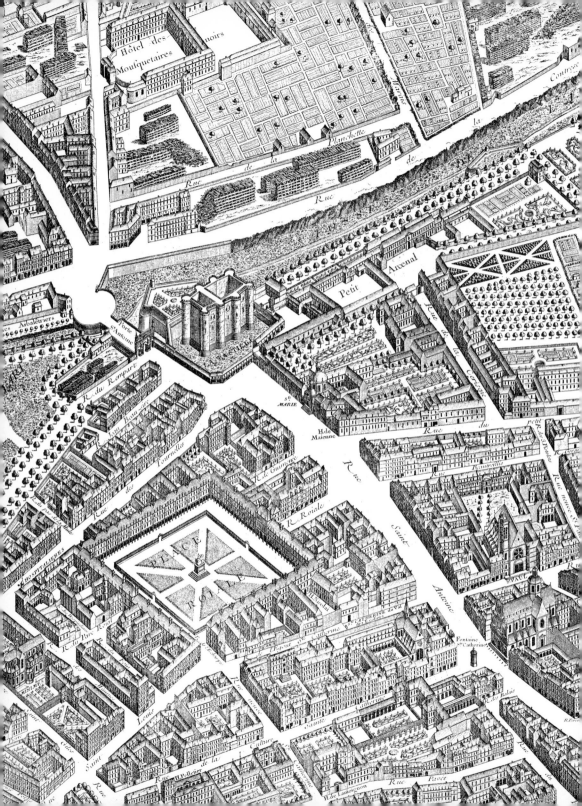

Hôtel des
Mousquetaires noirs

Contrecge

Marché

Rue de la Planchette

de

Rue de la

Rue

Petit Arcenal

Arbaletriers

Porte
St Antoine

Rue du Rempart

Rue de la Cerisaye

Ste
MARIE

H. de
Maienne

Rue

Rue

des Tournelles

R. de Guisuote

R. Roiale

Beautreillis

Rue neuve St Paul

PLACE
ROIALE

H. de Sully

Rue

Saint

Rue du petit Musc

Rue du Par Royal

HOSPITALIERES

Rue des Francs Bourgeois

Egout ou Caverne

Rue St Antoine

R. Ste Catherine du val

Fontaine
St Catherine

Rue Ste

Antoine

CELESTINS

R. Eginar

Rue des Lions St Paul

Rue

Rue

Rue

St Paul

Culture

Ste

Catherine

Rue Cerler

Rue H. Pelletier de la

Culture

Rue

Rue H. de Lamoignon

Rue Pavee

LA PLACE DAVPHINE CONSTRVITE DANS LA VILLE DE PARIS DVRANT LE REGNE DE HENRI LE GRAND 4.e DV NOM ROY DE FRANCE ET DE NAVARRE

place Dauphine

Ier. Au Moyen Age, la pointe ouest de la Cité, derrière le Palais, était occupée par le « Verger du Roi » et par un groupe d'îlots alluvionnaires. Lors de la construction du Pont-Neuf, terminé en 1605, Henri IV décida d'y faire bâtir une place. Deux ans auparavant, la place Royale (place des Vosges) avait été entreprise en forme de carré. Celle-ci, étant donné la configuration des lieux, avait la forme d'un triangle dont le sommet s'ouvre sur le Pont-Neuf. Le roi fit don du terrain au président du Parlement, Achille de Harlay, à charge pour lui d'y construire à bref délai un ensemble de maisons dans l'esprit de la place Royale. Elles étaient « toutes d'un même ordre », en pierres à chaînages de briques, comprenaient deux étages sur un rez-de-chaussée à arcades pleines, étaient couvertes d'un toit d'ardoise doté de lucarnes à fronton. Elles formaient un ensemble rigoureusement symétrique. La base du triangle était percée d'une grande arcade donnant sur le palais. Au sommet, les maisons s'ouvraient comme des portants de théâtre sur la statue équestre du roi qui, de l'autre côté du pont, regardait la place.

C'est en l'honneur du dauphin, futur Louis XIII, que cette place fut nommée place Dauphine. Son plan original, sa parfaite unité, l'agrément de ses maisons blanches et roses, leur couverture bleutée contribuaient à en faire un décor délicieux; un cadre tout trouvé pour les festivités de 1660 qui célébrèrent l'entrée à Paris de Louis XIV et de Marie-Thérèse. Malheureusement, dès le milieu du XVIIIe siècle, les propriétaires des immeubles — qui donnaient en même temps sur la place et sur le quai de l'Horloge ou celui des Orfèvres — voulurent en tirer meilleur profit en les surélevant. D'autres furent démolis et reconstruits dans un tout autre style.

La place Dauphine telle qu'elle était au XVIIe siècle. Toutes les maisons qui la fermaient à la base du triangle (à gauche de la gravure) furent détruites à la fin du XIXe siècle.

Au siècle suivant, la plupart des arcades avaient disparu. Le dernier coup fut porté en 1874 : sous la direction de l'architecte Duc, toutes les maisons qui se trouvaient en face du Palais de Justice ont été jetées bas, laissant apparaître aux angles les murs mitoyens. La place Dauphine, la seconde des places royales parisiennes, fut le seul ensemble de la Cité que le baron Haussmann épargna, non point par respect, puisqu'il avait projeté d'en faire un square entouré de bâtiments à l'antique, mais parce qu'elle était habitée par de nombreux magistrats et avocats, ce qui aurait rendu les opérations d'expropriation difficiles. Mais sa désastreuse mutilation lui avait fait perdre tout son caractère; en même temps, elle s'ouvrait sur l'énorme escalier superflu, construit devant cette façade du Palais. Seuls les beaux bâtiments restaurés qui se trouvent à la pointe, avec les deux pavillons qui donnent sur le Pont-Neuf, permettent de se faire une idée de ce qu'était la place Dauphine du XVIIe siècle.   59 N

quartier de la Défense

Courbevoie-Puteaux. Par un décret du Conseil d'État de 1667, André Le Nôtre fut chargé de planter deux doubles files d'ormes, à travers labourages et pâturages, dans l'axe de l'allée centrale du jardin des Tuileries — au-delà des terrains vagues qui deviendront, au siècle suivant, la place Louis-XV (Concorde). Cette plantation devait s'étendre jusqu'à la ligne d'horizon, c'est-à-dire « jusques au-dessus de la montagne de Chaillot » (Etoile). Quelques années plus tard il était question de créer une avenue et de la conduire « jusques au port de Neuilly ». La butte de Chaillot est alors aplanie. En 1772, Perronet, premier ingénieur du roi, construit le pont de Neuilly. On forme le projet d'étendre cette grande voie rectiligne jusqu'à la colline de Chante-Coq (rond-point de la Défense) et même jusqu'à l'étoile de Noailles, en forêt de Saint-Germain. L'esprit de prévision qui dessinait ainsi l'avenir de la ville étonne d'autant plus que la future avenue était alors tracée en terrain vierge. C'est seulement au XIXe siècle que sera bâtie l'avenue des Champs-Elysées et que lui feront suite l'avenue de la Grande-Armée et l'avenue de Neuilly. Au-delà, la voie s'achèvera dans un grand désordre de constructions hétéroclites jusqu'à la butte baptisée « la Défense » en souvenir des combats livrés pendant la guerre de 1870.

En 1912, l'idée est lancée d'une « voie triomphale », partant de la Défense vers Saint-Germain à travers les plaines de Nanterre et de Montesson; une convention est même passée avec le département de la Seine, mais le projet restera sans suite. Il faudra attendre le plan d'aménagement de la région parisienne (1939) pour le voir renaître. Après bien des tâtonnements, études, projets, des plans sont établis qui prévoient l'urbanisation du quartier de

Une perspective très tôt perdue : la voûte du C.N.I.T. est en partie masquée aujourd'hui par les cloisonnements des stands d'exposition.

la Défense. N'était-ce pas la raison même ? Pendant la guerre et les années qui suivirent, la construction avait été paralysée, les services des ministères, les bureaux d'affaires s'entassaient dans des appartements de réception ou des hôtels particuliers éparpillés à l'ouest de Paris, qui n'étaient nullement préparés à les recevoir. Ceux qui croyaient nécessaire de déconcentrer la capitale imaginaient pouvoir créer dans cette zone affreusement déshéritée de la banlieue un quartier ministériel prestigieux, à quoi s'annexeraient tout naturellement des immeubles de bureaux et de logements dont le besoin se faisait grandement sentir. Le projet fut approuvé en 1956, et le « plan-masse » adopté en 1964.

Le démarrage ne fut pas facile. On avait présumé que les ministères et les services officiels donneraient l'exemple. Il n'en fut rien. Et les grandes sociétés ne paraissaient pas pressées non plus de s'installer dans un quartier que l'on trouvait trop excentrique.

Un groupe d'industriels avait eu le mérite et l'audace de donner le coup d'envoi, un coup de maître, en faisant construire au sommet un gigantesque édifice destiné aux expositions qui prit le nom de Centre national des industries et des techniques — bien vite nommé le CNIT dont l'inauguration eut lieu en 1957. Il battait tous les records du monde, autant par son ampleur que par ses conceptions techniques. On n'était jamais allé plus loin dans l'extension des formes en coquille, jamais non plus dans la limitation des points d'appui. Le terrain disponible étant triangu-

laire, c'est une voûte tripode en béton qui fut adoptée. Elle couvre une surface de 22 000 m². Les auteurs de cet exploit sont les architectes Camelot, de Mailly et Zehrfuss qui travaillèrent sur les données des ingénieurs Balancy, Esquillon et Lecointe. La voûte, en arête à trois fuseaux, repose sur trois culées en béton précontraint. C'est ce qui donne au bâtiment cette silhouette si caractéristique où nous voyons sur chaque coque des ondulations convergentes vers les points d'appui. Un premier plancher, indépendant, est établi à 12 m du sol, et 60 000 m² de planchers répartis en quatre niveaux sont allongés sur les trois côtés de l'édifice. La clôture, qui n'est plus qu'un paravent entre la courbe des ouvertures et le sol, a été réalisée par Jean Prouvé. Sur la longueur des trois façades, qui ont chacune 218 m, c'est un immense vitrage de glace trempée posé sur une structure métallique en acier inoxydable. A l'intérieur, les installations nécessaires aux expositions et les intersections des planchers ne sont pas sans nuire à l'effet de puissance produit par un bâtiment de cette envergure.

La création de l' « Etablissement public pour l'aménagement de la région de la Défense » date de 1958. Le nombre et la diversité des services publics en cause rendaient cette institution absolument nécessaire. Les projets sont alors révisés, définis, précisés. L'équipe d'architectes et d'urbanistes-conseils obtint la décision la plus importante et la plus heureuse pour l'avenir de quartier : elle consistait à recouvrir sur tout son parcours la voie axiale, véri-

La Défense sera-t-elle New York-sur-Seine ?

Le parvis en 1973.

table autoroute, d'une dalle permettant la plantation d'un vaste jardin, dégagé de toute circulation automobile, les immeubles étant desservis par des voies latérales avec de multiples parcs de stationnement invisibles.

Le premier immeuble de bureaux (Esso) ne fut mis en service qu'en 1964. Les Parisiens découvrent l'embryon d'un « quartier des affaires » dont tous les éléments paraissent rigoureusement ajustés. Les immeubles qui atteignent au maximum 100 m de hauteur étaient originairement prévus de façon à ne point perturber la perspective du Louvre et de l'Arc de Triomphe. Des ensembles de logements sont disséminés. Densité raisonnable — les 29 tours prévues ne doivent occuper que 8 % du sol —, facilité d'abord et de circulation, tout est conçu pour faire de cette cité neuve un quartier moderne et harmonieux.

Le succès est venu à partir de 1969 lorsque la ligne du Réseau express régional, avec son immense gare souterraine, devint réalité. Un succès qui devait porter au projet initial des coups imprévus. La demande se faisant pressante, les tours ont parfois plus que doublé de hauteur et de volume. L'échappée vers l'horizon est menacée. Et la grande perspective historique risque de se perdre dans un amas de parallélépipèdes implantés sans cohérence visuelle. Cependant, avec ses 130 hectares, ses tours qui montent jusqu'à 190 mètres dans un environnement exceptionnel, ses logements, ses grands hôtels, la Défense doit être un quartier d'affaires adapté aux exigences de la vie contemporaine.

6, place de Furstenberg, VIe. « J'aime ce qui est ancien, disait Delacroix, ce qui est neuf ne me dit rien ». Il passa la plus grande partie de sa vie dans ce quartier, entre la Seine et Saint-Germain-des-Prés, et choisit cette demeure en 1857, six ans avant d'y mourir. Elle s'ouvre sur la place de Furstenberg. Le cardinal de ce nom fut abbé de Saint-Germain-des-Prés en 1699. Nous apercevons le palais abbatial au fond de la rue. Sa porte d'entrée se trouvait dans l'axe d'une cour d'honneur dont nous pouvons imaginer le tracé puisqu'elle avait la largeur de la placette actuelle. Celle-ci, avec ses magnolias et son candélabre suranné, possède une sorte de charme provincial. On peut voir, sur un côté de la rue de Furstenberg, les montants des grilles qui fermaient la cour. La maison de Delacroix a été édifiée à l'emplacement de la remise à carrosses dont subsiste encore la grande arcade d'entrée. Le peintre habitait le premier étage qui donnait sur le jardin — où se trouvait autrefois l'infirmerie de l'abbaye. Il y fit construire son atelier où conduit un petit escalier de fer.

Si les maisons des grands hommes sont souvent décevantes, celle-ci est évocatrice. Pourtant, presque tout le mobilier de Delacroix a disparu; mais les dessins, les esquisses, les souvenirs rassemblés avec simplicité dans ce simple appartement où le peintre aimait vivre parlent au cœur. On ne peut s'empêcher d'être saisi par son contraste avec les hôtels tarabiscotés que se feront bâtir un peu plus tard dans le quartier Monceau les artistes « arrivés » dont on connaît peut-être encore les noms mais dont l'œuvre s'est évanouie. 61 S

atelier de Delacroix

Coin d'atelier, par Delacroix.

mémorial de la Déportation

Pointe de la Cité, IVᵉ. Le site choisi, devant l'abside de Notre-Dame, à la pointe du square de l'Archevêché, au confluent des deux bras du fleuve, imposait le plus grand respect. Le maître d'œuvre, Henri Pingusson, a voulu l'extrême discrétion du monument (1962). A la hauteur des murets qui entourent le jardin, une grande dalle, largement ouverte en son milieu, constitue l'entrée de la crypte. De l'extérieur, rien n'est visible. L'ensemble est traité en béton de gros grain, très travaillé, dans la composition duquel entrent symboliquement des pierres concassées provenant des provinces de France, du grès breton au granit vosgien. On descend par un double escalier très étroit, comme creusé dans la masse, qui conduit à un parvis à ciel ouvert où l'on se sent totalement isolé de la ville. On n'y voit que le ciel, et, par une lucarne grillagée, l'eau du fleuve. Une lourde herse de fer aux pointes acérées rappelle la souffrance des déportés. De la salle d'entrée souterraine, dont la porte ne laisse passer qu'une personne à la fois, une longue galerie basse, normalement impraticable, conduit le regard vers un point de lumière. Dans les ténèbres localisées de ces murs écrasants, les seuls effets d'une architecture de haute dignité laissent une impression de mystère et de drame.

VIIe. L'Ecole militaire doit son existence à une femme : Madame de Pompadour, qui en soutint le projet avec enthousiasme, fit commander les travaux, les suivit, n'hésitant point quand il y avait ralentissement à payer les ouvriers sur ses biens personnels. Un intendant aux armées, Pâris-Duverney, se préoccupait des moyens d'assurer la formation des cadres militaires. Recrutés dans l'aristo-cratie, les futurs officiers achetaient alors leur charge sans être pourvus de l'instruction nécessaire, et la bravoure au combat ne suppléait pas toujours aux carences de l'étude de la tactique et du commandement des troupes. Pâris adressa un mémoire à Louis XV sur l'utilité de créer un collège destiné à de jeunes gentilshommes pauvres qui recevraient une éducation gratuite. La marquise de Pompadour, sœur du marquis de Marigny, intendant général des bâtiments du roi, ne cessa de plaider cette juste cause, dont elle était vraisemblablement l'inspiratrice. La commande devait aller tout naturellement à Jacques-Ange Gabriel dont les premiers ouvrages avaient déjà révélé le génie et l'avaient fait nommer premier architecte du roi. Son programme était considérable. Il ne s'agissait de rien de moins que de fonder une institution qui aurait pu rivaliser en importance avec celle des Invalides, en témoignant que le règne de Louis XV pouvait se montrer digne de celui de son arrière-grand-père. Des terrains furent donc achetés jusqu'aux rives de la Seine (qui allaient devenir le Champ-de-Mars) et l'on décida que la façade principale, surmontée d'un dôme, s'ouvrirait de ce côté. Mais comme l'école de La Flèche venait d'être créée, les projets furent reconsidérés. Les nouveaux plans de Gabriel renversèrent l'orientation : il disposa la cour d'honneur et la principale entrée

École militaire

Les troupes sur le Champ-de-Mars en 1789.

de l'autre côté, derrière une demi-lune (dont le tracé est respecté par notre place de Fontenoy). Les travaux commencèrent en 1752 et ne furent terminés qu'en 1774. Entre-temps, les premiers élèves officiers étaient encasernés au château de Vincennes. Puis le recrutement s'élargit : l'école ne fut plus réservée à la noblesse : elle porta le titre d'école des Cadets, et des stages de perfectionnement furent organisés pour les meilleurs sujets formés dans les écoles de province. C'est ainsi qu'en 1786 un garçon prénommé Napoléon, venu de Brienne, en sortit comme lieutenant d'artillerie.

L'Ecole militaire est l'édifice parisien qui porte avec le plus de bonheur les grâces de la haute période du Louis XV au moment où l'esprit nouveau commençait à se tourner vers l'antique. Sur la place de Fontenoy, derrière une avant-cour, la cour d'honneur ornée de parterres, fermée sur deux côtés par des péristyles, précède la façade centrée sur un pavillon à colonnes corinthiennes qui encadrent le rez-de-chaussée et l'étage. Un fronton sculpté est flanqué de trophées. La grosse horloge, qui se détache sur un dôme tronqué, est maintenue par les figures du Temps et de l'Etude. Deux étages de galeries à colonnades le relient aux pavillons latéraux très saillants coiffés de toits en tronc de pyramide. Et ceux-ci, de part et d'autre, se raccordent à angle droit à un portique de colonnes ioniques jumelées et en partie cannelées, établi pour conférer au monument la majesté des temples antiques. Leur rythme est rompu au centre par une saillie de huit colonnes formant péristyle supportant un fronton où des enfants porteurs de couronnes entourent les armes de France et des drapeaux. Les extrémités des portiques sont des corps de garde dominés et comme écrasés par des trophées de guerre. La cour est fermée par une grille dont la porte est sommée d'un motif de feuilles de chêne et de lauriers qui est une merveille de ferronnerie. Le déploiement de cette composition architecturale, où les colonnes chères à Gabriel jouent un rôle majeur, est d'un rythme parfait.

La façade sur le Champ-de-Mars reprend les principes du corps central de la cour d'honneur dont il est le revers. Elle s'ouvre par trois portes, qui sont l'entrée habituelle de l'école. Plus étalée, le nombre de colonnes est doublé. On remarquera que Gabriel, abolissant tout degré, a posé ces colonnes directement sur le sol. L'étage est percé de fenêtres à fronton. La frise est percée de mezzanines. La balustrade laisse voir le toit à la française orné de lucarnes basses. Le bâtiment est prolongé de part et d'autre par de longues, très longues ailes moins élevées, plus simples, à deux étages de fenêtres. Après la mort de Gabriel (1782), elles furent terminées par Brongniart. Les bâtiments utilitaires construits en arrière datent du Second Empire.

Le contenu est digne d'une telle enveloppe. L'escalier d'honneur dont les voûtes et les combles sont de l'élégance la plus rare a reçu une rampe en ferronnerie développant un jeu de grands rinceaux dont la puissance décorative reste servante de l'extrême délicatesse de la composition d'ensemble. Il conduit aux salles d'apparat,

Les élèves de l'Ecole militaire présentent les armes à Louis le Bien-Aimé.

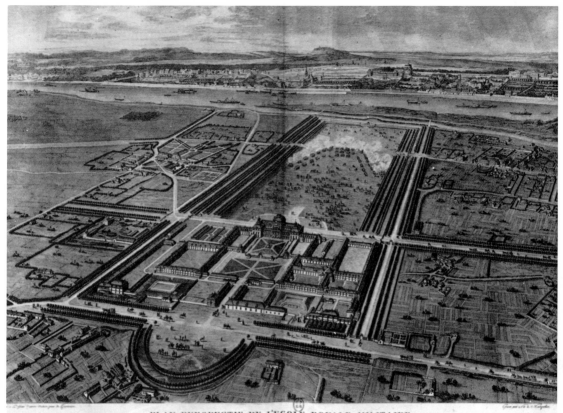

PLAN PERSPECTIF DE L'ECOLE ROYALE MILITAIRE.

toutes lambrissées, en particulier au salon des Maréchaux, ancienne salle du Conseil, qui porte de façon accusée la marque du style Louis XVI. Le plafond en anse de panier, ponctué d'un semis géométrique, repose sur des consoles dorées. La grande cheminée dont la glace est sommée de l'écusson royal sur un fond de drapeaux correspond à la gracieuse décoration des lambris qui alternent avec quatre grands tableaux de Le Paon. Les portes sont entourées de faisceaux de licteurs et de retombées de fleurs en guirlandes. Marquées au chiffre du roi dont les entrelacs constituent le motif principal, elles sont surmontées de médaillons de fleurs reposant sur des cornes d'abondance. Partout règne une fantaisie du goût le plus exquis.

La chapelle n'est, en somme, qu'une salle prise dans un corps de logis près de l'entrée et, de l'extérieur, rien ne témoigne de sa destination ecclésiastique. Son vaisseau est bordé de colonnes corinthiennes qui, par leurs proportions, leurs cannelures, leurs chapiteaux ouvragés, apportent à ce sanctuaire un caractère de noblesse et de solennité. Elles encadrent des fenêtres rectangulaires profon-

Plan de l'Ecole royale militaire à la fin du XVIIIᵉ siècle.

dément enfoncées dont les balustrades constituent une ligne hozi-zontale qui unit les travées sans en couper l'élan. Sur un important entablement s'appuie la voûte surbaissée, éclairée à sa base par des œils-de-bœuf cernés de guirlandes. Le chevet plat poursuit les mêmes lignes architecturales, l'autel se trouvant encadré de deux colonnes. Un bas-relief attribué à Pajou s'inscrit sous la voûte, qui représente deux anges prosternés devant l'Agneau mystique. Le maître-autel en marbre blanc enrichi de bronze et la grille de com-munion en cuivre ont enfin regagné leur place après avoir été vendus à l'église Saint-Pierre-du-Gros-Caillou. La plupart des tableaux qui sont au mur ont été aussi récupérés. Mais si l'esprit de Gabriel se retrouve dans une décoration qu'il a guidée, il ne règne point dans l'imagerie qui veut nous narrer la vie de saint Louis. Son seul intérêt est de nous montrer ce que pouvait être la vision du Moyen Age chez des peintres académiques peu inspirés.

Madame de Pompadour est morte avant d'avoir vu son Ecole militaire réalisée. C'est peut-être heureux pour elle : sans doute aurait-elle pu féliciter Gabriel pour la pureté et pour les charmes de son monument, mais elle aurait assisté à la chute de ses rêves d'éducation de gentilshommes pauvres. Dix ans après son achève-ment, l'école dut être supprimée, et ses bâtiments servirent de caserne. L'école supérieure de Guerre s'y installa en 1878 avec d'autres institutions d'enseignement militaire.   63 S

La façade de Gabriel avec, au fron-ton, l'écusson de Louis XV. A l'ar-rière-plan, la tour Montparnasse.

École Polytechnique

5, rue Descartes, V^e. Le seul nom de Polytechnique (en abrégé : l' « X ») provoque une sorte de respect admiratif. Tant de maréchaux, de savants, de célébrités sont passés par cette illustre école que leur gloire rejaillit sur tous les polytechniciens — qui, dit-on, en ont parfaitement conscience. Fondée en 1795 par la Convention, elle occupa d'abord l'hôtel de Lassay : mais c'est Napoléon qui l'organisa, lui donna son statut et sa structure d'internat militaire. Elle s'installa dans les locaux du collège de Navarre, l'un des plus grands collèges de la montagne Sainte-Geneviève, qui avait été fondé par Jeanne de Navarre, épouse de Philippe le Bel, pour l'éducation de soixante-dix écoliers pauvres choisis dans le royaume. Il fut exproprié par la Révolution et lorsque l'Ecole Polytechnique l'occupa il y avait encore des bâtiments datant de Louis XI. D'autres étaient plus récents; ainsi celui des « bacheliers », actuellement corps central du pavillon Foch, date de 1738. En se développant l'école avait absorbé plusieurs des petits collèges voisins. (Il y en avait quarante sur la pente de la montagne Sainte-Geneviève au XVIIe siècle, et jusqu'à ce que l'Université, après l'expulsion des jésuites, eût regroupé ses élèves dans ses onze grands collèges). L'école a été à peu près entièrement reconstruite et agrandie de 1928 à 1937, par les architectes Tournaire et Umdbenstock. Elle occupe un îlot situé entre la rue Descartes, où se trouve la grande porte d'entrée, les rues Clovis, Alfred-Cornu, d'Arras, Monge, des Ecoles et de la Montagne-Sainte-Geneviève. Ses bâtiments, très dégagés, sont disposés autour de cours particulièrement vastes dont la simplicité militaire est corrigée par la qualité et la variété de l'architecture.

64 S

tour
Eiffel

Champ-de-Mars, VIIe. Après avoir gravi les mille sept cent dix marches de la tour qu'il venait d'édifier, Gustave Eiffel déploya un grand drapeau tricolore et s'écria : « Voilà le seul drapeau qui ait une hampe de trois cents mètres! » L'inauguration officielle devait avoir lieu un mois plus tard, le 6 mai 1889, en même temps que celle de l'exposition universelle et que la célébration du centenaire de la Révolution française. Jusqu'alors, tout bâtiment d'importance était temple, palais, théâtre, tombeau ou mémorial dédié aux puissants de ce monde. Il appartenait au matérialisme de l'ère industrielle de symboliser le règne de la machine par un geste gratuit, par un étourdissant morceau de bravoure qui surpasserait tout ce qui avait fait été par les prédécesseurs — et dans de telles proportions que chacun devrait s'incliner devant le triomphe de la science sur la matière et reconnaître la supériorité du présent sur les siècles révolus. Telle était, plus ou moins consciente, la motivation première d'une entreprise sans précédent. Ainsi se justifiait une réalisation sans utilité pratique et qui ne devait l'existence qu'à son propre prestige et au savoir de ses inventeurs.

Depuis la naissance de la civilisation industrielle, le désir d'édifier un monument qui dépassât les pyramides des pharaons ou les flèches des bâtisseurs de cathédrales hantait les esprits. Dès 1833, l'ingénieur anglais Richard Trevithick avait proposé une tour de mille pieds — ce qui faisait image — et correspondait à peu près à la hauteur de la future tour Eiffel. Elle eût été construite en plaques

L'un des projets de tour en fer présentés au concours de l'Exposition de 1889.

de fonte perforée et posée sur une sorte de temple néo-corinthien. Le projet resta sans suite. Et ce fut le sort de bien d'autres, dont le plus intéressant fut celui des ingénieurs Clarke et Reeves qui avaient étudié une tour en tubes de fer, en forme de cône effilé, et retenu le principe du croisillonnement pour alléger la structure. Principe d'ailleurs repris d'Eiffel qui avait ainsi construit, depuis 1867, des viaducs de chemins de fer dont l'audace surprend encore aujourd'hui.

Lorsque l'Exposition de 1889 fut décidée, un arrêté spécifia que « les concurrents avaient la possibilité d'élever sur le Champ-de-Mars une tour de fer de trois cents mètres de hauteur ». Sept cents projets furent présentés, la plupart très fantaisistes. Après jugement des commissions, trois d'entre eux restèrent en compétition, ceux de Dutert, de Formigé et d'Eiffel. Ce dernier l'emporta de justesse.

L'ingénieur ne traîna pas : le premier coup de pioche fut donné le 28 janvier 1887. Il appliqua sa technique habituelle de constructeur de ponts puisqu'il s'agissait, en gros, d'étudier quatre arcs métalliques supportant une pile verticale au lieu d'un tablier. Il disait lui-même, en ne plaisantant qu'à moitié, que sa tour était faite de viaducs. François Poncetton a décrit l'instant capital guetté par ceux qui croyaient et par ceux qui ne croyaient pas. « Usant des presses hydrauliques enfermées dans chacun des sabots, il fit pivoter cet ensemble géant des poutres du premier étage avec une maîtrise si absolue que les cent trous des goussets de liaison vinrent s'emboîter comme des mâchoires qui se referment. D'un seul déclic, ce monstre d'acier se souda, immobile, souverain au-dessus de la pesanteur, maître de l'espace. C'était la gloire de la mathématique, et l'honneur de l'intelligence. Pas un coup de lime ne fut nécessaire pour établir, au-dessus de Paris, ce chef-d'œuvre de l'imagination scientifique. » Au mois de mars 1889, le troisième étage était terminé. Les curieux s'assemblaient au pied du monument, suivaient avec passion l'escalade du ciel, s'enthousiasmant un peu plus chaque jour, sans que, pour autant, les pessimistes se déclarassent convaincus.

Eiffel avait travaillé pendant vingt-cinq mois et demi pour mettre debout son géant : mais que de critiques, d'attaques, que d'injures n'avait-il pas dû affronter ! Les campagnes de presse avaient été violentes et les manœuvres savamment orchestrées. Il y eut d'abord les pétitions des riverains effrayés qui craignaient que la tour ne s'effondrât sur eux. Le manifeste des artistes, dit des « Trois cents » — qui ne se retrouvèrent d'ailleurs que quarante-sept quand il fut publié — était une prostestation indignée, où l'on peut lire : « La ville de Paris va-t-elle donc s'associer plus longtemps aux baroques, aux mercantiles imaginations d'un constructeur de machines, s'enlaidir irréparablement et se déshonorer ? Car la tour Eiffel, dont la commerciale Amérique elle-même ne voudra pas, c'est, n'en doutez pas, le déshonneur de Paris. Chacun le sent, chacun le dit, chacun s'en afflige profondément, et nous ne sommes qu'un faible écho de l'opinion universelle, si légitimement alarmée. »

Enfin, lorsque les étrangers viendront visiter notre Exposition, ils s'écrieront étonnés : " Quoi ? C'est cette horreur que les Français ont trouvée pour nous donner une idée de leur goût si fort vanté ? " Ils auront raison de se moquer de nous, parce que le Paris des gothiques sublimes, le Paris de Jean Goujon, de Germain Pilon, sera devenu le Paris de Monsieur Eiffel. » Parmi les signataires on trouvait les noms de Garnier, Leconte de Lisle, Sully Prudhomme, Clemenceau, Dumas fils, François Coppée, Guy de Maupassant, Léon Bloy....

La tour mesurait 300,65 m (Depuis elle a un peu grandi. Avec son antenne, elle atteint 320,75 m) La première plate-forme se situe à 57,33 m, la deuxième à 115,73 m, la troisième à 276,13 m. Si la tour, par elle-même, ne pèse que 7 000 t, le poids total de l'ensemble, fers et fontes utilisés pour la construction, y compris les ascenseurs, représentait 8 554 816 kg. Ce qu'il y a de plus frappant n'est-ce pas d'abord cette légèreté ? On s'est livré à des calculs amusants. L'ensemble du métal utilisé, s'il était coulé en une seule plaque placée entre les pieds de l'édifice, offrirait une épaisseur de 6 cm. La charge au sol est de quatre kilos au centimètre carré soit exactement celle exercée par un homme moyen assis sur une chaise. En réduisant la tour, avec tous ses éléments, à 30 cm de hauteur, elle pèserait 7 g. Notons que l'action des plus grands vents ne la fait osciller au sommet que de 12 cm et que sa hauteur suivant la température peut varier de 15 cm. Le sommet se déplace en demi-cercle — 15 à 20 cm — suivant la trajectoire du soleil. Il retrouve sa place à la tombée de la nuit. Le phénomène s'explique par la dilatation des arbalétriers placés du côté du jour, alors que ceux situés à l'ombre ne subissent pas cette influence. Le prix de revient fut de 7 799 401, 31 F.

Cette immense machine, si décriée avant sa naissance, a été adoptée par le peuple de Paris. Elle fait partie du folklore parisien. Elle a été reproduite à des millions d'exemplaires, en objets-souvenirs, breloques, manches de cannes et de parapluies, fioles à liqueurs, presse-papier, thermomètres, etc. Du 15 mai au 31 décembre 1889, on avait enregistré 1 896 967 entrées payantes. Le premier et le second étage avaient été décorés de galeries extérieures qui ont heureusement disparu. On trouvait au premier étage quatre restaurants et de nombreux kiosques de vente. Au second étage, il y avait, entre autres, une boulangerie et une imprimerie du

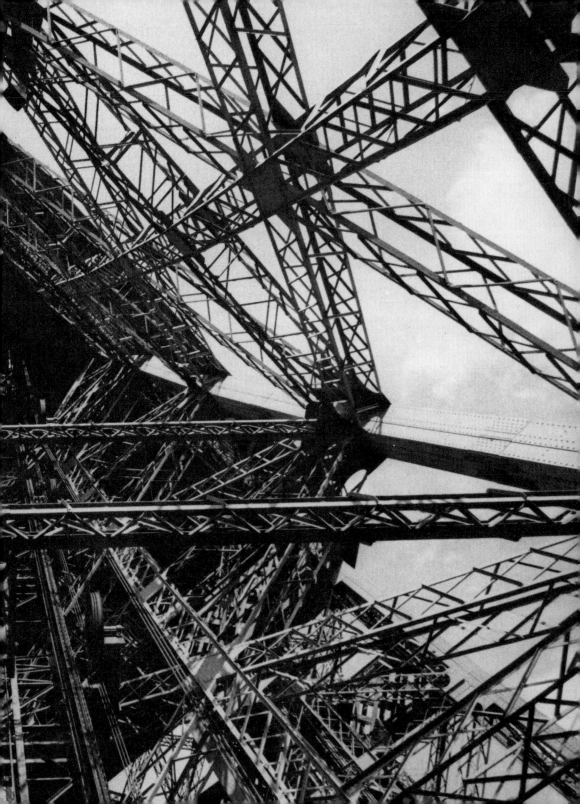

Figaro qui fit paraître une édition spéciale quotidienne pendant toute la durée de l'exposition. Le troisième étage, entièrement vitré, était encore surmonté d'une plate-forme où Eiffel avait aménagé pour lui un salon de réception, un cabinet-laboratoire et même une chambre à coucher, d'un style très bourgeois.

Depuis sa naissance la tour Eiffel a connu de longues années de désaffection. Ainsi, de 1900 à 1910, elle accueille moins de 200 000 visiteurs par an. De juin 1940 à août 1944, l'armée allemande occupe la tour, puis d'août 1944 à mars 1946, c'est l'armée américaine qui prend sa suite. La réouverture a lieu le 1er juin 1946. Au cours des sept mois de l'année, 603 000 visiteurs se pressent sur ses plates-formes. Dès lors la progression sera constante. En 1971, on a enregistré 2 899 070 entrées, (Louvre : 1 264 622). A bien des reprises, et pendant longtemps, elle fut menacée de mort par ses détracteurs. Mais elle s'est intégrée au paysage parisien comme à un village son clocher.

Pendant des années elle connut des ennemis personnels qui restaient offusqués par la présence injurieuse de ce jeu de Meccano géant au-dessus de la ville façonnée par les siècles. En réalité, sa silhouette est trop fine, trop transparente, trop différente des autres monuments pour que des comparaisons puissent s'établir, et ses dimensions sont si excessives par rapport aux constructions qui l'entourent qu'en définitive elle est moins hostile au paysage que bien des tours-bureaux récemment construites. La tour Eiffel ne s'est pas seulement incorporée à Paris, elle l'a symbolisé. Il n'est guère de région du monde où son image n'ait pénétré pour représenter la capitale de la France. Plus encore que la nef, vieille de deux millénaires, qui figure dans ses armes, c'est elle qui la concrétise aux yeux du monde.

Enfin cette tour, qui n'avait été conçue que pour le prestige, n'a guère cessé de se rendre utile. Dès l'origine, un service du bureau météorologique y fut installé. En 1899, la première liaison par ondes fut établie entre la tour et le Panthéon. En 1906, un jeune officier, le capitaine Férié, faisait parvenir à des unités de marine en pleine mer des messages parfaitement audibles. En 1912, une convention internationale chargeait la tour Eiffel de donner l'heure à l'univers. Enfin, en 1922, commencèrent les premières émissions radiophoniques, très modestes, de Radio-Tour-Eiffel.

Artistes et poètes ont célébré la tour. Apollinaire avait déjà chanté délicieusement la « bergère des nuages » lorsqu'il la fait intervenir dans les fantaisies graphiques de ses *Calligrammes*. Jean Cocteau lance de jeunes musiciens qui se réunissent sous le nom de « Groupe des six » et qui montent à la Comédie des Champs-Elysées une pochade burlesque et attendrie, *Les Mariés de la Tour Eiffel*, qui sera leur premier manifeste collectif. Bonnard profile sa silhouette mauve noyée dans les brumes bleuâtres du crépuscule. Henri Rousseau, Utrillo l'intègrent dans leurs Paris populaires. Seurat en fait un rayonnement de lumière. Robert Delaunay la désarticule, l'écorche vive, en fait un morceau de

choix de ses « contrastes simultanés ». Pour Dufy, c'est la personnification de Paris qu'il représente dans ses tableaux, dans ses tapisseries, dans ses soieries. Chagall la rêve lors d'un dimanche flamboyant, derrière Notre-Dame, sous le regard perdu d'un couple de fiancés qui flottent dans le ciel.

Belvédère de Paris et de ses environs, monument majeur de l'architecture de fer, la tour Eiffel joue un rôle de phare, au sens propre, comme au figuré. Toujours dans l'éclat de sa première jeunesse, elle a été classée en 1946 parmi les monuments historiques.   65 S

palais de l'Élysée

La façade sur jardin de l'Elysée est le seul vestige resté intact de l'ancien hôtel d'Evreux.

55, rue du Faubourg-Saint-Honoré, VIIIe. « Bien qu'à l'entrée de la ville, écrivait Blondel, il a tous les avantages d'une des plus belles maisons de plaisance des environs de Paris » ... Il nous faut aujourd'hui de l'imagination pour situer dans la campagne le palais de la Présidence de la République. Rappelons-nous que la place Louix XV (Concorde) était encore un terrain vague. Mais les signes avant-coureurs d'une « poussée vers l'ouest » de la haute société parisienne se manifestaient. L'architecte Mollet témoignait d'un affairisme perspicace en spéculant sur les terrains du faubourg Saint-Honoré. Il fit coup double en vendant 2 ha de sol et en bâtissant un hôtel (1718) pour Louis de la Tour d'Auvergne, comte d'Evreux, qui donna son nom à cette illustre demeure. Elle était précédée d'une grande cour d'honneur bordée d'arcades. L'autre façade donnait sur un jardin qui s'achevait en demi-lune dans les prés des Champs-Elysées (l'avenue de Marigny en respecte encore la courbe). Blondel critiquait cette façade qu'il jugeait « incorrecte et sans fermeté ». Un avant-corps était animé de colonnes. L'ensemble n'avait somme toute rien d'exceptionnel à l'époque. Mais la situation, le jardin, la distribution de l'hôtel devaient tenter la marquise de Pompadour. Elle l'acheta au fils de

La Tour d'Auvergne, l'agrandit, l'embellit, mit les ressources de sa fortune et de son goût à la décoration de l'intérieur, sous la direction de Lassurance, avec un extrême raffinement. A sa mort (1764), comme elle laissait tous ses biens à Louis XV, le roi en fit une « maison des hôtes » pour les ambassadeurs extraordinaires; puis, poussé par des besoins d'argent, le céda au banquier Beaujon contre l'abandon de toutes ses créances (1773). Celui-ci voulut aussi agrandir et embellir, et pour ce faire s'adressa à Louis Boullée. Et c'est cet architecte épris de projets grandioses et irréalisables qui créa, sur le côté gauche, de petits appartements d'un luxe princier. En 1786, Beaujon revendit son hôtel à Louis XVI avec réserve d'usufruit; mais il devait mourir quelques mois après. Le roi le céda à la duchesse de Bourbon-Condé, sœur du futur Philippe Egalité, femme assez extravagante, férue de sciences occultes, liée à Catherine Théot, prêtresse de l'Etre suprême. Elle nomma sa maison l' « Elysée-Bourbon ». Malgré ses sympathies pour la Révolution, elle fut incarcérée. Elle tenta de faire donation de son hôtel au gouvernement de la Convention qui préféra la spoliation. On vit alors s'installer dans le jardin, comme dans tant d'autres, un bal public avec café-restaurant-glacier et marionnettes rustiques. Devenue « Elysée-Napoléon », la demeure fut confiée à Percier et Fontaine en 1805 pour l'installation de Murat qui, devenu roi de Naples, la quitta en 1808. L'empereur s'y établit durant les Cent-Jours et c'est là qu'il signa son abdication. Le nom d' « Elysée-Bourbon » fut repeint sur l'entrée quand le duc de Berry vint y habiter jusqu'à son assassinat. L'hôtel reprit par intermittence son rôle de logis de luxe pour les hôtes de marque, jusqu'à l'arrivée de Louis-Napoléon Bonaparte qui y prépara son coup d'Etat. Depuis 1883, l'Elysée a vu résider sous son toit tous les présidents de la République.

Tant de mutations, tant d'affectataires devaient entraîner des transformations de tous ordres, et il est bien difficile d'y reconnaître l'hôtel d'Evreux. Seule la partie centrale de la façade sur jardin remonte à l'origine. Sur sa gauche, l'aile en retour, surmontée d'une balustrade, a été construite tardivement à l'emplacement des hôtels de Praslin et de Castellane. A gauche, la grande salle des fêtes date de 1888. Le vestibule et l'escalier central ont été commandés par Napoléon. Par contre, les appartements de réception ont gardé leurs décors extrêmement précieux. Le grand salon, au centre, est décoré de portes et de lambris sculptés, de frises et de superbes trophées de chasse que l'on attribue à Oppenord. La chambre de parade de Madame de Pompadour (salon de l'Hémicycle) offre un ensemble de boiseries, de colonnes blanc et or dont les reliefs sont d'une remarquable légèreté. Le salon de Mars (salle du conseil des ministres) est orné d'attributs de style Régence dont la richesse d'invention s'allie à la qualité d'exécution, tandis que le style Empire triomphe dans le salon de Murat, avec des colonnes dorées, des plafonds à caissons et de grandes peintures de paysage d'un effet théâtral. C'est au Directoire que le petit Salon d'Argent, en avancée dans les jar-

dins, doit le charme de ses boiseries et de son mobilier argenté. Autant les rois et les empereurs étaient pressés de renouveler le décor de leur vie officielle et de marquer le style de leur règne, autant les républiques se sont montrées indifférentes au cadre de vie du premier personnage de l'Etat. Comme les ministres dans leurs ministères, les présidents vivent à l'Elysée dans un décor monarchique. Toutefois le président Pompidou a accompli une petite révolution en demandant à des décorateurs d'aménager quelques pièces, sans toucher à leur décor ancien, dans un esprit nettement contemporain.   66 N

Le salon des Ambassadeurs.

VIIIᵉ, XVIᵉ et XVIIᵉ. En élevant un arc triomphal, Napoléon voulait éterniser les gloires de sa Grande armée. Où le placer ? C'était par l'est de Paris que revenaient ses soldats victorieux. Depuis la destruction de la Bastille, il n'y avait plus, entre la rue Saint-Antoine et son faubourg, qu'un grand terrain vague et chaotique. N'était-ce pas l'occasion de l'ordonner en fonction d'un monument prestigieux ? Champagny, ministre de l'Intérieur, ne manifeste aucun enthousiasme en faveur de ce vieux quartier, de cette place sans avenues convergentes, sans perspectives. Il fait parvenir à l'empereur un projet de Chalgrin qui prévoit l'arc de triomphe au sommet des Champs-Elysées, et il glisse dans son rapport des arguments qui devaient le toucher au cœur. « Il ne faut pas se dissimuler, écrit-il, que cet arc, supérieur à tout ce qu'on a fait à présent dans ce genre, exigerait qu'il eût, pour cette position, des dimensions presque colossales et qui en augmenteraient la dépense. Mais que d'avantages dans cette position! On l'apercevrait des hauteurs de Neuilly, on le verrait de la place de la Concorde. Il frapperait d'admiration le voyageur entrant à Paris, car des monuments de ce genre font bien plus d'effet à une grande distance, en laissant le champ libre à l'imagination. Il imprimerait à celui qui s'éloigne de la capitale un profond souvenir de son incomparable beauté. Et, regardant le palais de Votre Majesté comme le centre de Paris, ainsi que Paris est le centre de l'Empire, ce monument serait vu du centre de la capitale; il serait vu de la place la plus spacieuse et la plus régulière, et de la promenade la plus fréquentée, et, cependant, il ferait l'entrée de la ville, véritable destination de monuments de ce genre. » Pas un de ces arguments dont nous ne reconnaissions aujourd'hui le bien-fondé. Le choix de Napoléon se porta aussitôt sur cette « étoile de Chaillot » dont le pourtour se relevait en amphithéâtre gazonné. Elle se trouvait alors dans la campagne. Des avenues rayonnantes avaient été esquissées dès le XVIIIᵉ siècle par des plantations de files d'arbres. La situation privilégiée du sommet de la colline de Chaillot, point de fuite de l'incomparable perspective qui prend son départ dans la grande allée des Tuileries, était promise à la gloire.

arc de triomphe de l'Étoile

Vue de Paris, du haut de l'Arc de l'Etoile, en 1840. Au premier plan, la barrière des Champs-Elysées de Ledoux.

Le projet de monument en forme d'éléphant imaginé pour l'Etoile par Ribart de Charmant.

Plusieurs projets de monuments, de pyramides, et même d'un éléphant gigantesque qui aurait abrité des salles de réjouissance dans ses flancs, avaient été présentés pour marquer ce qui était déjà nommé « l'Etoile » et qui devint, lors de la création de l'enceinte des Fermiers-Généraux la « barrière des Champs-Elysées ». Il y avait là des guinguettes champêtres et, insolites, deux espèces de temples à colonnades, qui étaient les pavillons d'octroi que Ledoux avait édifiés dans le style antique.

Chalgrin s'était associé à l'architecte Raymond, mais ils ne tardèrent point à entrer en conflit : chacun avait ses idées sur le projet et leurs discussions amenèrent la rupture. Chalgrin resta seul. En 1806, l'empereur pouvait écrire sur le projet : « Approuvé, sauf les ornements qui sont mauvais ». Et l'année suivante il signera le devis définitif (9 132 367 F). Les fondations, très profondes, sont achevées lorsque l'empereur commande le « simulacre », dans ses vraies dimensions, c'est-à-dire une charpente couverte de toiles peintes en trompe-l'œil. Elle donnera de l'éclat à la grande entrée dans la capitale qui suivra son mariage avec Marie-Louise. Et elle permettra en même temps d'apprécier l'effet du futur monument dans le ciel de Paris. L'expérience est plus que convaincante. C'est un concert de louanges. L'empereur, satisfait, toujours impatient, ne cessera désormais de harceler l'architecte. Il voudrait voir l'ouvrage terminé. Mais Chalgrin meurt en 1811. Son arc de triomphe atteint alors 5,40 m de haut. Goust, l'un de ses élèves,

Echelle de   5   10   15. Toises

Profil de l'Edifice sur la longueur.

reprend les travaux; d'abord ralentis, ils s'arrêteront tout à fait lorsque les Alliés arriveront à Paris. Le monument en est alors aux deux cinquièmes de sa hauteur. A la suite de l'expédition d'Espagne, Louis XVIII fait reprendre la construction. Elle n'avance que de façon sporadique. Goust et son nouvel adjoint Huyot sont en perpétuelles disputes. Il faut attendre Louis-Philippe pour que ce grand chantier soit résolument remis en marche : le roi veut en faire un mémorial consacré à la geste des armées de la Révolution et de l'Empire. L'œuvre de Chalgrin ne sera inaugurée que le 29 juillet 1836, vingt-huit ans après avoir été commencée.

L'Arc de Triomphe possède dès lors sa forme définitive. (C'est une chance, car, démuni de couronnement, il était généralement

Voûtes de l'Arc de Triomphe dont le style s'inspire directement de l'architecture romaine.

considéré comme inachevé, et de nombreux projets voulaient le doter de figures allégoriques, effigies d'un Napoléon triomphant, d'un éléphant monumental encore ou d'un grand aigle aux ailes éployées.) Cette arche d'un style grandiose unit son juste volume à d'irréprochables proportions. Il s'adapte parfaitement à un site exceptionnel et sa masse semble moins peser sur le sol que s'ouvrir sur le ciel. Il a gagné encore en solennité depuis que Napoléon III fit aménager la place de l'Etoile et ajouter huit avenues nouvelles aux quatre qui existaient déjà, créant ainsi un rayonnement, une convergence vers le monument qui, non seulement le met en valeur, mais permet de l'apercevoir de tout ce côté de la ville. Le style géométrique de la place est encore renforcé par les douze hôtels semblables et symétriques que Hittorff a rangés alentour et dont l'entrée, sur l'autre face, est desservie par une voie circulaire. Haussmann, qui détestait cet architecte, déclarait que ses façades étaient « mesquines » et que leur hauteur (16 m) ne s'accordait pas avec une place de cette envergure. Hittorff répondait, non sans raison, qu'il avait choisi des façades basses pour que l'Arc de Triomphe apparût dans toute sa puissance. L'empereur fut convaincu, mais Haussmann commanda à Alphand d'aménager devant les maisons de Hittorff, pour les masquer, des jardinets bien boisés. Cet ensemble, en définitive, est une parfaite réussite, et Haussmann écrivit que c'était la plus glorieuse de sa carrière.

Haut de 50 m, l'Arc de Triomphe possède une grande arche centrale et une arche latérale de moindre proportion — ce qui a permis de rompre la surface dans la hauteur en la ceinturant d'une forte corniche. A l'intérieur, les voûtes sont décorées de caissons. L'ensemble est dominé par un vigoureux entablement, un attique et un acrotère. Les sculptures qui le décorent sont distribuées sur les parois avec une juste convenance monumentale. Le roi-citoyen désirait les consacrer plus aux victoires de la République qu'à celles de l'Empire. Thiers, qui avait été écrivain d'art, fut chargé du programme et du choix des artistes. Rude a donné là son chef-d'œuvre (côté droit de la face Est) avec le Départ des volontaires de 1792, bien connu sous le nom de la Marseillaise, groupe d'une superbe énergie et parcouru d'un grand souffle épique. Sur l'autre côté, Cortot a traité le Triomphe de Napoléon, pénible contraste, dans un style glacé. Sur la face ouest (devant l'avenue de la Grande-Armée) Etex a célébré la Résistance de 1814 et la Paix en sculptant des groupes non dépourvus d'habileté. Les tympans du grand arc sont occupés par des Renommées de Pradier. A leur hauteur, des tableaux en bas-reliefs représentent les funérailles de Marceau, les batailles d'Aboukir, d'Alexandrie, d'Arcole, d'Austerlitz et de Jemmapes. Tout en haut, sous l'entablement, une frise qui contourne le monument évoque le départ et le retour des armées, où toutes les armes combattantes sont représentées. Du sol il est difficile de se rendre compte que les personnages ont 2, 12 m de hauteur et que leur cortège se déroule sur 137 m de long. Six sculpteurs y travaillèrent, rétribués au mètre courant. L'attique est décoré de boucliers.

Les armées alliées défilèrent sous l'Arc de Triomphe après la victoire de 1918.

Après la guerre de 1914-1918, l'Arc de Triomphe abrita la tombe du soldat inconnu — recouverte d'une simple dalle — veillée par la flamme chaque soir solennellement ranimée. Les visiteurs ne manquent pas au sommet du monument d'où ils peuvent contempler le plus exaltant panorama parisien. Ils y trouvent un petit musée où l'histoire de l'Arc de Triomphe est racontée par le texte et l'image.

L'exposition du corps des grands hommes sous l'Arc de Triomphe avant leurs obsèques représente le sommet de la gloire. Cet honneur fut réservé à Mac-Mahon, à Thiers, à Gambetta, au président Carnot, aux maréchaux Joffre, Foch, Leclerc, de Lattre de Tassigny. Deux cérémonies ont animé des mouvements de curiosité et de ferveur d'une telle intensité que la France entière en fut touchée : la cérémonie du Retour des Cendres (15 décembre 1840) fit converger vers l'Etoile et les Champs-Elysées la population de tous les quartiers de Paris et de ses environs : « On voit au loin se mouvoir lentement une espèce de montagne d'or », écrit Victor Hugo, qui regrette que le char monumental ne soit qu'un « simulacre » de cercueil. Il ne prévoyait pas que pour ses propres funérailles serait imaginé un autre simulacre plus imposant encore. Le catafalque dressé par Charles Garnier montait jusqu'aux voûtes de l'Arc de Triomphe que le poète avait chanté. Le corbillard des pauvres, voulu par testament, vint prendre le corps sous ce fastueux monument éphémère et, suivi d'un cortège de chars fleuris, parmi la foule immense, se rendit lentement vers le Panthéon.

Les arcs de triomphe romains avaient pour rôle de solenniser le retour glorieux des empereurs et de leurs soldats. C'est vraisemblablement en pensant à lui-même que Napoléon avait voulu celui-ci. Mais, pour la première fois l'Arc de l'Etoile remplit sa véritable fonction lors du défilé triomphal des Alliés, le 14 juillet 1919, qui parcourut Paris au milieu d'un enthousiasme indescriptible.

Le Départ des Volontaires, de Rude.

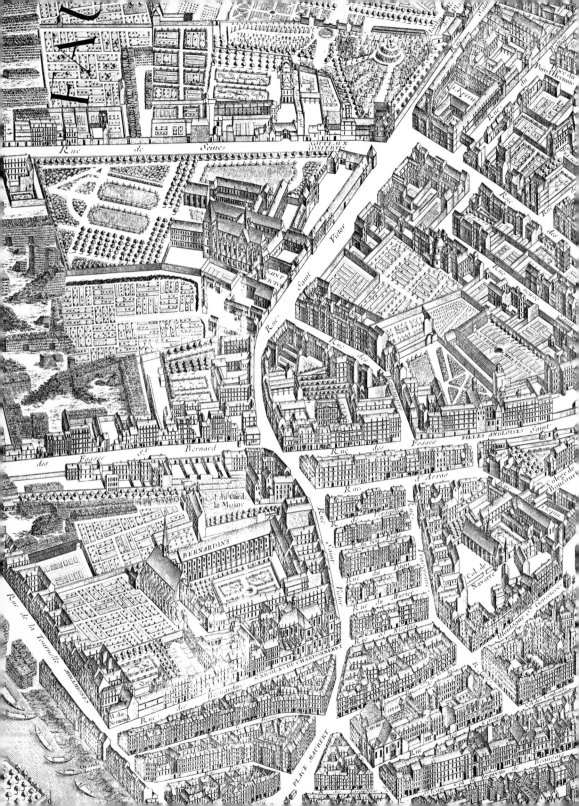

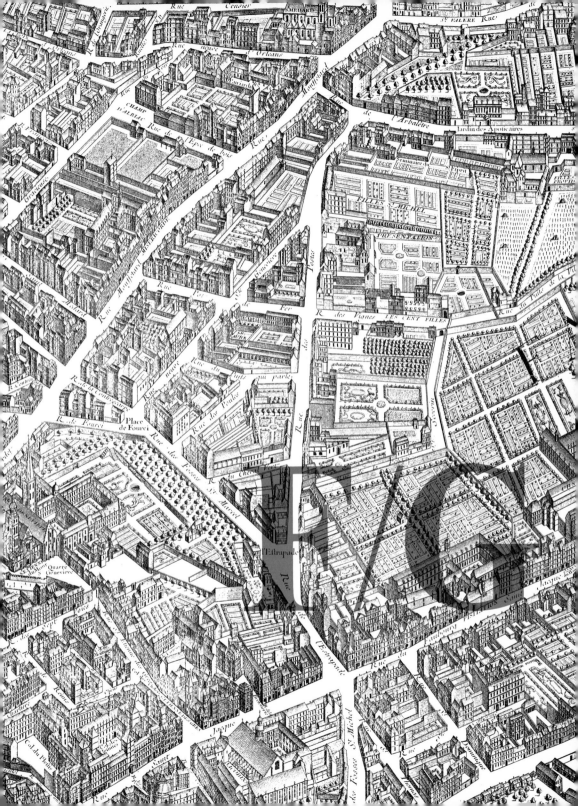

enceinte des Fermiers-Généraux

Place Denfert-Rochereau, place de la Nation, rond-point de la Villette (place Stalingrad), boulevard de Courcelles — parc Monceau. L'enceinte des Fermiers-Généraux (1785) avait pour but de contrôler l'entrée dans la ville des marchandises frappées de taxe. Comme il y avait 47 portes d'accès, c'est un nombre égal de bureaux d'octroi qu'il fallait édifier pour les contrôleurs commis par les Fermiers. Ledoux fut désigné comme architecte. Il avait l'intention d'établir des propylées d'une somptueuse architecture qui devaient, à toutes ses portes, embellir la capitale dans un grand geste d'accueil. Ces projets plurent à Louis XVI et ils furent rapidement ratifiés par son Conseil. Les choses ne traînèrent point. Une année n'était pas passée que les Parisiens voyaient de tous côtés surgir des monuments étranges et magnifiques qui, dans leur infinie variété, ressemblaient davantage à des temples étrusques qu'à des bureaux d'octroi.

L'enceinte des Fermiers-Généraux, qui « mettait Paris en

Barrière des Champs-Elysées.
Barrière de Charenton.

prison » en exerçant une fiscalité vexatoire sur les ressources alimentaires de ses habitants au profit d'une oligarchie trop puissante, était fatalement impopulaire. Les solennelles constructions de Ledoux, leur manque total d'appropriation à leurs fonctions devinrent la cible de vives critiques où s'unissaient la raison des ministres, l'hostilité de confrères jaloux et la colère du peuple contre les dépenses inconsidérées des maltôtiers. Libelles et pamphlets se mirent à pleuvoir dont on a surtout retenu l'alexandrin célèbre : « le mur murant Paris rend Paris murmurant. » En voyant avec quelle fertilité d'imagination Ledoux s'était mis à la tâche sans tenir compte des plus élémentaires problèmes pratiques qui lui étaient posés, on peut croire que la joie de traduire dans la pierre les images qui le hantaient avait envahi son esprit au point que toute considération étrangère à sa délectation personnelle ne pouvait l'atteindre. Devant le mouvement de réprobation générale, même ceux qui l'avaient soutenu l'abandonnèrent.

Barrière du Faubourg-Saint-Martin.
Barrière de Vincennes.

Une enquête fut ordonnée et Ledoux dut réduire de près d'un million de livres le montant de ses travaux. Au milieu de multiples intrigues politiques les opérations furent suspendues à plusieurs reprises, si bien que la Révolution arriva, que des insurgés, faute de pouvoir démolir les robustes propylées, se vengèrent sur les ouvriers de leurs chantiers. Enfin la Convention jeta Ledoux en prison, triste ironie du sort pour un architecte-philosophe qui n'avait cessé d'exprimer son idéal d'une République fraternelle. Des barrières restaient inachevées, certaines furent complétées, d'autres demeurèrent à l'abandon, mais leur disposition intérieure et leurs murs aveugles les rendaient à peu près inutilisables. Elles furent démolies peu à peu au cours du siècle dernier. Quatre seulement subsistent qui témoignent du génie d'invention de leur auteur.

La barrière d'Enfer se compose de deux pavillons symétriques d'allure massive et lourde. Des ressauts en très forte saillie, que l'on trouvait également aux pavillons plus importants de la barrière de l'Etoile (démolis en 1860), y constituent la façade où s'ouvrent trois arcades. L'attique est souligné par un cortège de danseuses antiques. (A la façade ouest se trouve l'entrée des Catacombes.)

La barrière du Trône a pris le nom de l'ancienne place du Trône (place de la Nation) où eut lieu l'entrée solennelle du jeune Louis XIV et de son épouse l'infante Marie-Thérèse en 1660. Deux pavillons jumeaux quadrangulaires se font face, avec un vaste porche en arcade. Les façades, surmontées d'un fronton saillant et nu, sont percées de deux étages de fenêtres. Sur l'axe de l'avenue de Vincennes deux colonnes se dressent sur socles cruciformes munis de quatre guérites à frontons. Ces colonnes ont été « enrichies » sous le règne de Louis-Philippe.

La barrière de la Villette, la plus importante, se compose d'un très grand socle carré percé de fenêtres, dont trois côtés sont ornés d'un fronton triangulaire, qui soutient une rotonde monumentale. Celle-ci se compose d'arcades sur colonnes jumelées. La partie supérieure est ponctuée d'ouvertures carrées. Une frise des plus simples court sous une corniche très saillante (un curieux bâtiment formé de quatre arches monumentales qui se trouvait à côté a disparu). Cette rotonde donnait sur le bassin de La Villette, aux rives plantées de files d'arbres, promenade parisienne pleine de douceur et de charme. Le métro aérien et l'intensité de circulation du carrefour actuel ont fait perdre à ce bâtiment remarquable beaucoup de son prestige, malgré l'heureuse restauration entreprise en 1966. On a cherché à lui trouver une affectation difficile; en définitive il abriterait les collections archéologiques de la ville.

La barrière de Monceau, à cheval sur la grille du parc, ancienne folie du duc de Chartres, est une rotonde inspirée des *tholos*, entourée de colonnes doriques cannelées qui supportent un haut bandeau à corniche médiane. Le bâtiment central était coiffé d'une calotte aplatie. Le XIXe siècle crut bon de remplacer par un dôme sans grâce cette coupole dont la forme était voisine de celle du Panthéon de Rome et convenait à l'effet de pesanteur et de massivité toujours recherché par Ledoux.   68 N et S

2, Quai des Célestins, IVᵉ. L'hôtel Fieubet est décoré avec une prodigalité et une exubérance si insolites dans l'architecture française qu'il ne peut passer inaperçu. Notons avant tout qu'au XVIIIᵉ siècle ses contemporains soulignaient le contraste entre la simplicité de l'extérieur et la richesse de l'intérieur. Exactement le contraire de ce que nous voyons aujourd'hui. Lorsque Gaspard Fieubet, fils d'un conseiller d'Etat très fortuné, acheta l'hôtel d'Herbault (1676), ce fut pour le faire reconstruire presque entièrement. Déjà propriétaire de l'hôtel voisin, l'hôtel de Nicolaï (nᵒ 4), il fit aménager son nouvel hôtel et son jardin avec un goût très recherché. Il y avait notamment un « salon de glaces » et une salle entièrement peinte par Le Sueur, dont quelques fragments sont au Louvre. Fieubet, amateur de poésie, y donna des réceptions où se rencontraient notamment La Fontaine et Madame de Sévigné.

hôtel
Fieubet

Le décor de l'hôtel Fieubet ou les débauches ornementales du comte de Lavalette.

Mais il en profita peu puisque, quelques années plus tard, après la mort de sa femme, il se retira à Grosbois dans un couvent.

L'hôtel ne semble pas avoir subi de dommages jusqu'à sa transformation en raffinerie de sucre, en 1816. Il devait subir un avatar de tout autre genre lorsqu'il fut acheté en 1857 par le comte de Lavalette. Ce curieux personnage s'était mis dans la tête de faire de cette maison à demi ruinée une demeure qui surpasserait toute autre en richesse et en éclat. Etait-ce passion débridée pour l'archéologie? Folie des grandeurs? L'hôtel se couvrit du haut en bas, sur le quai comme sur la rue du Petit-Musc, de bas-reliefs, de frontons, de bossages vermiculés, de cariatides, de satyres, de corbeilles de fruits et de guirlandes de fleurs dont l'opulence et la bâtardise évoquent à la fois les Flandres, l'Espagne et l'Italie, le tout couronné de belvédères et de lanternons. Bien entendu, à toutes ses fantaisies le malheureux comte se ruina. En 1877, l'hôtel fut acheté par l'école Massillon, qui l'occupe toujours.

69 N

maison de Nicolas Flamel

51, rue de Montmorency, IIIe. Ecrivain-libraire enrichi de façon restée mystérieuse, soupçonné de pratiquer l'alchimie, Nicolas Flamel fit bâtir cette maison en 1407 pour donner asile aux pauvres gens, à charge de dire chaque jour un *pater* et un *ave* pour le pardon des « povres pécheurs trépassez ». L'inscription se lit sur la façade (en grande partie restaurée) où l'on trouve également les restes de peintures et de pierres gravées aux initiales du bienfaiteur. Nicolas Flamel légua tous ses biens à l'église Saint-Jacques-la-Boucherie. Cette maison, occupée aujourd'hui par un restaurant, n'était qu'une faible part de ses fondations charitables — auxquelles on ne peut reprocher que d'avoir été par trop ostentatoires.

70 N

musée Galliera

10 avenue Pierre-Ier-de-Serbie, XVIe. La duchesse de Galliera, génoise d'origine, consacra son immense fortune à des œuvres charitables : hôpitaux, écoles, maisons ouvrières, etc. Elle fit construire ce musée pour abriter et montrer au public les œuvres d'art de son hôtel de la rue de Varenne et en fit don à la Ville de Paris avec le jardin. On dit que son architecte se vantait d'avoir édifié une architecture inspirée de la Renaissance italienne qui ne pouvait servir à rien. En effet, la disposition des salles est telle que l'on s'est vu obligé d'occulter les baies pour présenter les œuvres exposées. Des portiques à colonnades sur plan semi-circulaire, s'étendent devant un bâtiment rectangulaire sans étage, percé de baies arrondies qui occupent presque toute la surface des façades. Le bâtiment est utilisé alternativement pour des ventes aux enchères et des expositions d'art contemporain.

71 N

L'inscription (restaurée) qui figure à la façade de la maison de Nicolas Flamel.

**hôtel
Gallifet**

50, rue de Varenne, VIIᵉ. L'ambassade d'Italie a installé ses services culturels dans cette demeure que le marquis Louis de Gallifet avait fait construire par l'architecte Antoine Legrand en 1775. Elle ne devait d'ailleurs être terminée que vingt et un ans plus tard, après la parenthèse de la Révolution. La façade principale donnait alors sur la rue du Bac. Sa colonnade fait grande impression : huit hautes colonnes ioniques se dressent en péristyle devant la surface entière de la façade du type classique le plus éprouvé, avec architrave, frise et corniche; les fenêtres de l'étage sont garnies de balustres. Le même ordre se répète sur le jardin, avec six colonnes engagées. Le décor intérieur date de l'extrême fin du siècle. Deux grands salons à pilastres séparés par des colonnes sont décorés de ravissants plafonds en camaïeu. Des bas-reliefs en trumeaux dominent les portes. Le grand escalier s'élève entre de fausses baies encadrées de colonnes. Un petit salon est décoré d'arabesques. Tout témoigne des goûts néoclassiques.

72 S

Gare du Nord

Rue de Dunkerque, Xᵉ. Le modeste embarcadère du Nord fut remplacé par une gare de dimensions beaucoup plus vastes que construisit Hittorff en 1863, selon des techniques qui n'avaient pas encore été appliquées à ce genre d'ouvrage. Sa composition était parfaitement homogène. Les façades, avec leurs pavillons d'angle, sont construites en pierre; mais c'est la nouveauté du hall de fer et de verre abritant dix quais d'embarquement qui retient l'attention. L'ensemble couvre une superficie de 36 000 m². Le comble central, prévu pour l'éclairage et l'évacuation des fumées, a une portée de 70 m élevée à 30 m du sol. Il est supporté par deux rangées de colonnes de fonte d'une extrême légèreté épanouies comme des branches d'arbre. Alors que d'autres édifices métalliques de la même époque, comme l'église Saint-Eugène, de L.-A. Boileau, ou Saint-Augustin, de Baltard, se réfèrent à des styles du passé, le hall de la gare du Nord, à la suite du Crystal Palace de Londres, édifié neuf ans auparavant, est un exemple de cette architecture métallique qui devait bouleverser les données de la construction jusqu'à l'application du béton armé.

Mais il aurait été inconcevable qu'il n'y eût point de « vraie » façade. Celle de Hittorff est décorée de hauts pilastres ioniques et couronnée de statues, de vastes baies qui dispensent largement la lumière. La gare du Nord devint un prototype des grandes gares de chemin de fer.

73 N

quai Louis-Blériot — quai André-Citroën, XVIᵉ. Construit en 1966, il remplaça l'ancien viaduc d'Auteuil à deux étages, dont la lourde silhouette était devenue familière. Entièrement métallique, de ligne souple et pure, ses trois travées inégales portent sa longueur à 209 m. C'est donc le plus long des ponts de Paris sans appui naturel.

pont du Garigliano

74 N

42, avenue des Gobelins, XIIIᵉ. Ce nom propre a pris tant d'importance qu'en de nombreux pays il est devenu nom commun : le mot « gobelin » désigne une tapisserie quelle que soit son origine. Il ne se serait jamais douté que la postérité lui ferait tant d'honneur, ce Jehan Gobelin, teinturier, qui vint, au XVᵉ siècle, installer sa petite industrie au bord de la Bièvre. La production de ses premiers métiers de tapisserie fut si recherchée que la manufacture prospéra

manufacture des Gobelins

Fête organisée dans la cour de l'hôtel des Gobelins en l'honneur de Le Brun qui dirigea la manufacture à la fin du XVIIᵉ siècle.

Veüe d'une partie de l'Hostel Royal des Gobelins, ou sont establies les Manufactures des meubles de la Couronne.

et domina les concurrentes. La famille Gobelin se retira, fortune faite, dans les premières années du XVIIe siècle. L'ère glorieuse de la manufacture commença lorsque Colbert réunit les ateliers de Paris et des environs pour fonder en 1667 la « Manufacture royale de tapisseries et de meubles de la Couronne » qui, sous la direction de Le Brun, produisit ses chefs-d'œuvre. De nouveaux locaux furent bâtis, groupant non seulement des « maîtres tapissiers de haute lisse », mais aussi des « orfèvres, fondeurs, graveurs, lapidaires, menuisiers et autres bons ouvriers en toutes sortes d'art et de métier ». Les lissiers bénéficiaient d'une formation professionnelle et de privilèges d'autant plus importants que leurs travaux, de même que les pièces d'orfèvrerie ou de mobilier, étaient destinés aux châteaux royaux.

La façade sur l'avenue des Gobelins, date de 1914. Derrière, nous voyons quelques bâtiments d'origine qui ont échappé à l'incendie de la Commune. La cour Colbert, notamment, avec son ancienne chapelle, permet d'évoquer la vieille manufacture. Elle a gardé ses traditions. Les artisans tapissiers, qui sont logés sur place, exécutent leur minutieux et lent travail dans la tradition de leurs prédécesseurs. Des « cartons » modernes sont venus renouveler une fabrication qui devenait trop bornée à la copie ou à l'interprétation des anciens.

La Bièvre est cachée sous terre. Un jardin a été établi par Jean-Charles Moreux, dans l'esprit de la Renaissance, en grande partie sur les potagers attribués autrefois aux artisans des Gobelins; mais le tracé en a respecté le souvenir. A côté (1, rue Berbier-du-Mets) se dresse le magistral portique courbe qui commande l'entrée des bâtiments du Mobilier national édifiés en 1934 par Auguste Perret.   75 S

hôtel de Thomas Gobert

7, rue du Mail, IIe. Il convient de faire quelque effort pour considérer les étages encore visibles de l'hôtel que l'architecte Thomas Gobert construisit pour lui-même peu avant l'aménagement de la toute voisine place des Victoires. Le rez-de-chaussée disparaît complètement derrière le coffrage d'une maison du commerce. Mais apparaissent les deux étages unis par l'ordre colossal de pilastres à chapiteaux composites particulièrement soignés. Les fenêtres du rez-de-chaussée sont encadrées de colonnettes ioniques curieusement ciselées. Un puissant entablement limite les fenêtres basses de l'attique.

On remarque à côté (n° 5) l'hôtel dit de Colbert, construit par François Le Tellier en 1650. Son portail présente encore toutes les caractéristiques du style Louis XIII; il est surmonté d'une tête de faune flanquée de cornes d'abondance qui enchâssaient vraisemblablement les armes du propriétaire.   76 N

6, rue Pierre-Bullet, X^e. Près d'une école maternelle et d'une mairie dont la laideur agressive s'étend sur le voisinage, derrière une grille d'entrée minable, nous avons la surprise de découvrir à l'extrémité d'une petite avenue un pavillon qui porte toutes les grâces de la fin du règne de Louis XVI. Le célèbre ciseleur Gouthière s'était fait construire ce bijou dans un grand jardin dont l'entrée était en face, sur le faubourg Saint-Martin. Cette demeure d'artiste ressemble à une folie de prince. Construite par Joseph Métivier, terminée en 1780, Gouthière dut la vendre sept ans plus tard à la suite de difficultés financières qui, la Révolution aidant, le laissèrent complètement ruiné. Un large et haut perron encadré de deux sphinx s'élève sur un avant-corps à refends qui sert de cadre à un portail surmonté d'une niche arrondie : deux génies s'y inscrivent en haut-relief qui, avec une grâce exquise, couronnent un buste de divinité. Entre l'entablement et la corniche, un long bas-relief représente un cortège d'enfants joueurs. De chaque côté de la façade s'ouvre une fenêtre que surmonte une niche circulaire étoilée de refends. L'une des ailes en retour et une partie de la façade sont malencontreusement masquées par un bâtiment à usage de bureaux. L'intérieur du pavillon, occupé par une maison de passementerie, a gardé son décor d'origine, des pièces sont traitées en arabesques de style pompéien, d'autres sont peintes de pastorales, des jeux de l'amour et de fables à l'antique.

pavillon de Gouthière

La façade de l'hôtel de Gouthière et ses deux sphinx.

Grand Palais

Avenue W. Churchill, VIIIᵉ. L'Exposition universelle de 1900 voulait au moins laisser à Paris deux monuments durables. L'idée était belle d'ériger un « palais des Beaux-Arts » comme pièce maîtresse de l'ensemble monumental constitué dans l'axe des Invalides, un palais d'Etat faisant face à un « musée des Beaux-Arts de la Ville de Paris », de dimensions plus réduites. On ne tarda pas à les désigner l'un et l'autre sous le nom de Grand et Petit Palais des Champs-Elysées. Paris se trouvait donc bénéficier tout d'un coup d'une surface considérable pour célébrer la production artistique. N'était-ce pas sa vocation ? Hélas, l'art officiel de la France laissait à désirer — la qualité des locaux qui l'abritaient en porte l'affligeant témoignage — et les choses ont évolué de telle sorte que le Grand Palais, convoité en raison de son ampleur et de sa situation au centre le plus brillant de la ville, a fini par accueillir des manifestations sans rapport avec la destination qui lui avait été donnée. S'il a reçu chaque année les grands salons officiels, il a aussi abrité le Concours hippique, les Salons de l'automobile, de l'aviation, des arts ménagers, de l'enfance, des antiquaires, etc. D'autre part, tout le corps de bâtiment qui borde l'avenue Franklin D. Roosevelt a été occupé par le palais de la Découverte.

Sa conception architecturale est un exemple intéressant de l'éclectisme fin de siècle : le grand hall de fer et de verre (longueur

Un quadrige colossal de Récipon.

192 m ; hauteur 43 m), construit par Louvet, répond aux principes de l'architecture rationaliste ; mais la grande leçon donnée à l'Exposition de 1889 par la galerie des Machines, qui avait affiché sa charpente de fer en ogive surbaissée, était reniée. La préoccupation des maîtres d'œuvre du Grand Palais fut au contraire de dissimuler l'ossature derrière des façades de pierre qui l'enveloppent entièrement. Du côté de l'entrée principale, c'est le grand péristyle de Deglane qui abrite derrière sa colonnade ionique une immense mosaïque de verre. Les autres côtés sont formés de façades concaves, convexes ou rectilignes, de styles variés et chargés d'une profusion de sculptures généralement médiocres. Celles qui se remarquent le plus, et à grande distance, sont les équipages échevelés du sculpteur Récipon qui surmontent les angles de la façade principale. Le grand bassin de Raoul Larché, devant la façade en retrait de l'avenue de Selves, commencé en 1909, et qui en porte la marque, n'a été installé qu'en 1926. La confusion générale est due surtout à la complication du programme et au manque de cohésion des architectes qui réalisaient leur programme sans vue d'ensemble.

C'est à l'intérieur que se rencontrent les éléments intéressants, notamment le monumental escalier d'acier à double révolution traité dans un généreux décor Modern Style — nouveauté dont l'Exposition de 1900 n'avait pas été prodigue. Mais la disposition des lieux s'est révélée fort incommode. Combler ce grand vide, l'aménager pour ses divers usages, cela pose des problèmes qui se renouvellent à chaque exposition : il faut chaque fois monter et démonter à grands frais des salles ou des stands provisoires. Sur l'avenue de Selves, une partie du bâtiment a été aménagée en 1969 sous le nom de Galeries nationales pour recevoir des expositions d'art moderne dans un cadre muséologique agréable et parfaitement approprié.   78 N

SOCIÉTÉ
DES
ARTISTES FRANÇAIS

SALON
de 1912

GRAND PALAIS
Avenue Alexandre III

120ᵉ Exposition
DES
ŒUVRES DES ARTISTES VIVANTS

Prix
d'Entrée :
En Semaine......... 1 fr.
Le Dimanche :
De 8 heures à midi... 1 fr.
De midi à 6 heures... 50 c.

60, rue de Turenne, IIIᵉ. Il faut avoir l'esprit curieux pour s'intéresser à ce grand bâtiment qui semble avoir attiré sur lui tous les outrages. La porte monumentale est pourtant assez belle pour arrêter un passant attentif. Et les hures de sanglier qui paraissent sous son cintre peuvent intriguer qui ne sait l'allusion au propriétaire, capitaine général de la Vénerie. Un grand panneau central a fait perdre tout sens aux pavillons latéraux où paraissent aussi des motifs cynégétiques. A l'intérieur, c'est pire encore. La cour a été couverte, et très commercialement occupée. Comment y retrouver la façade dont les statues et ferronneries étaient l'honneur de cet hôtel ? Impossible, au surplus, de découvrir la façade sur les jardins — qui étaient d'immenses jardins — tant les constructions parasites sont venues la masquer. Seul subsiste le grand escalier et sa belle rampe de fer forgé à décor de bronze où paraissent des armes de chasse, des têtes de chien, des hures de sanglier. Il ne

La chasse est le sujet des motifs orne-
mentaux de la rampe d'escalier de
l'hôtel du Grand-Veneur.

mène qu'à des bureaux, des magasins, lesquels n'ont rien de
commun avec les salons lambrissés d'autrefois.

Comment en est-on arrivé là ? Construit à la fin du XVIIᵉ siècle
l'hôtel fut entièrement remanié et même reconstruit au milieu du
siècle suivant par Louis Hennequin d'Ecquevilly qui, en mémoire
de son père — il n'était d'ailleurs pas tout à fait « Grand Veneur »
— y répandit des attributs de chasse. Confisqué à la Révolution,
l'hôtel devint, comme tant d'autres, pensionnat. Des dames
franciscaines y aménagèrent des salles de classe et de récréation, des
dortoirs, une chapelle. Le goût s'étant répandu des « choses
anciennes », ce qui restait de boiseries fut vendu vers 1880. Quand
les religieuses durent quitter les lieux, en 1904, l'hôtel devint un
dépôt des Magasins Réunis qui ont cherché à conserver ce qui
restait de l'hôtel à son origine.

60, rue des Archives, IIIᵉ. Cette maison est longtemps restée dans un état incroyable d'avilissement et de sordidité. Elle avait pourtant connu son temps de splendeur. Jean-François de Guénégaud, maître des Comptes, la fit construire en 1648 par François Mansart. En 1703, l'hôtel fut vendu à Jean Romanet, fermier général, personnage très fortuné qui fit recomposer et décorer l'intérieur. Au cours du XIXᵉ siècle, il n'a cessé de se dégrader et il était voué à la démolition lorsqu'il fut racheté par la Ville, en 1961, et loué à bail amphythéotique à M. François Sommer. Celui-ci en assura la restauration totale, soignée dans tous ses détails, avec le concours des monuments historiques. Il avait pour but d'installer un musée de la Chasse de haute qualité dans les appartements qui avaient été sacrifiés. C'est avec cette nouvelle destination que l'hôtel fut inauguré en 1967.

Le style sobre et fort de François Mansart apparaît à la façade sur rue où s'élèvent les pavillons qui correspondent aux ailes, et surtout à la façade sur jardin dont le fronton est également encadré de pavillons. L'escalier possède un départ de marches curvilignes déployées en éventail sous un jeu de voûtes de la plus habile complexité. La nouvelle vocation de l'hôtel Guénégaud est exemplaire. C'est grâce à elle qu'il put être sauvé.   80 N

hôtel Guénégaud

La sobriété exemplaire du style de François Mansart s'exprime dans l'architecture de l'hôtel Guénégaud.

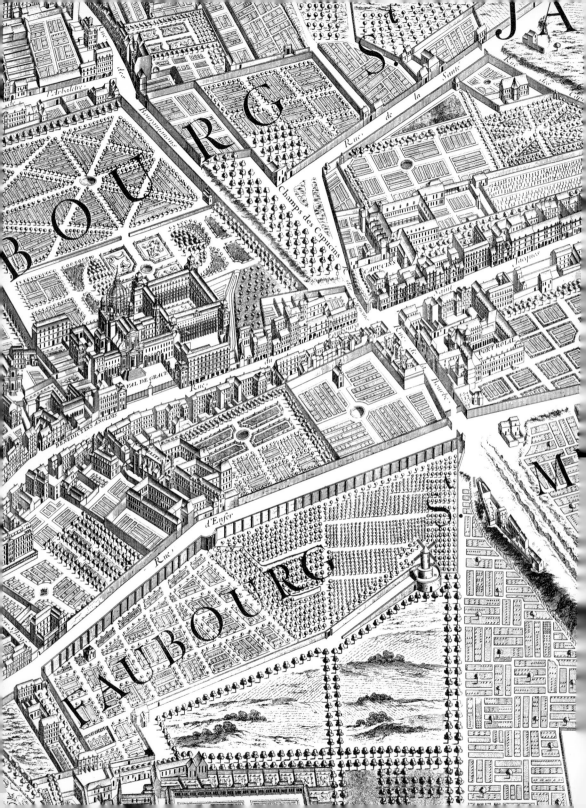

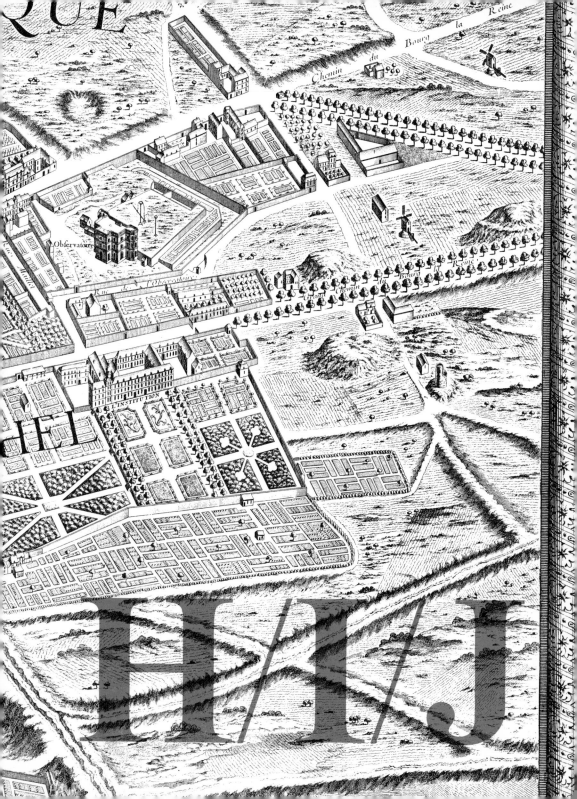

quartier des
Halles

Iᵉʳ. Depuis que Louis VI le Gros, au début du XIIᵉ siècle, fonda en ce lieu le « marché des Champeaux », le quartier a conservé une vocation marchande, sans cesse accrue, jusqu'au récent départ des Halles centrales pour Rungis. Il n'y avait tout d'abord que des étals de plein air; puis Philippe-Auguste, toujours désireux de favoriser la prospérité de Paris, fit construire des bâtiments qui seront nommés les Halles.

Le quartier devint le centre de transactions des marchandises les plus diverses; les noms de quelques rues survivantes évoquent leurs activités passées (de la Poterie, de la Ferronnerie, de la Lingerie, de la Cossonnerie, etc.). En dehors de la viande, des légumes et des produits d'alimentation courante, la friperie et la halle aux draps tenaient la plus large place. Le quartier était animé d'une foule bruyante, fort mélangée, facilement agitée, à travers quoi s'établirent des hiérarchies. Ainsi les marchandes de poisson, ces « dames de la Halle » hardies et « fortes en gueule », jouissaient de privilèges spéciaux dont celui d'aller en délégation haranguer la roi ou la reine une fois l'an. Un cadre majestueux se surajouta à l'enchevêtrement des rues et des ruelles lorsque furent édifiés l'église Saint-Eustache, et, à côté, l'imposant « hôtel de la Reine », élevé par Marie de Médicis qui y habita pendant quatorze ans, avant d'être rénové par le fils du prince de Condé, le comte de Soissons, qui lui laissa son nom (détruit en 1749).

Au cours du XVIIIᵉ siècle, le quartier prend un nouveau visage. Le cimetière des Innocents dont l'infecte puanteur devient intolérable est fermé, son église démolie, et ses ossements transférés aux Catacombes. Un marché aux légumes prend sa place. La Halle au blé, construite sur plan circulaire à l'emplacement de l'hôtel de Soissons, sera couverte, par Legrand et Molinos, d'une coupole remarquable d'invention. (La Bourse du Commerce la remplacera au siècle suivant.) Des demeures nobles sont enserrées dans un parcellaire exigu par des demeures bourgeoises ou populaires dont les façades n'ont parfois qu'une seule travée. Si elles ne possèdent point les somptuosités des hôtels du Marais ou du faubourg Saint-Germain, leur simplicité de bon aloi, souvent relevée de détails savoureux, donnait beaucoup de charme au quartier. Bien qu'en subsistent de nombreux éléments d'origine nous en parlons au passé car le XIXᵉ siècle a tailladé sans vergogne à travers l'ancienne trame pour tracer de rigides voies de desserte que ne justifiait pas toujours le passage des charrois.

La décision de construire les grandes Halles centrales, dont le principe fut adopté en 1843, avait complètement métamorphosé ce quartier historique. Notons qu'un projet d'Hector Horeau qui prévoyait de grands pavillons métalliques et, déjà, des voies et des garages souterrains ne fut pas pris en considération. C'est Victor Baltard qui fut désigné. Architecte de la Ville de Paris, avec vingt-trois architectes sous ses ordres, il s'était surtout livré jusque-là à des restaurations et transformations d'églises gothiques. Il élève un gros pavillon de pierre dont la massivité, la laideur et l'incommodité sont telles qu'on l'obligera à le démolir. Napoléon III intervient

VUE PERSPECTIVE À VOL D'OISEAU

pour demander des halles en charpentes métalliques inspirées des nouvelles gares. « Ce sont de vastes parapluies qu'il me faut. Rien de plus. » Et il esquisse au crayon ce qu'il désire. Mais Baltard, Grand Prix de Rome, est humilié; il se révolte contre des exigences qu'il estime déshonorantes. Son ami Haussmann doit lui faire à plusieurs reprises recommencer ses projets et finit par lui imposer de renoncer à tout emploi de la pierre (les sous-sols des pavillons étaient en briques). Fidèle aux traditions d'école, Baltard eut beau répandre les palmettes et coiffer de petits chapiteaux corinthiens ses minces colonnes de fonte, l'ensemble possédait une légèreté, un équilibre, une unité et des dispositions pratiques qui rencontrèrent l'adhésion générale.

Cinquante ans plus tard, le trafic des Halles, qui débordait le cadre parisien pour atteindre des dimensions nationales, avait décuplé et, dès le matin, le centre de la ville se trouvait embouteillé par la cohue des transporteurs de denrées périssables. Le spectacle des amoncellements de détritus autour de Saint-Eustache était particulièrement pénible. Bien entendu, le nombre des vendeurs n'avait cessé de se multiplier et les commissionnaires, refoulant les commerçants du quartier, avaient pris possession de petites maisons anciennes nullement préparées à les recevoir.

Depuis 1925, le conseil municipal rejetait les projets qui proposaient de faire éclater les Halles en dispersant de grands marchés près des portes de Paris. Enfin, malgré l'hostilité de la plupart des commerçants, malgré les noctambules épris de contrastes et de vie

Le projet d'ensemble des Halles par Victor Baltard.

pittoresque, un décret publié en 1962 décidait la création d'un « marché d'intérêt national » à Rungis, pourvu d'une immense gare routière.

Mais qu'allait-on faire de ce grand vide, une fois démolis les pavillons de Baltard? (Un seul a été sauvegardé pour être remonté à Nogent-sur-Marne.) Des projets fracassants, qui étendaient buildings et autoroutes jusqu'à la gare de l'Est, furent écartés. Puis les surfaces à rénover se rétrécirent comme peaux de chagrin, celles à restaurer étant âprement discutées. Etudes, statistiques, maquettes s'accumulaient. Les convoitises des services publics aussi bien que celles des promoteurs privés étaient braquées sur cet extraordinaire terrain à bâtir au cœur de la capitale.

Été 1972 : la fin d'une époque.

C'est de la cour du n° 7 de la rue Brantôme que l'on découvre cette tourelle ancienne et son escalier à vis.

hôtel
d'Hallwyll

28, rue Michel-Le-Comte, IIIe. D'une douzaine d'hôtels édifiés par Ledoux à Paris, c'est le seul qui nous reste. Et dans quel état! Ledoux « architecte maudit » ? Ne confondons pas. Il fut architecte du roi, membre de l'Académie, et fort bien en cour. C'est son œuvre qui fut maudite, le XIXe siècle l'a laissée crouler ou l'a sacrifiée sans le moindre scrupule. Quant aux projets conçus par sa trop audacieuse imagination qui n'ont jamais reçu un commencement d'exécution, il nous faut bien convenir que leur caractère utopique pouvait décourager. D'où les constantes difficultés pécuniaires de Ledoux. L'hôtel d'Hallwyll, lui, est classique dans tous les sens du terme; construit en 1766 pour François d'Hallwyll, colonel de la Garde suisse, il est de dimensions moyennes et le corps de bâtiment principal est situé entre cour et jardin selon le plan parisien traditionnel. En vérité, Ledoux n'a fait qu'un décor plaqué sur les structures d'un hôtel élevé au XVIIe siècle. Malgré son aspect général fort décevant, il possède des qualités de vigueur, accusées par le dessin général des refends, où l'on reconnaît le génie de l'architecte. Il fut occupé par des bureaux commerciaux qui l'ont profondément altéré. La façade sur rue abritait autrefois les communs. L'entrée est encadrée de colonnes doriques en retrait et surmontée d'un tympan arrondi décoré d'un motif à l'antique. La façade sur cour est enrichie de trois fenêtres à fronton sculpté. Sur le jardin, Ledoux déploya la charmante invention de galeries latérales à colonnades aboutissant à un fond de décor de congélations. Le péristyle était peint en trompe-l'œil. Bien entendu, la statuaire comme les décors intérieurs ont été dispersés. La société qui occupe cet immeuble a l'honneur d'avoir pris à charge la restauration de l'hôtel. Tâche d'autant plus difficile que les sondages ont révélé que les travaux de Ledoux consistaient surtout, en dehors de l'architecture du jardin, en un élégant habillage en moellons et plâtre de l'hôtel antérieur — seul exemple à Paris d'un édifice ainsi traité dans l'esprit de Palladio.

Place du Parvis-Notre-Dame, IVe. L'Hôtel-Dieu a été construit à la demande de Napoléon III. Commencé en 1868, sur les plans de l'architecte Diet, il était terminé dix ans plus tard. C'est à son propos et à propos de l'Opéra, dont la première pierre avait été posée quatre ans auparavant, que l'empereur avait déclaré : « L'asile de la souffrance s'ouvrira avant le temple du plaisir. » Promesse qui devait être tenue en trichant un peu car l'Hôtel-Dieu fut inauguré avant d'être tout à fait terminé. Mais il y avait eu dans l'intervalle une guerre et un changement de régime.

Le vieil Hôtel-Dieu s'était établi morceau par morceau au cours des siècles sur le petit bras de la Seine ; il était tombé dans un tel état de vétusté que sa disparition, demandée par la commission médicale, ne causa aucun regret. Elle avait refusé que le nouvel hôpital fût construit dans une région plus éloignée du centre, ce qui était une erreur. C'est Haussmann qui fit adopter son implantation vers l'autre rive de la Cité. Les bâtiments qui occupent tout le quadrilatère circonscrit entre le parvis Notre-Dame, la rue d'Arcole, la rue de la Cité et la Seine s'articulent sur une longue cour centrale au fond de laquelle se dresse le porche à colonnade d'une grande chapelle d'inspiration palladienne ; ils alignent des étages d'arcades et de fenêtres en plein cintre comme aux palais du Quattrocento. Ce n'est évidemment pas un palais, mais un hôpital, dont les ouvertures répétées sur de telles longueurs ne vont pas sans monotonie mais qui, dans son austérité voulue, n'est pas non plus sans noblesse.   83 N

Hôtel-Dieu

Les beautés cachées de l'Hôtel-Dieu : la cour centrale.

Hôtel de Ville

La Maison aux piliers, siège de la Prévôté des Marchands, d'après une miniature du XVe siècle.

IVe. Le quartier fut voué au commerce depuis son origine. Que pouvaient être les activités économiques de la primitive Lutèce sinon celles du trafic des marchandises débarquées sur les rives de la Seine. Les nautes parisiens trouvèrent sur la rive droite une grève doucement inclinée vers le fleuve où ils pouvaient haler leurs bateaux parmi les marais et les roseaux. Ainsi naquit, dans les premiers siècles de notre ère, autour de la future « place de Grève », un port qui, rivalisant avec celui d'en face, dans la Cité, devait prendre le nom de Saint-Landry. Il le domina même assez vite. Une agglomération était venue se fixer autour de la grève et une petite église fut bâtie à proximité sur le monceau Saint-Gervais. Au XIIe siècle, les Templiers, des banquiers lombards, des prêteurs juifs s'y établirent, signes de la prospérité du quartier, jusqu'à ce qu'au siècle suivant le mouvement des affaires et de la finance glissât vers l'ouest pour se cristalliser sur le marché des Champeaux (les Halles).

Jusqu'alors la ville avait été administrée par le prévôt de Paris fonctionnaire du roi. Saint Louis créa une assemblée municipale élue par les bourgeois parisiens, présidée par le « prévôt des marchands », le chef de la « hanse », qui bénéficiait du monopole de la navigation, (c'est pourquoi la nef symbolique s'incorpora désormais dans les armoiries de Paris). Il était assisté de quatre échevins. Ces personnages nommaient eux-mêmes vingt-cinq conseillers. Leur siège, désigné sous le nom de Parloir aux Bourgeois se trouvait à côté du Grand Châtelet. En 1357, Etienne Marcel le fit transférer place de Grève, à la « Maison aux piliers » qu'il avait achetée à la famille royale. C'était un bâtiment de deux étages sur un rez-de-chaussée à arcades, situé à peu près à la place de notre Hôtel de Ville. A peine installé, le prévôt déclenche des soulèvements contre le pouvoir royal, fait alliance avec Charles le Mauvais et les Anglais et finit, comme on sait, par tomber sous le coup de hache d'un échevin.

Deux siècles plus tard, la modeste et vétuste Maison aux piliers ne correspondait plus au développement de la ville. Dans son amour pour les beaux bâtiments, voulant rivaliser avec l'Italie, François Ier demanda au Boccador (Dominique de Cortone) qui avait fait merveille sur la Loire, de dresser les plans d'un hôtel de ville de Paris; il fut aidé par Pierre Chambiges qui travaillait alors au Château Vieux de Saint-Germain-en-Laye. La construction dura longtemps, par étapes, selon les crédits disponibles. Commencé en 1553, il ne fut terminé qu'au début du XVIIe siècle. Sa structure était celle d'un château Renaissance, avec une petite porte au centre, surmontée d'une figure équestre de Henri IV, et deux larges arcades ouvertes sous des pavillons d'angle à hauts combles. Le corps central comprenait sept grandes fenêtres à l'étage alternant avec des niches : il était surmonté d'un clocheton à étages qui rappelait un peu ceux de Chambord.

L'Hôtel de Ville et la place de Grève au XVIIIe siècle.

L'Hôtel de Ville de Paris en 1780.
Au premier plan, à droite, le port de
Saint-Landry.

Au cours des extensions, reconstructions et avatars que le bâtiment eut à subir jusqu'à nos jours, on-a toujours cherché à préserver ou à reconstituer cette image de l'édifice du Boccador à laquelle
les Parisiens étaient très attachés. La place de Grève était un lieu
de réjouissance. On y allumait d'énormes feux de joie à la Saint-
Jean; des feux d'artifice célébraient les fêtes et les jours de gloire
au milieu des rondes et des chansons. Réjouissances aussi pour les
exécutions capitales; il y avait concours de peuple lorsqu'on montait place de Grève la roue, la potence ou l'échafaud. Jusqu'à la
Révolution la municipalité parisienne exerça surtout un rôle de
routine. Devant l'entrée fut érigée la magnifique statue de
Louis XIV, par Coysevox, la seule survivante des émeutes, qui se
trouve aujourd'hui à Carnavalet.

La population de Paris ne cessant de croître, il fallait agrandir
les locaux municipaux, mais sans toucher au bâtiment conçu sous
François Ier. Pour ce faire, on utilisa, en 1803, l'église voisine de
Saint-Jean-en-Grève et l'hospice du Saint-Esprit. Sous le règne
de Louis-Philippe, nouveaux agrandissements. L'église, l'hospice
et les maisons voisines de la rue du Martroi et de la rue de la Mortellerie (de l'Hôtel-de-Ville) furent sacrifiés. Des ailes très importantes, très épaissies, furent ajoutées de part et d'autre de la façade
Renaissance, approximativement dans le même style, avec de gros
pavillons d'angle, des retours sur les côtés, qui déterminaient deux
cours intérieures. Dès lors, la forme du bâtiment fut à peu près celle
qu'il a conservée. Les Parisiens avaient une maison commune digne
de leur cité par ses dimensions et isolée sur ses quatre faces; mais,
d'après le programme, seule la façade principale devait se rappro-

cher du style du Boccador — les autres avaient licence de s'exprimer dans le « goût » Louis-Philippe tel que le concevaient les architectes Godde et Lesueur. La principale création fut celle de la salle Saint-Jean et de la salle des fêtes sur la place Lobau. De nombreuses pièces d'apparat furent aménagées; la salle du Trône (aujourd'hui salle des séances du Conseil de Paris), puis le salon de l'Empereur où figuraient l'*Apothéose de Napoléon Ier* par Ingres et les bustes de sa famille par Canova. Au centre subsistaient encore de nombreuses peintures datant des siècles précédents.

En 1871, la Commune qui s'était installée à l'Hôtel de Ville l'incendia au pétrole lorsqu'elle dut l'abandonner. Tout se consuma durant une semaine entière. Le désastre, ce n'était pas seulement des pans de murs calcinés, mais toutes les archives de Paris réduites en cendres. La municipalité de la IIIe République devra pendant onze ans occuper le palais du Luxembourg, avec la préfecture de la Seine et divers services de la ville. Et, quand le Sénat quittera Versailles pour rentrer à Paris (1879), on s'installera ailleurs, notamment au pavillon de Flore.

Un concours avait été lancé en 1873 pour un nouvel Hôtel de Ville à l'emplacement de celui qui avait brûlé. Soixante-dix candidats envoyèrent leurs projets. C'est celui de Ballu qui l'emporta. Il s'était distingué jusqu'alors dans la construction d'églises pseudo-gothiques ou pseudo-Renaissance. Et son projet se voulait proche du style des bâtiments antérieurs tout en amplifiant la surface des salles d'apparat, et en enrichissant, si l'on peut dire, le monument d'une abondante décoration sculptée. Des protestations s'élevèrent au sein du conseil municipal : le programme n'avait-il pas spécifié

que l'ancien bâtiment Renaissance serait restauré en utilisant ses éléments sauvés du désastre, et non pas reconstruit ? Ballu prétendit que ce serait trop coûteux et l'œuvre du Boccador fut démolie pour être remplacée par une discutable réplique. Tout a été refait dans le même esprit de pastiche approximatif, comme les arcades de la cour centrale et ses lucarnes d'un pseudo-Renaissance compliqué ou comme la haute et insipide salle des Cariatides, en ajoutant quelques initiatives supplémentaires, comme ces chevaliers banne-rets à la mode du xve siècle posés à la crête des pavillons. On cri-tiqua avec acerbité l'importance donnée au bureau du préfet, à son escalier monumental, à ses appartements d'apparat ou privés, à son jardin, tout cela au détriment des bureaux. A l'Hôtel de Ville, le faste règne en maître. L'escalier d'honneur de Baltard, les vesti-bules, l'enfilade des salons, des arcades qui conduisent à la salle des fêtes, les boiseries, les cheminées monumentales, les lustres, les ors et les couleurs, tout a été mis en œuvre pour que le monu-ment soit digne du prestige de Paris. Mais il y a dans tout cela une abondance indiscrète, un tapage décoratif, et, pour tout dire, une sorte de clinquant qui est devenu très insupportable aujour-d'hui. Il parut normal d'appeler à l'ouvrage le plus grand nombre d'artistes parisiens; cent dix statues d'hommes illustres figurent en niche sur les façades, sans parler de la profusion d'ornements des sculptures symboliques, dressées près des combles, ou des lions qui montent la garde devant les portes de la place Lobau. Pour l'intérieur on s'est adressé aux peintres médaillés du Salon, chargés d'illustrer les murs d'allégories ou de scènes narratives et historiques. Ils sont tous là derrière des chefs de file qui se nomment Lefebvre, Cormon ou Luc-Olivier Merson. Ils y tra-vaillaient encore dans les premières années du xxe siècle. (On ne peut s'empêcher de penser qu'à ce moment-là, les maîtres de l'impressionnisme...) Parmi cette imagerie se sont tout de même glissées quelques peintures d'un accent plus frais et plus gai, comme celle où Jules Chéret célèbre la Danse, la Pantomime ou la Comédie ou comme les descriptions des scènes de la vie pari-sienne contemporaine dues à l'humour poétique de Willette.

L'Hôtel de Ville ressemble davantage à un palais, peu fonctionnel et pas très beau, qu'à un organisme administratif tel qu'en requiert la société moderne. Très vite les services de la préfecture de la Seine se sont trouvés engorgés et ont débordé alentour. Les pre-miers bâtiments occupés furent la caserne Napoléon et la caserne Lobau, ses voisines, qui avaient été bâties sous le Second Empire — et dont les façades sont d'ailleurs parmi les plus honorables de l'époque — pour y établir une garnison qui devait protéger la maison commune contre d'éventuelles insurrections. Elles ont été désaffectées pour servir à la préfecture en 1885, puis en 1906. Cela restait fort insuffisant. Les services essaimèrent dans tout Paris, un peu au hasard des locaux disponibles, jusqu'à ce que fût élevé boulevard Morland, malheureusement près des rives de la Seine, un bâtiment considérable adapté au fonctionnement de la machine administrative.

84 N   L'entrée de la salle des fêtes.

pont d'Iéna

De l'avenue de New-York au quai Branly, VIIᵉ. Il fut terminé dans les premiers jours de 1814. L'Empereur pensait réaliser son grand projet de palais du Roi de Rome sur la colline de Chaillot, et créer dans une partie du Champ-de-Mars un quartier qui aurait été le siège de grandes administrations publiques. Il fallait donc prévoir entre les deux un pont monumental. Ce fut le pont d'Iéna. Le projet de quartier administratif était fort sensé. Quant au gigantesque palais du Roi de Rome et à ses dépendances, c'est bien à son sujet que l'on peut parler de la mégalomanie impériale. Dans tous les cas, aucun des deux n'a vu le jour. Le pont est un ouvrage de maçonnerie composé de cinq arches de 28 m. Il devait être décoré de grandes statues équestres — qui n'eurent pas le temps d'être fondues avant Waterloo. Il faillit bien disparaître lorsque les alliés entrèrent à Paris : le seul nom d'Iéna étant un affront pour le roi de Prusse, Blücher avait décidé de le faire sauter. Une habile intervention de Louis XVIII parvint à calmer sa fureur. On se contenta de le débaptiser en le nommant « pont de l'Ecole militaire » et de faire disparaître les aigles qui le décoraient. Son nom et ses aigles lui furent d'ailleurs rendus sous Louis-Philippe. Des groupes d'hommes et de chevaux furent alors placés à ses entrées sur de hauts socles. Il fut considérablement élargi pour l'exposition de 1937, passant de 19 à 35 m par adjonctions latérales de deux ponts semblables au premier, mais en béton armé. Les aigles ont été rapportées.   85 N

fontaine des Innocents

Square des Innocents (rue des Innocents et rue Saint-Denis), Iᵉʳ. C'est la doyenne des fontaines parisiennes, et la plus belle. Les transformations successives qu'elle eut à subir ont, par exception, tourné à son avantage. La fontaine des Innocents, à côté de l'église et du cimetière de ce nom, se trouvait sur le parcours des entrées royales qui descendaient la rue Saint-Denis. Pour l'entrée de Henri II, il fut décidé de transformer cette fontaine en un monument de pierre (les autres étaient en toile peinte) où s'arrêterait le cortège avant de gagner l'Hôtel de Ville. Il fut commandé à Jean Goujon.

Le sculpteur-architecte composa trois arcades appuyées sur l'église, dont l'une en retour sur la rue aux Fers, formant loggias, élevées sur un socle assez haut où coulaient, l'eau étant rare, de médiocres robinets. L'ouvrage provoqua aussitôt l'admiration générale. Au siècle suivant, le Bernin déclarait qu'il n'avait rien vu de plus beau en France. Les nymphes en léger bas-relief qui revêtent ses côtés sont devenues populaires. Leur grâce, leur souplesse, leur fluidité ont été maintes fois célébrées. Et les autres bas-reliefs, moins connus, moins visibles, sont de même qualité.

Le marché des Innocents à l'époque de Gérard de Nerval.

On a pu dire que c'était l'insuffisance de l'eau des fontaines parisiennes qui avait conduit le sculpteur à la suggérer dans la pierre. Peut-être. Il n'en est pas moins vrai que, sensible aux exemples de la sculpture grecque, il a toujours traité les drapés — on le voit aux cariatides du Louvre — dans une stylisation de plis légers, transparents et comme liquides. L'eau ne ruisselle que des urnes déversées par les nymphes, mais leur corps semble vêtu d'une tunique mouillée qui en accentue les lignes.

Lorsqu'en 1786 l'évacuation du cimetière des Innocents et la destruction de l'église furent décidées, la fontaine, privée de son point d'appui, faillit bien disparaître. C'est peut-être moins sa beauté que son style qui la sauva. Les néo-classiques pouvaient en effet y reconnaître un exemple de maîtrise. Mais pour qu'elle tînt debout on dut en faire une construction à quatre faces, donc en inventer une autre. Par bonheur elle fut demandée à Pajou qui, avec une conscience rare, s'appliqua si bien à rester dans l'esprit de Goujon qu'il faut avoir l'œil très averti pour la distinguer de ses sœurs. L'édifice a été surmonté d'un petit dôme à la manière de Soufflot qui pourrait disparaître sans dommage. Les transformations de 1860 — on en fit le centre d'un square — eurent pour effet de transformer l'édifice en une vraie fontaine, avec une vasque centrale qui s'écoulait sur un grand piédestal composé de quatre groupes de vasques arrondies. Le ruissellement dégradant les bas-reliefs, ils furent transportés au Musée du Louvre.

86 N

L'une des nymphes de Jean Goujon.

Institut de France

Quai de Conti, VIᵉ. Sur la rive gauche, dans l'axe de la cour du Louvre, s'élève le palais de l'Institut de France. Il doit son existence à Mazarin. Sentant la mort prochaine, le cardinal avait réparti par testament son immense fortune. Il léguait notamment deux millions de livres pour la création d'un établissement comprenant un collège, une académie et une bibliothèque, et prévoyait en outre 45 000 livres de rente pour son entretien. Le collège devait recevoir soixante élèves provenant des provinces réunies à la France à la suite des récents traités de Westphalie et des Pyrénées : l'Alsace, la Flandre, l'Artois et le Roussillon. D'où son nom : collège des Quatre-Nations. L'académie groupait quinze des meilleurs élèves à la fin de leurs études. La bibliothèque devait servir à leur instruction et s'ouvrir aux gens de lettres. Le testament du cardinal instituait une commission chargée d'exécuter ces clauses. Colbert y figurait, et c'est lui qui fit choisir Le Vau pour architecte et décida du terrain à bâtir. On avait à démolir la vieille tour de Nesle, qui s'élevait à l'angle des remparts de Philippe Auguste, lesquels devaient être eux-mêmes rasés et leurs fossés comblés (c'était là que débouchait l'égout du faubourg Saint-Germain). De ce terrain fangeux et irrégulier que les remparts longeaient en oblique, Le Vau devait tirer un parti magistral.

Comme au Val-de-Grâce, à la Salpêtrière et, plus tard, aux Invalides, une église à dôme est le centre d'un ensemble destiné à la vie collective. Le projet, présenté au roi en 1662, fut immédiatement approuvé. Les premiers travaux, qui rencontraient bien des difficultés n'avançaient que lentement. A la mort de Le Vau (1670) ils n'étaient pas terminés, et c'est son talentueux et modeste collaborateur François d'Orbay qui les poursuivit et exécuta une part de la décoration.

Le plan de la façade, dont les courbes et inflexions constituent un décor souple, rigoureux et brillant, échappe à toute gratuité. L'église forme le motif central et domine les deux ailes incurvées, terminées sur le quai par des pavillons carrés. Ceux-ci sont décorés d'un ordre colossal montant de fond en comble qui s'insère, au rez-de-chaussée, entre des arcades en plein cintre coiffant des fenêtres rectangulaires et, à l'étage, de grandes fenêtres à consoles. Une balustrade, des pots à feu au droit des pilastres s'alignent devant le toit pyramidal. La même disposition des fenêtres, mais à ordres superposés, règne sur les deux ailes. La façade de l'église, très classique, comporte une colonnade corinthienne portant un fronton triangulaire derrière lequel s'élève une coupole dont on ne peut qu'admirer les justes rapports de proportions avec l'ensemble du monument. Le tambour à grandes fenêtres cintrées, ceinturé d'une légère frise sculptée, est souligné de pilastres visuellement prolongés sur le dôme par de grosses nervures dorées. Le Vau n'était d'ailleurs pas parvenu d'emblée à cette pureté architecturale. Ses dessins révèlent qu'à plusieurs reprises il a supprimé des ornements trop saillants, des niches, des oculi superflus avant d'arriver à cette simplicité architecturale qui, en magnifiant le dôme, ouvre les bras vers le fleuve et le palais des rois. Encore ne voyons-nous

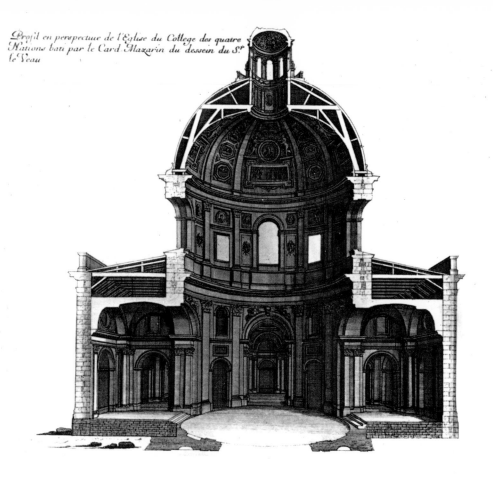

plus cette sorte de piédestal conçu pour que, du Louvre, le monument apparût dans toute sa gloire : le quai garni de balustres reposait sur un soutènement de pierres de taille à refends dont trois saillies en trapèze sobrement sculptées semblaient, d'en face, porter l'église et les pavillons latéraux. La construction du pont des Arts, sous l'Empire, et l'exhaussement de la chaussée ont fait disparaître ce jeu de perspective.

En dessinant l'église, Le Vau s'est souvenu de celle de la Visitation et de maints exemples romains. Sur plan en croix grecque, elle est couverte d'une coupole elliptique qui surmonte un tambour élevé et largement éclairé. Ordonnancée de pilastres corinthiens, des reliefs de Desjardins accentuent le rythme de son architecture. Deux chapelles s'ouvrent sur les côtés, une autre, au fond, recevait le maître-autel et des chapelles latérales communiquant par des passages percés dans les piliers. C'est là que prit place le magnifique tombeau de Mazarin par Coysevox, qui, après avoir été au Louvre après la Révolution, a retrouvé, en 1964, le cadre qui lui était destiné.

Le Vau dessina l'église du Collège des Quatre-Nations à l'exemple des sanctuaires romains.

Cette église devait connaître bien des vicissitudes. Pendant la Révolution, le collège devint prison (où furent notamment enfermés David et Guillotin). Un décret de 1805 prescrivit d'y installer l'Institut de France. L'église, transformée par Vaudoyer en salle de séances solennelles, fut défigurée ; une calotte masqua la coupole, et toute une menuiserie s'étendit autour du rond-point central. La remarquable restauration de 1962 devait lui restituer tout le possible de son harmonie originelle. Derrière ces bâtiments de façade, trois cours successives, au long de l'ancienne enceinte de Philippe-Auguste, s'étendent en oblique. Desservie par un passage voûté, la première a gardé son aspect initial. Deux entrées majestueuses — haut perron, pilastres corinthiens sommés d'un fronton triangulaire — mènent, à gauche, à la salle des séances solennelles (l'ancienne église) et, à droite, à la bibliothèque Mazarine. La seconde cour, la plus grande, était celle des élèves du collège. Les classes et les chambres des professeurs et des élèves étaient disposées dans l'aile gauche, qui abrite aujourd'hui les salles réservées aux séances et travaux des cinq académies. L'aile droite, qui donne sur la rue Mazarine, comprenait des appartements locatifs. La troisième cour était celle des communs. On y voit encore un vieux puits de fer forgé. Elle communique avec la rue où les austères façades du collège ont été conservées.   87 S

VIIe. « Entre les différents établissements que nous avons faits dans le cours de notre règne, il n'y en a point qui soit plus utile à l'Etat que celui de l'hôtel royal des Invalides. » Ces lignes sont extraites du testament de Louis XIV. Sans doute la création d'une maison royale était-elle une œuvre de reconnaissance et de charité indispensable. Le jugement de la postérité va plus loin. En dotant Paris d'un hôpital militaire le roi lui a laissé le monument le plus parfait de l'âge classique.

Il venait de faire construire l'hôpital de la Salpêtrière, principale dépendance de l'Hôpital général, destiné aux pauvres gens, aux enfants, aux vieillards, aux infirmes et aux filles publiques. Il voulut que ses soldats bénéficient d'un établissement de même ordre en spécifiant qu'il serait réservé aux « pauvres officiers et soldats de nos troupes qui ont été ou seront estropiés, ou qui, ayant vieilli dans le service en icelles, ne seront plus capables de nous en rendre ». Ce qui nous paraît aujourd'hui naturel ne l'était pas avant lui. Ceux que l'âge, les blessures ou la maladie avaient rendus inaptes au service et qui se trouvaient sans ressource étaient généralement recueillis dans des monastères où, dans la mesure de leurs forces, ils s'occupaient à de menus travaux. L'honneur et l'humanité commandaient de les admettre dans des bâtiments conçus pour eux, et que ces bâtiments eussent la dignité qui convenait à la carrière des armes. L'institut de l'hôtel des Invalides fut fondé par ordonnance royale en 1670. Quatre ans plus tard les premiers pensionnaires étaient reçus dans les nouveaux bâtiments qui se trouvaient isolés dans la plaine de Grenelle encore agricole.

Vue du fond de l'esplanade, dont la superficie paraît parfaitement calculée pour la placer dans sa juste perspective, cette silhouette bien connue, point majeur du paysage parisien, peut être embrassée d'un regard. Une grande horizontale (210 m), comme tendue pour faire jaillir à son centre le dôme merveilleux. C'est une illusion. Le dôme, qui fait partie d'un autre corps de bâtiment à l'extrémité opposée, a été édifié plus tard par un autre architecte. Ces savants eux d'optique ne sont-ils par le génie de la grande architecture ?

L'esplanade fut aménagée dans les premières années du XVIIIe siècle. Elle était gazonnée et bordée de trois files d'arbres qui conduisaient le regard. Un jardin plat et régulier, entouré de larges fossés, précède la façade. Par son ampleur et sa régularité, ce serait une monotone caserne si, avec une libre ingéniosité, l'architecte n'avait rompu l'horizontale en élevant un imposant portail dont le sommet en arc de cercle atteint la limite supérieure des combles. Quel était cet architecte ? Avant d'avoir été choisi à la suite d'une compétition pour construire l'hôtel des Invalides, Libéral Bruant avait travaillé avec Le Muet à la Salpêtrière sous la haute direction de Le Vau, et bâti la chapelle. N'avait-il pas témoigné là d'une rigueur et d'un sens pratique qui convenaient alors à une destination hospitalière ? Le plan des Invalides, qui n'est pas sans analogie avec celui de l'Escorial, comprend une vaste cour d'honneur entourée de deux étages de galeries à arcades cintrées. Des cours carrées

Le 28 septembre 1706, Monsieur Mansart tend au roi Louis XIV la clef de l'église des Invalides.

s'articulent à droite et à gauche, d'une conception d'ensemble très simple; la sobriété n'est pas seulement commandée par le programme mais répond au tempérament de l'architecte; ainsi les éléments décoratifs semblent-ils presque surajoutés. Au grand portail extérieur, le demi-cercle est généreusement orné de trophées au-dessus d'une statue équestre de Louis XIV — qui fut d'abord sculptée par Guillaume Coustou, puis recomposée après la Révolution par Cartellier. Coustou est également l'auteur des grandes statues de Minerve et de Mars accostées à la porte d'entrée. Les lucarnes richement sculptées de la façade et de la cour d'honneur, qui ont chacune un décor différent, éclairent de sourires l'austérité générale. Les angles de la cour font ressaut et sont sommés de chevaux cabrés; des avant-corps à fronton inscrivent une légère saillie au centre de trois des côtés. Celui du fond est beaucoup plus accentué : deux ordres de colonnes ioniques et corinthiennes sont couronnés d'un fronton. Dans la niche centrale, la statue de Napoléon, par Seurre, qui figurait sur la colonne Vendôme (1833-1863), est d'un style insolite dans un tel cadre, et, de plus, hors d'échelle. Le comble est coiffé d'un clocheton : c'est l'annonce discrète de l'entrée de « l'église des soldats ».

L'hôtel des Invalides comprend en effet deux églises construites l'une après l'autre, raccordées l'une à l'autre, dédiées toutes deux à Saint Louis. Elles ne comportaient autrefois qu'un même autel;

mais leur architecture est totalement différente. L'église des soldats et les bâtiments qui l'entourent ont été construits par Libéral Bruant. Comme eux, elle est d'une rigueur toute militaire. Rien de superflu. La nef est très longue — elle était conçue pour 7 000 officiers et soldats — avec des arcades à tribunes et des bas-côtés. La voûte en berceaux à pénétration est coupée par des bandeaux sculptés. L'ensemble n'est pas sans grandeur, mais austère, et aucun mobilier ne la réchauffait. La chaire est remarquable, mais elle a été ajoutée sous l'Empire. Un semis d'étoiles de bronze se détache sur son socle de marbre blanc; la partie supérieure est ceinte d'un bandeau de bas-reliefs dorés. La grille du chœur, bien que plus tardive encore (1826), mérite l'attention. Des faisceaux encadrent la partie centrale, lourde et solennelle, traitée en cuivre et acier poli, chose rare à l'époque. N'oublions pas le grand orgue qui, lui, est contemporain de la construction, instrument de grande qualité, dû à Thierry, facteur du roi, et dont l'admirable buffet, qui s'inscrit avec bonheur dans la tribune, est de Germain Pilon, menuisier du roi (sans lien de parenté avec son illustre homonyme du siècle précédent). Les réfectoires des pensionnaires (occupés aujourd'hui par les rez-de-chaussée du Musée de l'Armée) étaient décorés de boiseries et de grandes peintures militaires. La discipline était aussi stricte que celle des collèges : messes quotidiennes, prières du soir. Ne nous étonnons pas que la grande cour ait cet aspect monacal.

Le réfectoire, d'après le *Cabinet du Roi*, composé en l'honneur de Louis XIV.

L'église des soldats était à peine terminée (1676) que Louis XIV, par l'intermédiaire de Louvois, demandait à un architecte de 29 ans d'établir des projets pour ce qui était nommé un « chœur d'église avec des bas-côtés » en le raccordant à l'église déjà construite. Ce jeune architecte n'était autre que Jules Hardouin-Mansart. Remarqué par le Nôtre, il avait déjà fait ses preuves en construisant le château de Clagny pour Madame de Montespan et venait d'être nommé architecte du roi. On s'est beaucoup interrogé sur les raisons de cette décision. Il apparaît, à la lumière de documents nouveaux, que le roi avait d'abord songé à élever pour les princes Bourbons à la basilique de Saint-Denis une chapelle funéraire en rotonde dans l'esprit de celle des Valois. François Mansart, le grand oncle de Jules Hardouin, en avait même dressé des plans qui restèrent sans suite. Ceux-ci furent utilisés aux Invalides par son neveu qui sut les interpréter pour un monument de cette envergure. En définitive, il semble bien que Louis XIV, dans son amour pour les bâtiments et le faste, ait voulu glorifier par cette église la caserne de Bruant, et peut-être, quoi qu'il n'en ait rien dit, avec la pensée qu'elle pourrait devenir un jour son tombeau de famille. On lui affecta un clergé de quinze prêtres.

Le dôme de Saint-Louis-des-Invalides.

Mansart prenait un parti opposé à celui de Libéral Bruant. Celui-ci avait prévu l'entrée d'honneur sur l'esplanade. Mais comme il fallait une entrée royale, c'est celle de la nouvelle église qui devint l'entrée d'honneur. L'église du dôme a été greffée sur l'église des soldats quatre ans après l'achèvement de celle-ci. Les travaux durèrent 26 ans (1680-1706). Elle s'oppose complètement au style monacal et militaire de Bruant et s'impose avec tant de magnificence que c'est elle qui retient toute l'attention. L'architecte avait prévu qu'elle pourrait être précédée d'une colonnade en hémicycle dans l'esprit de celle du Bernin à Saint-Pierre de Rome. Le plan est en forme de croix grecque inscrite dans un carré. Entre les piles de soutènement de la grande coupole centrale, des passages, pris dans les piles, mènent aux chapelles rondes disposées aux quatre angles. La façade et son couronnement composent un ensemble d'une précision et d'une harmonie sans égales. Le parti architectural apparaît avec clarté. Dôme et soubassement sont d'égale hauteur. Le galbe, le mouvement ascensionnel de la coupole qui s'amincit en aiguille, se détachent dans le ciel avec aisance et subtilité. On l'a dit, on le répète, c'est le « dôme incomparable ». La coupole de Saint-Pierre de Rome ne possède pas cet allongement heureux des formes. Et les coupoles parisiennes qui l'ont précédé semblent, à côté, faire effort pour sortir de leur chrysalide.

L'avant-corps de la façade, composé sur ses deux étages d'un ordre dorique et d'un ordre corinthien, est couronné d'un fronton triangulaire surbaissé. Par exception à l'usage, les corps latéraux sont de même hauteur : ainsi le dôme semble posé sur un socle. De chaque côté de l'entrée, dans des niches, les statues de Charlemagne et de saint Louis, par Coysevox et Nicolas Coustou. Des métopes leur répondent à l'étage supérieur. Sur le premier entablement, quatre statues de Vertus. C'est tout ce qui reste d'une statuaire et d'une décoration sculptée abondante qui fut dévastée à la Révolution lorsque l'église devint un temple de Mars. Faut-il le regretter ? Ce dépouillement des formes nous paraît d'excellente convenance. Posé sur ce soubassement le dôme se dresse d'un seul élan. L'étage principal du tambour est ceinturé de quarante colonnes accouplées. Des volutes le relient à un attique dont les fenêtres sont décorées de guirlandes de fleurs. L'ensemble est coiffé, entre des pots à feu, par une forte charpente qui maintient la calotte de plomb. Celle-ci est divisée par douze côtes dorées qui séparent des chutes également dorées et de petites lucarnes en forme de casques. Le lanternon est surmonté d'une mince flèche pyramidale avec une petite croix à son extrémité qui se trouve à 105 m du sol.

La plupart des visiteurs entrent aux Invalides pour voir le tombeau de Napoléon. Ils se penchent sur la fosse circulaire, descendent près du lourd mausolée de porphyre rouge et repartent généralement sans avoir regardé le monument. A l'inverse, nous regarderons d'abord l'intérieur de l'église royale qui, malgré le grave préjudice que lui porte cette crypte ouverte en son cœur, reste, comme l'extérieur, un chef-d'œuvre. C'est la grande équipe

des sculpteurs de Versailles qui travailla aux Invalides sous la direction de Girardon; et c'est ce maître qui fit régner la parfaite unité d'expression. La pierre, d'un blanc crémeux, est d'un grain extrêmement fin qui permet au décor sculpté ses modelés si délicats. Le plan en croix inscrit dans un carré de 50 m de côté est souligné par des colonnes et des pilastres corinthiens. Sur les murs, des bas-reliefs représentent la vie de saint Louis. Entre les bras de la croix, les quatre chapelles rondes à coupoles peintes sont unies à la rotonde par des percées diagonales. Cette disposition crée des effets de perspective et de multiples jeux d'ombre et de lumière où se révèlent l'invention et la maîtrise de l'architecte. Au fond de l'abside le maître-autel commun aux deux églises a été remplacé au XIXe siècle, lors des aménagements de Visconti, par un ensemble plus compliqué à colonnes torses et baldaquin devant un grand vitrage qui sépare assez malencontreusement les deux chœurs. Le pavement en mosaïque de marbre, dessiné par Lespingola, Fontenay et Audran serait l'un des plus beaux que l'on puisse voir si toute la partie centrale n'avait été amputée par le creusement de la crypte.

La perspective en verticale, vers la coupole, est particulièrement exaltante. Des pendentifs où sont peints les quatre évangélistes assurent la transition. Ensuite, à la base du tambour, douze médaillons de rois de France se détachent sur un bandeau de fleurs de lis (reconstitués en 1815). Douze fenêtres le surmontent encadrées de pilastres. Au-dessus s'étend une coupole tronquée, peinte de figures d'apôtres par Jean Jouvenet dans une gamme de tons assez rares à l'époque. La coupole supérieure, éclairée par des fenêtres invisibles, est décorée d'une grande peinture de La Fosse qui représente saint Louis remettant son épée au Christ. La hauteur de cette coupole reste fort éloignée du dôme extérieur; l'espace qui les sépare contient une énorme charpente.

Cette église, de conception si simple, représente l'art classique à son apogée, autant par ses proportions et son rythme que par sa vigueur d'accent. Les sources de lumière, établies pour éclairer exactement les surfaces à mettre en valeur, contribuent à cette clarté souveraine qui nous enveloppe dès le seuil. Il faut cependant transposer pour reconstituer l'intérieur dans son état originel. Chacun des détails jouait son rôle à sa juste place. Ils sont maintenant relégués à un rôle secondaire. C'est très sensible dans les chapelles et le transept où le regard était conduit vers des reliefs ou des peintures qui font corps avec l'architecture et participent à son éclat, avant que des tombeaux encombrants et disparates ne soient venus en contrarier l'unité. Enfin, et surtout, il y a le tombeau de Napoléon. Sans parler de l'inconvenance commise en usurpant ce temple de la France monarchique pour y déposer le corps de l'empereur, on ne peut que regretter l'atteinte portée au monument insigne. Le « Retour des cendres » (1840) avait témoigné de l'immense ferveur populaire vouée à l'exilé de Sainte-Hélène. Quel tombeau eût semblé digne de recevoir sa dépouille ? Même le

Dessin du pavement de l'église Saint-Louis. L'ovale du centre fut détruit pour ouvrir la crypte.

Les toits : lucarnes et trophées.

romantisme, qui découvrait le gothique, respectait ce monument auréolé de grandeur. C'est à l'architecte Visconti que fut confiée la tâche redoutable de construire le tombeau impérial. Reconnaissons que, malgré les difficultés du programme, et compte tenu de l'unité architectonique désormais sacrifiée, il s'en est tiré au mieux. Le sens de la noble architecture n'était pas encore perdu. Pour la foule des pèlerins et des curieux venus de l'univers qui se penchent sur la balustrade de marbre, le mystère qui se dégage de ce grand sarcophage de porphyre rouge est profondément émouvant. Adossées aux piles de soutènement de la galerie, les douze statues où Pradier a donné le meilleur de lui-même constituent un accompagnement de grande dignité. Mais les chapelles du transept et des rotondes ont été dénaturées lorsqu'elles ont reçu le corps de Turenne (transféré de Saint-Denis), le cœur de Vauban, les « napoléonides » Joseph et Jérôme, les compagnons Duroc et Bertrand, les maréchaux Foch, Leclerc, Lyautey. Les cendres du roi de Rome (transférées de Vienne en 1940) ont été déposées sous une simple dalle dans un des alvéoles qui entourent le tombeau de son père.

Au cours du XIXᵉ siècle le déclin de la fondation de Louis XIV n'a fait que s'accentuer. Après les guerres de Crimée et d'Italie, le nombre des pensionnaires était déjà sensiblement réduit. Il en reste à peine une soixantaine aujourd'hui. Les appartements du gouverneur de Paris, le conseil supérieur de la Guerre et de nombreux bureaux du ministère des Armées s'y sont installés. Depuis 1905, le musée de l'Armée occupe les galeries latérales de la cour d'Honneur. Celle-ci reste le cadre le plus majestueux que l'on puisse trouver à Paris pour les parades et cérémonies militaires.

D'importants travaux de restauration ont été commencés en 1964. On élimine peu à peu de nombreux bâtiments parasites qui avaient proliféré pour abriter les bureaux de l'administration. L'ensemble était cerné de murs ou de grilles. A leur place de larges fossés ont été restitués sur le boulevard de La Tour-Maubourg et devant l'entrée de la place Vauban. Des opérations de dégagement sont projetées vers le boulevard des Invalides, où des jardins seront recréés de façon que le monument de Louis XIV, débarrassé de malencontreuses pièces rapportées, apparaisse sous toutes ses faces et dans toute sa pureté.

Au portail de la façade, la statue de Louis XIV refaite par un sculpteur de l'Empire, Cartellier.

88 S

Élévation du Portail de la Chapelle du Collège des Irlandois

collège des Irlandais

15, rue des Carmes, Vᵉ. En retrait de la rue s'élève une chapelle du XVIIIᵉ siècle remarquable surtout par la grâce de son porche elliptique. Il est coiffé d'une étrange masse de pierre qui a l'apparence d'un rocher : c'était en réalité un motif décoratif aux armes de l'abbé de Vaubrun, donateur de la chapelle. Il n'en fallait pas davantage pour que s'y acharnât le vandalisme révolutionnaire. La chapelle fut construite par l'architecte Pierre Boscry qui s'est inspiré de l'église Saint-André du Quirinal, œuvre du Bernin. Elle faisait partie d'un séminaire dirigé par une petite communauté de prêtres irlandais qui avaient pour tâche de former des missionnaires capables d'aller convertir les protestants du Royaume-Uni. Elle est maintenant affectée au culte catholique de rite syriaque et dédiée à saint Ephrem.   89 S

musée Jacquemart-André

158, boulevard Haussmann, VIIIᵉ. Edouard André, d'une famille de banquiers, disposait d'une fortune qui lui permettait de satisfaire une passion de collectionneur averti. (Elle était partagée par son épouse Nellie Jacquemart, artiste peintre.) Il avait commencé par s'intéresser à la Renaissance, puis, peu à peu, il rassembla des œuvres d'art de toutes les grandes époques. Aussi lui fallut-il beaucoup de place pour disposer des collections où, entre autres richesses, nous trouvons des bronzes et des peintures du Quattrocento, et des fresques de Tiepolo acheminées d'Italie. En 1882, il fit construire un hôtel qui rappelle, au moins par son ampleur, les grandes demeures seigneuriales de l'Ancien Régime. Veuve, Mme André suivit pieusement l'exemple de son époux. En 1912, l'hôtel et tout son contenu fut légué à l'Institut en même temps que le domaine de Châlis. Il est devenu musée selon les volontés de ses propriétaires.   90 N

8, rue Monsieur, VIIe. En traçant les plans de cet hôtel en 1784 pour Charles de Rohan-Chabot, l'architecte Antoine Legrand avait vraisemblablement en mémoire les recueils de Palladio. Des pavillons encadrent le portail. Les deux façades sont presque entièrement occupées par un péristyle de colonnes ioniques d'ordre colossal — décor majestueux que Legrand avait précédemment utilisé à l'hôtel de Galliffet. La colonnade porte un puissant entablement. Sur le jardin se présente un fronton incurvé. Pas d'ornements autres qu'une frise médiane et des balustres devant les fenêtres du rez-de-chaussée et de l'étage en attique. Le salon ovale, couvert d'un plafond en calotte, est d'harmonieuses proportions; il est scandé de pilastres et les dessus de portes sont ornés de bas-reliefs. Toutes les pièces ont gardé leur décoration d'époque. L'hôtel tient son nom du comte de Jarnac, son second occupant.   91 S

hôtel de Jarnac

Le péristyle d'ordre colossal imaginé par Antoine Legrand en 1784.

tour de Jean sans Peur ·

20, rue Etienne-Marcel, IIe. Elle surgit, dans sa pureté médiévale, enserrée par le plus désagréable des paysages urbains. Jean sans Peur l'éleva dans les premières années du XVe siècle pour couronner l'hôtel de Bourgogne construit au XIIIe siècle et disparu sans traces. Des chambres dont on peut voir les fenêtres étroites occupent son niveau supérieur. L'escalier à vis est une curiosité : son jaillissement, son épanouissement à la voûte supérieure, divisée en compartiments par des nervures en branches de chêne, présente un savant exemple des ultimes inventions gothiques. C'est au début du XXe siècle qu'après avoir dégagé et consolidé la tour, un immeuble banal lui fut si malencontreusement adossé.   92 N

square Jean XXIII

Au chevet de Notre-Dame, IVe. La dénomination date de 1970. L'ancienne : square de l'Archevêché, permettait d'évoquer un grand souvenir de la topographie parisienne. L'archevêché occupait en effet la partie qui longe la Seine lorsque les émeutiers de 1831 le mirent à sac et jetèrent dans le fleuve son mobilier et ses archives. Le bâtiment fut démoli, et Louis-Philippe fit aménager à sa place et alentour un jardin public; c'est donc un précurseur des squares haussmanniens qui se répandirent par la suite.

Au centre s'élève une fontaine en forme de monument pointu de style troubadour (1845) qui prétend abusivement s'harmoniser avec la cathédrale. La petite église Saint-Denis-du-Pas, près du chevet, fut détruite en 1813. Tout un ensemble de maisons faisait partie du cloître Notre-Dame, petite cité dans la Cité, protégée par une enceinte, qui était affectée aux chanoines, aux clercs, aux chantres. Longtemps l'entrée en fut interdite aux femmes, en

dehors des servantes d'âge canonique, et ses portes étaient fermées la nuit. Les maisons les mieux situées — plusieurs avaient leurs jardins sur la Seine —, bien que propriétés personnelles des chanoines, étaient entretenues par le Chapitre. Des laïcs pouvaient également habiter le cloître, s'ils se pliaient aux règlements. Boileau mourut dans un logis situé à l'emplacement de la fontaine.

Haussmann avait projeté de démolir entièrement le cloître, comme le reste de la Cité. Il n'eut pas le temps de réaliser son projet et dut se contenter de dégager le chevet de la cathédrale. C'est là que sont nées, à son ombre et à sa lumière, l'école du Cloître-Notre-Dame, berceau de l'Université de Paris, et l'école de musique de Pérotin le Grand qui rayonna sur l'Europe. Une foule d'artistes, de musiciens, de docteurs, de savants, de théologiens, de papes, de saints ont été formés dans ce petit espace à la vie de l'esprit.

Les bâtiments de l'archevêché, représentés par Silvestre en 1658, longeaient le flanc sud de Notre-Dame. Ils furent détruits en 1831 et remplacés par un jardin, l'actuel square Jean XXIII.

93 N

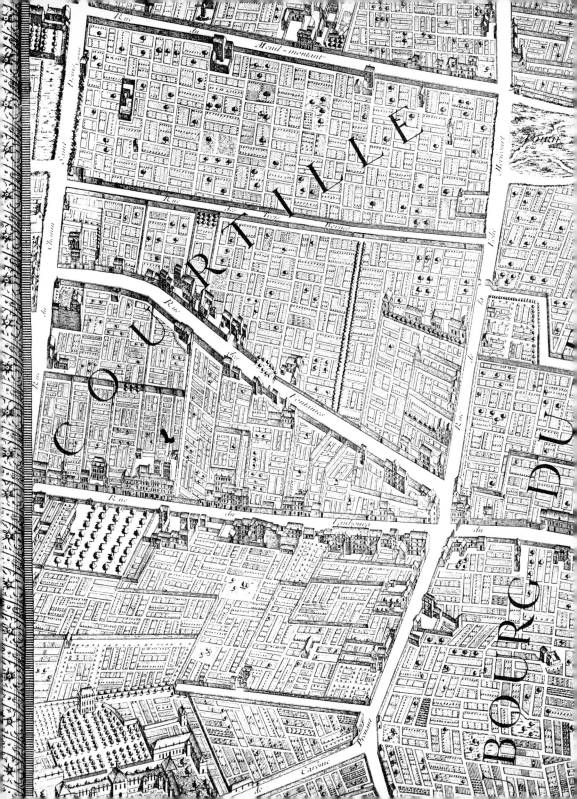

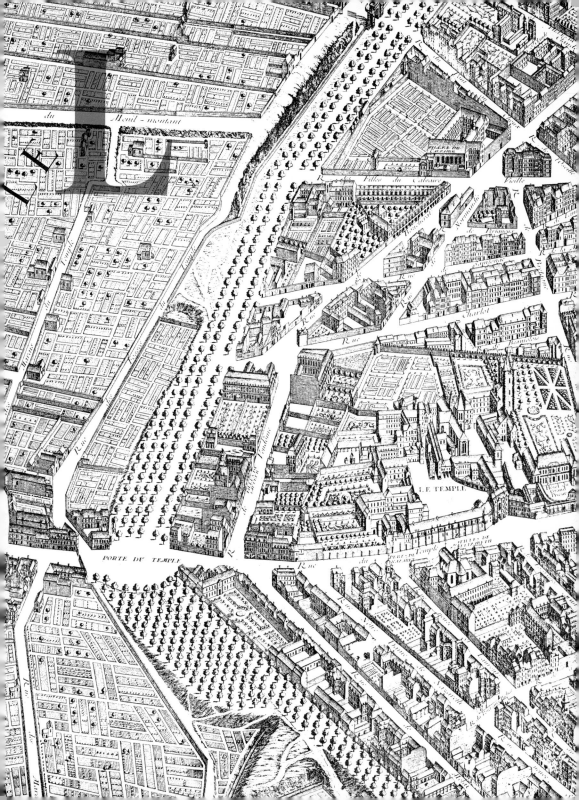

hôtel de
La Ferté-Senneterre

24, rue de l'Université, VIIe. Cet hôtel a été construit pour Thomas Gobert à la fin du xviie siècle. Plusieurs parties ont été remaniées, puis le manque d'entretien s'étant fait sentir, l'immeuble s'est détérioré peu à peu, si bien que, vers 1906, la Ville de Paris décida de le faire abattre pour construire une école à sa place. Tout se serait passé sans histoire, avec la bénédiction du ministère de l'Instruction publique, si des défenseurs de Paris n'avaient protesté avec vigueur. L'hôtel possède en effet une façade d'un charme rare. La porte d'entrée est précédée d'un péristyle arrondi composé de quatre colonnes ioniques formant à l'étage une terrasse à balustrade. La porte-fenêtre qui s'ouvre sur cette terrasse est encadrée de colonnes cannelées et de pilastres. Les fenêtres du bel étage ont reçu, dans l'imposte, des bas-reliefs représentant les Quatre Saisons, et leur cintre est décoré de paniers fleuris. Une guirlande de fleurs orne le centre de l'attique. Le vestibule, avec ses colonnes et ses niches, a belle allure; mais l'importante décoration qui enrichissait les appartements a disparu. L'hôtel a été acheté par l'Etat en 1926.

94 S

hôtel
Lambert

2, rue Saint-Louis-en-l'Ile, IVe. Ce portail monumental — dans tous les sens du terme — annonce par son orgueilleuse stature les fastes et les merveilles contenues derrière des murs de forteresse. En ce temps-là, les financiers qui avaient accédé à une fortune rapide ne croyaient pas devoir masquer « les signes extérieurs de la richesse », ils s'empressaient, bien au contraire, pour faire oublier leur proche roture, d'imiter par leur opulence, leurs goûts, leur style de vie, tout ce qui était dans la coutume des princes. L'hôtel Lambert qui doit à de grands bourgeois son existence et son insigne noblesse passa au xviiie siècle entre les mains d'une aristocratie gagnée aux idées nouvelles, et la superbe demeure qui, en son art, annonçait le style Louis XIV abrita les gloires littéraires qui, sans la prévoir, préparaient la Révolution.

Jean-Baptiste Lambert qui avait acheté la charge honorifique de secrétaire du roi, s'était rendu propriétaire d'un terrain à la pointe de l'île tourné vers le soleil levant, d'où la vue s'étendait loin sur la Seine et la campagne. Il demanda à Louis Le Vau, alors âgé de vingt-sept ans, de lui construire un hôtel en rapport avec les moyens dont il disposait, — où il ne vint d'ailleurs habiter que pour y mourir : l'hôtel avait été commencé en 1640, c'est-à-dire depuis quatre ans et sa décoration intérieure était loin d'être terminée. C'est son frère, président à la Cour des comptes, qui en hérita et mena à bien l'œuvre commencée. En 1692, il passa entre les mains de son fils, Nicolas Lambert, qui devint président du Parlement; à son tour le fils de ce dernier devait en être propriétaire. Ces importants magistrats ne modifièrent qu'à peine une demeure qui faisait l'admiration de tous.

Œuvre de Le Vau, l'hôtel Lambert
domine de son jardin en terrasse le
quai d'Anjou et le pont Sully.

Au XVIIIᵉ siècle l'hôtel fut acheté par le marquis du Châtelet dont le nom est surtout resté dans l'histoire parce qu'il évoque la longue et célèbre liaison de sa femme avec Voltaire. Le ménage à trois vivait en bonne entente entre le château de Cirey, en Lorraine, et cet hôtel Lambert au sujet duquel l'auteur du *Siècle de Louis XIV* écrivait : « C'était une maison faite pour un souverain qui serait philosophe : elle est heureusement dans un quartier qui est éloigné de tout, c'est ce qui fait qu'on a eu pour 200 000 F ce qui a coûté deux millions à bâtir. » La marquise mourut à quarante-trois ans, et le marquis vendit l'hôtel au fermier général Dupin. Celui-ci, qui avait épousé une fille du richissime Samuel Bernard, put agrandir en même temps Chenonceaux. Et c'est encore le nom de Madame qui passa à la postérité. Madame Dupin semblait avoir reçu tous les dons de la beauté, de la finesse, de l'intelligence et du cœur. Ses salons étaient largement ouverts. Elle accueillait écrivains et pairs de France. Musicienne, elle engagea Jean-Jacques Rousseau comme « notiste » et vague secrétaire. Une bêtise de son fils, qui avait trouvé le moyen de perdre au jeu 700 000 livres en une nuit, l'avait obligée à vendre l'hôtel à un autre fermier général nommé Marin de La Haye, qui fit « moderniser » quelques pièces, en gardant l'essentiel de leur décor. Madame Dupin s'était retirée à Chenonceaux où elle mourut à l'âge de quatre-vingt-treize ans.

La Révolution passa sur l'hôtel sans grand dommage. Un de ces pensionnats qui furent la providence de beaucoup d'hôtels parisiens s'y établit, qui céda la place à un fournisseur de lits militaires; bien que les cardeuses de matelas fussent installées dans la galerie

d'Hercule il n'y eut point de graves déprédations. En 1842, l
prince Czartoryski, qui avait lutté pour l'indépendance de l
Pologne, remit la maison en état pour y habiter avec sa famille
L'un de ses fils devait se marier avec la fille du duc de Nemours
Après la seconde guerre mondiale, l'hôtel qui appartient toujour
aux Czartoryski, a reçu plusieurs locataires qui ont pris part au
travaux d'entretien sous le contrôle des Monuments historiques

Le Vau avait mis à profit une forte pente en créant deux niveaux
la cour et le jardin. Celui-ci forme terrasse, jouit de la vue et d
soleil, et c'est sur lui que donnent les appartements. En contrebas
c'est-à-dire au niveau de la rue Saint-Louis-en-l'Ile, la cour group
autour d'elle les services, les remises et écuries. Cette compositio
confère aux bâtiments leur destination pratique en même temp
qu'une originalité pleine de charme. C'est un modèle d'architectur
du Grand Siècle, sobre et puissante. A l'exception de la guirland
sculptée sur l'entablement incurvé du quai d'Anjou, tout y es
rythmé par des motifs purement architecturaux : refends, corniches
clefs, tableaux de pierre. Les richesses de l'ornementation sont à
l'intérieur. Les corps de bâtiment sont ajustés avec souplesse e
précision, chacun étant coiffé de toits d'ardoises indépendants
Au fond de la cour d'honneur, la façade, dont les loggias son
portées par des colonnes, s'ouvre sur un escalier à double volée
d'aspect théâtral.

Le premier étage était en partie occupé par l'appartement d
président. Sa chambre est décorée d'un plafond à caissons et d
trois toiles peintes par Le Sueur. Le cabinet de l'Amour avait reç
des lambris peints et sculptés (aujourd'hui au château de L
Grange, en Berry) et tout un ensemble où prédominent des peinture
du même Le Sueur (aujourd'hui au Louvre). L'ancienne chapelle
a gardé son décor de poutres peintes, de médaillons et de rinceaux
Une bibliothèque s'étendait sous la galerie de l'étage supérieur où
se trouvait l'appartement de la présidente. Un vestibule ovale es
décoré de bas-reliefs peints en grisaille. A côté de la chambre
de parade, entièrement couverte d'ornements à l'antique qu
annoncent les décors de Bérain, la présidente avait aménagé une
chambre à alcôve, à l'exemple de la marquise de Rambouillet
pièce plus intime, facile à chauffer, qui, du haut en bas, est illustrée
encore, par le pinceau de Le Sueur : pilastres, portes et cimaises
ornés de grotesques et d'arabesques sur fond d'or, où s'encas
traient des tableaux du maître sur fond de paysages (transporté
au Louvre). Au plafond, Simon Vouet a peint une allégorie d
sommeil. D'autres pièces ont également reçu une décoration appro
priée. Mais c'est la galerie d'Hercule qui est la gloire de l'hôtel
la seule de cette époque qui soit restée intacte. Avoir sa galerie
c'était donner la preuve de sa fortune et de son goût. L'exemple
venait d'Italie, de Fontainebleau (galerie François Ier) et du Palais
Cardinal où Richelieu avait fait construire la galerie des Hommes
illustres. Le plafond au cintre surbaissé est l'œuvre de Le Brun
(1649). Les scènes mythologiques, séparées par des doubleaux
en trompe-l'œil, sont une magistrale préfiguration de Vaux et de

Hercule s'empare de la biche de
Cerygnie, médaillon de Van Obstal.

Versailles. Face aux fenêtres exposées au midi, les peintures de Rousseau sont séparées en alternance par des thermes et des groupes d'enfants et par de grands médaillons en stuc où Van Obstal a représenté les travaux d'Hercule. Tout cela est traité selon des procédés très divers, dans un rythme et avec une adaptation au cadre architectural d'une telle habileté que le président Lambert ne reçut que des éloges sur le choix des artistes auxquels il s'était adressé.

L'hôtel Lambert, malgré le transfert regrettable de quelques-unes de ses décorations majeures, reste la plus complète, la plus authentique des demeures parisiennes du XVIIe siècle. Par sa magnificence et son raffinement, il témoigne de la qualité avec laquelle pouvait s'exprimer le sens de la synthèse des arts sous la régence d'Anne d'Autriche.

La décoration de la galerie d'Hercule fut confiée en 1642 à Le Brun, Le Sueur et Van Obstal. Deux siècles plus tard, Delacroix en assura la restauration.

95 N

Profp. de l'Hoftel d'Angoulefme.

24, rue Pavée, IVᵉ. S'il porte le nom de l'illustre président Lamoignon, il est dit aussi hôtel d'Angoulême. C'est en effet la duchesse
d'Angoulême, Diane de France, qui le fit construire en 1585. Elle
était la fille légitimée de Henri II. Encore dauphin, au cours des
guerres d'Italie, il s'était épris d'une Piémontaise ; comme elle ne
répondait point à sa flamme, il l'avait fait enlever dans des circonstances rocambolesques. Il en eut une fille, Diane, comblée des
dons du cœur et de l'esprit. Après une très brève union avec un
Farnèse, tué au combat, elle épousa le maréchal de Montmorency,
qui devait mourir vingt ans plus tard. Cette dame charmante,
savante et respectable gagna la sympathie de la famille royale.
Elle devait mourir en 1619, âgée de 81 ans, ayant désigné pour
héritier son neveu Charles de Valois lequel eût été « un des
grands hommes de son siècle », selon Tallemant des Réaux,
« s'il eût pu se défaire de son humeur d'escroc ». Sa veuve — l'hôtel
d'Angoulême conservait décidément les dames — mourut à 93 ans,
après lui avoir survécu durant 63 ans. Elle entretint le poète Bense-
rade et loua une partie de son hôtel à Guillaume de Lamoignon,
magistrat dont l'intégrité avait fait dire à Louis XIV lorsqu'il le
nomma premier président du Parlement : « Si j'avais connu un
plus homme de bien que vous et un plus digne sujet, je l'aurais
choisi. » Fin lettré, bibliophile, il recevait des hôtes de qualité, au
premier rang sa voisine Madame de Sévigné, et Boileau, Racine,
Regnard, Bourdaloue, l'élite de son temps. Son fils acheta l'hôtel.
Il avait la même passion que son père pour les livres. La bibliothèque, très enrichie de manuscrits et d'estampes, occupait une aile
des bâtiments, sous la garde du bibliothécaire Mouriau. Elle fut
cédée en 1763 à la ville de Paris et ouverte au public deux fois par
semaine. L'hôtel de Lamoignon, en accueillant récemment la

hôtel
Lamoignon

Hôtel Lamoignon : la tourelle d'angle
sur trompes, rue Pavée.

bibliothèque de la Ville de Paris, retrouvait donc une vocation historique.

A son origine, il ressemblait plutôt à un château, d'autant que la grande porte d'entrée ne fut bâtie qu'au XVIIIe siècle. Un vaste jardin s'étendait devant sa façade arrière (qui a perdu son ornementation). Deux avant-corps encadraient la cour, celui de droite fut abattu en 1834; quant à celui de gauche, à l'angle de la rue des Francs-Bourgeois, il a conservé, malgré les menaces des voyers de Paris, une tourelle carrée construite sur trois trompes en surplomb sur la rue, complexité d'appareil exercée avec une virtuosité que recherchaient les maîtres maçons de la Renaissance et du début du XVIIe siècle. La façade sur cour est solennisée par ses pilastres corinthiens qui montaient jusqu'à la corniche. Comme le nom de l'architecte ne nous est pas parvenu, on est tenté d'attribuer la construction à Androuet du Cerceau qui, peu après, élevait également sur la partie occidentale de la Grande Galerie du Louvre un ordre colossal de pilastres couplés et cannelés. Dans tous les cas, l'hôtel de Lamoignon est de vigoureuse carrure, et les reliefs en accusent les lignes de structure avec beaucoup d'assurance. Les lucarnes à fronton qui correspondent à chaque travée contribuent à lui donner grand air. Diane, la propriétaire, ayant une passion pour la chasse, c'est une Diane chasseresse qui fut sculptée aux frontons curvilignes du pavillon en retour, entourée d'attributs cynégétiques. Jean-Chrétien Lamoignon, le fils du président, fit construire la porte d'entrée surmontée d'un cartouche tenu par des enfants personnifiant la Prudence et la Vérité — vertus majeures des juges.

Avec la Révolution, l'hôtel de Lamoignon connut les habituelles avanies des hôtels du Marais : commerces, fabriques, institutions d'éducation, et il perdit naturellement presque tout son décor intérieur. A la fin du XIXe siècle, il fut loué en partie à Alphonse Daudet, et c'est là que naquit son fils Léon. Enfin, en 1928, il fut acheté par la Ville dans un état proche de la ruine. Comme le musée Carnavalet se trouvait bien trop à l'étroit pour accueillir ses collections, il souhaitait annexer l'hôtel Le Peletier de Saint-Fargeau, voisin, sinon contigu, où se trouvait la Bibliothèque historique de la Ville de Paris. Vers 1965, on entreprit l'opération à double fin qui consistait à restaurer l'hôtel de Lamoignon de fond en comble et d'y aménager cette bibliothèque. L'inauguration des nouveaux locaux eut lieu en 1970. L'agréable salle de lecture occupe le rez-de-chaussée avec un retour sur l'ancienne aile détruite et un corps de bâtiment bas sur la rue Pavée. Deux étages en sous-sol ont été creusés pour abriter les dépôts de livres. Sous les plafonds de plâtre on a retrouvé les poutres peintes d'origine, délicieusement décorées, autour du chiffre de Diane, de chiens, de bois de cerf, de trompes de chasse et de carquois enrubannés. Sur la rue se trouve encore un morceau de mur en appareil vermiculé, vestige de la prison de la Petite-Force, célèbre par les hôtes de marque qui y furent enfermés pendant la période révolutionnaire. Elle fut démolie en 1845, lors du percement de la rue Mahler. 96 N

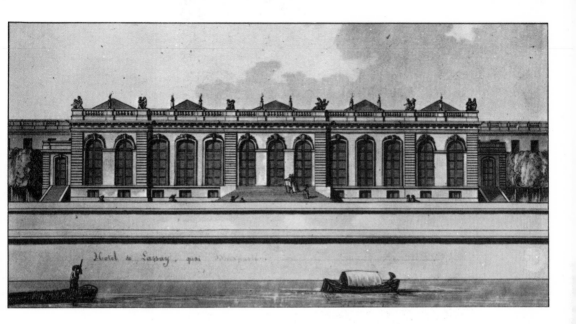

35, quai d'Orsay, VIIe. C'est aujourd'hui la présidence de l'Assemblée nationale. Il a été édifié en 1722 par Lassurance et Aubert pour le marquis de Lassay, lorsque celui-ci revint des armées; comme l'hôtel voisin de la duchesse de Bourbon, sa belle-sœur, il ne comprenait qu'un rez-de-chaussée, où s'ouvraient des baies en arcades, coiffé d'une balustrade ornée de groupes d'enfants. Sur la longue façade du jardin, un large perron est accosté de figures étendues. Au XIXe siècle le duc de Morny, devenu président du corps législatif, le fit surélever d'un étage et d'un attique. L'intérieur a gardé tous les raffinements du style Régence. Dans l'enfilade des cinq salons les glaces reflètent des peintures et des ornements de bois doré d'une exquise délicatesse. Des trophées de chasse aux écoinçons, des amours en dessus de porte, des médaillons complètent une décoration dont l'abondance ne paraît jamais superflue. Dans le vestibule, plus dépouillé, plus solennel, de superbes pilastres corinthiens encadrent des trophées militaires qui rappellent le passé du propriétaire. L'hôtel de Lassay reçut curieusement l'Ecole polytechnique à sa fondation, en 1794 (il convient d'ajouter que l'Ecole n'était alors qu'un externat). En 1815, il fut rendu au prince de Condé avec le Palais-Bourbon. Affecté depuis 1832 au président de la Chambre des députés, il devint en 1843 propriété de l'Etat qui l'acheta au duc d'Aumale. Le duc de Morny fit aménager une salle des fêtes à l'étage supérieur. L'hôtel communique avec le Palais-Bourbon par une longue galerie décorée de tapisseries.   97 S

hôtel
Lassay

L'hôtel de Lassay au XVIIIe siècle, avant les transformations ordonnées par le duc de Morny.

hôtel
Lauzun

L'un des plus beaux balcons de l'île
Saint-Louis.

17, quai d'Anjou, IVᵉ. Pour les passants du quai d'Anjou, l'hôtel Lauzun se distingue à peine des maisons voisines. Même alignement; façades plates et nues; les encadrements des fenêtres sont à peine marqués. Mais, en levant la tête, ils peuvent voir au second étage un balcon en ferronnerie d'un dessin exceptionnel soutenu par de puissantes consoles en volutes. Aux combles, des lucarnes à fronton triangulaire alternent avec d'autres au fronton arrondi. Tout indique une volonté de discrétion et de distinction. Cette architecture est de Le Vau, comme bien d'autres en l'île Saint-Louis, qui fit régner partout cette même simplicité. Trois corps de bâtiments s'élèvent sur une cour intérieure fermée par un mur sur l'autre côté. Les rez-de-chaussée sont en arcades relevées de pilastres toscans. Un cabinet en saillie est soutenu par des lions accroupis.

Le propriétaire avait-il cherché à dissimuler derrière une apparence d'austérité les magnificences de l'intérieur ? Voulait-il que la nudité de l'écrin mît en valeur les somptuosités de son contenu ? Ce n'est pas l'habituelle tendance d'esprit des parvenus. Or, Charles Grüyn était fils de cabaretier. Il est vrai qu'il ne s'agissait pas d'un cabaret ordinaire : l'enseigne de la Pomme de pin était le rendez-vous de Molière, de Lully, de Racine, de Boileau. Le tavernier profita-t-il de ses relations ? Toujours est-il que ses fils acquirent de hautes places dans les trop fructueux commissariats aux armées. Grüyn devint commissaire général de la Cavalerie. Quand il fit construire (1657) sur la parcelle du quai d'Alençon (quai d'Anjou) qu'il avait eu la précaution d'acquérir quinze ans auparavant, ce fut pour s'y installer avec sa femme, Geneviève de Mouy, qu'il venait d'épouser en secondes noces, en prenant une disposition qui devait se révéler bien utile : le contrat était établi conjointement au nom de la mariée. Lorsque Colbert fit traduire devant la Chambre de Justice ceux qui passaient pour s'être enrichis au détriment des deniers publics, Grüyn eut à rendre des comptes et ses biens furent confisqués. Mais sa femme continua à habiter l'hôtel.

La postérité ne retiendra pas le nom du concussionnaire, mais celui du propriétaire qui lui succéda et le revendit au bout de quatre ans, un homme d'une tout autre envergure, le comte de Lauzun, dont la vie fut une succession d'orages que n'éteignit point l'amour de la duchesse de Montpensier, la Grande Mademoiselle. Ses colères, ses insolences avaient décidé le roi à retirer son consentement au mariage, mais tout fait croire qu'il y eut mariage secret. En 1671, considéré comme un personnage redoutable, il fut mené à Pignerol pour un séjour qui dura dix ans. La Grande Mademoiselle n'habita jamais l'hôtel Lauzun.

Grüyn avait fait décorer l'intérieur avec un luxe incroyable qui peut nous donner l'idée de ce qu'était une demeure, princière de volonté, au milieu du XVIIe siècle. L'hôtel offre l'exemple le plus opulent et le plus complet du style Louis XIII-Mazarin que l'on puisse trouver à Paris. L'appartement du premier étage s'ouvre sur une grande antichambre aux solives peintes qui donne sur un ravissant petit cabinet. Pas un pouce, du plancher au plafond, qui ne soit peint ou sculpté. Au-dessus de paysages de Patel, une suite de portraits et de gerbes de fleurs. Les boiseries sont ornées de guirlandes et de rinceaux. Le plafond, où figure une Cérès encadrée de caissons peints d'amours et de masques de tragédie, est attribué à Le Sueur. L'escalier qui mène au second étage, décoré de statues, est surmonté d'un plafond qui porte toutes les caractéristiques de l'art de Le Brun. Quatre pièces en enfilade font une remarquable perspective. Partout des scènes mythologiques sont enchâssées dans des panneaux sculptés dont les dimensions et les formes variées

abolissent toute monotonie. De même, des plafonds entièrement peints alternent avec d'autres dont seules les solives sont décorées. Pilastres, corniches, bordures constituent un décor de bois doré extrêmement chargé, mais partout règne cet équilibre qui est l'un des bonheurs de l'époque. Dans le salon de musique, trois grandes toiles de Sébastien Bourdon sont entourées d'aigles dorés. Des amours et des faunes composent une frise en haut-relief (les loggias en encorbellement sur les portes sont des fantaisies du début du xxe siècle). La chambre à coucher possède un plafond de Le Brun où figure un portrait de la duchesse de Richelieu (le marquis de Richelieu habita les lieux de 1685 à 1709). Dans l'alcôve, le plafond représente une scène galante de belle endormie. Un boudoir, enfin, parachève le spectacle avec la plus séduisante délicatesse : les panneaux peints et les panneaux de glace alternent sous un plafond où les entrelacs et les personnages d'un baroque à l'italienne encadrent un médaillon représentant Flore et Zéphyre.

Au cours du xviiie siècle, l'hôtel Lauzun passa entre les mains bourgeoises de fonctionnaires ou de parlementaires qui le traitèrent avec respect. A la Révolution, il était la propriété du marquis de Pimodan et de sa famille. Si la décoration eut à pâtir de l'événement, la construction elle-même ne subit pas de dommages. Dans la première partie du xixe siècle, les obscurs propriétaires ou locataires qui peuplèrent l'hôtel Lauzun ne semblent pas avoir été impressionnés par sa splendeur : ils le laissèrent tomber en décrépitude. Un teinturier notamment recouvrit boiseries et peintures d'un enduit blanc. Après tout, ce fut peut-être leur sauvegarde. En 1842, l'hôtel fut acheté par le baron Jérôme Pichon qui commença par faire démolir l'escalier. Mais les occupants étaient d'une autre espèce : Théophile Gautier, Banville, Baudelaire nous ont laissé d'assez curieuses descriptions des lieux, et leur « club des Haschichins » est à l'origine de bien des histoires plus ou moins légendaires. Toujours est-il que l'hôtel continuait à dépérir. Les héritiers du baron Pichon, qui s'en trouvaient bien embarrassés, parvinrent à le céder en 1899 à la Ville de Paris. Il fut alors question d'y installer un musée des Arts décoratifs du xviie siècle. On tergiversait, les crédits étaient gelés, l'hôtel restait désert, lorsqu'en 1906, le baron Louis Pichon, neveu du précédent, militaire, et aussi homme de goût, décida de le racheter, de le restaurer et d'y habiter. Entouré d'architectes sérieux, il se mit à la tâche et y sacrifia sa fortune. Les restaurations, bien menées pour l'époque, touchaient à leur fin, lorsque, à bout de souffle, il fut obligé de vendre son hôtel. Pour la seconde fois, la Ville s'en trouva propriétaire. C'était en 1928, et l'on peut s'étonner qu'à cette date seulement on ait pensé à classer un tel trésor parmi les monuments historiques. L'escalier de pierre fut reconstruit et l'hôtel entretenu avec soin. Il est ouvert sur demande aux visites groupées et, dans des occasions trop exceptionnelles, est utilisé pour les fastueuses réceptions données par le Conseil de Paris en l'honneur d'hôtes de marque ou de chefs d'Etat étrangers.   98 N

Comme les quatre pièces du second étage, le salon de musique offre une profusion de boiseries, de stucs, d'ors et de peintures du xviie siècle.

**hôtel de
Le Brun**

Au fronton, les armoiries de Charles
Le Brun, premier peintre du Roi et
directeur des Gobelins.

49, rue du Cardinal-Lemoine, Vᵉ. Il était d'autant plus tenta
de penser que Charles Le Brun avait fait construire cette demeu
pour y abriter ses vieux jours que ses armes figurent à la façad
sur jardin. Mais ce bâtiment fut élevé en 1700. Charles Le Bru
était mort depuis dix ans. En réalité, le terrain seul lui avait appa
tenu — il habitait une maison voisine (détruite) — et c'est son neve
et héritier qui fit bâtir pour lui-même cet hôtel. Fier de son illust
parenté, il en avait ainsi témoigné. Ce fut le premier hôtel constru
à Paris par Boffrand. Il s'exprime avec une pureté de style et ur
clarté qui annoncent le XVIIIᵉ siècle. Le plan est des plus simple
Les classiques ailes en retour ont été abolies. Un masque au-dess
de la porte d'entrée, une simple frise sous la corniche, un fronto
sculpté suffisent à animer des façades dont l'harmonie réside dar
le rapport de proportions entre de hautes fenêtres sans encadre
ment. Le quartier, au pied de la montagne Sainte-Geneviève, éta
alors peu construit, ce qui avait permis de situer la maison deva
un très vaste jardin. Des travaux de dégagement et de restauratio
ont été entrepris qui le mettent fort bien en valeur.   99

**hôtel
Le Peletier
de Saint-Fargeau**

29, rue de Sévigné, IIIᵉ. Après avoir acheté et démoli l'hôtel d'O
geval, qui datait du siècle précédent, Michel Le Peletier, seigne
de Souzy, fit construire son hôtel en 1686, sur les plans de Pierre Bu
let. Conseiller d'Etat, intendant des Finances, c'était un homn
remarquable qui, en dehors du grec et du latin, parlait, dit-o
toutes les langues mères de l'Europe. Il devint membre de l'Aca
démie des inscriptions et belles-lettres puis se retira à l'abbaye c
Saint-Victor où il mourut en 1625. C'est son petit-fils Louis-Mich
Le Peletier de Saint-Fargeau, président à mortier du Parlement, q
laissa son nom à l'hôtel. Après avoir été député aux Etats Générau
il fut membre de la Convention et vota la mort de Louis XV
Ce vote, qui passe pour avoir été décisif, provoqua son assassin
dans un café du Palais-Royal en 1793.

La demeure, vaste et simple, vaut par la qualité de son architecture. Seul le portail est orné de guirlandes sculptées autour du monogramme de son propriétaire : M.L.P. La grande cour est bordée de bâtiments à deux étages sur rez-de-chaussée d'arcades dont le cintre est simplement relevé d'agrafes. Chez Bullet, c'était un principe : les lignes de force architecturales ne devaient pas être rompues par des ornements. Même rigueur à la façade arrière, qui donne sur le jardin — transformé en square devenu le refuge des vieilles pierres sculptées trouvées dans les démolitions de la ville. Un léger avant-corps est couronné d'un fronton où paraît la silhouette chenue d'un « Temps » ailé. L'ancienne orangerie qui s'allonge sur la droite avec beaucoup de grâce, est adornée d'une aimable figure couchée.

Après la Révolution, l'hôtel abrita un établissement d'éducation qui s'est chargé de le vider. Une seule pièce a gardé ses boiseries blanc et or. C'est en 1897 qu'y fut transférée la bibliothèque historique de la Ville de Paris, qui devait le quitter en 1970 pour s'installer à l'hôtel de Lamoignon en laissant la place à une annexe du musée Carnavalet.   100 N

Hôtel Le Peletier de Saint-Fargeau : la façade sur le jardin.

Louvre

Ier. Rappeler que le Louvre, comme Notre-Dame, est intimemen[t]
lié à l'histoire de la France n'est-ce pas souligner l'évidence ? Rap[-]
pelons aussi que les deux monuments ont à peu près la même dat[e]
de naissance... Là s'arrête toute comparaison. Notre-Dame a ét[é]
voulue dans ses formes et son amplitude telle qu'elle a été conservé[e]
jusqu'à nous. Le Louvre a mis sept siècles pour se déployer. I[l]
porte la marque des souverains, des architectes, des artistes qu[i]
l'ont créé en ajoutant, en restaurant, et aussi en mutilant ou e[n]
anéantissant l'œuvre de leurs prédécesseurs. Il s'est étendu comm[e]
un madrépore, morceau par morceau, au fur et à mesure que Pari[s]
s'amplifiait et que les fiefs et les provinces s'aggloméraient à l[a]
France. Son image actuelle, à la fois précise et confuse comme cell[e]
d'un arbre généalogique, a été dessinée par la monarchie, par le[s]
empires, chacun apportant sa manière de voir et de sentir, so[n]
style, pour aboutir à l'un des ensembles architecturaux les plu[s]
vastes du monde. La disparate aurait pu être pire — nous en voyon[s]
bien d'autres ailleurs. Tout s'est organisé, en définitive, dan[s]
une certaine cohérence ; même les destinations imprévues qui son[t]
les siennes aujourd'hui ont pu, tant bien que mal, s'adapter a[u]
palais. Et pourtant, avec ses deux grands bras qui n'embrassen[t]
rien, tendus démesurément vers le couchant, sa configuration n[e]
laisse pas de déconcerter. Le « grand dessein » séculaire de l[a]
monarchie, qui était d'unir la cour du Louvre au château de[s]
Tuileries, devait délimiter une vaste composition fermée. Rien n'es[t]

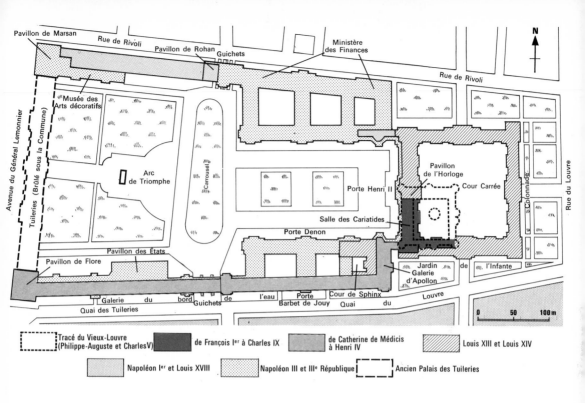

Tracé du Vieux-Louvre (Philippe-Auguste et Charles V) — de François Iᵉʳ à Charles IX — de Catherine de Médicis à Henri IV — Louis XIII et Louis XIV — Napoléon Iᵉʳ et Louis XVIII — Napoléon III et IIIᵉ République — Ancien Palais des Tuileries

plus curieux que de voir avec quelle constance, pendant des centaines d'années, furent accumulés des projets et conduits des travaux dans la ligne de l'interminable galerie voulue par Catherine de Médicis. A peine arrivait-on au but, le château des Tuileries était anéanti. C'est la raison majeure des difficultés, pour le regard peu averti, à saisir une vue d'ensemble du Louvre et à en situer, sans recourir à un plan, les éléments chronologiques. Aujoutons que, pour la plus grande partie du public, ce nom prestigieux est celui d'un musée. Le fait que ces bâtiments abritent les chefs-d'œuvre du monde leur porte ombrage. La foule des visiteurs ne leur accorde, au mieux, qu'une attention distraite, et aucune indication ne leur permet de s'y reconnaître dans le palais des rois. Trop captée par le contenu l'attention se détourne du contenant.

Définir le Louvre c'est suivre le lent développement de sa topographie et de sa structure historique. Selon les princes et les gouvernements, le palais eut à subir dans ses salles et ses galeries des métamorphoses toujours recommencées pour satisfaire les goûts du jour et les changements d'attribution. Siège de l'Etat jusqu'à Louis XIV, il adoptait les nouveautés de l'art, au prix de suppressions et d'adjonctions, de chevauchements et de dissimulations, et pourtant avec le très exceptionnel souci, par une sorte de vénération, de garder une certaine unité d'architecture. Ces amalgames n'ont rien de scandaleux, parce que les meilleurs artistes étaient tout naturellement appelés à travailler pour le palais du roi, et

parce que les œuvres s'accordent à travers les âges lorsqu'elles se situent à un haut niveau de qualité. Les choses se gâteront lorsque l'art officiel sera privé de force créatrice. Ainsi, le Louvre de Napoléon III, malgré ses profusions ornementales, reste-t-il desséché. Tout s'inscrit cependant dans cet effort persistant et cet esprit de continuité qui, malgré bien des traverses, malgré les crises financières et politiques, permirent ce monument grandiose.

La forteresse de Philippe Auguste

Lorsque Philippe Auguste fit construire autour de la ville une forte enceinte (1190-1210), il résolut d'élever à l'ouest, près de la Seine, un imposant donjon. C'était la direction de l'Angleterre. Et l'on n'avait pas oublié les invasions normandes. Le roi était fortement soutenu dans son initiative par les commerçants parisiens qui s'étaient installés sur la rive droite, en particulier par la puissante corporation des marchands de l'eau : ces fortifications ne contribuaient-elles pas à leur sécurité et à leur prospérité ? Le donjon circulaire mesurait 31 m de hauteur et 15 m de diamètre à la base. Son tracé est restitué sur le sol dans la cour carrée. Entouré d'un large fossé bordé d'une contrescarpe, il occupait le centre d'un dispositif de défense quadrangulaire. Les constructions qui s'élevèrent dans cet espace et devinrent de plus en plus denses lui donnèrent l'aspect d'un château fort hérissé de toitures, de tours et de tourelles. Sur la Seine même, l'enceinte de Philippe Auguste s'appuyait à un ouvrage fortifié en avancée; la tour du Coin répondait à la tour de Nesle, en face, sur la rive gauche.

« Notre tour du Louvre » disait Philippe Auguste en parlant de son château. En fait, il habitait le palais de la Cité et ne semble pas avoir résidé dans cette tour qui était un symbole de la monarchie, l'expression emblématique de la puissance royale; elle contenait le trésor, les archives, les objets précieux; et l'on y enfermait aussi les prisonniers de marque, les grands seigneurs vaincus.

La vieille forteresse peut encore être évoquée, depuis les fouilles de 1883, dans une « salle basse » du palais où un pilier reçoit l'amorce des retombées des voûtes d'ogives. Saint Louis fit aménager à l'emplacement de l'actuelle salle des Cariatides une grande salle où il rendait la justice. Ses successeurs ne cessèrent d'accroître les bâtiments et de les orner. Prince artiste et lettré, Charles V cherchait à donner à cette lourdeur militaire les agréments d'une demeure de plaisance. Il chargea son architecte Raymond du Temple d'agrandir le château et de le renouveler. Sa participation fut importante; il édifia la chapelle, la tour de la Librairie (bibliothèque), ajouta des étages et construisit la « grande Vis », escalier dont les quatre-vingts premières marches étaient faites de vieilles pierres tombales. Il fit enfin élever une nouvelle enceinte qui s'étendait jusqu'à notre place du Carrousel.

Le Louvre de la Renaissance

L'occupation anglaise devait sonner le glas du Louvre gothique. Si Henri V et Bedford y résidèrent, les rois finirent par délaisser

Au XVe siècle, le Louvre avait l'aspect d'un château fort hérissé de toitures. Retable du Parlement de Paris.

Façade de Pierre Lescot et de Jean Goujon sur la cour carrée.

Paris, captés par les douceurs de la Loire. Pour les derniers Valois fascinés par le luxe et les nouveautés d'Italie, que pouvait représenter cette vieille forteresse médiévale ? L'ère des châteaux forts était passée. François Ier éprouvait des satisfactions à élever Chambord, et à italianiser les châteaux de la Loire; mais Paris était la capitale de la France, et le roi devait y résider. Il avait déjà commandé au Boccador un nouvel Hôtel de Ville. Avec son esprit de discernement, c'est à l'architecte Pierre Lescot et au sculpteur Jean Goujon, son collaborateur permanent, qu'il s'adresse pour créer un nouveau Louvre (1546). Entre ces deux artistes, on ne peut imaginer d'union plus heureuse. Les bâtiments doivent occuper la même superficie que le château antérieur — c'est-à-dire le quart sud-ouest de notre cour carrée. Mais François Ier meurt l'année suivante, les fondations à peine ébauchées. Henri II fait activement continuer les travaux. Trois ans plus tard, le premier corps de bâtiment était terminé, celui dont nous voyons aujourd'hui la façade à gauche du pavillon de l'Horloge : elle est restée telle que ses auteurs l'avaient conçue; rez-de-chaussée d'arcades encadrées de pilastres corinthiens, étage de fenêtres hautes à pilastres composites, petites fenêtres somptueusement sculptées en attique : trois avant-corps à fronton curviligne, celui du centre légèrement dominant, comportant entre les colonnes des niches garnies de statues; Goujon, ou son atelier, ont couvert de bas-reliefs des espaces choisis avec une aisance, un sens exemplaire des propor-

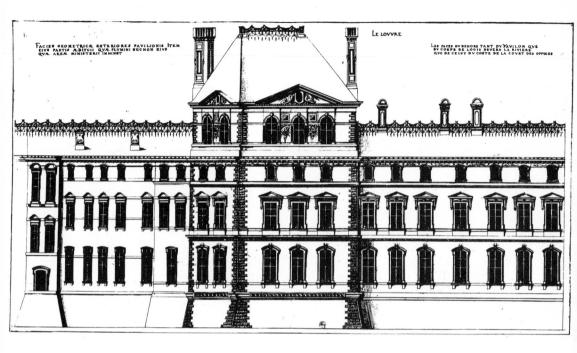

Dessin de Pierre Lescot.

tions et du décor. Une intime communauté d'idées régnait entre l'architecte et le sculpteur, et l'on peut se demander lequel cherchait à mettre l'autre à l'honneur. Les œils-de-bœuf qui ponctuent le dessus des portes sont accostés de ces figures de femmes à tuniques transparentes et frissonnantes dont Goujon avait le secret ; une frise d'enfants étendus et de guirlandes court sur l'entablement ; aux fenêtres de l'attique les reliefs se prodiguent et accentuent leur modelé ; les allégories prennent de la majesté. Si réduite que soit la place occupée par cette façade dans l'ensemble du palais, c'est elle qui en constitue le noyau, c'est en se greffant sur elle, et en l'imitant, que les bâtiments se sont organisés. Elle est le modèle, au moins théorique, de ce qui est venu s'ajouter ensuite par ramifications plus ou moins bien interprétées.

Dans l'esprit de François Ier, le nouveau Louvre devait s'inscrire dans les limites du château fort, et même s'édifier sur ses fondations : trois autres corps de bâtiment analogues auraient donc inclus une surface égale au quart de la cour actuelle. Henri II vit plus loin et plus grand que François Ier. La décision fut prise, sans doute à la fin de son règne, de quadrupler le palais — ce qui pouvait répondre chez lui à ce goût pour les fêtes et les divertissements qui illustrèrent son époque, et l'on ne peut oublier que c'est dans un tournoi qu'il trouva la mort. Lescot poursuivit donc son œuvre en élevant le pavillon d'angle et, en retour, l'amorce du bâtiment méridional parallèle à la Seine. L'intérieur était décoré avec la même passion

pour l'esprit nouveau. Si l'architecture est parsemée d'éléments décoratifs extraits du répertoire italien de la Renaissance, la part majeure, d'une originalité toute française, est des plus attachantes. Le rez-de-chaussée du bâtiment occidental est occupé par une grande salle de bal, la salle des Cariatides. N'oublions pas qu'à la fin du règne des Valois naissent les « ballets de cour » et les « divertissements ». La tribune des musiciens est portée par quatre hautes figures de femmes lointainement inspirées de l'Erechteion. Renonçant aux charmes sensuels de la fontaine des Innocents, Goujon a conçu d'altières statues à l'antique, au visage impersonnel, architecturales avant tout. En face s'élève la tribune royale supportée par des colonnes. Cette salle superbe, qui accueille aujourd'hui les sculptures de la Renaissance appartenant au musée, a reçu des modifications sous l'Empire qui ajouta notamment une cheminée superfétatoire. Les voûtes du bel escalier Henri II, dit le Grand Degré, ont été conservées : les caissons sont ornés de têtes coiffées du croissant de Diane, de feuilles de chêne et de rosaces, de figures humaines et d'animaux, d'écussons, de guirlandes et du chiffre royal. Le corps de logis fut complété sous la direction de Pierre Lescot après la mort de Henri II puis, lentement, sous les règnes de François II, Charles IX et Henri III.

En retour, le pavillon du roi est surélevé. La chambre du roi, au bel étage (modifiée sous Louis XIV), précédait sa « chambre de parade » dont les lambris, les plafonds et les portes décorées d'attributs militaires sont des chefs-d'œuvre de la sculpture sur bois dus à Scibec de Carpi qui venait de s'illustrer à Fontainebleau (transférés depuis Charles X dans une salle derrière la colonnade). L'aile médiévale était celle de l'appartement des reines situé au premier étage. Il partait de la salle dite des Sept-Cheminées, au milieu du corps de logis, et comprenait la salle des gardes, l'antichambre, le « grand cabinet », la chambre à coucher, et le « petit cabinet ».

Catherine de Médicis ayant abandonné le palais des Tournelles, en 1559, après la mort accidentelle de son époux, était désireuse d'assurer son indépendance; elle résolut de se faire construire un château en dehors de l'enceinte de Paris dans un lieu dit « les Tuileries », en raison de deux modestes fabriques de tuiles abandonnées qui se trouvaient dans les parages du futur pavillon de Flore. Ces terrains bourbeux servaient alors de déversoir aux ordures de la ville. L'idée de relier son château au Louvre par une galerie de 470 m pouvait passer pour extravagante; mais n'avait-elle pas l'exemple de celle qui reliait à Florence le palais des Offices au palais Pitti ? Cette décision devait commander l'avenir du Louvre, son importance et sa structure. L'ambitieux caprice de l'Italienne sera suivi par une volonté réfléchie des souverains français qui s'appliqueront à réaliser le « grand dessein » : la réunion du Louvre et des Tuileries. Ce « passage » comportait d'abord un pont couvert sur le fossé partant du pavillon du roi, obliquait à angle droit par une « petite galerie » où des arcades s'ouvraient sur une terrasse, puis longeait la Seine jusqu'à l'angle du château des Tuileries.

La salle des Cariatides était salle de réception du temps des Valois (tableau d'Ingres).

Veüe en Perspectiue du Palais des Thuilleries du Costé de l'Entrée.
A Paris chez N. Langlois rue S.t Jacques a la victoire. auec Priuil. du Roy   dessiné et graué par Perelle.

Le pavillon central et les galeries du château des Tuileries, tels qu'ils étaient avant leur destruction. Gravure du XVIIIᵉ siècle.

Cette « grande galerie » était vraiment trop longue pour que la reine en vît autre chose que l'amorce.

Le château des Tuileries avait été commandé par la reine en 1564 à Philibert de l'Orme dont le talent avait été mis à contribution depuis Henri II dans la plupart des maisons royales. A sa mort, six ans après, il n'avait pu élever que le pavillon central et les galeries adjacentes. Jean Bullant lui succéda ; mais les travaux n'avançaient qu'avec beaucoup de lenteur, la construction ayant été plusieurs fois arrêtée par manque de crédits ; puis il mourut, lui aussi, six ans plus tard, après avoir terminé le pavillon méridional. C'est Jacques II Androuet du Cerceau qui poursuivit les travaux en 1608.

L'intérieur du château des Tuileries fut maintes fois transformé au cours des règnes successifs. La grande salle dite des Machines occupait une partie de l'aile située vers le pavillon de Marsan. Elle fut aménagée en théâtre pour les Italiens par Vigarani (1659), puis servit de cadre aux premières représentations d'opéras français. Elle fut cédée en 1770 à la Comédie-Française. Les Tuileries sont entrées profondément dans l'histoire quand Louis XVI et la famille royale, obligés de quitter Versailles, vinrent y habiter et eurent à subir les émeutiers du 10 août 1792 qui mirent les appartements à sac. La Convention siégea dans la salle des Machines. Bonaparte s'installa aux Tuileries qui fut désormais le siège de la souveraineté jusqu'au départ de Napoléon III, suivi par l'incendie du château par la

Commune en mai 1871. La plupart des décorations intérieures avaient été la proie des flammes ; les façades et les escaliers d'honneur subsistaient pourtant en grande partie. Les projets de restauration furent rejetés et les restes importants des Tuileries furent scandaleusement démolis après un vote « politique » de la Chambre des députés en 1882. Des fragments intacts ont été dispersés. Ceux qui, avec l'aide de gravures ou de photographies d'époque, nous permettent le mieux de restituer en esprit le très noble bâtiment de Philibert de l'Orme et de ses successeurs, se trouvent à l'autre extrémité des jardins des Tuileries, derrière le Jeu de Paume. Des colonnes cannelées et baguées soutiennent de puissants entablements encadrant une haute fenêtre cintrée et sculptée.

Cour carrée, appartements, galeries

L'enceinte de Charles V qui suivait la Seine devait servir aux fondations de la « grande galerie », dite « galerie du bord de l'eau ». Henri IV, à sa manière, menait rondement la construction. Ainsi put-il inaugurer cet étonnant bâtiment le 1ᵉʳ janvier 1608. Sauf par la longueur il ne ressemblait guère à celui que nous connaissons. Au départ un pavillon de deux étages l'articule sur la « petite galerie ». La première partie s'élève sur un rez-de-chaussée à bossage et un étage bas attribué au logement des artistes ; l'étage supérieur est composé de quinze grandes fenêtres entourées de pilastres et coiffées de frontons alternativement triangulaires ou curvilignes que séparaient d'harmonieuses niches à statues. Deux autres pavillons scandaient son parcours jusqu'au pavillon Lesdiguières placé à la limite administrative de la ville. Il semble que ces travaux aient été placés sous la direction de Louis Métezeau. Enfin, la dernière partie, la plus longue, fut continuée, de 1595 à 1610, jusqu'aux Tuileries, sous la direction de Jacques II Androuet du Cerceau. Elle était d'un style différent. Le rez-de-chaussée et l'étage sont unis par un ordre colossal de pilastres composites accouplés.

La grande galerie, dite galerie du bord de l'eau.

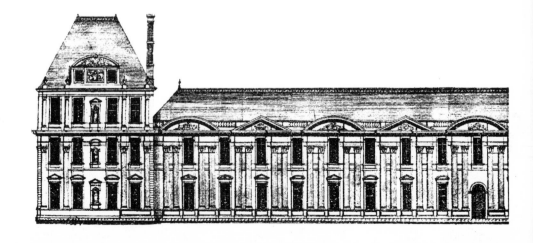

Des frontons, également rectangulaires ou curvilignes, couronnent un ensemble de quatre pilastres produisant sur la façade des effets très rythmés. Des bandeaux s'alignent entre les deux étages. Une balustrade courait à la hauteur du comble. En 1608, Malherbe écrivait à Peiresc : « Si vous revenez à Paris d'ici à deux ans, vous ne le connaîtrez plus. Le pavillon du bout de la galerie est presque achevé... »

La mort de Henri IV interrompit la décoration intérieure de la grande galerie; mais le roi avait pu auparavant accorder par lettres patentes des privilèges aux artistes, peintres, sculpteurs, artisans et « autres ouvriers d'excellents arts » qui y seraient logés. Le rez-de-chaussée fut d'abord occupé par des boutiques et par des ateliers. Les ateliers de tapisserie y restèrent jusqu'à la création des Gobelins en 1671. Ceux des monnaies et médailles jusqu'à ce que fût élevé de l'autre côté de la Seine l'hôtel de la Monnaie, en 1775. Les artistes garderont leurs privilèges jusqu'à la fin de l'Ancien Régime. (Pendant la Révolution, d'autres privilèges du même ordre leur seront accordés.) Parallèlement, l'extension du bâtiment sud de la cour intérieure se poursuivait sous la direction du surintendant Jean de Fourcy. Après la mort de Lescot (1578) les plans furent assez rigoureusement suivis par du Cerceau et Métezeau et les partis décoratifs de Goujon respectés.

Avant de se lancer dans la construction d'une seconde galerie pour rejoindre les Tuileries au nord, Louis XIII jugea plus raisonnable de faire achever la cour carrée — ce qui était déjà tâche considérable puisque Henri IV avait décidé d'en quadrupler la surface. Le vieux château gothique est alors entièrement rasé à la satisfaction de tous. Jacques Lemercier est appelé à continuer l'aile occidentale. C'est l'homme de Richelieu qui l'avait fait nommer premier architecte du Roi. Il a du savoir, de la conscience, mais peu d'originalité. Il restera volontairement dans l'esprit de ses prédécesseurs. Il élève la partie supérieure du pavillon de l'Horloge (1624) où figurent les statues monumentales de Sarrazin, dominées par un triple fronton couronné par un dôme sur plan rectangulaire qui fut très admiré. L'ensemble a été « retouché » sous le Second Empire qui l'a coiffé d'un comble plus volumineux et plus chargé d'ornements, tandis que sa face occidentale était livrée à un débordement d'enjolivures. Quant au corps de bâtiment qui s'étend vers le nord, Lemercier en fit une réplique systématique de l'œuvre de Lescot et, pour assurer la symétrie, éleva à l'angle de l'aile nord, un pavillon semblable au pavillon du Roi. (C'est le Premier Empire qui compléta la sculpture, en respectant des principes qui, somme toute, restaient ceux de la Renaissance.) On continuait le « Grand Carré » en conservant sur la cour l'ordonnance traditionnelle.

Sans doute, le palais, bien qu'il ne fût alors qu'embryonnaire, était-il un très beau monument, mais le souci d'habitabilité et le confort n'était pas dans les mœurs du temps. Quand Marie de Médicis, élevée parmi les splendeurs florentines, arriva dans son appartement du Louvre, elle en pleura de dépit. D'abord le nouveau palais n'était construit qu'à moitié et, l'encombrant donjon ayant

Les statues monumentales de Sarrazin dominent le pavillon de l'Horloge (1624).

Le Louvre de Lemercier, au début du XVIIe siècle.

été rasé, deux côtés de la cour étaient encore bordés de bâtiments médiévaux d'une allure toute militaire. La reine meubla se
appartements avec un luxe inouï; sa chambre devint un musé
d'orfèvreries rares et d'objets précieux entourant un lit gigantesqu
de bois doré et de soie brodée.

La famille royale, après avoir habité le palais Cardinal légu
à la Couronne par Richelieu, vint, après la Fronde, s'installer a
Louvre. La décoration des appartements du roi, qui datait d
Henri II, fut modifiée avec le concours de sculpteurs dont la plupar
devaient travailler à Versailles quelques années plus tard. Ann
d'Autriche fit installer au rez-de-chaussée des appartements d'ét
dont les pièces étaient décorées de peintures de Le Sueur. Tou
cela se trouvait à l'emplacement des actuelles salles de sculpture
antiques; mais des somptuosités du XVIIe siècle, il ne reste rien
Par contre, les voûtes du rez-de-chaussée de la « petite galerie »
ont conservé un précieux décor de stucs de Michel Anguier et d
Girardon entourant des peintures habiles de Romanelli. Le Vau
ayant succédé à Lemercier en 1654, c'est à lui que revint tou
d'abord l'honneur d'édifier la belle façade à rez-de-chaussée d'arcades et à un étage à fronton sculpté par Lespagnandelle que nous
voyons dans la cour du Sphinx couverte d'une verrière. Ayant reçu
la tâche de parachever cette cour du Louvre dont les travaux traînaient en longueur et qui durant les troubles de la Fronde s'étaient
totalement arrêtés, il commença par terminer l'aile méridionale,
puis entreprit celle de l'est et celle du nord. Il s'appuyait toujours
sur les dessins de Lescot; mais si les bâtiments gagnaient en longueur, ils perdaient en hauteur : ils n'avaient en effet que deux
étages à deux ordres superposés; et la cour en était déséquilibrée.

Un incendie, dû à une imprudence d'ouvrier, se déclara, en 1661,
dans la « petite galerie » dont brûla le premier étage. C'est Le Vau

qui eut à la reconstruire. Il la décora de pilastres, supprimant frontons et lucarnes. (Ceux que l'on y voit maintenant ont été ajoutés au XIXᵉ siècle.) La « petite galerie », devenue galerie d'Apollon pour célébrer le Roi Soleil, fut extrêmement enrichie sous la direction de Le Brun, qui la couvrit d'un plafond voûté. Il s'adressa à Girardon, Reynaudin et Marsy pour les stucs, à Gontier pour les arabesques, à Monnoyer pour les fleurs. Lui-même décora deux compartiments : l'un représente Apollon conduisant le char du Soleil et protégeant les Lettres et les Arts (et tout le monde comprenait fort bien qui désignait cette allégorie), l'autre, l'un des chefs-d'œuvre du maître, célèbre, dans une composition chargée de poésie, le triomphe de Neptune et d'Aphrodite (il faudra attendre Delacroix pour que l'ensemble du plafond soit complété). L'éclat fastueux de cette galerie convient à l'extraordinaire réunion de joyaux qui y sont déposés.

Le Vau éclaira le salon carré par trois grandes fenêtres qui remplaçaient des niches, et il reprit les mêmes dispositions au second étage (lors de la réorganisation du musée, après la dernière guerre, ces fenêtres ont été obstruées). On ne peut qu'admirer la compréhension et la modestie de Le Vau : il propose de construire les nouvelles ailes dans l'esprit des premiers architectes. Ainsi voulut-il simplement répéter Lescot pour les façades et Lemercier pour les pavillons. Chez les classiques la règle de l'unité n'était pas un vain mot. Pourtant, l'aile orientale restait encore en attente de sa façade extérieure.

Giovanni Romanelli décora de scènes mythologiques certains plafonds des appartements d'Anne d'Autriche. Les stucs sont de Michel Anguier.

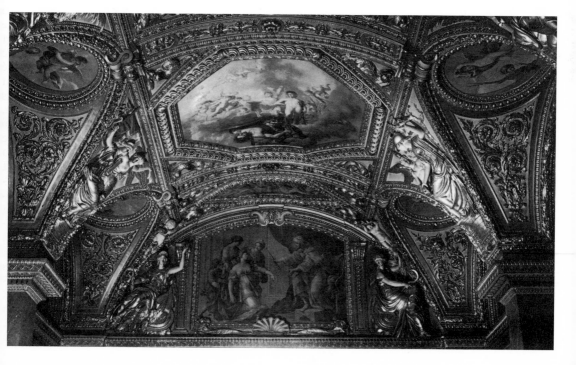

Façade du Louvre : le projet
de Cottart (1665)...

La Colonnade et le Louvre de Louis XIV

Pour Louis XIV, cette façade — celle que nous nommons aujourd'hui la Colonnade — devait être la grande entrée du Louvre. On ne cessera guère par la suite de faire des projets d'urbanisme dans le but de la dégager et d'ouvrir devant elle une avenue qui aurait scandé le grand axe est-ouest de Paris dont on commençait à prévoir qu'il pourrait un jour s'étendre du château de Vincennes à celui de Saint-Germain-en-Laye. L'établissement d'une façade d'entrée solennelle s'imposait donc à un monarque dans toute l'audace de sa jeunesse et qui voyait grand. Pour Colbert, cette construction avait la plus haute importance, aussi bien pour le prestige des arts que pour le prestige européen de la France.

Les projets de Le Vau, de Lemercier, de Jean Marot reprenant le principe du pavillon central coiffé d'un dôme avec des ailes latérales furent accueillis avec réticences. Le projet de François Mansart ne manquait pas de noblesse, mais chacun savait combien les rapports avec lui devenaient difficiles : trop scrupuleux il changeait d'idée en cours de route, allant même jusqu'à démolir des constructions commencées; et il ne voulait d'ailleurs pas fournir de devis. Colbert, devenu surintendant des bâtiments, était persuadé qu'il ne trouverait qu'en Italie des architectes capables d'édifier un monument dont la magnificence s'imposerait à tous. On s'adressa alors à des Italiens; leurs projets furent jugés faibles, compliqués, et trop teintés de baroquisme. C'est alors que l'on décida de mander le plus célèbre, le cavalier Bernin, qui fut accueilli avec de grands égards, et reçut commande du buste du roi. Son projet pour le Louvre présentait une façade onduleuse, délicate, ciselée, toute en terrasses : elle aurait fait figure de corps étranger. Bernin, pendant les six mois de son séjour, s'était rendu insupportable par sa jactance. Les architectes français le virent sans regret regagner Rome. Il enverra un second projet, très différent : un palais romain sur un soubassement de grosses pierres, dont les deux étages étaient unis par des pilastres avec une terrasse dont la balustrade était ponctuée de statues. Par-derrière, tout le vieux Louvre de Lescot

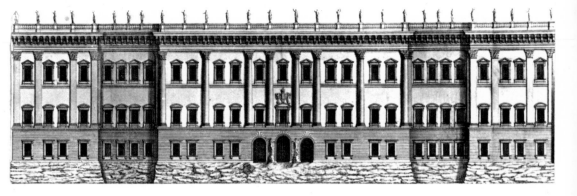

... et la colonnade dessinée par le Bernin.

disparaissait, cinq cours remplaçaient la cour carrée, et l'architecte avait même prévu une galerie rejoignant les Tuileries parallèle à celle du bord de l'eau. Le Bernin fut couvert d'or et d'honneur. On commença des travaux de substruction. Et l'on s'en tint là. Colbert réunit une commission où figurait l'agence Le Vau, dont François d'Orbay était le chef, le peintre Le Brun et le médecin Claude Perrault, académicien, traducteur de Vitruve, architecte amateur. Non sans difficultés, ils mirent au point un projet, plusieurs fois rectifié, qui fut choisi par Louis XIV; c'est celui de la colonnade actuelle. Les dessins de d'Orbay sont d'un savoir, d'une qualité tellement supérieurs à ceux des autres architectes de son temps que l'on peut penser aujourd'hui que cet homme de grand métier et de grande discrétion a vraisemblablement joué un rôle de premier plan dans cette obscure histoire de la colonnade, complexe et toute chargée d'intrigues.

Cette célèbre façade, considérée comme le majestueux symbole de l'architecture classique française, comprend un rez-de-chaussée percé de hautes fenêtres sur un soubassement à bossages. Ce soubassement resté enfoui, est apparu en 1964 quand André Malraux fit creuser les fossés qui mettent la façade en valeur. A quelques mètres en avant du bâtiment, l'amorce d'un mur fut mise à jour dont les pierres ont été utilisées pour élever la contrescarpe et le pont d'accès. Le péristyle, d'une allure grandiose, se compose de douze colonnes corinthiennes accouplées. En arrière, d'immenses fenêtres rectangulaires sont ornées de frontons et de consoles. L'avant-corps central est sommé d'un fronton triangulaire. De chaque côté, les pavillons sont percés d'une grande baie en plein cintre cantonnée de pilastres.

La construction présenta beaucoup de difficultés. Pour soutenir le pesant entablement, les pierres des colonnes durent être fixées par des tringles, des tenants et des crochets. C'est fort abusivement que certains veulent aujourd'hui voir là un mode de construction précurseur de l'architecture de fer. En fait, il s'agissait d'une sorte d'orthopédie rudimentaire, et Gabriel, en 1757, dut refaire la

La colonnade fut restaurée par Gabriel en 1757.

colonnade entière qui menaçait de se ruiner. Le péristyle, devant sa large terrasse inutile, plongeait les appartements dans une demi-obscurité. Ce morceau d'architecture magistrale plaqué devant les bâtiments de la cour du Louvre, qu'il fallut surélever, est aussi un parfait exemple d'architecture antifonctionnelle.

L'aile de la colonnade était prévue pour recevoir les appartements du roi. On dut y renoncer. Il aurait fallu dégager les abords immédiats du Louvre en expropriant les maisons situées entre le palais et Saint-Germain-l'Auxerrois, opération difficile et coûteuse en un temps où l'expropriation n'était pas admise. On décida donc de laisser les appartements royaux à leur place dans l'aile sud et d'en doubler la surface. La façade méridionale de Lescot et de Le Vau, sur la Seine, fut donc, sans hésitation, camouflée par un nouveau bâtiment plaqué sur elle. La colonnade devait être allongée pour correspondre au bâtiment qui doublait de largeur ; elle fut remaniée à cet effet — et, ajoutons-le, pour un plus bel effet. Le pavillon d'angle sud-est s'étant amplifié, le souci de rétablir les proportions de l'ensemble entraîna l'agrandissement du pavillon symétrique et du pavillon central. La nouvelle façade se trouvant plus haute que les bâtiments antérieurs, on dut racheter la différence en construisant au revers un étage supplémentaire. Il n'y avait alors plus de raison pour que l'exhaussement ne fût pas généralisé et ne se prolongeât point tout autour du quadrangle. Devant le jardin de l'Infante cette nouvelle façade est fort majestueuse. Sur un soubassement où s'alignent de hautes fenêtres, deux étages sont unis par un ordre corinthien et couronnés par une balustrade. L'avant-corps central est percé d'un large passage d'accès. L'ensemble est traité dans un style qui s'harmonise parfaitement avec celui de la Colonnade. Au nord, sur l'actuelle rue de Rivoli, les bâtiments, édifiés

aussi sur les dessins de la commission créée par Colbert, se raccordent au pavillon de la Colonnade et le prolongent dans un rythme identique. Pas de pilastres, mais des bandeaux qui accentuent de bout en bout la dominante horizontale. Une succession d'avancées rompt la monotonie grâce à la discrète répartition des refends. Les sculptures des avant-corps sont de Le Hongre, Tuby, Legendre et Masson. Napoléon, alors premier consul, décida de créer un étage supérieur dans la cour carrée, après l'avoir débarrassée des « baraques » qui restaient encore au milieu. C'était sacrifier l'attique et rompre les proportions établies. Il ne voulut pas toucher à l'aile orientale de Lescot et Lemercier. Ainsi la cour fut-elle surélevée seulement sur trois côtés. La tâche fut confiée à Percier et Fontaine qui complétaient les travaux de Gabriel et eurent le bon goût de ne faire aucune innovation, de se borner à une reproduction de l'architecture antérieure.

Dès 1680, tout l'intérêt du roi s'était concentré sur Versailles. Il avait décidé d'y établir le siège du gouvernement et d'en faire le palais qui éblouirait l'Europe. Au Louvre, tous les travaux furent arrêtés. L'aménagement des appartements resta en suspens et même les toitures restèrent inachevées. Le plan Turgot (1739) nous montre les bâtiments de l'aile sud et ceux de la colonnade semblables à des caisses sans couvercles. Malgré les suppliques de Colbert tous les crédits furent reportés sur Versailles. Ce serait pourtant une erreur de croire que Louis XIV se désintéressait de Paris. N'oublions pas le dôme des Invalides, la place des Victoires, la place Vendôme, les boulevards... Mais c'est un fait que personnellement il l'abandonna. Toutefois il donna l'ordre de compléter les décorations ébauchées par Poussin qui, en 1661, avaient été endommagées par un incendie.

Le Louvre au XVIIIᵉ siècle.

Les dégâts produits par l'inachèvement de la construction ne furent rien à côté de l'incroyable désordre qui régna au Louvre durant le XVIIIᵉ siècle. A côté des Académies, qui y avaient leur place légitime (l'Académie des sciences était logée dans l'appartement du roi), une foule de personnages se trouvèrent des droits à bénéficier de logements gratuits. Ces occupations prirent des proportions extravagantes. Les galeries étaient découpées; des couloirs, des escaliers dérobés les transformaient en dédales. Des occupants de l'étage supérieur perçaient leur plafond pour s'attribuer leur part de grenier. Des tuyaux de poêles étaient accostés aux poutres et débouchaient à travers des carreaux. Tassaert avait fait porter « trois à quatre pieds de terre » sur la terrasse de la colonnade où il avait planté des arbres. Le duc de Nevers avait installé ses écuries au rez-de-chaussée de l'aile méridionale. Les artistes de qualité, peintres, sculpteurs, ornemanistes, étaient logés de droit au Louvre, mais ils agissaient trop souvent eux aussi avec désinvolture. Les architectes rédigeaient bien des rapports alarmistes, signalant les plombs rongés, les joints de pierre distendus, les menaces d'incendie, mais la plupart restaient sans suite ou étaient suivis de récidives. Des échoppes cernaient les murs extérieurs attribués généralement à de vieux serviteurs et à leurs descendants qui se considéraient comme nantis de privilèges héréditaires. L'Académie de peinture et sculpture avait pu obtenir, pour augmenter ses revenus, d'établir des boutiques au long de la galerie du bord de l'eau pour en percevoir le loyer; exemple qui fut suivi par l'école gratuite de dessin du côté de la colonnade. Et les bâtisses qui subsistaient au milieu de la cour carrée continuaient à recevoir des sculpteurs, leurs veuves, etc. Ces situations scandaleuses se prolongeaient. Malgré tout, à partir de 1750, divers travaux furent conduits sous la direction de Soufflot. C'est alors que fut construit sur le côté nord de la cour l'étage supérieur laissé en attente.

Dans le but d'aménager la place du côté de Saint-Germain-l'Auxerrois, des immeubles qui se trouvaient devant la colonnade et en masquaient la vue furent achetés par le roi; mais on en resta là. En 1760, le Trésor étant à sec, les impôts s'aggravant, les travaux, une fois de plus, durent s'arrêter. Ce qui n'empêchait point les projets d'architecture plus ou moins chimériques, notamment pour le raccordement du Louvre aux Tuileries. Même le choix d'affectations raisonnables, comme le transfert depuis longtemps souhaité de la bibliothèque du roi, et que Louis XV demandait, ne pouvait s'opérer. Seules les archives officielles du royaume furent déposées au Louvre.

Cependant Paris ne cessait de grandir. Des hôtels magnifiques s'élevaient au faubourg Saint-Germain, au faubourg Saint-Honoré, dans les nouveaux quartiers des Porcherons et de la Nouvelle France. Victor Louis construisait les galeries du Palais-Royal et Ledoux ses monumentales « barrières » autour de la ville. Pour la plaisance ou pour le rapport régnait une fièvre de construction. Et

La grande galerie, peinture d'Hubert Robert.

elle faisait jaillir des merveilles. Comment les Parisiens n'auraient-
ils pas été scandalisés de voir le Louvre des rois traité avec tant de
négligence ? Les projets de restauration et d'embellissement ne
manquaient point; ils n'avaient aucune chance d'aboutir : les
finances de l'Etat n'étaient plus garanties que par les expédients de
ses ministres.

Le Musée. Révolution et Empire.

Dès le milieu du XVIII⁰ siècle, l'idée était lancée d'exposer et de
présenter au public des œuvres provenant des collections royales.
En 1768, le marquis de Marigny proposait d'installer ces collections
dans la galerie du bord de l'eau où le public pourrait jouir de ces
inestimables richesses. Le comte d'Angivillier, son successeur,
comme lui grand protecteur des arts et des artistes, reprit son idée
et commanda de déménager les plans-reliefs qui en occupaient la
plus grande partie. (Cette remarquable collection a été transférée
aux Invalides dans les pièces basses du dernier étage où elles sont
encore, malgré tous les projets de la faire bénéficier d'un cadre
mieux adapté.) A partir de 1780, des travaux de consolidation et
d'aménagement furent entrepris pour présenter les tableaux du roi
qui restent aujourd'hui les merveilles du Louvre. La question de
l'éclairage se posait — comme elle se pose toujours. Le projet exécuté
à la demande de d'Angivillier prévoyait un éclairage zénithal, qui
commandait la réfection de la voûte. En 1789, à la veille de la
Révolution, on procédait encore à des essais dans le salon carré en
vue de l'installation du musée... La Convention adopta par décret
l'ouverture d'un Muséum des arts et des sciences avec d'autant plus
d'empressement que les collections royales s'étaient augmentées
des biens d'églises et de ceux des émigrés. A la suite des guerres
menées dans les Flandres et en Italie, le butin comprenait de nombreuses œuvres d'art. En 1798, dans une atmosphère de fête, avec
une pompe extraordinaire, arriva d'outre-monts un immense cortège
de statues antiques que Bonaparte s'était fait attribuer par traités
diplomatiques (la plupart devait retourner en 1815 dans leur pays
d'origine). Ce que nous considérons aujourd'hui comme des
rapines était alors compris comme une œuvre de haute culture
européenne. N'était-ce pas à Paris, d'où rayonnait la lumière, au
Louvre, musée majeur de l'Europe, que devaient être groupés les
chefs-d'œuvre de la civilisation ? Les peintures, rangées bord à bord,
avaient déjà rempli ce qui était disponible dans la grande galerie.
Mais celle-ci avait reçu vingt-six appartements occupés par les
artistes (A tout seigneur... David en habitait trois à lui seul).
Comme au XVIII⁰ siècle, le Louvre grouillait d'occupants, et les
architectes contrôleurs ne cessaient de se plaindre de leurs dégâts et
des risques d'incendie. Par un arrêté de 1801, tous les artistes furent
expulsés. Les œuvres françaises furent transportées à Versailles
pour constituer un « musée français ». Bonaparte résolut de faire
disparaître les incongruités qui résultaient des occupations abusives
et de faire abattre tous les appentis qui déshonoraient le palais; il
voulait surtout reprendre le « grand dessein » des rois. Dès qu'il se

ut proclamé empereur il chargea Percier et Fontaine de cette tâche,
it commença la démolition du quartier d'habitation inclus entre
e Louvre et les Tuileries (où il résidait), et commanda l'aménagement des salles nécessaires pour présenter son musée. En 1806 les
derniers artistes qui y habitaient encore durent évacuer le palais.

Napoléon se considérait à la fois comme le continuateur de la
monarchie et de la Révolution. La Convention n'avait-elle pas
epris l'idée de Louis XVI en abritant dans le palais des rois les
principales œuvres d'art de la Couronne ? La nouvelle vocation
du Louvre « temple des arts », les souvenirs qui s'y rattachaient,
a situation au cœur de la ville, c'étaient des titres qui commandaient de traiter ce monument avec les plus grands égards. Ses
architectes le poussaient à des transformations grandioses et présentaient des plans extrêmement ambitieux : tout l'espace compris
entre le Louvre et les Tuileries aurait été rempli de colonnades

La cérémonie du mariage de Napoléon Ier, d'après Percier.

Avec la Victoire qui surmonte le guichet de la colonnade, le Premier Empire voulut poser sa marque sur le « palais des rois ».

alignées autour de cours immenses ; sur l'aile nord devait se greffe un opéra et une monumentale chapelle impériale nommée églis Saint-Napoléon — un saint dont l'existence est fort incertaine une place en demi-lune ordonnancée dans le même style étai dessinée de l'autre côté, devant la Colonnade, prolongée par un avenue axiale aboutissant à l'Hôtel de Ville ; l'église Saint-Germain l'Auxerrois disparaissait dans l'opération. Ces projets étaient for coûteux, l'empereur, en définitive, estima avec juste raison qu'o ne pouvait mieux faire que de laisser un grand espace libre a centre pour mettre les deux palais en valeur. Fontaine, homm d'autorité et de talent, était en principe chargé de l'architectur extérieure, tandis que Percier, dessinateur virtuose des monument et des décors antiques, devait s'occuper des intérieurs. En réalit leur collaboration restait étroite. Ils commencèrent par achever la partie supérieure des trois façades incomplètes de la cour e eurent l'intelligence, pour limiter les dégâts, de se livrer à la strict imitation de l'œuvre antérieure. Le guichet de la colonnade fu surmonté d'un bas-relief assez sec de Cartellier représentant un Victoire sur un quadrige. Au fronton, Minerve, entourée de muses et de génies, couronnait un buste de l'Empereur — remplacé sous la Restauration par celui de Louis XIV. Evidemment, nous somme loin des grâces vivantes de Goujon, mais l'honnête talent des sculpteurs de l'Empire reste encore discret et sans grave ruptur de style.

Les Tuileries et le Louvre furent réaménagés par Percier et Fontaine avec le sens aiguisé d'un art de fête sur des thèmes antiques. Si, après l'incendie de 1871, la décoration intérieure des Tuileries a disparu, nous voyons au Louvre des éléments importants dus à ces rchitectes dans la grande galerie, ce corridor de 442 m, scandé 'arcs doubleaux et de colonnes de marbre qui le divisèrent en euf travées, alternativement éclairées par les fenêtres et par la oûte. Napoléon n'était pas satisfait des projets présentés pour a réunion des deux palais. La tâche, en vérité, n'était pas facile : . fallait rectifier par des artifices visuels leur défaut de parallélisme, t aussi tenir compte d'une dénivellation nord-sud assez marquée. Après bien des tergiversations, il fut décidé que l'on renoncerait tout corps de bâtiment transversal : on se limiterait à continuer 'aile du nord au long de la rue de Rivoli, du pavillon de Rohan au avillon de Marsan, qui deviendrait un pavillon d'angle des Tui- eries. Pour faire régner l'unité architecturale, on décida de cons- ruire sur les quais de la Seine une réplique de la façade de du Cer- eau à la galerie du bord de l'eau : travées décorées de pilastres 'ordre colossal, base en plein cintre, étage à fenêtres carrées ouronnées de frontons triangulaires et curvilignes. C'était la solu- ion la plus simple, la moins inventive mais probablement la meil- eure. Sur la rue de Rivoli, le style de la façade est encore plus obre, simplement ponctuée de niches où des statues d'hommes de uerre ne seront installées que sous le Second Empire. Cette façade st restée intacte tandis que la façade sur jardin, victime, dans sa artie ouest, de l'incendie de 1871 a été remplacée peu après. Mais

L'aile comprise entre les pavillons de Rohan et de Marsan est l'œuvre de Percier et de Fontaine.

a fameuse « réunion des palais » n'était toujours pas accomplie ! Une grande faille subsistait au nord, à l'emplacement occupé maintenant par le ministère des finances.

Percier avait démissionné en 1812 ; mais Fontaine resta l'architecte du Louvre jusqu'en 1848. Pour les collections égyptiennes fut ménagée la somptueuse galerie Charles X qui, chose rare, n'a pas été transformée malgré son caractère fort éloigné de la muséographie moderne. Elle porte la marque de son « style palais », arcs en plein cintre, colonnes ou pilastres couplés, marbres, reliefs de stucs ou de bronze dorés, plafonds voûtés, décorés sans discrétion par les peintres célèbres à l'époque. Des escaliers, des vestibules sont créés. La galerie d'Apollon est fermée par une grille magnifique dont l'un des vantaux provient du château de Maisons. Une horloge est posée au pavillon de l'Horloge remplaçant la baie médiane de l'attique. Il y eut dans ces nouveaux aménagements beaucoup d'arbitraire ; ainsi transporta-t-on boiseries et plafonds des chambres du roi dans les salles de la Colonnade. Des corps de bâtiments restés trop longtemps sans entretien réclamaient des travaux d'urgence : la galerie d'Apollon dut être étayée et restera fermée pendant vingt ans.

Louis-Philippe, qui aimait tant les bâtiments, était trop occupé par Versailles et son « musée à toutes les gloires de la France » pour s'intéresser beaucoup au Louvre. C'est cependant sous son règne que furent commandées à Duban les transformations de la grande galerie (entre la galerie d'Apollon et les guichets du Carrousel).

Le Louvre de Napoléon III.

Bien qu'éphémère la IIe République formait des projets de longue portée. Elle décida de reprendre l'étude de l'achèvement du Louvre. Dans les nouveaux bâtiments devaient cohabiter une partie du musée, la Bibliothèque nationale et la présentation d'œuvres de l'artisanat et de l'industrie. La grande voix de Victor Hugo amplifia avec chaleur ces décisions : ce serait « l'édifice métropolitain de l'intelligence... Où était la splendeur du trône, mettre le rayonnement du génie, faire succéder à la splendeur du passé ce qui fait la grandeur du présent et ce qui fera la beauté de l'avenir... » Bien entendu, le décret ne reçut pas le moindre commencement d'exécution. Le projet de jonction devait être enfin repris et réalisé par Napoléon III. Avant d'être couronné il avait déjà, pour faire place nette, commandé l'expropriation, puis la démolition des maisons de la place du Carrousel qui y restaient encore. Le prince-président inaugurait en 1851 la galerie d'Apollon enfin rénovée par Duban. Décoration trop abondante, mais où le plafond eut le privilège de recevoir le *Triomphe d'Apollon* de Delacroix, dont le « modernisme » ne trouble point l'ensemble.

Peu après le coup d'Etat, en mars 1852, un décret décida l'achèvement de la réunion du Louvre et des Tuileries et la restauration générale des bâtiments situés à l'ouest de la cour carrée. Les travaux furent menés avec la plus grande promptitude. Visconti avait établi un plan logique. Deux ailes prenaient naissance aux extrémi-

La grille (1650) qui ferme la galerie d'Apollon provient du château de Maisons.

tés de la cour, celle du nord rejoignant le pavillon de Rohan, l'autre s'étendant à mi-chemin de la grande galerie. Des guichets assuraient la circulation. Mais Visconti mourut l'année suivante et fut remplacé par Hector Lefuel. Bon architecte, il sut bien utiliser les plans de son prédécesseur, mais disposant de crédits très importants, il se livra à une véritable débauche ornementale; n'hésitant point à démolir sous prétexte de restaurer, puis à se livrer à des reconstitutions qui n'étaient que des caricatures. Les travaux placés sous sa coupe durèrent de 1861 à 1870 puis reprirent à la fin de 1871 jusqu'en 1876. La surface bâtie n'est pas loin d'atteindre celle qu'avaient totalisée les trois siècles précédents. Au nord, les bâtiments destinés au ministère d'Etat, aujourd'hui occupés par celui des Finances, englobent trois cours intérieures. Leur partie sud, asymétrique, avait été amorcée par Percier et Fontaine. Elle est ponctuée d'est en ouest par les pavillons Colbert, Richelieu et Turgot. La façade implantée au long de la rue de Rivoli est de beaucoup la plus sobre du Louvre de Lefuel. Son style s'inspire de Lemercier, avec une influence du Premier Empire. Elle se rompt en retour d'équerre pour s'unir à la cour carrée. En face, côté musée, des bâtiments

Dernier état du Louvre avant l'incendie de 1871.

sont greffés sur la grande galerie; les pavillons Daru, Denon et Mollien s'élèvent en réplique de ceux d'en face. Ils enferment les cours Visconti et Lefuel, celle-ci contenant une élégante double rampe en fer à cheval destinée à accéder au manège du prince impérial (mais hors de proportions avec son cadre étroit). Ce plan suivait celui de Visconti, compte tenu d'une symétrie jugée nécessaire. Il avait toutefois le grave défaut de masquer une grande partie de la galerie du bord de l'eau. L'intervention de Lefuel se manifesta de part et d'autre de la galerie par des surélévations et par des travestissements. La grande salle des Etats est construite en excroissance, et toute cette partie de la galerie, y compris le pavillon de Flore, est alors démolie pour être reconstruite et enveloppée d'un décor néo-Renaissance. La délicate ondulation d'Androuet du Cerceau dont les volumes sont à peu près respectés perd toute signification sous l'assaut des ornements. Afin de mettre le fond de son nouveau Louvre en harmonie avec le nouvel ensemble, Lefuel arrange à sa manière le revers occidental de la cour carrée, qui était très simple et valait surtout par ses proportions : les ouvertures sont modifiées, le pavillon de l'Horloge est surchargé de colonnes, de cariatides et de hautes cheminées Renaissance.

Et pourtant le parti architectural, hérité de Visconti, était loin d'être mauvais : l'implantation des nouveaux bâtiments les raccordait convenablement aux anciens; les galeries à arcades, les hautes fenêtres à fronton de l'étage, les petites ouvertures qui ponctuent l'attique surmonté de balustres, le rythme des pavillons, tout cela est conçu selon les meilleures recettes de l'école et traité avec talent. C'est du pastiche ? Certainement. Mais le XVIIe siècle au Louvre,

Le Louvre de Napoléon III
ou l'horreur du vide.

n'avait-il pas lui aussi pastiché ? Ce n'est pas là que réside le mal
mais dans l'étalage d'un goût à vrai dire déplorable. Alors que les
sculptures du vieux Louvre restaient discrètes, que celles de Goujon
faisaient régner une douceur, une noblesse toute royale, nous
voyons au Louvre de Napoléon III un excès, un tumulte qui s'exprime en hauts et bas-reliefs dans une surabondance de chaînages
vermiculés, de chapiteaux trop travaillés, de guirlandes, de volutes,
de cariatides, de trophées. La sculpture déborde de partout. Les
frontons sont trop étroits pour la contenir, et les lucarnes semblent
crouler sous leur poids. Des femmes tendent des couronnes. Des
personnages s'alignent sur les galeries comme des factionnaires
(quatre-vingt-trois statues d'hommes illustres), d'autres sont assis
sur les toits. Pourtant les meilleurs sculpteurs de l'époque ont
collaboré à ces décorations, comme Barye, Bosio, Préault, Carpeaux
(qui a participé aux sculptures du pavillon de Flore); mais le programme qui leur était donné ne pouvait qu'aboutir à ces calamités.

Une partie du Louvre avait accueilli un musée qui s'enrichissait
de très importantes collections. La Grande Galerie fut couverte
d'une verrière — d'ailleurs peu favorable à l'éclairage des tableaux.
Des salles d'honneur étaient aménagées qui s'ajoutaient à celles
des Tuileries. La plupart, comme la salle des Etats, furent décorées
avec une richesse ostentatoire qui n'a pas survécu aux extensions
du musée. Dans le bâtiment nord, celui du ministère, le moins
connu puisqu'il n'est pas ouvert au public, une aile transversale
reçut la bibliothèque. L'escalier monumental qui y conduit est

ajourd'hui celui du cabinet du ministre. Lefuel a su déployer des effets de perspective qui dénotent un sens de la composition assez remarquable. Mais là encore, l'éclectisme régnant, le recours à des styles composites et l'aberrante prodigalité des détails décoratifs desservent l'architecture.

Le château des Tuileries avait été, lui aussi, l'objet de multiples transformations intérieures. Napoléon III, s'il conserva au premier étage la salle du Trône et les solennels appartements de son grand-oncle, s'installa avec plus de simplicité au rez-de-chaussée. Les appartements créés pour l'impératrice Eugénie étaient les plus admirés — salon bleu, salon vert etc., décorés à l'excès dans un style pseudo-Louis XVI.

L'incendie des Tuileries avait atteint le pavillon de Flore et ravagé le pavillon de Marsan avec l'aile qui s'y raccordait. Pour le premier, Lefuel n'eut qu'à restaurer ce qu'il venait de terminer. Le pavillon de Marsan dut être entièrement reconstruit et orné dans le style de Flore. Toutefois, les bâtiments en retour furent traités avec plus de sobriété. En 1900, une nouvelle construction fut plaquée sur la façade, côté jardin, jusqu'à la hauteur de la rue de l'Echelle. Le pavillon de Flore, occupé par des services du ministère des Finances, fut restitué au musée en 1969 après quarante ans de démarches et de protestations — ce qui nécessita un complet remaniement de l'intérieur.

L'effort poursuivi pendant huit siècles par la France pour établir un palais digne de son renom témoigne d'un esprit de continuité souvent souligné. Devenu musée, le Louvre dut aménager, dans des structures qui n'étaient pas conçues pour lui, un cadre adapté aux collections immenses et magnifiques qu'il abrite. C'est un musée-palais où il faut tenir compte de la mise en valeur de l'œuvre d'art sans porter préjudice à l'architecture qui l'accueille. S'il y a parfois conflit entre le désir de satisfaire la muséologie moderne et le souci de respecter l'intégrité d'un tel monument historique, c'est la conséquence de ce double destin.   101 N

La complexité des lieux pose souvent des problèmes aux visiteurs. On doit au moins rappeler que la porte principale du musée, la porte Denon, se trouve en face des deux squares affligeants que l'on jugea à propos d'établir au fond de la cour du Carrousel. La porte Champollion (façade de la Colonnade) permet d'accéder directement aux importantes collections d'art antique. Pour la sculpture du Moyen Age, on se rendra sous les guichets, à droite, du côté de la Seine. L'entrée du pavillon de Flore (sculpture, des XVIIe et XIXe siècles, peinture espagnole et cabinet des dessins) se trouve sur les jardins de la place du Carrousel. Et si l'on veut voir les Impressionnistes, il faut traverser le jardin des Tuileries dans toute sa longueur jusqu'au Jeu de Paume, et gagner la terrasse de droite qui domine la place de la Concorde.

VIᵉ. Faute de pouvoir s'étendre à l'intérieur des marécages de la rive droite, la petite ville gallo-romaine avait poussé assez loin son avance sur l'autre rive. Des villas patriciennes s'élevèrent jusqu'à l'emplacement de notre jardin du Luxembourg. Au début du siècle dernier des terrassiers découvrirent des objets de qualité, des hypocaustes qui témoignaient de la présence d'habitations importantes. Après l'occupation romaine ces terrains furent couverts de vignes et de vergers. Selon la tradition, Robert le Pieux, à la suite de son excommunication, y aurait construit une retraite, le château de Vauvert qui, plus tard, aurait été hanté par des démons. D'où l'expression : « aller au diable Vauvert ». Mais il semble plutôt qu'il s'agissait de mauvais plaisants dont les sarabandes nocturnes effrayaient les rares passants. Si la rue voisine fut nommée rue d'Enfer, n'y voyons aucune allusion à ces diableries, mais une adaptation catholique de « via inferior », la route établie par les Romains (notons qu'un autre calembour permit, en 1879, de donner le nom de Denfert-Rochereau à une partie de son parcours).

A la demande de saint Louis, une dizaine de moines de la Grande-Chartreuse vinrent bâtir leurs cellules sur les terres de Vauvert. Le monastère s'agrandit si bien qu'au xvᵉ siècle il y avait quarante cellules de chartreux — avec leurs jardins particuliers, une église, deux cloîtres, dont l'un devait être décoré par Le Sueur des vingt-deux scènes de la vie de saint Bruno qui sont à présent au Louvre. Tout cela dans un vaste enclos, avec un moulin, des engrangements, des champs qui s'étendaient sur toute la partie sud du futur Luxembourg. C'est en 1615 que Marie de Médicis demanda à Salomon de Brosse de lui édifier, au nord, une grande résidence où nous trouvons des réminiscences du palais Pitti, mais sur un plan tout à fait français.

Le jardin fut planté avant même que la reine eût acquis tous les terrains où devait s'édifier sa fastueuse demeure. Singulier jardin. Tout en largeur. Sans profondeur — bien qu'on ait obtenu des chartreux, par échange, une bande de terrain sur leurs enclos. Mais, devant la façade du palais, les murs du couvent coupaient la perspective à 200 m. Faute de pouvoir en déloger les religieux, le jardin de la reine s'étendit démesurément sur un côté, au long de la rue de Vaugirard. Il avait été tracé par Nicolas Descamps, puis par Jacques Boyceau, qui travaillèrent dans le goût italien. Le parterre, devant la façade, avait ses bords relevés en terrasses cernées de balustrades. Au centre, de grands rectangles de gazons et de broderies au chiffre des Médicis se trouvaient de part et d'autre d'un bassin octogone. C'est la séduisante disposition qui subsiste encore dans son principe malgré les remaniements. Pour amener l'eau, un aqueduc avait été construit au départ de Rungis, qui renouvelait l'entreprise des Romains. Il desservait tout le quartier, peu pourvu, où furent disposées treize fontaines publiques en même temps que le palais et les jardins. John Evelin, écrivain, peintre et grand amateur de jardins, nous en a laissé une description enthousiaste : « Ce n'est pas un des moindres plaisirs qu'on

jardin du Luxembourg

Déjà au XVIIIᵉ siècle, le bon ton commandait aux Parisiens de se promener dans les jardins du Luxembourg.

y goûte que la vue de tant de gens de qualité, de bourgeois et d'étrangers qui le fréquentent, et qui ont partout un libre accès; en sorte que vous voyez telles allées et tels lieux retirés, pleins de beaux galants et de belles dames; dans d'autres, de mélancoliques moines; dans d'autres, des savants studieux; plus loin, des bourgeois de bonne humeur : les uns assis, les autres couchés sur l'herbe, d'autres qui courent et sautent; ceux-ci à jouer aux boules ou à la balle; ceux-là à chanter et à danser; et tout cela sans se déranger mutuellement tant il y a d'espace pour leurs ébats. »

A la mort de Louis XIII, le jardin, comme le palais, échut à Gaston d'Orléans, puis passa à sa fille, la Grande Mademoiselle. La duchesse de Guise en fit don au roi. C'était Louis XIV. N'en ayant que faire, il le céda à son frère Philippe d'Orléans. Duclos raconte que la duchesse de Berry, « pour passer les nuits d'été dans le jardin avec une liberté qui avait plus besoin de complices que de témoins, en fit murer toutes les portes sauf une ». Si l'affirmation est exacte, le jardin n'en resta pas moins ouvert habituellement. Combien d'artistes, d'écrivains et de poètes n'y sont-il pas venus rêver! Watteau aimait s'y promener au crépuscule, et nous retrouvons dans ses compositions des décors précieux, des balustres, des arbres en panache qui peuvent aussi bien avoir été inspirés par le Luxembourg que par La Vallière ou par Nogent. Diderot, Bernardin de Saint-Pierre, l'abbé Prévost en étaient les familiers.

Devant les fenêtres, tout commandait une perspective, mais celle-ci était toujours barrée par les murs des Chartreux. Ni princes, ni rois n'avaient pu faire céder les moines. Il fallut la Révolution pour arriver au but. Mais au prix de la destruction de l'église et des cloîtres. Bonaparte, premier consul, s'étant installé au palais du Luxembourg l'abandonna pour les Tuileries en le laissant au Sénat.

La percée en direction de l'Observatoire est alors décidée, mais les travaux de terrassement s'éternisèrent. Daubenton eut l'idée de planter une pépinière du côté de la rue d'Assas, où furent rassemblés la plupart des arbres et arbustes qui poussent en France. Elle fut moins disposée comme une pépinière que comme un jardin laissé à l'état de nature; des sentiers sinuaient sur un sol accidenté.

Chalgrin prit la direction des travaux. La transition entre le parterre et la nouvelle avenue fut aménagée. Près du bassin, des talus gazonnés s'appuyèrent aux terrasses. Devant la façade du palais le sol fut surbaissé; un vaste plan circulaire en contrebas s'ouvrit largement jusqu'au perron orné de statues qui conduisait le regard jusqu'à la façade de l'Observatoire par une avenue plantée de quatre files d'arbres. En 1836, Alphonse de Gisors étant chargé d'agrandir le palais, la façade sur le jardin subit des adjonctions importantes. Le bassin hexagonal fut agrandi. Deux colonnes surmontées de statues s'élevèrent de part et d'autre. Le large espace aéré qui s'étend jusqu'à l'avenue de l'Observatoire prit alors le dessin qu'il a gardé.

C'est sous le règne de Napoléon III que le Luxembourg fut rétréci. On commença par tracer la rue de Médicis en rognant une partie du jardin, puis la grande allée de platanes et le terrain

Au XIXᵉ siècle, les jeux d'enfants remplacèrent les mondanités.

en bordure firent place à la rue du Luxembourg — devenue rue Guynemer. Ces dévastations soulevèrent l'indignation. Les terrains, très convoités, étaient naturellement vendus pour la construction et furent l'objet de honteuses spéculations. Il y eut une « affaire du Luxembourg » dont les incidences politiques ne furent pas sans gravité. Le quartier Latin s'échauffa. Quand l'empereur et l'impératrice, en 1866, vinrent à l'Odéon pour assister à la représentation d'une pièce d'Emile Augier, on cria : « Renvoyez Haussmann! » Et ils furent eux-mêmes conspués. Toutes les parties du jardin qui bordent les clôtures ont été « modernisées » au XIXᵉ siècle, c'est-à-dire redessinées « à l'anglaise ». On laissa cependant une grande partie des quinconces, si favorables aux jeux. L'Orangerie, construction banale datant de 1850, devint en 1884 musée national d'Art moderne (transféré dans les bâtiments neufs de l'avenue Wilson en 1937).

La fontaine Médicis date de l'origine du jardin. Toute vêtue de congélations on la nommait alors « la Grotte ». Elle représente bien, malgré ses avatars, un certain esprit baroque qui se répandait en Europe. D'après l'inscription qui figure au verso, elle aurait eu Salomon de Brosse pour auteur. On pourrait plutôt l'attribuer à Jacques Lemercier si l'on compare sa structure et son décor au nymphée de Wideville. Elle s'appuyait à une construction qui fut mise à bas lors du percement de la rue Médicis en 1860. Avec ses colonnes cannelées, son fronton aux armes de Marie de Médicis soutenu par des figures de fleuves, était-ce l'entrée d'un nymphée ? Ou un simple décor d'architecture ? Dans tous les cas, c'est Chalgrin qui en fit une fontaine. Lorsque Haussmann, qui ne respectait pas grand-chose de ce qui se trouvait sur les tracés de son tire-ligne, écorna ce côté du Luxembourg, la fontaine fut condamnée. L'architecte du Sénat protesta et se fit fort d'utiliser la fontaine en la remontant à l'endroit où nous la trouvons. Comme elle était devenue visible sur ses deux faces, ce fut l'occasion de sauver en même temps la jolie fontaine de Léda du carrefour Saint-Placide, qui devait aussi être démolie, pour décorer la façade postérieure. C'est un bas-relief néo-classique, un peu froid, un peu trop pastiché de la Renaissance, mais non sans grâce. Quant à la vraie façade, elle fut décorée de la géante statue de fonte de Polyphème penché sur un rocher pour surprendre la petite nymphe Galathée étendue avec délices dans les bras du berger Acis. Toutes ces transformations, ces ajoutures, ces rencontres de sculptures différentes d'échelle et de style, comment n'ont-elles pas abouti à quelque chose de monstrueux ? C'est le miracle du cadre ; devant son long bassin sombre aux reflets d'étang qui, dès l'automne, se couvre de feuilles mortes, dans son décor de grands vases, de platanes et de guirlandes de lierre, la fontaine possède un charme qui parle au cœur.

Ce n'est pas le cas, hélas! des statues qui ont proliféré dans le jardin sous la IIIᵉ République. Parce que des artistes et des gens de lettres l'ont fréquenté, on en rencontre à chaque détour d'allées; leur attitude, leur tenue vestimentaire, leurs accessoires symboliques dépassent trop souvent la limite du ridicule. En ce sens, la tête

La fontaine de Médicis et les mystères de la perspective.

Sous le regard d'Amphitrite, les pâtés de sable de la Belle Epoque.

de Verlaine qui émerge, l'air furibond, d'une espèce de bouteille, mérite une mention. Par contre, le Delacroix de Dalou, au fond de la terrasse de l'ouest, est un morceau de sculpture où passe un peu du souffle de Carpeaux. Quant aux statues de reines et de « femmes illustres » que Louis-Philippe fit placer sur la terrasse, lourdes, engoncées, leur visage ne reflète que la niaiserie. Parmi les nymphes, faunes et éphèbes qui ornent cette terrasse, il faut citer, à titre de curiosité historique, la *Velléda*, d'Hippolyte Maindron, qui valut à son auteur, on ne comprend plus très bien pourquoi, un succès retentissant.

Dans aucun jardin parisien ne se voient autant de personnes un livre ouvert entre les mains ou d'étudiants corrigeant des cahiers de notes sur leurs genoux. C'est le lieu de détente, mais aussi de travail du quartier Latin. La géographie humaine du Luxembourg a ses frontières traditionnelles. Les étudiants règnent en maîtres dans les espaces qui avoisinent le boulevard Saint-Michel. Les quinconces sont réservés aux jeux vifs des enfants; de jeunes couples se croient isolés dans les allées sinueuses; les joueurs de boules ont leurs habitudes sur la terrasse ombreuse qui s'étend près du Sénat, tandis que les mères de famille mènent leurs bébés à la « Petite Provence », c'est-à-dire devant l'Orangerie, pour recueillir les premiers rayons de soleil du printemps. 102 S

15, rue de Vaugirard, VIe. Accueillie sans faste et dans l'obscurité lors de son arrivée au Louvre, Marie de Médicis s'y déplut beaucoup, et ne s'en cachait guère. Son opulente beauté ne pouvait retenir un époux volage, rieur et adulé, qui lui reprochait ses entêtements mêlés d'un goût prononcé pour l'intrigue. Sitôt que le couteau de Ravaillac la fit veuve et que la régence fut proclamée, elle résolut de faire construire un palais qu'elle organiserait à sa guise. La raison majeure de cette décision était l'éventuel mariage de son fils, futur Louis XIII, puisque la tradition voulait que la nouvelle reine prît sa place dans les appartements royaux. Elle jeta d'abord son dévolu sur un hôtel de la rue de Vaugirard, propriété du duc François de Piney-Luxembourg qui l'habitait peu et le lui vendit. S'il avait l'avantage de donner sur 8 ha de jardins, il n'était évidemment pas à la mesure de ses ambitions; ce ne fut qu'un point de départ pour l'accomplissement de plus vastes projets. La reine mère avait conservé un souvenir nostalgique de son enfance florentine au palais Pitti. Elle mit alors tout en œuvre pour réaliser la grande demeure de ses rêves.

Des maisons et des terrains voisins sont acquis, Clément Métezeau est délégué pour prendre des relevés du palais florentin, Salomon de Brosse est choisi pour établir les plans du palais

palais du Luxembourg

Le palais du Luxembourg fut construit par Salomon de Brosse pour Marie de Médicis.

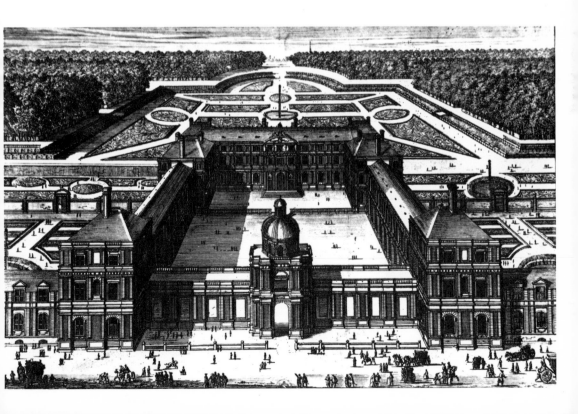

parisien. Dans sa prudence, afin d'être plus certaine de ne pas se tromper, elle fait soumettre ce projet aux architectes les plus réputés d'Europe qui le renvoient, bien entendu, — pouvait-on contrarier le choix d'une Médicis ? — accompagné des commentaires les plus louangeurs. Une maquette est demandée à Pierre Le Muet. Les devis se montaient à 200 000 écus. (Mais en ce temps-là comme aujourd'hui, les devis étaient généralement dépassés.) Les travaux commencèrent en 1615.

Le palais sera relié par un bâtiment de passage à l'hôtel de Luxembourg destiné à Richelieu. On le nommait Petit Luxembourg, tandis que la nouvelle demeure fut officiellement nommée palais Médicis. Mais les Parisiens, qui n'aiment pas changer leurs habitudes, se refuseront obstinément à le désigner ainsi : c'est le nom de ce fugitif passant que fut le duc de Luxembourg qui restera désormais attaché au palais quels que soient ses baptêmes officiels successifs.

Le bâtiment construit par Salomon de Brosse est-il un palais florentin ? Au vrai, ni ses dispositions, ni ses ordres, ni ses pavillons, ni ses toitures élevées ne permettent de l'évoquer. Il y a certes des bossages à l'italienne très apparents, mais qui n'ont rien de commun avec les énormes blocs volontairement mal dégrossis du palais Pitti. Le plan est celui d'une demeure parisienne entre cour et jardin — une très vaste cour, et un immense jardin, tout en largeur, limité dans sa longueur par le couvent des Chartreux et ses multiples dépendances. Il sera décoré de grands parterres de broderie, de grottes et de petits jets d'eau retombant dans des vasques de marbre qui pouvaient rappeler à la Florentine le jardin de Boboli. Situé dans l'axe à peine infléchi de la rue de Tournon et de la rue de Seine, d'où l'on découvre sa majestueuse entrée, isolé des constructions voisines, il se présentait comme un château solennel, alors que les hôtels parisiens se rattachaient à des bâtiments contigus.

Malgré toutes les métamorphoses intérieures qu'il eut à subir lors de son affectation au Sénat conservateur, puis à la Chambre des pairs, le bâtiment a peu changé, au moins du côté de l'entrée. Cependant il fallut en augmenter le volume. Sous Louis-Philippe, l'architecte de Gisors eut le bon esprit de reconstruire une façade en avancée sur le jardin, exacte réplique de celle de Salomon de Brosse, afin d'aménager la salle des séances et ses annexes. Ainsi, ce que nous voyons devant le bassin est une fausse façade, vraie cependant.

La grande entrée (façade nord) est d'un caractère assez imprévu en France. Le pavillon central, d'aspect massif, composé de deux étages, dont les colonnes couplées sont baguées, est coiffé d'un dôme sur plan circulaire qui lui confère un aspect royal (notons qu'à Paris seules les églises avaient reçu des dômes circulaires : les dômes des Tuileries et du Louvre sont adaptés à la verticale du monument). De part et d'autre, ce corps central était relié aux pavillons d'angle par des galeries en rez-de-chaussée surmontées d'une terrasse. Les pavillons sont importants, très saillants, cou-

Profil du dedans de la Cour du Luxembourg

verts de toits en pyramides tronquées. Les niches vides tournées vers l'entrée accueillaient autrefois les statues de Henri IV et de la reine. Les pavillons qui scandent les façades latérales sont décentrés depuis la « dilatation » opérée au XIXᵉ siècle : ils sont quatre de chaque côté au lieu de trois. Quant à la façade reconstituée sur les jardins, elle se distingue par ses pavillons d'angle carrés en forte saillie. Remercions Gisors d'avoir voulu respecter le plan de son prédécesseur. Les quatre statues qui entourent l'horloge ont été refaites d'après les originaux de Pradier, qui a également exécuté le tympan.

L'extérieur du Luxembourg frappe surtout par l'importance des bossages arrondis et par la vigueur de dessins géométriques affirmée par ses refends. La cour d'honneur est très vaste (59 m sur 70 m), simple et digne. Les arcades de la galerie d'entrée, autrefois à jour, ont été fermées.

A l'intérieur il ne reste à peu près rien de ce qu'on y pouvait admirer au temps de Marie de Médicis. En 1817, furent récupérés des épaves dispersées qui sont disposées dans une pièce spécialement aménagée : la Salle du Livre d'or. On y voit des portes ornées, des lambris, des médaillons, des panneaux de bois délicatement décorés de peintures flamandes. Les appartements de la reine se trouvaient au premier étage dans le pavillon de l'ouest, précédés de deux très grandes salles d'apparat. La chambre à coucher avait reçu une haute cheminée ornée de sculptures. Elle voisinait avec l'oratoire et le « cabinet doré », dont les contemporains ont décrit les voûtes peintes et les baies vitrées de cristal dont les morceaux étaient raccordés non point par du plomb, mais par de l'argent. La grande merveille, la gloire du palais Médicis, c'était évidemment la galerie des Rubens qui fermait la cour à droite. Rubens vint à Paris en 1621 pour recevoir la commande, prendre connaissance du programme fixé par la reine, et voir le bâtiment qu'il avait à décorer : une galerie de 60 m de long et 8 m de large; éclairée de chaque côté par neuf baies qui déterminent l'emplacement de

Profil de la cour d'honneur. A droite, le dôme du pavillon d'entrée (façade nord).

seize tableaux de 3 m sur 4. Aux extrémités, des portraits en pied, plus grands que nature, de la reine et de ses parents. Il s'agissait de représenter les grands événements de la vie de Marie de Médicis et les idées maîtresses qui avaient dominé la politique européenne. Une Médicis ne pouvait être qu'une amie des arts, et ce n'était point par hasard que Rubens, alors au sommet de sa gloire, avait été choisi; mais ce monument de l'histoire de l'art était surtout pour la régente un acte politique. Les thèmes furent soigneusement étudiés en collaboration avec Richelieu et Peiresc. N'oublions pas que Rubens, familier des cours, était aussi un diplomate. Il fallait l'être pour symboliser tant de complexités d'une existence aussi agitée où n'avaient manqué ni les conflits, ni les rébellions, ni l'exil. Seul un Rubens pouvait accepter de peindre de telles surfaces et seul il pouvait allier la réalité transcendante à l'allégorie dans un chef-d'œuvre d'invention, de lumière et d'éclat.

Devant l'enthousiasme manifesté par les visiteurs français et étrangers, Marie de Médicis décida de faire décorer la galerie symétrique d'une suite de tableaux de même importance sur la vie de Henri IV. Mais c'était l'époque des plus vives discordes avec Louis XIII et Richelieu. Et il semble aussi que Rubens n'était pas très pressé d'accepter la commande car il n'avait pas encore été entièrement payé des 20 000 écus qui lui étaient dus. Il a peint pourtant l'un des sujets : l'*Entrée de Henri IV à Paris*, qui se trouve aux Offices. L'ensemble de la *Vie de Marie de Médicis* fut transféré au Louvre en 1815. En 1900, une salle spéciale fut aménagée pour le mettre en valeur. Des projets de réorganisation générale du musée risquent de provoquer encore un autre déménagement.

Avant de partir pour l'exil, la reine céda à Gaston d'Orléans sa demeure qui devint palais d'Orléans. Ses filles, dont la Grande Mademoiselle, y habitèrent. Il fut donné à Louis XIV, puis successivement occupé par le Régent, par la duchesse de Brunswick, et par le comte de Provence. Sous le règne de Louis XV, ses galeries magnifiquement enrichies de tableaux provenant du Cabinet du Roi furent ouvertes au public. On inaugurait ainsi le premier musée de peintures de France.

Pendant la Révolution, le Luxembourg devait servir de prison : une prison de bonne société puisqu'on relève chez ses hôtes les noms de Fabre d'Eglantine, de David, de Danton, de Joséphine de Beauharnais, future impératrice de France. Le Directoire en fit le siège des directeurs, et le Consulat celui des consuls.

Tout s'était passé jusqu'alors sans grand dégât. Avec l'Empire, c'est tout différent. L'installation du Sénat conservateur entraîne de grands bouleversements. Chalgrin est chargé des nouveaux aménagements. Un vestibule à colonnes du plus pur style Empire passe sous une salle de séances. Un très majestueux escalier d'honneur à volée droite de 48 marches s'élève dans la galerie des Rubens, avec six lionnes étendues sur ses côtés, tandis que des statues de généraux et de législateurs montent la garde. La voûte est décorée de caissons et de rosaces. Dans la partie supérieure, des Gobelins ont remplacé les tableaux de Rubens.

L'escalier d'honneur, avec ses lionnes et son plafond à caissons, fut conçu sous l'Empire par l'architecte Chalgrin.

Le plafond de la galerie du Trône.

Lorsque Louis XVIII établit au Luxembourg la chambre des pairs, Gisors est chargé d'agrandir et de remanier entièrement toute la partie du monument qui donne sur le jardin, en y installant la salle des séances avec ses annexes; enfin, sous le règne de Napoléon III, sera construite, cette fois en avancée sur la cour, la salle du Trône. La salle des séances est confortablement aménagée pour accueillir 300 sénateurs. Le petit hémicycle de la tribune a reçu dans sa colonnade des statues de législateurs. Derrière, dans la longue et agréable galerie qui s'étend sur le jardin, la bibliothèque (200 000 volumes) est centrée sur une coupole (7 m de diamètre sur 3,50 m de hauteur), décorée de peintures de Delacroix qui représentent, selon lui, « les limbes décrits par Dante au quatrième chant de son Enfer » : des sages et des héros de l'Antiquité errant parmi les myrtes. Cette composition toute de majestueuse sérénité porte ombrage à celles de Riesener et de Roqueplan dans les compartiments des ailes latérales.

Les anciens appartements de Marie de Médicis ont été remaniés et agrandis par Chalgrin pour faire place notamment à la salle des Huissiers et à la salle des Messagers qui, dans un décor d'apparat, reçurent de grandes toiles historiques dues à divers artistes du XIXe siècle. Quant à la galerie du Trône, elle est surdécorée avec un faste inouï. Sous un plafond à compartiments dorés, ce ne sont que reliefs, frises, médaillons, arabesques, cariatides, statues ailées. Pas un pouce qui ne soit ornementé. A la place du trône de Napoléon III règne une cheminée surmontée d'un buste de la République par Clésinger. Longue de 57 m, cette galerie s'ouvre sur deux salons à ses extrémités, comme la galerie des Glaces de Versailles. Mais il lui a manqué son Lebrun.

L'intérieur du Sénat a été « rajeuni » en 1970. Une grande salle d'assemblée est aménagée en sous-sol dans le corps de bâtiment central; son accès, ses dégagements, son décor ont su allier un esprit moderne à la majesté du lieu.

Statues de la façade de Gisors.

103 S

Place de la Madeleine, VIIIe. Dressée à l'un des carrefours les plus fréquentés de la capitale, fond de décor d'un axe majeur, la silhouette de la Madeleine est l'une des plus familières du paysage parisien. Elevée sur un socle, derrière un escalier monumental de vingt-huit marches, sa façade de temple antique répond, par-delà la Concorde et la Seine, à celle de la Chambre des Députés.

La construction de cet édifice, c'est une longue histoire des plus chaotiques, pleine d'avatars, d'hésitations, d'abandons, de ressauts, de changements d'orientation, une histoire très significative de l'évolution de la politique des arts et de la politique tout court dans une période agitée. Son origine ? Pour correspondre à la place qui portait le nom de Louis XV et à la rue Royale qui se greffait sur elle, il parut nécessaire, par esprit de symétrie, d'établir un monument face au Palais-Bourbon. On décida de remplacer l'ancienne église Sainte-Madeleine-de-la-Ville-l'Evêque par une autre, plus vaste, plus moderne, plus citadine. L'architecte Contant d'Ivry en fut nommé maître d'œuvre et, en 1763, Louis XV en posait la première pierre. Cérémonie toute symbolique. Le projet, fort discutable, avait été remplacé par celui de Couture qui prévoyait une façade et des galeries latérales à colonnes corinthiennes, et le couronnement d'une grosse coupole. L'édifice commençait à sortir de terre quand survint la Révolution. Le sous-sol servit à entreposer du vin et les colonnes inachevées furent protégées par des chapeaux de tôle en forme d'éteignoir. Pénible décor, qui subsista longtemps. On ne savait que faire de cette ébauche d'église. Une Bourse ? Un Tribunal de commerce ? Une banque nationale ? Napoléon prend une décision inattendue : par décret signé en 1806 au camp de Posen, il ordonne d'édifier un « temple de la Gloire ». Au fronton, figurera l'inscription qui définit sa destination : *L'Empereur Napoléon aux soldats de la Grande Armée*. L'exécution en sera confiée à Vignon. Napoléon lui a spécifié qu'il entend par temple « un monument tel qu'il y en avait à Athènes et non pas à Paris ». Un peu plus tard, il revient sur ce qu'il a exprimé : « C'est aux prêtres qu'il faut donner un temple à garder. Que le temple de la Gloire soit donc désormais une église. C'est le seul moyen d'achever ce monument et de le conserver. » Vignon transforme alors son projet païen en projet chrétien.

Mais le vent tourne. Souffle la défaite. L'idée d'un « temple de la Gloire » est abandonnée. Louis XVIII voudra élever à la place une église expiatoire à la mémoire de Louis XVI, de Louis XVII, de Marie-Antoinette et de Madame Elisabeth avec leurs statues en marbre blanc, tandis que, sur l'autel, une statue de sainte Madeleine aurait symbolisé la France « dans l'attitude du repentir ». Vignon n'a plus qu'à reprendre ses travaux interrompus en 1814. Mais les subsides font défaut. C'est Louis-Philippe, enfin, qui demandera un crédit spécial pour permettre de tout terminer. La gestation avait duré quatre-vingt-dix ans.

L'église Sainte-Marie-Madeleine reste un temple antique, une sorte de « Maison carrée » portée à une échelle de géants (longueur 80 m ; largeur : 43 m). Deux rangées de colonnes corinthiennes

église de la Madeleine

Une architecture païenne christianisée : l'église de la Madeleine devait être un temple de la gloire napoléonienne.

Elevation de la Nouvelle Magdeleine dont les fondations ont été Commencées en mars 1764. Sur l'allignement de la Statue de Louis xv.

Premier projet d'une église de la Madeleine dû à Couture (1764).

cannelées s'alignent sur la façade principale pour supporter le fronton du sculpteur Lemaire représentant le Jugement dernier. La façade opposée, sur la rue Tronchet, possède une seule rangée de colonnes. De chaque côté, le péristyle (plus exactement, la *cella*) comprend 36 colonnes qui sont garnies d'une décoration abondante. Contrairement au vœu de Vignon qui souhaitait des murs nus, 34 niches y ont été percées qui abritent des statues de saints, hélas, d'une grande fadeur. Et le décor des énormes vantaux de bronze du portail ne relève point le niveau général de la sculpture. L'église est à nef unique ; le chœur est en hémicycle. Les trois travées sont faiblement éclairées par des coupoles aplaties dont les pendentifs sont occupés par des bas-reliefs représentant les apôtres, sculptés par Rude, Foyatier et Pradier. Six chapelles identiques, de style classique, sont intercalées entre des colonnes avancées. Dans les revêtements, l'alliance des marbres colorés et de l'or produit un effet d'une incontestable richesse. L'architecture du chœur fortement surélevé possède une certaine majesté, bien que la grande peinture amphigourique de Delaroche, qui a l'ambition de représenter la glorification du Christianisme, reste plutôt indigente ; par contre, l'ensemble qui domine l'autel : *le Ravissement de sainte Madeleine*, dû au sculpteur italien Marochetti, plaît en ce lieu par la douceur et la grâce qui conviennent pour célébrer la belle et sainte pécheresse. Les chapelles ont reçu des groupes sculptés. En raison du prestige de son auteur, un douceâtre *Baptême du Christ*, par Rude, est le plus notoire.

On conteste généralement à l'église de la Madeleine l'esprit religieux. Reportons-nous au temps où elle fut édifiée dans le quartier le plus mondain de Paris, lorsque des orateurs célèbres montaient en chaire, que ses orgues étaient tenues par d'illustres compositeurs ; messes solennelles, grands mariages, grands enterrements y ont trouvé le cadre majestueux qui convenait à des cérémonies où se conciliaient fort bien la prière et les élégances du « grand monde ».

28, rue des Tournelles, IVe. L'architecte Jules Hardouin avait ajouté à son nom celui de son grand-oncle, l'illustre François Mansart, dont il avait été l'élève. Son immense talent était servi par une nature ambitieuse : dès qu'il devint premier architecte du roi, il acheta la terre de Sagonne et obtint qu'elle fût érigée en comté. L'hôtel qu'il éleva au Marais (1667-1670), en principe pour y résider, est une œuvre de jeunesse, et nous avons peine à croire qu'il puisse être l'œuvre d'un tel maître, tant la cour d'entrée est banale. La façade sur les jardins a plus d'attrait avec ses colonnes jumelées du rez-de-chaussée qui soutiennent un grand balcon. Au premier étage, quatre bustes (disparus) étaient posés sur des consoles. Au bout du jardin une porte s'ouvrait sur le boulevard Beaumarchais.

L'intérieur a tout autre allure. C'est en amis que Le Brun, Lafosse, Mignard, Allegrain l'ont décoré de leurs œuvres. Le vestibule du rez-de-chaussée est garni de statues. Dans un cabinet voisin, les peintures peuvent être attribuées à Coypel. En 1942, l'étage noble était habité par un homme de goût, le maître imprimeur Darantière, qui soigna respectueusement les décors et découvrit, sous des plafonds de plâtre établis au XVIIIe siècle, de belles peintures de ces artistes, en parfait état de conservation. Une aile en retour avait été construite par Mansart pour ses petits appartements d'hiver. Charmantes pièces basses et minuscules.   105 N

hôtel
Mansart de Sagonne

Fragment du plafond découvert en 1946.

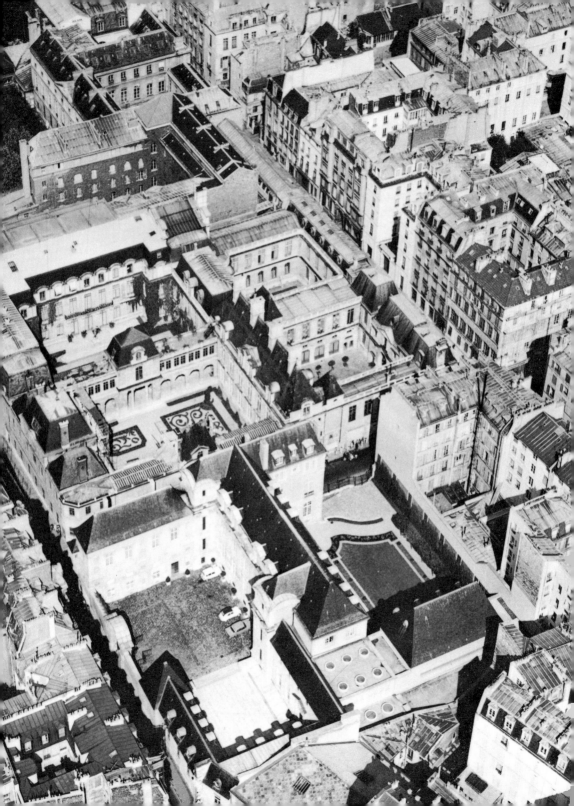

IIIe et IVe. Le Marais tient son nom d'une zone marécageuse où il s'est en partie implanté. Il faut remonter aux temps préhistoriques où le grand bras de la Seine décrivait une large boucle au pied des collines, passait vers la Bastille et la République. Au Moyen Age, une dépression humide et inondable se trouvait encore dans les zones nord du quartier. Le nom de « Marais du Temple » a longtemps survécu, bien que les templiers, une fois établis, aient cultivé les terres autour de leur enclos.

A son âge d'or, c'est-à-dire au XVIIe siècle, on situait le Marais dans un espace approximativement défini par les boulevards Louis XIV (Beaumarchais et des Filles-du-Calvaire), l'Enclos du Temple, la rue Beaubourg et la rue Saint-Antoine. Au XIXe siècle, l'usage s'imposa de désigner du même nom la région comprise entre la rue Saint-Antoine, l'Hôtel de Ville et la Seine, non moins riche en monuments historiques.

Henri IV fut l'initiateur du Marais monumental qui a subsisté en partie. Il avait d'abord formé le grand projet d'une « place de France », d'où huit rues se déployaient en éventail, chacune baptisée du nom d'une province française. Projet d'urbanisme abandonné, peut-être trop grandiose, en tout cas bien au point, si nous en croyons la belle gravure de Chastillon, et qui répondait au désir d'urbanisation géométrique de l'époque. Les noms de nos rues de Bretagne, de Beauce, de Saintonge, de Picardie, etc. veulent évoquer cette grande idée qui resta sans suite. Par contre, le projet du roi qui consistait à créer, au sud, une vaste place royale sera exécuté sans délai. Commencée en 1605, la place sera inaugurée en 1612. Son succès auprès des gentilshommes et des grands bourgeois qui donnaient le ton à Paris décida de la vogue que connut immédiatement cette partie de la ville située à l'est, entre l'enceinte de Philippe Auguste et celle de Charles V. De superbes hôtels s'y élevèrent, coagulant autour d'eux une vie populaire qui bénéficiait de cet opulent voisinage.

Le XVIIe siècle marque la jeunesse triomphante du Marais. C'est alors que sont élevées les demeures qui sont des chefs-d'œuvre de l'art de bâtir et des chefs-d'œuvre de goût. On y tient bureau d'esprit. Bavardages, intrigues, complots y avaient leur part, mais ce fut aussi un ardent foyer de vie intellectuelle. S'il fallait dresser la liste de ceux qui ont été les familiers de ces beaux salons lambrissés, ce serait faire un inventaire de l'histoire littéraire de la France à cette époque. On y retrouverait Pascal, Corneille, Descartes, Molière, Mesdemoiselles de Scudéry et Ninon de Lenclos. Avant de louer l'hôtel de Carnavalet, Mme de Sévigné, née au Marais, y avait résidé toute sa vie, mais avait changé dix fois de demeure.

Plusieurs couvents y avaient été établis au Moyen Age. D'autres furent rénovés, reconstruits. Les Minimes, les Carmélites, les Carmes-Billettes, les Ursulines, les Bénédictines, les religieuses de la Visitation, les Pères de Nazareth, les Pères de la Merci, les Blancs-Manteaux, les Filles Bleues, la dominatrice maison professe des Jésuites, nous donnent une idée de l'importance qu'eurent au

le Marais

Au premier plan, l'hôtel de Lamoignon. Au centre, le musée Carnavalet.

Le Bal des Ardents, illustration tirée
des *Chroniques* de Froissart.

Marais les communautés monastiques. Il n'en reste presque rien.
La plupart ont été remplacées au XIXᵉ siècle par des maisons de
rapport de la plus triste banalité. Cinq églises ont survécu qui
furent élevées au XVIIᵉ siècle : Saint-Paul, Saint-Gervais, Notre-
Dame-des-Blancs-Manteaux, Sainte-Elisabeth et Sainte-Marie.

Mais c'est surtout à ses hôtels que le Marais doit sa réputation,
celle d'un musée de l'architecture privée à une époque où celle-ci
atteignit son suprême raffinement. Au Moyen Age le quartier
abritait déjà une société aristocratique, mais aussi ecclésiastique et
artisanale, qui était un pôle de la civilisation parisienne. N'oublions
pas que les rois, à la suite de Charles V, avaient abandonné le
Palais de la Cité pour y établir une de leurs résidences privilégiées.
L'hôtel Saint-Pol (entre les rues Saint-Antoine, Saint-Paul et du
Petit-Musc) était composé de maisons achetées une à une par le
roi et réunies par des galeries, avec de grands jardins qui s'étendaient
presque jusqu'à la Seine ; ici encore il n'y a plus que des noms de
rues (Jardins-Saint-Paul, de la Cerisaie, Beautreillis) pour en perpétuer le souvenir. Nous ne pouvons plus qu'imaginer l'agrément de
ces jardins avec leurs allées de buis, leurs statues, leurs treillages,

leurs touffes de lis, leurs carrés de légumes, leurs vergers. Le roi et la reine y avaient chacun leur chapelle royalement décorée. C'est à l'hôtel Saint-Pol, en 1393, qu'eut lieu le fameux Bal des Ardents où, à la suite d'une maladresse, cinq jeunes gentilshommes déguisés en « sauvages » brûlèrent comme des torches. Abandonné, vétuste, l'hôtel Saint-Pol et ses jardins furent vendus par François Ier pour 2 000 écus d'or. Tout fut démoli et totalement loti.

En face de l'hôtel Saint-Pol s'élevait une autre maison royale : l'hôtel des Tournelles, qui comprenait de grandes salles luxueusement parées, quatre chapelles, douze galeries, des jardins spacieux, des volières, une ménagerie, des lices pour les tournois. Après avoir appartenu au duc d'Orléans, il devint la propriété de Charles VI (1407). Pendant l'occupation anglaise, le duc de Bedford, qui avait pris cette demeure en affection, y ajouta une galerie fameuse dont les murs reçurent un décor peint de courges vertes. C'est enfin à cet hôtel des Tournelles que Henri II mourut du coup de lance que lui avait involontairement porté Montgomery au cours d'un tournoi (1559). Catherine de Médicis, folle de douleur et de colère, ne se contenta pas de quitter les Tournelles ; elle obtint de son fils qu'il fît disparaître ces lieux témoins de l'acte involontaire du régicide. A leur place fut établi un marché aux chevaux, dont les activités intermittentes n'empêchaient point que ce terrain vague devînt fort mal famé. C'était en outre un rendez-vous de duellistes fort agités ; l'histoire a particulièrement retenu cette boucherie qui mit aux prises six adversaires, trois mignons de Henri III et trois partisans du duc de Guise ; deux combattants seulement survécurent à leurs blessures. Henri IV devait policer définitivement les lieux en créant la place Royale.

La rue Saint-Antoine, extrait des *Farces des rues de Paris* (XVIIe siècle).

La tourelle de l'hôtel de Hérouet.

Des demeures médiévales du Marais, il nous reste bien peu de chose : le portail et deux tourelles de l'hôtel de Clisson, la tourelle de l'hôtel de Hérouet et son corps de logis, martyrisé par un bombardement et par ses restaurateurs, l'hôtel de Sens, important édifice de la fin du XVe siècle, mais incongrûment travesti. Quelques hôtels ont été élevés dans les dernières années du XVIe siècle, comme celui du président Lamoignon, mais les règnes de Louis XIII et de Louis XIV ont marqué le sommet de ce jaillissement architectural qui confère au Marais son éclat. Au vrai, cette flamme créatrice qui mobilisa les meilleurs artistes français ne flamba guère plus d'un siècle. La vogue qui s'était soudainement emparée du Marais l'abandonna non moins vite. Les signes avant-coureurs de l'exode se manifestèrent dès le début du XVIIIe siècle. L'aristocratie, qui se voulait d'avant-garde, les riches, qui suivaient le mouvement, se lassaient de ce Paris d'un autre âge, désuet et vieilli. La ville moderne poussait à l'ouest, à l'opposé d'une Bastille rébarbative et de remparts aux fossés malodorants. Déjà Louis XIV, en construisant la place Vendôme, avait attiré des gens de qualité. La place Louis XV, le développement du faubourg Saint-Honoré et celui du faubourg Saint-Germain devaient déplacer le centre de gravité de Paris. Ce n'est pas dire que le quartier fut stérilisé par cette défaveur. Nous voyons encore construire au XVIIIe siècle deux palais, Rohan-Soubise et Rohan-Strasbourg, qui sont les joyaux du Marais. Vingt ans avant la Révolution naîtra l'hôtel Hallwyll. Contrairement à la coutume antérieure, les demeures sont alors cédées à d'autres catégories d'acheteurs ou à des locataires qui n'ont plus du tout le même appétit de nouveauté; ils entretiennent peu mais ne démolissent plus. Le nouveau, on le trouvera désormais, sous Louis XV et Louis XVI, là où se bâtit la nouvelle capitale. Les habitants du Marais, en dehors de l'artisanat de plus en plus prospère, sont alors des bourgeois tranquilles ou des gentilshommes désargentés que la Révolution n'aura aucun mal à faire disparaître de la scène.

Dès les premières années du siècle dernier le Marais commence à changer de visage. Artisans et commerçants qui surpeuplaient les environs, notamment le quartier Saint-Martin, s'installent dans les hôtels désertés; les premières industries montent leurs ateliers dans les salons abandonnés et s'implantent dans les jardins qui, peu à peu, seront tous dévorés. Les couvents qui avaient pu survivre à la Révolution seront détruits pour être remplacés par des immeubles locatifs qui finissent par remplir les rues bord à bord. On ne citera que deux exemples, mais combien révélateurs, du sort réservé à des monuments de haute qualité et de l'acharnement tenace du vandalisme pour en venir à bout. La vaste église des Minimes, construite sur les plans de François Mansart au nord de la place Royale, dépendait d'un couvent connu du monde savant par sa précieuse bibliothèque. L'église, pleine d'œuvres d'art, en fut dépouillée et tout aurait été perdu si Alphonse Lenoir n'avait eu

Rue du Faubourg-Saint-Antoine : l'hôtel de Mayenne et le temple Sainte-Marie (XVIIe siècle).

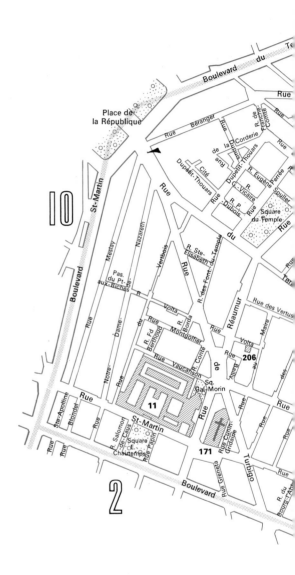

Un exemple de l'aménagement du Marais : au milieu des chantiers apparaît la silhouette rénovée de l'hôtel de Libéral Bruant.

le mérite d'en mettre une partie à l'abri. Abandonnée, elle fut démolie en 1805. Les bâtiments conventuels rescapés, avec leur cloître, furent transformés en caserne de gendarmerie, laquelle subsista jusqu'en 1926, date de sa démolition. Plus grave encore, si l'on songe à l'importance de son rôle historique, fut la destruction de la commanderie du Temple, véritable ville forte à l'intérieur de la ville. Ses églises, son donjon, puis le somptueux hôtel du grand prieur, où le prince de Conti fit jouer au clavecin le petit Mozart, constituaient un ensemble composite sans pareil en France. Tout fut détruit, morceau par morceau, dans la première moitié du XIXe siècle. Le donjon, qui avait servi de prison pour Louis XVI et la famille royale, fut abattu par ordre de Napoléon en 1810. Quant à l'hôtel du grand prieur, qui, lui aussi, avait été transformé en caserne de gendarmerie, il devait disparaître en 1853. C'est sur son emplacement que se trouve le square du Temple.

Ces démolitions auraient pu au moins servir à aérer un quartier très dense, mais c'est le contraire qui s'est passé. La population ne cessa de s'entasser au mépris des plus élémentaires conditions de salubrité. Les demeures patriciennes étaient la proie des marchands qui cherchaient à adapter à leurs besoins, sans le moindre respect, des locaux qui n'avaient pas été conçus pour eux. Des ateliers, des usines s'installaient partout au petit bonheur. Sans la moindre réaction, les pouvoirs publics laissaient détériorer, saccager, détruire. Des hôtels magnifiques étaient surélevés, leurs appartements découpés en hauteur et en largeur. Flanqués d'appentis, ils devenaient méconnaissables. A la fin du XIXe siècle, le goût des antiquités s'étant répandu, ce fut le grand pillage des appartements. Des lambris sculptés, des tapisseries, des cheminées, des trumeaux, tout ce qui représentait la fleur de l'artisanat parisien à son apogée fut arraché des murs pour être dirigé vers les quartiers de luxe ou vers l'étranger. Des peintures de qualité étaient lacérées ou couvertes de badigeon. Insouciance de l'œuvre d'art, amour du profit, recherche de spéculation, le Marais tombait dans la plus triste déchéance. Quelques-uns des hôtels les plus connus furent bien achetés par la Ville (le premier fut l'hôtel de Carnavalet devenu musée historique de Paris en 1866), mais la plupart ont été défigurés sinon démolis.

Cependant les idées cheminaient. Se borner à regretter des demeures disparues, narrer les anecdotes dont elles avaient été les témoins, s'attendrir sur le sort de celles qui agonisaient, considérer, en définitive, que tout cela était une rançon du progrès, ce n'était pas une attitude très digne, et moins encore efficace. Un nouveau courant d'esprit se propageait. Les monuments blessés à mort ne

L'escalier XVIIe siècle de l'hôtel Le Lièvre, rue de Braque.

méritaient-ils pas autre chose qu'un beau chant funèbre ? Les quartiers anciens ne devaient-ils pas être protégés ? N'était-ce pas un devoir de les intégrer à la vie moderne ? Il ne s'agissait pas seulement, comme on l'avait fait jusqu'ici, de restaurer des monuments isolés mais de retrouver le cadre qui leur donnait leur justification et leur vitalité. C'est ainsi, malgré les routines administratives, que fut votée, en 1962, une loi sur les « secteurs sauvegardés » concernant des « quartiers d'intérêt historique, archéologique ou pittoresque », qui bénéficient de mesures spéciales pour assurer leur conservation. Le Marais en était le symbole. Seul quartier parisien inscrit alors à ce plan de sauvegarde, sa superficie est de 126 ha — le plus important des secteurs classés en France. Programme très ambitieux car les difficultés sont énormes; relogement des habitants — trente familles ou commerces sont parfois logés dans un seul hôtel historique — indemnités, financement des travaux (restauration, réhabilitation et assainissement général du quartier). Un petit secteur (2,5 ha) situé entre la rue Payenne et la rue de Thorigny fut, au départ, l'objet d'un réaménagement prioritaire.

L'initiative privée avait devancé les mesures administratives : l'hôtel des Ambassadeurs de Hollande, l'hôtel Guénégaud, par

A l'intérieur de la bibliothèque de l'hôtel d'Aumont, médaillon de Le Brun représentant le Tibre, Romulus, Rémus et la Louve.

exemple, ont été fort convenablement restaurés par leurs nouveaux propriétaires. D'autre part, l'Etat a rétabli dans leur intégrité les hôtels de Sully, de Rohan, de Soubise, pour ne citer que des opérations importantes et exemplaires. Mais le programme de mise en valeur du Marais est un programme d'urbanisme à longue portée qui doit résoudre des problèmes de peuplement, de circulation, d'hygiène, et s'appliquer à tout ce qui concerne la rénovation d'un immense quartier surpeuplé. Durant deux siècles la vulgarité, la laideur y furent répandus et un désordre que, dans ses rues étroites, l'automobile n'a fait qu'accentuer. Çà et là, apparaissent ses hôtels historiques comme des bijoux tombés dans la boue; ils semblent accuser ceux qui ont bafoué ce quartier vénérable et dont il faut maintenant, à grands frais, corriger les erreurs.   106 N

Construit par Le Vau, l'hôtel de Vigny est un vestige du Marais du XVIIe siècle.

Les notices concernant les principaux hôtels du Marais sont classées dans leur ordre alphabétique.

pont Marie

Quai de l'Hôtel-de-Ville - quai de Bourbon, IVe. C'est Christophe Marie, entrepreneur général des ponts, qui proposa à Henri IV de construire deux ponts, de même nature et dans le même axe, reliant l'île Saint-Louis aux deux rives. Le Pont-Neuf se terminait et le roi envisagea le projet avec faveur. Il s'agissait, en fait, d'une opération immobilière d'envergure : la construction de l'île Saint-Louis alors déserte. On commençait donc par le commencement. Sans pont, pas d'habitation possible. Grâce à lui les charmes de l'île attireraient les habitants et le terrain serait valorisé. Sur ces entrefaites, Henri IV fut assassiné, et le projet tomba à l'eau. Il fut repris quelques années plus tard sous la régence de Marie de Médicis. Un contrat fut passé avec l'entrepreneur Marie, qui s'était associé pour financer l'affaire à Poulletier et à Le Regrattier ; il devait aménager les rues et les quais (l'île était alors à fleur d'eau) construire divers bâtiments publics et, naturellement, les ponts moyennant quoi il pourrait vendre à son profit les terrains aux futurs constructeurs. La première pierre fut posée en grande pompe par le jeune Louis XIII en 1609. La construction du pont fut amorcée au départ de la rive droite. Mais les choses en restèrent là : les chanoines de Notre-Dame s'opposaient à la construction de l'île dont ils étaient, en principe, propriétaires, et les terrains ne pouvaient, dans ces conditions, trouver acheteurs. Marie, qui avait déjà engagé de fortes sommes pour l'aménagement des quais, ne pouvait plus faire face à ses engagements. Enfin, un compromis ayant fini par être adopté, le pont de la rive droite fut entrepris l'autre, faute d'argent, étant remis à une date imprécise. Le pont Marie était terminé en 1635, soit vingt-six ans après sa « première

Le pont auquel Marie, le maître d'œuvre de l'île Saint-Louis, donna son nom.

pierre ». Il portait des rangées de maisons dont les rez-de-chaussée étaient « commerciaux ». Plusieurs d'entre elles s'écroulèrent au xviiie siècle. Il est en dos d'âne, orné de niches au-dessus des becs de piles. Sa largeur dépasse un peu celle du Pont-Neuf. Comme tous les ponts de cette époque, ses piles sont fondées sur des pieux de bois. Il n'a jamais bougé. Avec ses grandes arches toutes différentes, et ses bouquets de tilleuls aux rives qu'il aborde, c'est le pont le plus poétique de Paris.   107 N

hôtel de Marle

11, rue Payenne, IIIe. Il doit son nom à son premier propriétaire Christophe de Marle, conseiller au Parlement. Sous le règne de Louis XV, il passa au comte de Polastron, puis à sa fille Yolande qui épousa le marquis Armand de Polignac. D'où le nom : hôtel de Polastron-Polignac qui lui est parfois donné. Madame de Polignac est entrée dans l'histoire comme favorite privilégiée de Marie-Antoinette, et gouvernante des enfants de France. En 1821, la maison devint le siège de l'institution Bourdon qui préparait ses élèves à l'Ecole navale. Son portail est décoré d'un masque et de consoles à feuilles d'acanthe. L'escalier de l'aile gauche, avec sa rampe en ferronnerie, est particulièrement remarquable. L'hôtel de Marle a été l'objet de la première restauration effectuée dans le

Plafond d'origine avec le chiffre du conseiller de Marle.

cadre de la sauvegarde du Marais. Acheté en 1965 par le gouvernement suédois pour abriter un centre culturel (Institut Tessin) il était fort dégradé surtout côté jardin. Les travaux de réfection et d'aménagement ont permis de retrouver de belles salles à poutres peintes et de faire revivre l'hôtel dans sa beauté originelle. On peut notamment admirer du jardin un rare exemple de toiture dans l'esprit de Philibert de l'Orme. Le jardin, qui était occupé par un garage, a été restitué jusqu'à la rue Elzévir.

108 N

La cour de l'hôtel de Marle.

17, rue Geoffroy-l'Asnier, IVᵉ. D'un modernisme insolite dans ce vieux quartier parisien, ce monument est dédié aux juifs morts en déportation. Dans une cour, fermée par un grillage évocateur, sur un gros cylindre de bronze sont inscrits les noms des « camps de la mort ». Le rectangle d'une façade de pierre, lisse et nue se dresse à l'arrière. En sous-sol, une salle écrasante n'est éclairée que par un jour blafard qui tombe sur une monumentale étoile de David en marbre noir animée par la flamme du souvenir. Les escaliers en schiste vert mènent aux salles d'exposition : le martyre des déportés y est raconté par la photographie, les cartes, les statistiques. Les architectes Goldberg, Persitz et Arretche sont les auteurs de cet émouvant mémorial qui fut inauguré en 1956.   109 N

mémorial du Martyr juif inconnu

38, rue du Faubourg-Saint-Jacques, XIVᵉ. L'hôtel de Massa s'élevait primitivement sur l'avenue des Champs-Elysées, à l'angle de la rue La Boétie. Construit par l'architecte Le Boursier en 1784, il se trouvait alors presque dans la campagne. Avec ses baies en plein cintre surmontées de panneaux sculptés, il possédait l'agrément et la distinction particulière aux demeures aristocratiques de la fin de l'Ancien Régime. Résidence éphémère du duc de Richelieu,

hôtel de Massa

l'intérieur fut transformé sous l'Empire par le comte de Marescalchi. Le duc de Massa fut son dernier propriétaire avant le transfert du bâtiment, pierre par pierre, rue du Faubourg-Saint-Jacques. Il est aujourd'hui, destination parfaite, le siège de la Société des gens de lettres. Sur une petite éminence, entouré de pelouses et de grands arbres, il a trouvé le cadre qui lui convient et semble là depuis toujours. S'il n'avait pas été « déraciné » que serait-il devenu ? A supposer qu'il ne fût point condamné à mort, il ne pourrait que faire bien triste mine parmi les cinémas et les buildings.   110 S

hôtel Matignon

57, rue de Varenne, VIIᵉ. C'est le plus connu des hôtels parisiens, puisque son seul nom désigne aujourd'hui la présidence du Conseil. Cette destination, qui date de 1935, était motivée : n'est-ce pas l'un des plus séduisants hôtels de Paris ? Il se trouvait en outre, par ses dimensions et son état de conservation, parfaitement qualifié pour recevoir un premier ministre et ses services. Commencé en 1721 par Jean Courtonne pour le maréchal de Montmorency, il fut vendu, avant d'être terminé, à Jacques Goyon, comte de Matignon, puis il passa à son fils, prince de Monaco. Légèrement remanié par Brongniart, il a été passagèrement habité par Talleyrand en 1810. En 1848, il fut la résidence de Cavaignac, en 1884, celle du comte de Paris, avant de recevoir en 1888 l'ambassade d'Autriche-Hongrie qui y resta jusqu'à la guerre de 1914-1918.

Façade sur le jardin.

Un large portail à colonnes, sur la rue de Varenne, est ouvert en retrait d'un mur arrondi. Des ailes basses joignant la façade entourent la cour d'honneur qui a même conservé ses pavés et ses bornes. Ce rare spectacle est malheureusement gâché par le désastreux mur-pignon de l'immeuble voisin. A côté, une basse-cour — c'est-à-dire une cour, des écuries, des cuisines et des communs — décale la façade d'entrée par rapport à celle du jardin qui s'en trouve nettement plus large. L'architecte s'est joué avec brio de cette difficulté. La façade présente un avant-corps central à pans coupés décoré d'un balcon de ferronnerie. Deux pavillons en légère saillie sont à ses extrémités. Des ornements, des masques aux baies et aux consoles du balcon sont distribués par touches légères, avec la délicatesse caractéristique de l'époque. Des balustrades dissimulent les toits plats et rejoignent le fronton à peine esquissé de l'avant-corps. On retrouve le même parti à la façade sur jardin devant une terrasse à balustrade. Cette demeure de proportions si parfaites est décorée à l'intérieur de lambris blanc et or d'une extrême finesse dans les plus purs styles Régence et Louis XV. Le vestibule ovale du rez-de-chaussée, avec ses pilastres et sa voûte aplatie, est d'une particulière élégance.

Décoration de l'époque Louis XV.

Un escalier de marbre conduit au grand cabinet du comte de Matignon, aujourd'hui salle du conseil des ministres. Ses lambris savent allier la puissance architecturale aux sourires d'un décor délicieux. Entre des pilastres cannelés d'or, de grands panneaux sont ornés de médaillons qui racontent des scènes de fables dans un ensemble de volutes et de rocailles, sous un plafond à reliefs dorés. Le grand salon voisin, également lambrissé, est décoré de peintures à la manière de Boucher. Un jardin — le plus vaste jardin privé de Paris — se prolonge jusqu'à la rue de Babylone où se situe un pavillon de même époque pourvu d'un avant-corps hexagonal qui détermine un petit salon. Il reçoit une lumière tamisée par les feuillages qui s'accorde à une précieuse symphonie en blanc et vert, du dallage en étoile jusqu'au plafond dont la corniche est ponctuée de cartouches peints encadrés de reliefs en rocailles.   111 S

hôtel de Mayenne

21, rue Saint-Antoine, IVe. Combien de personnes passent-elles devant cette façade bigarrée sans se douter de la présence d'un des beaux hôtels parisiens du XVIIe siècle ? Elles sont à vrai dire excusables. Même en rapprochant une gravure ancienne d'une photo moderne on a peine à identifier l'hôtel de Mayenne tant il a été défiguré par les adjonctions du commerce, ses coffrages et ses enseignes. Un corps de bâtiment, construit au XIXe siècle au-dessus du portail, a fait perdre toute élégance à cette entrée ornée de pilastres couplés et encadrée de pavillons à deux étages percés de hautes et étroites fenêtres à fronton. Les combles aigus étaient pourvus chacun d'une grande lucarne entourée de petits oculi. Sur la cour deux ailes à arcades joignaient le corps de logis. Les murs de pierre étaient peints de briques feintes. Un large bandeau séparait les deux étages de fenêtres à meneaux. Derrière, s'étendait un grand jardin.

Jacques Androuet du Cerceau serait, croit-on, l'architecte de ce bâtiment qui date de 1613 ; mais son style appartient davantage à la Renaissance qu'au XVIIe siècle. Il tient son nom de Charles de Lorraine, duc de Mayenne, fils du duc François de Guise, qui le fit construire lorsque, s'étant soumis à Henri IV, il fut nommé gouverneur de l'Ile-de-France.

Depuis plus de cent ans l'école des Francs-Bourgeois s'est installée dans cette demeure et l'a amplifiée. Les résultats sont déplorables. Le jardin a été transformé en cour de récréation (mais on peut présumer que, sans cela, il aurait été entièrement construit). Les lambris dont Boffrand avait décoré l'intérieur en 1706 ont été vendus (certains ont été remontés au château de Champs). Un plan de sauvegarde a été établi : restauration générale des bâtiments, reconstitution des jardins et suppression de la construction adventice entre les deux pavillons, comme on l'a fait au tout proche hôtel Sully. Travaux considérables et fort onéreux, qui nécessiteraient bien entendu un déménagement problématique de l'école.   112 N

De cette belle architecture du XVIIe siècle, rien ou presque n'est plus visible aujourd'hui. Quand ressuscitera-t-on l'hôtel de Mayenne (l'ancien hôtel du Maine) ?

Par. C Chaſtillon

12, rue de l'Ecole-de-Médecine et 45, rue des Saint-Pères, VIᵉ.
L'Ecole de médecine, construite sur la rue qui porte son nom, limi-
tée aujourd'hui par la rue Hautefeuille et le boulevard Saint-
Germain, eut pour origine l'Académie royale de chirurgie. L'architecte Gondouin éleva pour elle un monument du plus pur style
néo-classique. Louis XVI en posa la première pierre en 1774 et elle
fut terminée en 1786. Grande cour à colonnades ioniques, péristyle
corinthien à fronton, nous y retrouvons dans sa perfection l'académisme glacé mis à la mode par les antiquisants. En arrière se trouvait le grand amphithéâtre couvert d'une voûte à caissons percée
d'un oculus au sommet comme le Panthéon de Rome. Une décoration sans esprit avait été sculptée par Berruer. A la Révolution
les effigies royales furent grattées, leurs allégories dépersonnalisées.
Les médaillons représentent des chirurgiens illustres dont Maréchal,
chirurgien de Louis XIV, véritable initiateur de l'Académie. David
d'Angers est l'auteur de la statue de Bichat.

Après la réunion des écoles de médecine et de chirurgie, Napoléon décida, en 1808, de ne retenir que le seul nom de Faculté de
médecine. Celle-ci fut complétée par un hôpital d'une centaine de

école de
Médecine

lits et par ce que l'on nommait l' « Ecole pratique » dont les bâtiments furent élevés en face après la démolition du couvent des cordeliers (où s'abritèrent les réunions du fameux club révolutionnaire). Il n'en reste que le réfectoire du XVᵉ siècle (n° 15 de la rue de l'Ecole-de-Médecine).

La population étudiante ne cessant de croître, et le nombre des médecins parisiens ayant triplé, une vaste extension du bâtiment fut demandée à l'architecte Génain. Les travaux entrepris en 1878 se prolongèrent jusqu'en 1901. L'ancienne Académie de chirurgie fut enveloppée par des bâtiments de style néo-grec en rapport approximatif avec ceux de Gondouin, comme eux décorés de colonnades et de cariatides. Elle occupait l'espace situé entre la rue de l'Ecole-de-Médecine et le boulevard Saint-Germain, la rue Hautefeuille et le carrefour de l'Odéon. Mais vingt ans après avoir été terminée, elle se révélait déjà trop étroite.

La mauvaise volonté des commerçants de la Halle-aux-Vins empêcha de mettre à profit la munificence de Franklin D. Roosevelt qui offrait de subventionner la création d'une nouvelle faculté sur un terrain dont l'occupation était déjà anachronique. L'administration avait jeté son dévolu sur la rue des Saints-Pères, l'une des charmantes rues commerçantes du Vieux Paris. Malgré les protestations scandalisées des défenseurs, l'autorisation fut donnée en 1936 et les travaux commencèrent l'année suivante. Interrompus par la guerre, ils furent terminés en 1953 sous la direction de Made-

Plan de l'Académie royale de chirurgie et de l'église des Cordeliers avant les transformations de 1774.

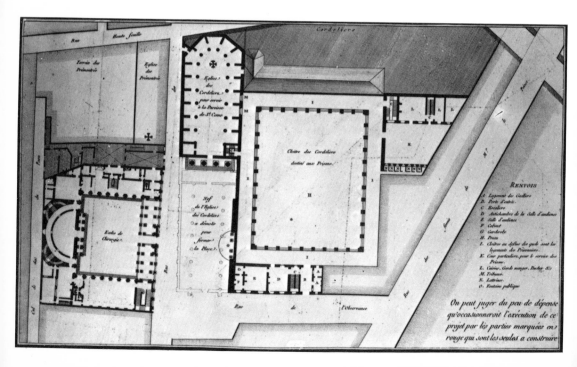

L'amphithéâtre de l'Ecole de Médecine.

line et Walter. C'est un énorme et pesant volume dont le moins qu'on puisse dire est qu'il écrase le quartier. Quand le gros œuvre fut terminé les protestataires purent obtenir que le sommet fût arasé ; mais c'était insuffisant pour qu'une telle masse ne restât point l'ennemie d'un paysage urbain aussi sensible. Peut-on parler de style architectural ? Malgré son épaisseur il est inexistant. Quant aux médaillons sculptés sur la façade de la rue des Saints-Pères, ils relèvent d'un académisme indigent.   113 S

hôtel de Miramion

47, quai de la Tournelle, V^e. Bien que l'histoire soit muette sur ses origines, la discrète élégance de cet édifice en fait une des constructions les plus séduisantes du quartier. Sur le quai, les fenêtres du rez-de-chaussée sont ornées de masques et de rinceaux, celles du premier étage de clefs sculptées et de guirlandes. Lucarnes rondes et carrées en alternance coiffent la façade. Sur les jardins, nous retrouvons avec un semblable décor le même rythme heureux. La maison fut achetée en 1661 par Madame de Miramion, jeune veuve pieuse et charitable, fondatrice de l'œuvre des « Filles de Sainte-Geneviève » que le public désigna bientôt sous le nom de « Miramiones ». Elles se consacraient à la visite des pauvres malades et

Jardin de l'hôtel de Miramion.

à l'enseignement des jeunes campagnardes. Pendant la Révolution, la maison des Miramiones fut transformée en fabrique d'armes, avant de trouver une vocation plus conforme à son esprit lorsqu'elle abrita la pharmacie des établissements hospitaliers de Paris. Si l'extérieur fut respecté, l'intérieur a perdu tout son décor ancien, à l'exception d'une salle où l'on peut voir un plafond aux poutres peintes de fleurs. En 1934, l'hôtel est devenu le musée de l'Assistance publique : toutes sortes de documents sur les anciens hospices et hôpitaux parisiens y sont réunis. Une salle attrayante abrite une collection de pots de pharmacie. 114 S

fontaine
Molière

Rue de Richelieu-Rue Molière, Ier. Ce monument fut élevé en 1838 grâce à l'appui des Comédiens-Français. Il évoque la mémoire de Molière en un lieu où s'écoula sa vie lors de ses grands succès; il est proche de la vaste salle du Palais-Cardinal aménagée pour Richelieu et de la maison (reconstruite) située au 40 rue de Richelieu où l'illustre homme de théâtre mourut quelques instants après une représentation du *Malade imaginaire*. L'idée était belle de construire une fontaine placée à l'angle de deux rues; mais la réalisation, confiée à l'architecte Visconti, est d'un académisme lourd, fort éloigné du génie de Molière. 115 N

VIIIᵉ. La plaine de Mousseaux, ou Monceaux, n'était fertile qu'en gibier lorsqu'une partie fut acquise par Louis-Philippe d'Orléans, duc de Chartres, futur Philippe Egalité. La chasse ne l'intéressait pas, il préférait satisfaire ses goûts d'amateur de jardins. Dans les dernières années de l'Ancien Régime, la mode des jardins « anglochinois » avait franchi la Manche et il voulait être parmi les premiers à créer un grand parc dans le même esprit. Carmontelle, pastelliste, silhouettiste, décorateur, auteur de petites comédies et de « proverbes », avait sa faveur. Il le désigna pour dessiner ce jardin dont les dimensions étaient doubles de notre parc Monceau. Que pouvait alors imaginer un artiste qui se voulait à la pointe de « l'avant-garde », tout comme son illustre client ? Carmontelle avait l'ambition de créer un « pays d'illusion »... « Transportons dans nos jardins, écrivait-il, les changements de scène des opéras; faisons voir en réalité ce que les plus habiles peintres pourraient offrir : tous les temps et tous les lieux. » Ainsi, le jardin à peine planté, pouvait-on y rencontrer un temple de marbre blanc, un cirque en naumachie, un moulin à vent hollandais, un pont chinois, une tente tartare, un « bois des tombeaux », une pyramide égyptienne, un minaret, un moulin à eau, une vigne à l'italienne, un obélisque, et beaucoup de fausses ruines. Ce jardin suscita un vif engouement. On l'allait voir de partout. Mais son succès ne fut qu'éphémère. Survint la Révolution. Le parc, comme ailleurs, fut voué aux divertissements populaires, et, comme ailleurs, après le feu de

parc
Monceau

Naumachie du parc Monceau. Le goût de la Régence pour les « fabriques » et la poésie des ruines préfigura la redécouverte de l'Antiquité par les Romantiques.

Les nounous du parc Monceau.

paille, on le laissa à l'abandon. Napoléon l'offrira à Cambacérès; mais celui-ci, ne pouvant arriver à l'entretenir, lui rendit son cadeau quelques années plus tard. Avec la Restauration la « Folie de Chartres » retourna aux Orléans. Ses vrais malheurs survinrent lorsque le baron Haussmann décida de tracer le boulevard Malesherbes à partir de la Madeleine et de le prolonger en ligne droite le plus loin possible dans les nouveaux quartiers. Il fallait couper le parc en deux. D'où une merveilleuse opération immobilière : un côté était acheté par la Ville, l'autre était vendu au financier Péreire. Son terrain fut aussitôt loti, et devint l'un des quartiers luxueux de Paris.

Alphand, chargé de remanier le jardin, s'efforça d'utiliser les quelques éléments d'architecture qui subsistaient encore. C'était le cas du bassin nommé la Naumachie autour duquel s'arrondit une colonnade, la plus remarquable des attractions semées par Carmontelle dans son pays d'illusion. Des ruines, mais, cette fois, authentiques et même d'ascendance royale. Ces colonnes, qui datent du xvi⁰ siècle, proviennent, selon la tradition, de la chapelle en rotonde commencée par ordre de Marie de Médicis au flanc de la basilique Saint-Denis pour enfermer son tombeau et celui de Henri II. Les travaux, après avoir traîné en longueur, avaient été définitivement arrêtés à la mort de la reine. Les colonnes furent ainsi récupérées deux siècles plus tard. Autre ruine authentique, l'arcade qui enjambe une allée : elle vient de l'ancien Hôtel de Ville après l'incendie de la Commune. On peut aussi remarquer une petite pyramide posée à l'ombre des feuillages. C'est un souvenir des « fabriques » de Carmontelle.

La rotonde de Chartres, à l'entrée du boulevard de Courcelles, fait partie des rares survivants des barrières de Paris (1785-1789), édifiées par Ledoux contre un vent d'hostilité générale. Depuis lors, un dôme sans grâce surmonte la colonnade dorique qui a remplacé la calotte aplatie inspirée du Panthéon de Rome.   116 N

---

hôtel de la Monnaie

11-25, quai de Conti, VI⁰. Lorsque l'architecte Jean-Denis Antoine présenta un projet au concours ouvert en 1768 pour un nouvel hôtel de la Monnaie il était à peu près inconnu. C'est pourtant lui qui remporta la palme. Nous pouvons bénir à distance le jury qui fit un tel choix. L'hôtel de la Monnaie est l'un des plus nobles exemples d'architecture civile classique que l'on puisse voir à Paris. A la suite de ce chef-d'œuvre, Antoine reçut bien d'autres commandes, entre autres un hôtel de la Monnaie à Berne, mais il est difficile d'expliquer pourquoi il semble avoir perdu ce style magistral et cette autorité qui s'affirment dans l'important monument du quai de Conti. Vingt ans le séparent du palais de Gabriel, place de la Concorde. Le sépare aussi le « retour à l'antique », cet esprit de sobriété et de dignité qui semble l'avoir profondément inspiré. Gabriel restait encore proche du Grand Siècle auquel il ajoutait un charme et un accent de gaieté. Antoine rompait avec la tradition. On peut lire dans un guide de Paris édité en 1780 que « l'hôtel des Monnaies construit sur le dessin de M. Antoine est le premier édifice de ce genre qui eût été construit en Europe ; dans cette occasion peut-être unique, l'artiste n'a consulté que son génie sans ouvrir les trésors de l'ancienne architecture ». Ce n'est point tout à fait vrai. Antoine pouvait avoir d'autres modèles. Mais il s'est dégagé du « style Louis XV » de ses prédécesseurs pour s'orienter vers un néo-classicisme.

La façade longue de 117 m repose sur des soubassements en bossage surmontés d'un grand étage et d'un attique. Elle est interrompue au centre par un avant-corps qui doit tout à l'harmonie de ses proportions : au-dessus des cinq arcades en plein cintre s'élèvent sur les deux étages six colonnes ioniques. Sur l'entablement s'alignent six grandes statues allégoriques sculptées par Pigalle, Lecomte et Mouchy. Une façade latérale se prolonge sur la rue Guénégaud, mais sans attique. Un avant-corps repose sur trois

Médaille frappée à l'occasion de la construction de l'hôtel de la Monnaie.

Le projet primé de l'architecte Jean-Denis Antoine.

arcades : quatre statues les dominent : la Terre et le Feu, par Dupré, l'Air et l'Eau par Caffieri — cette dernière particulièrement remarquable par sa plastique expressive. La porte d'entrée, de bronze et de ferronnerie, est décorée du chiffre de Louis XV ; l'écusson royal figure au tympan, entre Mercure et Cérès. Le vestibule, par ses dimensions, sa grande voûte à caissons et ses vingt-quatre colonnes doriques, est d'une gravité imposante. Le plan de la cour en hémicycle, d'invention savante, s'exprime avec bonheur. Les ailes d'un étage sur rez-de-chaussée, joignent un pavillon animé par un portique de colonnes surmonté de statues représentant l'Abondance et la Bonne Foi. Antoine imagina, à la jonction des ailes et du pavillon, de placer l'étage en retrait du rez-de-chaussée, tandis qu'une balustrade en avancée continue à épouser la forme de l'hémicycle. Cette disposition détermine à chacun des angles une petite terrasse en courbes d'un effet très plaisant.

Le grand escalier, dont la rampe se compose d'entrelacs sculptés, est justement célèbre. Il occupe un imposant volume à la droite du rez-de-chaussée et de l'étage dans un déploiement de colonnes cannelées pour nous conduire au grand salon, développé en hauteur sur deux étages, où tout semble disposé pour les grandes réceptions. Son décor est d'un style pompeux et solennel. Le plan est quadrangulaire, mais la galerie supérieure, dont les balustres courent à hauteur de l'attique, est rompue à ses angles par de grandes niches arrondies ; enfin, par d'habiles transitions géométriques, l'ensemble est placé sous un grand plafond ovale.

On peut s'étonner aujourd'hui qu'un bâtiment à destination purement utilitaire ait été traité avec une telle somptuosité. Mais on considérait alors qu'il fallait donner au siège d'une institution si respectable un cadre monumental d'une majesté et d'une beauté en rapport avec son importance dans l'Etat. N'est-ce pas pourquoi nous voyons ici, au fond de la cour, ce pavillon dont l'entrée pourrait être celle d'un temple et qui, en réalité, est celle des ateliers de monnayage répartis autour d'une grande statue de la Fortune ? Il est vrai que la monnaie était d'or, d'argent ou de bronze, et non point d'alliages légers. Aujourd'hui les salles du premier étage abritent le musée des monnaies et des médailles. Des expositions de qualité y sont présentées.

117S

XVIIIᵉ. Comment définir Montmartre ? Ce nom représente le comble du parisianisme près des étrangers, et le Moulin Rouge a bénéficié d'une célébrité que ne possédaient pas toujours les plus remarquables monuments historiques. Montmartre commence-t-il, dès la Trinité et Notre-Dame-de-Lorette, avec les pentes de la rue Blanche, de la rue Pigalle ou de la rue des Martyrs où un certain genre d'animation et quelques établissements nocturnes annoncent les cabarets, les « boîtes », les péripatéticiennes et le « strip-tease » ? En fait, le vrai Montmartre, le seul, disent ses fervents autochtones, c'est celui de la Butte. Sans doute à cause d'une situation géographique qui lui conférait un relatif isolement, la Butte a longtemps conservé sa personnalité. Même après l'annexion des communes périphériques de 1860, elle gardait son air villageois ; les Parisiens s'étaient accoutumés à la silhouette de cette colline agreste, à ses carrières béantes et à ses moulins à vent. Le village lui-même était de proche origine. Tout le versant de la Butte qui regardait vers Paris, avec ses vignes et ses prés, faisait autrefois partie de la communauté de l'abbaye des dames de Montmartre — et celles-ci ne se déssaisissaient pas facilement de leurs terres.

Montmartre

Vue de l'abbaye des Bénédictines au XVIIᵉ siècle.

Zreuë des martires au bas de montmartre du coste des porcherons.

Les carrières de plâtre et l'un des
moulins de Montmartre.

Montmartre était un lieu sacré. Un temple romain le couronnait.
Mons Martis ? Montmartre était-il voué au dieu Mars ? Certains
l'affirment. Mais le seul vestige personnalisé que l'on ait retrouvé
dans le sol est une tête de Mercure en bronze. Les traditions chrétiennes prévalurent : *Mons martyrum.* Selon de belles légendes qui
datent du IXe siècle, saint Denis, premier évangélisateur de la
Gaule, y aurait été décapité et son tombeau se trouvait près de
ceux de ses compagnons, les martyrs Rustique et Eleuthère, à l'emplacement de l'abbaye de Saint-Denis. Et sainte Geneviève aurait
fait bâtir aux lieux mêmes du martyre une chapelle nommée le
Martyrium, un nom qui semble avoir désigné plusieurs édifices
religieux élevés par la suite. Dans tous les cas, ce Martyrium fut une
station presque obligée pour les nombreux pèlerins qui se rendaient
à Saint-Denis. Les terres avoisinantes devinrent un bénéfice du
prieuré de Saint-Martin-des-Champs que Louis VI le Gros acquit
par échange avec le sanctuaire de Saint-Denis-la-Châtre, dans la
Cité, pour y fonder une abbaye de bénédictines.

Dès lors, les abbesses régneront sur la Butte jusqu'à la Révolution,
qui coupera la tête à la dernière d'entre elles âgée de 75 ans. On
peut juger de l'importance de cette communauté lorsqu'on sait que
l'église abbatiale fut consacrée en 1147 par le pape assisté de saint
Bernard et de Pierre le Vénérable, abbé de Cluny. L'un des pèlerinages à l'abbaye de Montmartre devait avoir des conséquences
mémorables : le 15 août 1534, Ignace de Loyola s'y rendit avec six
compagnons ; ils firent vœu de pénitence et jurèrent de consacrer leur
vie à combattre pour la foi *ad majorem Dei gloriam :* la Compagnie
de Jésus était virtuellement fondée.

Du « Martyrium », des tombeaux, il ne reste que le souvenir — sur quoi veillent les dames auxiliatrices du Purgatoire au 9 de la rue Antoinette. L'église est devenue la paroisse Saint-Pierre de Montmartre qui n'a cessé d'être modifiée; mais où de petites colonnes de marbre du VIIe siècle qui proviendraient de la chapelle primitive ont été réemployées. Des bâtiments conventuels, rien non plus n'a été retrouvé; tout fut bouleversé au début du XIXe siècle par les entrepreneurs des carrières de plâtre. Le nom de la place des Abbesses peut seul les évoquer : c'est là en effet que se trouvait l'entrée de leur clôture. Notons en passant que le plâtre de Montmartre, abondamment utilisé pour les constructions de Paris au XIXe siècle, était une cause de l'isolement de la Butte. Du côté de la ville, les carrières la tranchaient, découvrant des parois inaccessibles. Pourtant, quelques Parisiens désireux de respirer le bon air des hauteurs et de la campagne s'étaient fait construire des maisons sur le flanc opposé à Paris. Ainsi fut construit le « château des Brouillards », cher à Roland Dorgelès, où vint Gérard de Nerval avant de séjourner dans la clinique du docteur Blanche, rue Norvins. L'acteur Roze de Rosimond, qui succédait à Molière à l'hôtel de Bourgogne et jouait ses rôles, se fit bâtir la maison, restée campagnarde, du 12 rue Cortot, dont le jardin, voisin de *la* vigne montmartroise, dévale jusqu'à la rue Saint-Vincent. De nombreux artistes l'ont habitée. La Ville de Paris l'a achetée, restaurée, et le

Une des haltes de Gérard de Nerval : le château des Brouillards.

musée du Vieux Montmartre a été installé en 1960 dans ce cadre bien fait pour lui.

La vocation libertaire de la Butte n'est pas un vain mot. Dès l'occupation des Alliés en 1814, elle se mua en îlot de défense et opposa ses fragiles barrages aux troupes russes. La famille Debray, propriétaire du moulin « Blute-fin », qui leur résistait, fut massacrée. Son unique rescapé, dont le coup de lance d'un cosaque n'avait fait qu'un invalide, eut l'idée de remplacer son pain par de la galette, de débiter à boire et de faire danser dans son jardin — fondant sans s'en douter une institution qui dure encore. Les guinguettes, les bals champêtres attiraient les citadins qui, le dimanche, gravissaient les flancs de la Butte au milieu des vignes. L'ancêtre était l'Elysée-Montmartre (1807) où devait plus tard s'illustrer Rigolboche, puis la Reine Blanche qui deviendra le Moulin Rouge. La révolution de 1848 fut préparée par les banquets de Montmartre et maints insurgés trouveront refuge dans les plâtrières. En 1870, un ballon gonflé place du Tertre portera Gambetta jusqu'à Tours. L'un des premiers épisodes sanglants de la Commune fut l'exécution des généraux Lecomte et Thomas chargés de retirer les canons qui avaient été retranchés à Montmartre.

Plus pacifique est la grande révolution artistique dont la Butte peut être considérée comme le haut lieu. Dès le début du siècle, des peintres avaient été attirés par ses paysages. Georges Michel, dit Michel des Moulins, plantait inlassablement son chevalet sur la face nord de la Butte d'où il découvrait les horizons déserts de la plaine Saint-Denis. Géricault avec son *Four à plâtre*, Corot avec son *Moulin de la Galette* sont les avant-coureurs des paysagistes montmartrois. Pissaro habita rue de l'Abreuvoir. Guillaumin, Sisley, les impressionnistes familiers du café Guerbois, Monet puis Degas hantent le haut Montmartre; Cézanne aura son atelier parisien rue Hégésippe-Moreau; Van Gogh logera deux ans rue Lepic avant de partir pour Arles sur le conseil de Lautrec. Celui-ci nous conduit à la fête d'un autre Montmartre, celui de Bruant, du Moulin Rouge et du Chat Noir. Suzanne Valadon est un modèle facile pour les uns et les autres, avant de devenir elle-même un grand peintre et d'enfanter Utrillo, l'éternel errant de Montmartre dont le nom lui restera indissolublement attaché. C'est à Montmartre que se prépara la grande sédition picturale dont le principal avant-poste fut le Bateau-Lavoir (13 place Emile-Goudeau). Cet étrange local bâti sommairement sur une ancienne carrière abrita des artistes sans-le-sou depuis 1885 jusqu'à la vogue de Montparnasse. On put rencontrer en ce lieu que Max Jacob appellera « le laboratoire central », Renoir, Van Dongen, Juan Gris, Picasso, Gertrude Stein, Apollinaire, André Salmon. Les peintres et écrivains du Bateau-Lavoir organisèrent en 1908 un mémorable banquet en l'honneur du douanier Rousseau. Ce bâtiment fut incendié en 1969. Seule sa façade pourra être reconstituée.

La Bohème — avec une majuscule — fit le succès de Montmartre. C'est elle qui berça le cœur de *Louise*, le « roman musical » de Gustave Charpentier. Et, sous un aspect moins tendre, c'est elle

Une affiche de Grün, un témoin de la grande époque montmartroise.

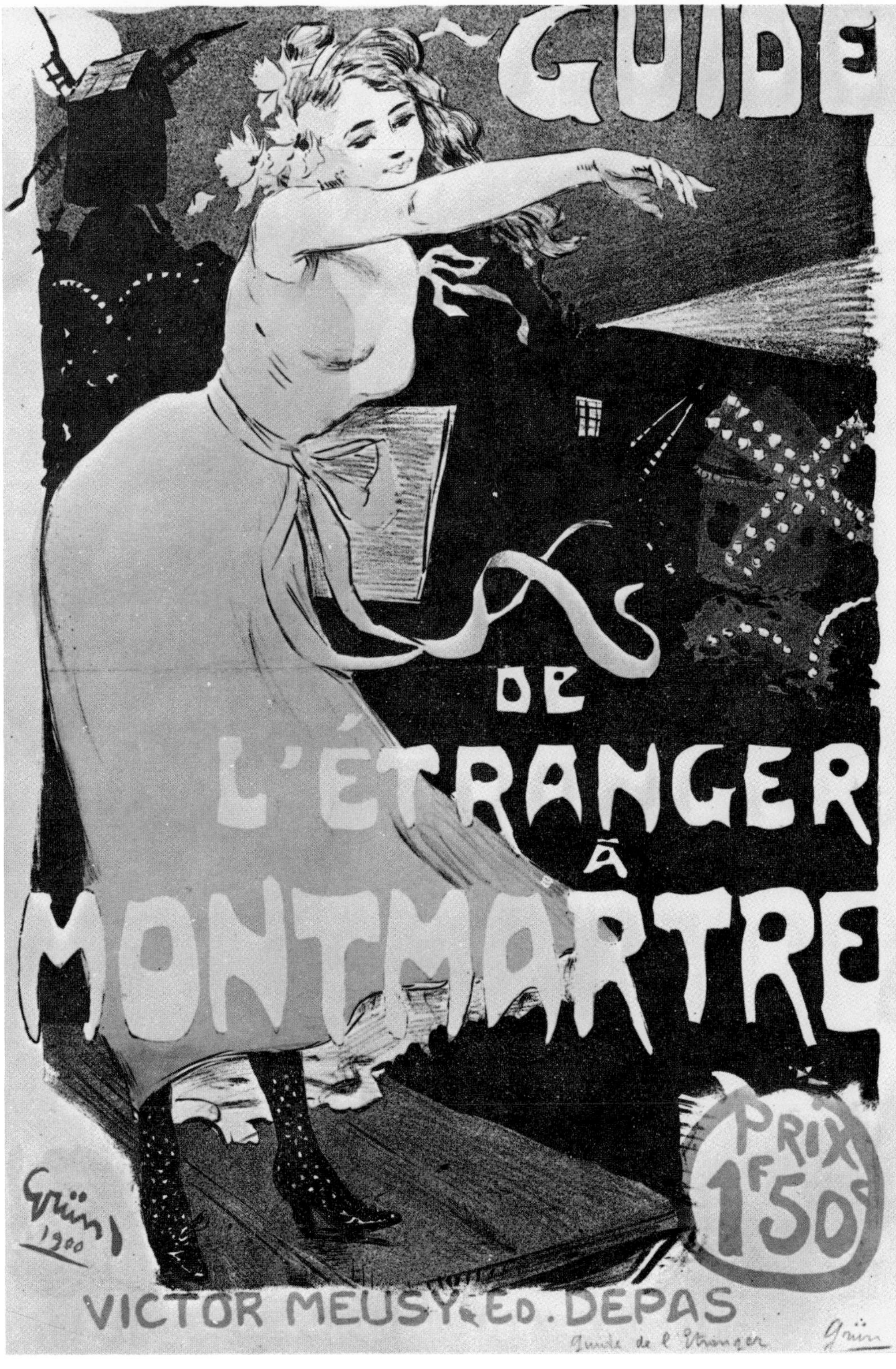

GUIDE

DE L'ÉTRANGER À MONTMARTRE

PRIX 1f 50c

Grün 1900

VICTOR MEUSY ED. DEPAS

Guide de l'Étranger   Grün

Au Moulin Rouge, par Toulouse-Lautrec.

qui fréquentait le Cabaret des Assassins, rue des Saules; plus tard dirigé par le dessinateur André Gill, il devint le « Lapin agile » — lequel a conservé au moins sa pittoresque silhouette chère aux peintres montmartrois. Aristide Bruant y animait les petites salles enfumées du boulevard Rochechouart où il chantait les filles souffreteuses, les souteneurs prompts à jouer du couteau, les escarpes, les hors-la-loi et la misère du peuple, brocardant avec insolence les bourgeois qui l'applaudissaient. Et ce fut le Moulin Rouge, la Goulue, Valentin-le-Désossé et Jane Avril qu'immortalisa le vicomte Henri de Toulouse-Lautrec-Monfa. Rodolphe Salis avait fondé le Chat Noir, avec son enseigne peinte par Willette; Paul Bourget, François Coppée, Alphonse Allais en devinrent les habitués. On y retrouvera Bruant puis Maurice Donnay accoudé au piano qui récitait ses poésies. Le ton de la maison, anarchisant et littéraire, fit les délices de la « gentry ». Soirées poétiques ou musicales se succédaient. Si la Bohème disparaissait, le Chat Noir devint le rendez-vous des élégances, lorsque Salis imagina d'y créer un théâtre d'ombres avec la collaboration d'Henri Rivière, de Caran d'Ache et de Robida.

Tout cela fait aujourd'hui partie d'un folklore fabuleux. La tradition des chansonniers montmartrois, sinon celle des cabarets, s'est prolongée, en perdant de sa verve, dans un Montmartre qui a changé de visage. La Butte, longtemps considérée, avec ses pentes abruptes et son sol perforé, comme inconstructible, est devenue une proie de choix pour la spéculation immobilière. La basilique du Sacré-Cœur ne venait-elle pas de démontrer que l'on pouvait y construire l'un des plus gros monuments de Paris ? Les promoteurs d'immeubles à multiples étages montèrent à l'assaut des terrains vagues, pourchassèrent les dernières vignes, les derniers bouts de jardins, culbutèrent lilas et tonnelles. Le village fut englouti sous les maisons qui se haussaient du col pour découvrir à qui mieux mieux l'exaltant panorama de Paris. Montmartre s'embourgeoisait et, parallèlement, montrait de fausses maisons rustiques, de fausses restitutions, de faux peintres installés devant un chevalet pour appâter des étrangers de passage séduits par le renom de ses artistes disparus. On s'est avisé — bien trop tard, vers 1955 — qu'il fallait sauver ce qui restait encore à sauver. La protection préfectorale s'est étendue sur un site où ne subsistaient que des épaves. Des façades sont débarrassées de leurs mascarades. On cherche avec patience à retrouver les paysages d'Utrillo. Et pourtant le prestige de la Butte demeure si l'on en croit les visiteurs qui y montent en foule par les beaux soirs d'été. 118 N

Le Moulin de la Galette, par Utrillo.

CHAT^{LE} NOIR

N

152 Basilique du Sacré-Cœur
176 Église Saint-Pierre-de-Montmartre
A Cabaret du Lapin agile
B Vigne
C Musée du Vieux Montmartre
D Moulin de la Galette
E Bateau-Lavoir
F Moulin Rouge

0 100 200 300 m

parc
Montsouris

XIVᵉ. Au sud de la capitale, Montsouris est comme une réplique des Buttes-Chaumont. Le parc fut établi, par la volonté de Napoléon III et de Haussmann dans un quartier populaire d'autant plus libre à aménager qu'une partie de son sol mouvementé était creusée de carrières et impropre à la construction. Sa création fut décidée en 1865. Deux ans après, toutes les acquisitions de terrains et d'immeubles étaient réalisées. Le parc fut inauguré par l'empereur en 1869. Un grand lac artificiel en était la parure. Mais lors de la mise en eau — accident ou malfaçon ? — il se vida. A l'exemple de Vatel désespéré d'avoir raté le déjeuner du roi, l'entrepreneur se suicida.

Dessin d'Alphand pour l'aménagement du parc Montsouris.

C'est Alphand qui a dessiné ce parc, tâche peu commode puisqu'il lui fallait tenir compte d'un relief extravagant et des deux lignes de chemin de fer qui s'y croisent : la ligne de Sceaux et la petite ceinture. Le parc est donc découpé ; mais on ne s'en aperçoit guère : les voies ferrées passent dans de profondes tranchées au milieu des arbres. On ne peut qu'admirer le talent du paysagiste qui a su tirer parti des dénivellations, des accidents de terrain, de l'orientation pour créer un parc riche en grandes pelouses ondoyantes, en bouquets d'arbres bien plantés, modèle du jardin calme et ombragé que l'on pouvait concevoir au XIXᵉ siècle pour la joie des petits et le délassement des grands. Il y a aussi des grottes et des cascades, accessoires obligés de l'époque. On n'y trouve pas d'architectures ornementales, point de « fabriques ». Au point culminant, s'élève une reproduction à échelle réduite du Bardo, le palais d'été des beys de Tunis, qui avait figuré à l'Exposition universelle de 1867. Sous le Second Empire, une fausse architecture mauresque de ce genre pouvait exciter la curiosité. Sale et dégradé, il agonise, bien qu'occupé encore par des services météorologiques. Derrière, se rencontre l'ancienne mire de l'Observatoire. Une inscription gravée nous apprend que ce petit monument date de 1806, « sous le règne de... ». Sans doute jugé subversif, le nom de Napoléon a été effacé. Çà et là, quelque statuaire anecdotique très fin de siècle, mais relativement discrète, ne laisse pas oublier que nous sommes dans un jardin public. Il n'est séparé de la Cité universitaire que par le boulevard Jourdan. A l'ouest, une série d'impasses peuplées d'ateliers d'artistes.

Le Pavillon du lac.

place de la Nation

XIe et XIIe. La place de la Nation semble répondre à celle de l'Etoile, bien qu'elle lui soit largement antérieure. Les urbanistes, alors que le mot n'était pas inventé, voyaient grand et loin. L'avenue de Vincennes fut tracée vers 1650 sur une largeur de 85 m, et plantée de files d'arbres. Dix ans plus tard, la place du Trône était dessinée : pour recevoir Louis XIV et Marie-Thérèse à leur retour du sacre de Reims, la municipalité avait fait élever, dans l'axe du faubourg Saint-Antoine, un trône imposant. Un arc de triomphe commémoratif, dû à Claude Perrault, devait être surmonté par une statue équestre du roi. Cet ouvrage gigantesque n'a jamais été terminé; et la partie édifiée fut démolie en 1716.

Vestige de l'enceinte des Fermiers-Généraux, l'une des deux colonnes de l'ancienne barrière du Trône par Ledoux.

Lors de la construction de l'enceinte des Fermiers généraux, Ledoux y éleva l'un de ses plus solennels propylées : deux pavillons carrés à frontons triangulaires, ouverts par une grande arcade, étaient précédés de colonnes doriques coiffées de grands tailloirs sans chapiteaux. Elles reposent sur de lourds piédestaux composés sur leur quatre faces de logettes pouvant servir de guérites d'octroi. Tout est bâti en grosses pierres peu dégrossies, selon le style « romain » de l'architecte. En 1794, la place, ayant pris le nom de place du Trône-Renversé, devint le lieu où la guillotine sévit avec le plus d'intensité (1 306 décapitations en six semaines). Les victimes étaient enfouies dans un terrain voisin, devenu depuis le « cimetière de Picpus ».

Louis-Philippe, après avoir fait élever la colonne de Juillet à la Bastille, utilisa les deux colonnes de Ledoux qui avaient conservé des pierres d'attente : elles furent poncées, enjolivées et décorées à la base de figures de l'Industrie, du Commerce, de la Victoire et de la Paix, tandis qu'au sommet étaient placées les statues de saint Louis et de Philippe Auguste. Cette perspective semblait appeler un arc de triomphe. Napoléon III fit établir un projet — carcasse de bois et toile — à la gloire de ses armées et de soi-même, qui resta sans suite. En 1880, c'est la troisième République qui voulut consacrer son triomphe. Son image, en équilibre sur une boule, se dresse sur un char traîné par des lions, tandis que, dans un grand bassin, des monstres hideux crachent de l'eau dans sa direction. Dalou, l'auteur du monument, prétendait représenter les vaines injures de la réaction.

Le trône éphémère dressé en l'honneur de Louis XIV et de Marie-Thérèse, après leur sacre à Reims.

120 N

IVe. Dans son île, Notre-Dame se trouve au point le plus bas de
Paris. Elle apparaît au détour d'une rue, d'une place, d'un pont.
Contrairement à ses sœurs de Chartres, d'Amiens, de Laon ou de
Strasbourg, à tant de sanctuaires perchés sur un relief du sol ou
dont les flèches émergent à l'horizon, elle est enfoncée, dépourvue
de flèches, elle ne domine pas la ville, elle est fière, mais non point
arrogante.

Notre-Dame

    Le site qui l'accueille lui permet d'offrir des visages différents
à ceux qui la regardent. Le plus classique des points de vue est
celui du parvis, d'où apparaît la célèbre façade, rigide et statique,
qui ne présente d'elle-même qu'une seule image; ailleurs, c'est
un mouvement constamment renouvelé; tout est modelé, varié,
contrasté dans les volumes, avec des composantes, des excrois-
sances taillées ou sculptées, ajourées, isolées, groupées, grouillantes
et qui semblent, du moins en apparence, avoir été placées pour
attiser la curiosité. En faire le tour, c'est raviver constamment l'essor de ses prouesses et de ses inventions. Du pont de la Tournelle,
de celui de l'Archevêché, ou du quai d'Orléans, la vue embrasse
le chevet. Du quai de Montebello, à l'angle duquel se rencontrent
toujours des peintres et des photographes, l'abside et sa façade
méridionale présentent en oblique, dans un cadre d'eau et de verdure, la plus pittoresque des mises en scène; et nous pouvons évoquer la remarque d'Anatole France : « Elle est lourde comme un
éléphant et fine comme un insecte. » La façade nord, qui mérite
beaucoup de considération, longe malheureusement l'étroite rue
du Cloître, envahie dès la belle saison par une foule de cars, de
touristes et de marchands de souvenirs, rue extrêmement enlaidie
depuis le XIXe siècle. C'est en passant sur la rive gauche, depuis le
petit square voisin de Saint-Julien-le-Pauvre que nous avons de
Notre-Dame la meilleure et la plus complète vue d'ensemble.
Rappelons enfin que la cathédrale elle-même, du haut de ses tours,
offre un étonnant spectacle de Paris et récompense de leur effort
ceux qui auront gravi les 378 marches qui y conduisent. Le cours
de la Seine, les îlots de maisons de la ville historique et ses grands
monuments, les collines voisines, c'est un incomparable panorama
qui s'étend devant les yeux.

Les premiers sanctuaires

Des découvertes, souvent fortuites, prouvent que beaucoup de nos grands sanctuaires chrétiens se sont élevés à la place d'un sanctuaire païen. Les travaux d'aménagement du chœur, en 1711, mirent au jour de gros blocs de pierre sculptée appartenant probablement à un monument triomphal gallo-romain (aujourd'hui au musée de Cluny). Jupiter, Vulcain, et des divinités gauloises y vivent en bonne harmonie. De longue date, sans doute, des ports avaient été aménagés sur les rives de l'île : la voie de terre y croisait la voie d'eau. Au VIᵉ siècle, un texte de Grégoire de Tours relate que dans la « grande église » de Paris le comte Leudaste se serait réfugié pour fuir la colère de Frédégonde. N'était-ce pas cette cathédrale Saint-Etienne dont on a retrouvé sous le parvis des substructions qui se prolongent largement sous les travées de la nef de l'actuelle cathédrale ? Longue d'environ 60 m, elle comprenait cinq nefs, avec un chœur en hémicycle. C'est peut-être cette église que désignera Charlemagne lorsqu'un diplôme la voua en même temps à la Vierge, à saint Etienne et à saint Germain.

Au IXᵉ siècle des documents ne font plus état de Saint-Germain. Puis Saint-Etienne disparaît à son tour. Avions-nous dans la Cité une, deux ou trois églises ? Celle que chante l'évêque Fortunat avec autant d'imprécision topographique que d'enthousiasme lyrique en louant sa splendeur se trouvait-elle dans la Cité ? On en est réduit aux probabilités. Et elles se contredisent. Il est certain cependant qu'une église dédiée à Notre-Dame fut détruite par les Normands lors de la grande invasion. Elle était alors plus ou moins abandonnée au profit de Saint-Etienne que son clergé put sauver au prix d'un lourd tribut. Un siècle plus tard, c'est une nouvelle Notre-Dame qui surgissait de ses ruines, tandis que Saint-Etienne dépérissait. Les rois dotaient cette cathédrale de rentes et de présents, et elle renfermait d'insignes reliques, qui attiraient la foule des fidèles. Suger, abbé de Saint-Denis, lui fit don en 1150 d'un grand vitrail représentant le Triomphe de la Vierge, semblable aux plus belles vitreries de sa basilique. Fort admiré, il fut réemployé lors de la construction d'une nouvelle cathédrale, la nôtre, Notre-Dame de Paris.

Quand Maurice de Sully devint évêque de Paris, Saint-Etienne était ruinée, l'ancienne Notre-Dame trop petite pour la population, et déjà vieille de trois siècles, ce qui était beaucoup en un temps pris par la fièvre de construction. Ce grand homme de souche paysanne, né à Sully-sur-Loire, venu très jeune à Paris pour entrer dans la prêtrise, y fréquenta les écoles épiscopales dont l'enseignement avait un renom qui s'étendait à l'Europe. Au cloître Notre-Dame se rencontraient les plus grands esprits. Maurice de Sully était devenu archidiacre et professeur de théologie lorsqu'il fut appelé à la tête du diocèse. Dès lors, il semble qu'il ait eu pour préoccupation constante d'édifier à la gloire de la Vierge le monument que nous connaissons, c'est-à-dire la troisième église Notre-Dame. Grand administrateur, autoritaire et rayonnant de foi, il déploya pour arriver à son but une énergie sans défaillance. Comme bien

d'autres bâtisseurs d'églises, il eut à tenir tête à saint Bernard qui en stigmatisait les richesses, mais à vrai dire, il n'était pas le seul abbé ou évêque en dehors de la règle cistercienne à faire la sourde oreille. Il semble avoir été soutenu par le pape Alexandre III (bien que celui-ci n'eût point posé, comme on l'a dit, la première pierre, et encore moins consacré le chœur de l'édifice).

Quelles étaient les ressources de l'évêque pour financer une œuvre aussi considérable ? Il disposait de la mense épiscopale qui était très importante, mais qui devait subvenir à bien d'autres besoins. Croire qu'il était maître absolu serait une erreur : il avait à compter avec le chapitre, qui jouissait d'une autonomie si forte que même les officiers du roi n'avaient pas le droit de pénétrer dans son cloître. Il lui fallait convaincre les chanoines, dont les revenus et la participation à la dépense devaient être sensiblement égaux aux siens. Il devait plaider sa cause auprès des riches, quêter les oboles, le travail ou les prières des pauvres. Tâches dont il s'acquittait avec la plus grande habileté. La participation royale ne fut qu'accessoire.

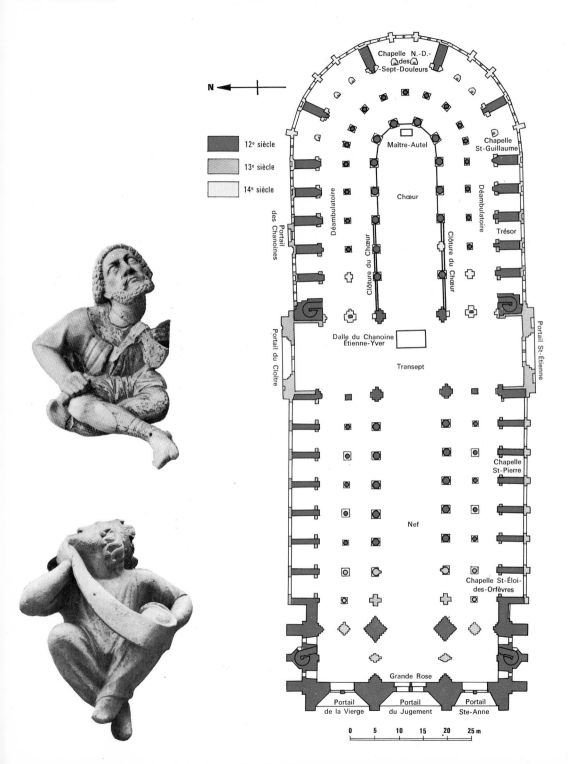

N

■ 12e siècle

▨ 13e siècle

▨ 14e siècle

Chapelle N.-D.-
des-Sept-Douleurs

Maître-Autel

Chapelle
St-Guillaume

Déambulatoire

Chœur

Déambulatoire

Trésor

Clôture du Chœur

Clôture du Chœur

Portail
des Chanoines

Portail St-Étienne

Portail du Cloître

Dalle du Chanoine
Étienne-Yver

Transept

Chapelle
St-Pierre

Nef

Chapelle St-Éloi-
des-Orfèvres

Grande Rose

Portail
de la Vierge

Portail
du Jugement

Portail
Ste-Anne

0   5   10   15   20   25 m

Les étapes de la construction.

Le chœur est commencé en 1163. Pour faire place au monument, il faut démolir progressivement ce qui reste des églises antérieures, abattre des maisons, tracer une rue rectiligne — qui sera, jusqu'à Napoléon III, la rue Neuve-Notre-Dame — pour la commodité des charrois. Les chantiers du Moyen Age passionnaient la population. Des dessins, des manuscrits à peintures nous les ont minutieusement décrits. Les pierres étaient travaillées en plein air ou dans des loges au pied du monument, puis hissées par des treuils, les matériaux les moins lourds étant poussés sur des plans inclinés. On procédait à l'échafaudage étage par étage, chacun s'appuyant sur celui qui était déjà construit. On ignore tout des architectes qui ont établi les plans.

La construction du chœur fut conduite avec une grande rapidité, puisque, quatorze ans plus tard, Robert de Torigny le vit presque terminé. Et il écrivait que si la cathédrale était un jour achevée, « aucun autre monument ne pourrait lui être comparé ». Le maître-autel était consacré en 1182 par le cardinal légat, c'est-à-dire que le chœur était alors ouvert au culte. Notons que le chevet ne comportait pas encore de chapelles rayonnantes ni d'arcs-boutants : le mur était simplement épaulé par des contreforts. C'est l'architecte de la nef qui commença à les employer pour contrebattre la poussée des voûtes. Dans ce haut et court tronçon de cathédrale, les ornements et les reliques de l'ancienne Notre-Dame furent transférés ainsi que ceux de l'ancienne église Saint-Etienne dont les plus beaux vitraux ont été remontés.

Entre-temps, les croisillons et les dernières piles de la nef commençaient à s'élever. A la mort de Maurice de Sully, en 1196, la plus grande partie de la nef était contruite. Et dans les premières années du XIIIe siècle, le monument pouvait paraître terminé. En réalité, il différait encore sensiblement de celui que nous voyons : si ses éléments essentiels étaient en place, il ne comportait aucune chapelle; quelques autels étaient simplement appliqués aux murs. Les fenêtres hautes du vaisseau étaient plus étroites et surmontaient de petites roses. L'autre cathédrale à tribunes, celle de Laon, dont la construction précède quelque peu celle de Paris, avait pu, malgré des variantes importantes, servir de modèle. Quant à la façade, implantée vers 1180 après l'achèvement des travées de la nef, elle s'élevait vers 1220 à la hauteur de la galerie. Enfin, en 1250, les deux tours étaient terminées. Une flèche en charpente fut dressée à la croisée du transept.

La cathédrale répondait alors au plan conçu par son évêque Maurice de Sully. Elle ne répondait point cependant aux besoins d'agrandissements demandés par le clergé, ni aux désirs d'enrichir cette grandiose œuvre d'art en y annexant d'autres œuvres d'art pour satisfaire des dévotions particulières. Des chapelles bénéficièrent de l'apport de donateurs désireux de les orner avec opulence. Les échafaudages de la façade à peine enlevés, ces chapelles furent édifiées entre les piles des contreforts de la nef. D'autre part, pour remédier au défaut d'éclairage motivé par l'obstacle des tribunes, les fenêtres hautes furent agrandies et les toitures des tribunes abaissées. Les petites roses disparurent dans l'opération. Les piles des arcs-boutants primitifs parurent trop faibles; c'est alors que l'architecte jugea prudent de conforter les murs par ces arcs-boutants d'une seule volée dont l'audacieuse élégance n'a pas fini d'émerveiller. La construction des chapelles ayant élargi la base des façades latérales, les croisillons se trouvaient en retrait. Leur extension fut décidée afin de les placer à l'alignement nouveau des chapelles. C'est Jean de Chelles qui en donna le dessin et commença la construction du croisillon nord en 1258. La mort l'empêcha de poursuivre son œuvre; il semble qu'il ait été remplacé par Pierre de Montreuil, l'architecte de la chapelle de la Vierge de Saint-Germain-des-Prés, qui aurait édifié aussi les premières chapelles du pourtour du chœur, les autres étant l'œuvre (1296-1325) de Pierre de Chelles, devenu maître d'œuvre de la cathédrale en collaboration avec Jean Ravy. C'est alors qu'est imaginé, avec autant d'audace que d'efficacité, ce jeu savant des longs arcs-boutants d'une extrême légèreté qui épaulent le chevet, l'un des plus extraordinaires déploiements d'architecture fonctionnelle et décorative du gothique.

La paroisse de l'histoire de France.

Au début du XIVe siècle la cathédrale était donc parachevée. Sa longueur est de 127 m, sa façade est large de 40 m, la hauteur sous voûte est de 33,10 m et la hauteur des tours de 69 m. Les façades n'étaient pas blanches car les statues et bas-reliefs qui les couvraient étaient polychromes et rehaussés d'or. On peut imaginer quels étaient la magnificence et l'éclat de l'intérieur sous les transparences colorées des immenses verrières. Le maître-autel était plaqué de cuivre jaune qui reflétait les lumières. Au-dessus, une Vierge en argent doré maintenait un reliquaire de cristal. Des reliquaires d'or et d'argent, des châsses, des lampadaires, des statues incrustées de pierreries données par des princes, des seigneurs, des évêques, des chanoines, des marchands, des corporations ne cessaient d'enrichir le chœur. La clôture du chœur relatant la vie du Christ se poursuivait sur les côtés du jubé (démoli au XVIIIe siècle) qui célébrait la Crucifixion et la Résurrection. Le trésor était enfermé dans un bâtiment qui communiquait avec la cathédrale et avec l'évêché. On y voyait les lourdes chapes brodées d'or que les célébrants revêtaient pour les grandes fêtes, les tapisseries dont on ornait alors le chœur et la nef, des vases sacrés, des orfèvreries précieuses, des évangéliaires enluminés, des antiphonaires monumentaux.

Notre-Dame a été nommée « la paroisse de l'histoire de France ». C'est sous ses voûtes que se sont déroulées les prières publiques et les grands cérémonials qui marquèrent la vie du pays. N'oublions pas pourtant que les rois étaient sacrés à Reims et enterrés à Saint-Denis, l'abbaye royale. Seules exceptions, mais en dehors de la dynastie : le sacre de Henri VI d'Angleterre, en 1430, et le sacre de Napoléon Ier en 1804. Saint Louis était trop occupé par sa Sainte-Chapelle pour s'intéresser beaucoup à Notre-Dame. Il voulut

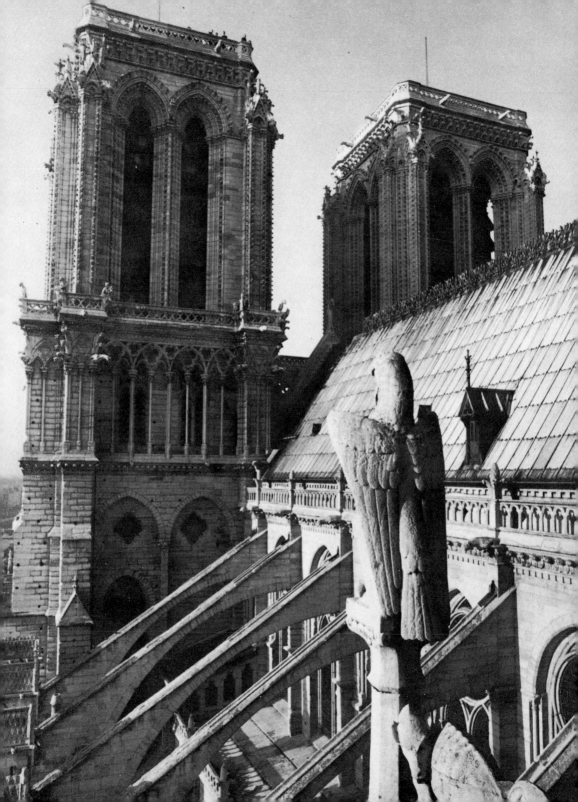

L'entrée de Louis d'Anjou à Paris en 1325. Notre-Dame venait d'être achevée. Miniature tirée des *Chroniques* de Froissart.

pourtant s'y agenouiller en y déposant la Couronne d'épines, au moins jusqu'à ce que la Chapelle du Palais fût apte à la recevoir. Au vrai, la cathédrale était le plus souvent le cadre de réjouissances populaires. Les fêtes, les processions étaient les récréations du peuple parisien et, si l'on priait, on n'hésitait pas à rire comme en témoignent la fête des Fous et la fête de l'Ane, prétextes à grosses plaisanteries génératrices d'incroyables désordres dont le légat du pape se plaignait sans résultat.

Dès 1302, après que Philippe-le-Bel eut fait brûler solennellement une bulle du pape Boniface VIII pour témoigner qu'il voulait rester maître du temporel en son royaume, il réunit à Notre-Dame ses barons, les évêques et les représentants du peuple pour faire approuver sa conduite. Notons que ces réunions « laïques » avaient lieu dans la nef séparée du chœur par des tentures. D'autre part, des confréries corporatives s'étaient fondées qui avaient leur chapelle particulière où elles ne s'assemblaient pas seulement pour les cérémonies religieuses, mais pour discuter de leurs affaires. L'une des premières fut celle des cordonniers, fondée en 1379 sous le vocable de leurs anciens confrères saint Crépin et saint Crépinien ; les souvenirs les plus durables ont été laissés par la confrérie des orfèvres, profession éminemment parisienne. Ces orfèvres avaient exécuté la célèbre châsse de Saint-Marcel qu'ils portaient dans les processions, et ils offraient à la Vierge chaque 1er mai un « may verdoyant » décoré par leurs soins. De 1630 à 1707, l'offrande fut transformée en un grand tableau (3,60 m de hauteur) représentant une scène évangélique. Ils s'adressaient aux meilleurs peintres du temps et les tableaux étaient accrochés dans la nef. La coutume tomba en désuétude. Elle fut reprise en 1949, par les orfèvres parisiens, qui offrirent un ostensoir pour le cinquième centenaire de leur confrérie.

Pendant le Moyen Age et la Renaissance Notre-Dame paraissait si bien satisfaire qu'aucune transformation ni aucune retouche ne furent portées à son architecture. Mais l'intérieur, le mobilier, le décor ne cessaient de s'enrichir et de se modifier. Les tombes étaient de plus en plus nombreuses ; parfois de véritables monuments comme celui de Juvénal des Ursins qui existe encore en partie. Les générosités avaient peut-être un peu trop accumulé les statues ; certaines très étranges, comme ce grand cavalier de bois sur son cheval caparaçonné de fer et de soierie qui représentait Louis VI, visage invisible sous le casque fermé. Il se détériora vite. Ce ne fut pas le cas du colossal Saint-Christophe placé près de l'entrée, surnommé « le géant », qui ne disparut que trois ans avant la Révolution. Il avait été donné par le chevalier des Essarts pour remercier le saint de l'avoir sauvé des représailles des Bourguignons. Si les rois se faisaient sacrer à Reims, au retour ils se rendaient à Notre-Dame en traversant la ville au milieu des réjouissances populaires. Avec la Renaissance qui pratiqua l'art des fêtes avec magnificence, ces entrées royales se déroulaient en franchissant des arcs de triomphe éphémères pour se rendre à une longue cérémonie religieuse empreinte de la plus grande solennité. Les guerres de Religion épargnèrent la cathédrale de Paris (sauf quelques sculptures du jubé martelées par les huguenots). Mais, afin de participer à la lutte, de belles œuvres en métaux précieux, dont la Vierge du maître-autel, furent envoyées à la fonte pour être monnayées.

Louis XIII avait fait le vœu de placer le royaume sous la protection de la Vierge (1638). Sa mort devait l'empêcher de réaliser l'une de ses promesses qui l'engageait à élever un nouveau maître-autel et à placer dans le chœur une statuaire où seraient représentés le Christ et la Vierge après la Crucifixion. Le vœu fut, soixante ans plus tard, repris par son fils. Hardouin-Mansart présenta à Louis XIV le projet d'un grand autel à baldaquin sur colonnes torses inspiré du Bernin. Le modèle fut exposé en 1700; mais le roi, finalement, le refusa. C'était le temps des économies.

Le plan d'aménagement du chœur qui fut présenté plus tard par Robert de Cotte recueillit son agrément, d'autant qu'il était assorti d'une très importante donation du chanoine de la Porte. C'est, en somme, après bien des avatars, celui dont nous voyons les principaux éléments, aujourd'hui. Il métamorphosait complètement le chœur gothique : les ogives, autour de l'autel, sont dissimulées par des arcades de marbre en plein cintre et les piliers habillés de pilastres. Les stalles de Dugoulon s'allongent aux côtés du chœur, surmontées de grands tableaux carrés de mesures identiques. Le maître-autel est accosté de deux anges de bronze, sur des marches incurvées. Derrière, sur un haut socle, disposé dans une grande niche, s'élève la Pietà en marbre blanc de Nicolas Coustou, groupe de grand style, d'une émotion contenue. Au-dessus, une gloire rayonnante, comme l'imposait une mode à l'italienne. De part et d'autre de l'autel, la statue agenouillée en marbre blanc de Louis XIII tendant sa couronne, par Coustou (inspirée du tableau de Philippe de Champaigne), et celle de

Elévation du côté droit du chœur.

La statue de Louis XIII par Coustou et un panneau des stalles du chœur (Assomption de la Vierge) sont parmi les vestiges du grand ensemble conçu par Robert de Cotte pour accomplir le vœu de Louis XIII.

Louis XIV par Coysevox, exécutée par l'artiste au soir de sa vie, chef-d'œuvre de la statuaire française. En dehors de l'extrême virtuosité d'exécution, le sculpteur a su personnifier dans cette image royale la majesté du pouvoir et l'humilité chrétienne. A la droite du jubé, s'adossait l'autel de la Vierge, objet de la sollicitude d'Anne d'Autriche; à droite, le petit autel de saint Denis. Une très belle grille de Caffin les réunissait. Le pavement, qui nous est resté, en mosaïque de marbres polychromes, est d'une qualité qui n'a d'égale qu'à la chapelle de Versailles. Commencés en 1699, les travaux avaient duré vingt-cinq ans. Ce nouveau chœur qui, dans la vieille église gothique, semblait appartenir à un autre monde, clos de tous côtés, fut universellement admiré. Il nous est arrivé dans une très relative intégrité, après avoir été, comme nous le verrons, si vivement critiqué par Viollet-le-Duc au nom du principe de l'unité de style, qu'il faillit bien disparaître.

Heurs et malheurs.

C'est en 1622 seulement que le diocèse de Paris fut érigé en archevêché : il dépendait jusque-là de l'archevêché de Sens. Ce n'était, d'ailleurs que reconnaître une situation de fait. Le premier archevêque fut un Gondi, de cette famille italienne qui, si peu après s'être établie en France, avait occupé tant de hautes places. Curieux personnages dont le plus célèbre, le libertin cardinal de Retz, remuait la foule de Notre-Dame par ses prédications. Il y eut quelques grands archevêques, comme le cardinal de Noailles, et des prédicateurs qui ont pris place parmi les maîtres de l'éloquence. Les chanoines devenaient moins combatifs, se contentaient d'une petite vie calme et d'une stricte ponctualité à leurs offices. La cathédrale apparaît alors moins vivante qu'autrefois. Elle trouve son animation dans les grandes cérémonies officielles dont la

Veüe et Perspective du dedans du Cœur de l'Eglise Cathedrale de Nôtre Dame de Paris.
Fait par Rochin. a Paris chez Crepy rue St Jacques   C.P.R.

L'ensemble du chœur (vers 1715) avant sa destruction et ses successives transformations.

pompe est superbe. Chaque événement, chaque baptême princier, chaque guérison du souverain, chaque victoire des armées, est célébré avec éclat par un *Te Deum*. Mais ce qui prend un caractère exceptionnel, ce qui légitime une décoration provisoire née des inventions des plus grands parmi les architectes et les artistes, ce sont les « pompes funèbres ». Conçues par Bérain (à l'occasion de la mort de Turenne et de Condé) ou sous son influence, elles exigeaient une transformation décorative de la nef et du chœur. Des édifices factices montaient jusqu'à la hauteur des tribunes, et celles-ci étaient drapées comme des loges de théâtre de telle sorte que la pierre n'apparaissait que près des voûtes. Le baroquisme se donnait libre cours et c'était l'occasion de voir transposer en volumes les fantaisies contournées des tapisseries, mais ici le noir dominait. Après Bérain, Slodtz fut le grand triomphateur de cet art particulier fait d'exaltation, de lyrisme agité et macabre où les nymphes étaient remplacées par des squelettes et les petits amours par des chauves-souris.

Des réparations se révélèrent indispensables dans le gros œuvre. Certaines parties, aux points les plus sensibles, comme le carré du transept, se trouvaient, au milieu du XVIII e siècle, dans un état déplorable. Deux grands architectes, Soufflot et Boffrand, furent appelés tour à tour à donner leur diagnostic et à conduire les opérations nécessaires. Leur travail fut sérieux, prolongé et efficace. Les voûtes, notamment, furent consolidées sans porter atteinte à la pureté de l'architecture. Pourtant, Soufflot accepte, à la demande du clergé, de commettre un acte incroyable de vandalisme. Pour faciliter le passage du dais de procession il ouvre un trou en forme d'ogive dans les linteaux du portail central, ce qui a pour résultat d'anéantir les plus belles scènes du Jugement. C'est aussi à cette époque que des vitraux anciens du chœur sont enlevés — pour favoriser la luminosité — et remplacés par des verres blancs entourés d'une frise à fleurs de lis jaune d'or. A l'extérieur, les statues nichées dans les contreforts, les fleurons, les pinacles, les gargouilles et chimères étaient pour la plupart en ruine. A quoi bon tenter de refaire ces sculptures d'un autre âge ? On prend la solution de les abattre. Ne croyons pas pour autant que Notre-Dame fût tombée dans le mépris. A cette époque, les guides de Paris décrivaient tous la cathédrale. Au vrai, on pouvait parfois lire des phrases comme celle-ci : « Bien que gothique, la cathédrale est le plus grand et beau monument de Paris. » Si la plupart, dans leurs descriptions, donnaient la meilleure place aux sculptures et peintures qu'y avait apportées l'époque classique, l'église métropolitaine bénéficiait de la considération générale.

Survint la Révolution qui devait porter à Notre-Dame tant de mauvais coups irréparables. Le 10 février 1790, un *Te Deum* y est encore célébré sur ordonnance du maire Bailly « en action de grâces de l'union intime du monarque et de la Nation ». Mais le 22 novembre, deux mois après le vote de la constitution civile du clergé, le chapitre est expulsé, les grilles du chœur et la porte de la salle capitulaire sont fermées. Ces châsses, reliquaires, objets du

La mutilation du portail central — le portail du Jugement — par Soufflot qui supprima le trumeau et entailla le tympan.

culte qui composaient le trésor sont fondus à la Monnaie. En mars 1791, un nouvel évêque de Paris est assisté d'un nouveau clergé de « jureurs »; neuf évêques de France sont consacrés. En août 1792, ce sont les objets de bronze, chandeliers, lampadaires, crucifix et les cloches (sauf le gros bourdon) qui partent à la fonte. En juillet 1793, la Convention donne l'ordre de détruire les « gothiques simulacres » des portails. Une commission des travaux publics est désignée à cet effet. Les statues de la galerie des rois, puis toute la statuaire extérieure, où qu'elle se trouve, sont l'objet d'une destruction systématique. A plusieurs reprises la Convention tente de prendre des mesures contre ceux qui dégraderaient « les monuments des arts dépendant des propriétés nationales ». Mais le désordre est tel qu'elles ne sont pas suivies d'effets. Le parvis et la nef sont jonchés de débris. Ceux-ci ne seront enlevés que pour la représentation de l'*Offrande à la Liberté* de Marie-Joseph Chénier, sur une musique de Gossec. Une montagne de rochers de carton en praticables s'élève devant la grille du chœur, couronnée par le Temple de la Philosophie. Une figurante de l'Opéra, en tunique blanche et bonnet rouge, symbolise la Raison.

Des offices continuaient à être célébrés par des prêtres assermentés, mais la population en troublait le cours, circulant partout, pénétrant dans le chœur et dégradant des objets d'art. Les dernières statues des portails sont arrachées en 1793. L'église est mise en vente mais ne trouve point d'acquéreur sérieux (des entrepreneurs malins proposaient leurs bons offices pour détruire, disaient-ils, ces « restes du fanatisme »). Elle est alors encombrée de sacs de denrées et de futailles de vin, tandis qu'une inscription dans le style de Robespierre est placée sur sa façade : « Le peuple français reconnaît l'Etre suprême et l'immortalité de l'âme. » Le culte catholique est relégué dans le croisillon nord; il faut faire place aux théophilanthropes et aux cérémonies décadaires.

A partir de 1795 la situation cesse de se détériorer. La police assure le maintien de l'ordre. Les offices religieux reprennent peu à peu leur place. Mais des transferts de monuments continuent vers le musée des Petits-Augustins; au vrai, ce n'est pas pour les mettre à l'abri que Lenoir les déménage — elles ne craignent plus rien — mais pour enrichir son musée. La Vierge de Pitié de Coustou fait partie du dernier de ces enlèvements abusifs. Notre-Dame offre alors un désolant spectacle : fenêtres bouchées par des planches, autels brisés. Elle est entièrement dépouillée de ses tableaux, de ses statues, de ses boiseries, de ses orfèvreries. Des piliers, des chapiteaux ont été mutilés par les installations provisoires des fêtes civiques.

Passées les années brûlantes, les rapports entre Notre-Dame et l'Etat ne cesseront de s'améliorer. Dès 1799, des travaux sont entrepris pour restaurer le chœur et les chapelles les plus endommagées et rétablir les carrelages défoncés. En 1802, le cardinal de Belloy, accompagné de nombreux évêques, prête serment au Premier Consul en présence du légat du pape. Le clergé constitutionnel est éliminé, le chapitre remanié. Les drapeaux des armées victorieuses sont solennellement bénits. C'est la réconciliation. Une réconciliation qui n'est pas du goût de tout le monde. Il est clair que Bonaparte veut avoir l'Eglise à sa botte. Il prescrit que tout ce qui a appartenu à Notre-Dame et qui n'est point détruit doit lui être retourné au plus vite. Ces restitutions, aussi bien par la mauvaise volonté de Lenoir que par l'ignorance des représentants de Bonaparte, s'opèrent dans un rare désordre. Pendant longtemps, et jusqu'à nos jours, il faudra rechercher ce qui s'est « égaré ». Par contre, arrivent des œuvres d'art qui figuraient auparavant dans d'autres églises. La cérémonie du sacre atteignit les sommets de la gloire et le comble du ridicule. Le monument avait été blanchi à la chaux. L'architecte Percier avait camouflé la façade derrière des masses de cartonnages d'une sorte de style troubadour indigne de lui, et l'entrée sur le parvis se trouvait condamnée. A l'intérieur, du côté des portails, un escalier de 24 marches était échafaudé en haut duquel le trône impérial répondait à celui du pape dans le chœur; la cérémonie se déroulait entre ces deux pôles en longs et lents cortèges au milieu d'édifices de charpente soutenant plusieurs étages de loges. On ne vit jamais réunis à la fois tant d'évêques et de généraux.

Un décor en carton-pâte habillait la façade lors de la cérémonie du sacre de Napoléon.

Rénovations.

Durant la première partie du XIXe siècle les travaux de restauration furent entrepris sans plan d'ensemble, selon l'état d'urgence imposé par les dégradations. Brongniart, chargé de la réfection de la façade méridionale particulièrement atteinte, accumule les maladresses. Son goût pour les murs nus l'amenait à supprimer toute ornementation. Après l'émeute de 1831, l'archevêché dut être démoli ce qui entraîna de graves dégâts au portail du transept.

Il faut maintenant aborder la question si controversée des restaurations de Viollet-le-Duc. Les uns considèrent qu'il fit œuvre bénéfique en rénovant le monument qui menaçait ruine. Les autres le traitent de faussaire pour avoir osé porter la main sur des œuvres anciennes qui, même si elles sont en mauvais état, parlent davantage au cœur que des reconstitutions; d'autant que l'esprit et la main qui les animaient paraissent définitivement perdus. A peu près tout le monde s'accorde à reconnaître son érudition et son talent. Historien savant de l'architecture du Moyen Age, dessinateur fécond et plein d'adresse, possédant une autorité et une habileté sans égales pour parvenir à ses fins, nul autre que Viollet-le-Duc ne pouvait mieux prétendre à assumer la tâche qui lui était confiée. Le courant d'idées nouvelles, l'engouement pour le Moyen Age le soutenaient dans l'esprit public. Victor Hugo avait fait paraître *Notre-Dame de Paris* une dizaine d'années auparavant,

et son pamphlet : « Guerre aux démolisseurs! » le posait en ardent défenseur des monuments gothiques. De ces monuments, les romantiques, à vrai dire, retenaient surtout le pittoresque, s'intéressaient peu à la symbolique chrétienne et moins encore à l'authenticité. Lorsqu'un concours fut lancé, en 1844, pour une restauration générale de la cathédrale, Lassus et Viollet-le-Duc l'emportèrent aisément. Leur projet était fort sage; il concernait la restauration sans faire allusion à quelque reconstitution autre que celle de la porte centrale abîmée par Soufflot. Pourtant de son côté, Montalembert insistait avec perspicacité sur le fait que l'on devait entreprendre une « consolidation », non point une « restauration ». C'est le contraire qui se passa. Lassus semble avoir bientôt passé la main à son jeune confrère dont l'imagination débordante était naturellement inspirée par la vision d'une cathédrale renouvelée selon des principes qu'il attribuait aux maîtres d'autrefois.

Il commença par procéder avec beaucoup de science aux consolidations indispensables; mais il voulut ensuite restituer intégralement l'édifice dans son état primitif et enfin dans l'état où il aurait dû se trouver si les générations n'étaient inter-

venues pour lui apporter modifications ou adjonctions d'un autre esprit. Il rêvait d'aboutir à la parfaite « unité de style » érigée en dogme fondamental de l'art du restaurateur.

C'est au nom de cette unité de style qu'il souhaitait détruire le superbe chœur du XVIIe siècle; il fut seulement autorisé à faire reparaître les piles anciennes en les dépouillant de leur placage de marbre (dont la brillante ornementation de bronze doré avait été arrachée pendant la Révolution). Par contre, ses « créations » sont nombreuses. Toute la statuaire de Notre-Dame ayant été brisée — à l'exception de la Vierge du portail du Cloître — il n'hésite point à la faire entièrement reconstituer, quand ce n'est pas à l'inventer, en la confiant à des sculpteurs formés pour la plupart à ce travail dans l'atelier de Geoffroy Dechaume : les statues des portails, de la galerie des rois, et celles des niches des contreforts, les clochetons, les pinacles, les gargouilles, les gâbles et leurs fleurons. Les grandes roses sont remontées et leurs meneaux renforcés. Les contreforts de l'abside qui avaient été consolidés par d'épaisses maçonneries sont retravaillés et couronnés de grands pinacles à colonnettes. Les fenêtres hautes de la nef sont remaniées, les vitraux blancs remplacés par des vitraux de couleurs ou de grisailles. Sous prétexte de compléter la cathédrale médiévale, l'architecte se permet de décorer les croisillons et de percer au-dessus des tribunes une rose dans le style du XIIe siècle qui n'avait jamais existé. Il remplace l'ancienne flèche détruite en 1792 par une autre plus haute et plus ornée, entourée de statues d'anges et de saints; un peu partout, dans les parties hautes, sont disséminés divers animaux fantastiques. A l'intérieur une épuration systématique

L'abside de Notre-Dame avant la construction de la flèche. Gravure de Meryon.

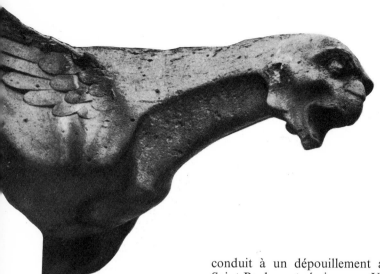

conduit à un dépouillement affligeant. L'archéologue Anthyme Saint-Paul peut écrire : « Viollet-le-Duc a inventé en quelque sorte le démeublement des églises... Une armée de pillards semble avoir passé par Notre-Dame. Plus un seul chef-d'œuvre des peintres et des sculpteurs des deux derniers siècles. Nulle part une toile de maître, nulle part un ex-voto, un panneau, un retable. Les chapelles sont nues avec leurs autels mesquins et leurs hautes murailles peintes en dessins de tapisserie. » Viollet-le-Duc était très fier de son travail de restaurateur, mais il croyait avoir aussi une vocation d'architecte créateur; trop proche par l'esprit du métier des anciens, il n'a jamais pu s'en évader.

A la commande des restaurations de Notre-Dame s'ajoutait la construction de la sacristie et de la salle du trésor conçues comme des bâtiments indépendants et reliées à la cathédrale par une galerie. Malgré leur ornementation inspirée par Notre-Dame ces bâtiments sont si peu dans son esprit et s'accordent si mal avec le monument qu'on serait à même d'en conclure que Viollet-le-Duc a voulu prouver par là être le plus savant des architectes et le plus médiocre des artistes. Il s'est montré plus « moyenâgeux » que le Moyen Age en faisant exécuter d'après ses dessins habiles, mais de pure fantaisie, des gargouilles grimaçantes, des chimères, toute une ménagerie de monstres sortis de l'imagination romantique. Il y a d'ailleurs si bien réussi qu'aujourd'hui encore le détail le plus reproduit et le plus populaire est le Stryge, bête ailée et cornue à visage humain, qui paraît méditer sur Paris. Le plus fâcheux c'est qu'il est arrivé à faire prendre ces travestissements et ces contre-façons pour des œuvres authentiques d'artisans du Moyen Age.

Napoléon III soutint toujours Viollet-le-Duc et lui fit obtenir d'énormes crédits qui dépassaient toujours les prévisions. Ne voulait-il pas utiliser la restauration de Notre-Dame pour assurer son prestige personnel ? Les événements familiaux, son mariage, le baptême du prince impérial, virent renaître des cérémonies aussi fastueuses que le sacre du grand-oncle; la façade était revêtue de décors coûteux, et presque toutes les têtes mitrées de France s'alignaient dans le chœur. La Commune passa sans dommage — mais non sans avoir fait courir un grand risque à la cathédrale. En 1871, des émeutiers allumèrent un bûcher dans le chœur couvert d'un amoncellement de chaises. Les médecins et internes de l'Hôtel-Dieu ayant aperçu de la fumée purent sauver en dernière minute le monument de l'incendie.

Le rôle national de Notre-Dame se poursuivit sous la République. Lors de la guerre de 1914, ses portails étaient protégés par des sacs de sable; lors de celle de 1939, des dalles de ciment les mirent à l'abri. En mai 1940, des prières publiques y furent dites en présence des membres du gouvernement. La foule emplissait le parvis. En 1944, au cours de la seule visite qu'il fit à Paris occupé, le maréchal Pétain s'y rendit. Trois mois plus tard, jour pour jour, le général de Gaulle, après avoir descendu les Champs-Elysées, y assistait à un *Te Deum*.

Protégés par des sacs de sable pendant la guerre de 1914-18, les portails furent dégagés après l'armistice.

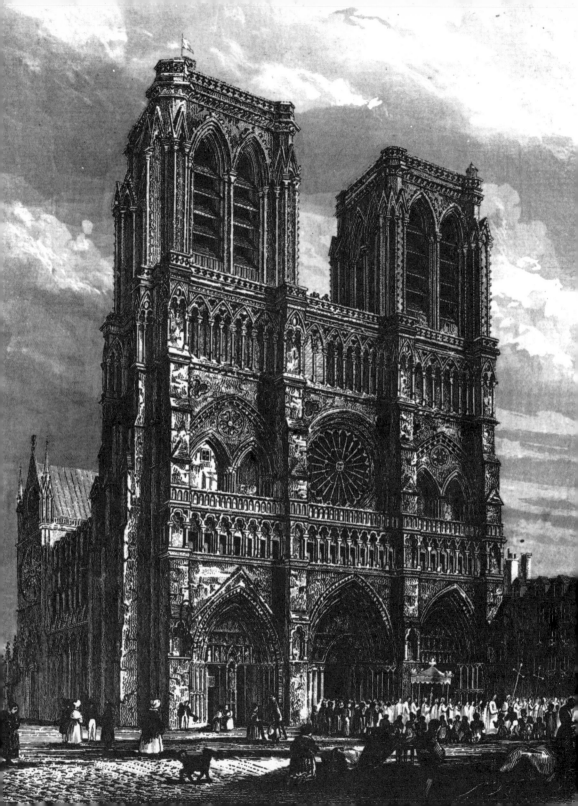

La façade et les portails.

Notre-Dame de Paris est la plus visitée des églises de France. Cathédrale métropolitaine, intimement liée à l'histoire de la capitale, on la nomme Notre-Dame tout court, ce qui n'est pas le cas d'autres cathédrales remarquables également vouées à la Vierge, comme Notre-Dame de Chartres, d'Amiens, de Bourges et de Reims.

Il n'est pas possible de parler à propos de la cathédrale de Paris de « style de transition », car elle est trop assurée dans ses volumes et dans ses modes de construction pour que l'on sente ce glissement qu'évoque le transitoire ; mais elle fait partie, après Noyon et Senlis qui l'ont un peu précédée, de ces chefs-d'œuvre d'Ile-de-France qui relient les structures romanes aux inventions gothiques.

Si les chapelles rayonnantes et les volées légères des arcs-boutants qui marquent la fin de la construction caractérisent l'envol de l'architecture, la façade occidentale, dans sa massivité, appartient au premier âge gothique. La composition de cette façade en trois étages, eux-mêmes compartimentés en trois parties par des contre-forts vigoureusement accentués, a poussé les chercheurs de symboles et de nombres d'or à établir des tracés géométriques qui pourraient définir ce caractère ternaire. Elle est comme barrée par des horizontales qui, en principe, ne pourraient que nuire à son élan. Au-dessus des trois portails, c'est l'alignement de la galerie des rois surmontée d'une balustrade ; le deuxième étage, celui de la grande rose et des baies latérales, se poursuit par la galerie à jour, d'une extrême légèreté, entre des corniches ; les tours elles-mêmes ont à peu près la même hauteur que chacun des étages inférieurs. Nous disons bien à peu près : s'il y eut dans le projet des recherches géométriques, elles ont été appliquées sans rigueur. Et c'était sans doute préférable, car si l'on peut reprocher à cette façade d'être trop plate et trop sommairement organisée, on ne saurait nier qu'y règne cette sensibilité équilibrée que nous retrouvons dans tous les grands ouvrages de cette époque privilégiée.

La façade donne une impression d'unité, mais, en fait, les volumes établis en symétrie diffèrent souvent par leurs dimensions. C'est le cas des deux tours qui ne sont jumelles qu'au premier regard : celle du sud est de moindre largeur que sa voisine élevée dix ans plus tard. C'est le cas aussi des portails, tous trois différents de formes et de dimensions. Les divisions horizontales sont mieux perçues aujourd'hui, en raison de l'étendue du parvis, qu'elles ne l'étaient à l'origine, lorsque la présence des maisons proches en laissait une vue presque verticale. Toujours est-il que l'ordonnance de cette façade est unique. Sans précédent, elle est restée sans suite, ce qui est d'autant plus curieux que l'art des XIIIe et XIVe siècles a reçu son influence, parfois par emprunts directs. Victor Hugo a écrit qu'au Moyen Age la cathédrale était surélevée de onze marches au-dessus du parvis qui aurait été soi-disant exhaussé pour que l'entrée fût accessible de plain-pied. C'est pure invention. Mais la légende est tenace.

Portail de la Vierge.

Les trois portails s'imposent dès l'abord. Nous les suivrons de gauche à droite. Le portail de la Vierge, au nord, le plus ancien, a été élevé approximativement entre 1210 et 1220, les autres ont suivi jusqu'au milieu du siècle. C'est la gloire de la Vierge que Notre-Dame se devait de mettre à l'honneur avant tout. Le linteau central décrit sa résurrection : deux anges attentifs la soulèvent doucement de sa couche, entourée par les apôtres. Au-dessus, nous assistons au Triomphe de la Vierge : assise à la droite du Christ entre deux anges porteurs de cierges, dans un geste grave et plein d'humilité, elle adore son fils qui, levant haut l'avant-bras, la bénit, tandis qu'un ange tient la couronne. Scènes humaines et célestes d'où se dégage une étrange douceur. Au linteau inférieur trois prophètes et trois rois sont assis qui méditent gravement sur les Saintes Écritures. Pour célébrer le Couronnement, une foule de patriarches, de prophètes et d'anges thuriféraires s'alignent aux voussures. Au trumeau, la statue de la Vierge et son socle sculpté sont modernes (selon l'usage, et pour la commodité, le mot

« moderne » est employé pour désigner les éléments exécutés de toutes pièces lors des campagnes de restauration à partir du XIXᵉ siècle). En revanche, les petits reliefs figurant aux écoinçons n'ont subi que de légères retouches : à côté des signes du Zodiaque, ils expriment avec verve les activités de personnages au visage amusé (les saisons, les âges de la vie). Sur les pilastres encadrant ce portail, des plantes variées ajoutent à sa saveur poétique. Les pentures qui décorent et consolident les vantaux de la porte et que l'on retrouve au portail Sainte-Anne, sont d'époque. C'est un superbe travail de ferronnerie où le décor végétal conservant toute sa souplesse s'épanouit en rinceaux.

Au malheur arrivé au portail central, dit du Jugement — le plus vaste — lorsque le tympan fut volontairement découpé en ogive au XVIIIᵉ siècle, s'ajoute le vandalisme des iconoclastes révolutionnaires qui, là aussi, brisèrent les statues. A plusieurs reprises la statuaire avait déjà été irrégulièrement restaurée ou mutilée. Pour la plus grande partie nous sommes en présence d'une restitution

Penture du portail Sainte-Anne.

approximative : au trumeau, le Christ bénissant est manifestement inspiré du Beau Dieu d'Amiens. Les statues d'apôtres des piédroits ont pris pour modèle des éléments de statuaire de la cathédrale de Bordeaux. Toutefois, les bas-reliefs des soubassements des statues nous sont restés. Les Vertus sont représentées par des femmes assises, drapées dans d'amples tuniques et tenant en main un cartouche symbolique. Les Vices sont symbolisés par des scènes beaucoup plus animées. L'ensemble présente les thèmes habituels aux portails du Jugement des églises gothiques. Au sommet du tympan (épargné) le Christ en gloire présente ses mains meurtries et repose ses pieds sur la Jérusalem céleste. Les instruments de la Passion sont portés par deux anges à ses côtés. L'agenouillement de la Vierge et de saint Jean est déterminé par l'ordonnance de la composition triangulaire. Aux deux registres inférieurs (modernes) sont représentés la Résurrection des morts et le Pèsement des âmes. Aux portails du Jugement, les voussures ne manquent pas d'attrait ni de verve. Ici, nous voyons d'un côté les Justes, d'attitude calme et pieuse, accueillis par Abraham, Isaac et Jacob. De l'autre, c'est l'enfer, empli d'effroyables scènes de tortures, de diables grinçants et de cavaliers de l'Apocalypse. Un roi et un évêque figurent parmi les damnés. La Cour céleste rayonne de multiples personnages dont les plus curieux, les plus exquis sont les petits anges d'une infinie variété d'expression installés aux deux premières voussures comme si, penchés à des balcons de théâtre, ils assistaient à un spectacle. Le portail Sainte-Anne, bien que construit le dernier, présente les plus anciennes sculptures. Au tympan, la Vierge en majesté, hiératique, sous un dais, tenant l'Enfant devant elle, les anges thuriféraires, l'évêque et le roi genou à terre, et le petit scribe assis au coin gauche, semblent plus proches du roman que du gothique. Le contraste est manifeste avec les autres portails. Ces sculptures appartenaient vraisemblablement à un ancien portail inconnu (ou à un projet ?), plus petit, ainsi qu'en témoigne l'espace compris entre l'axe presque arrondi du linteau et l'ogive plus aiguë du nouveau portail. Il s'agit donc d'un remploi de morceaux antérieurs d'environ cinquante ans. Le linteau intermédiaire, de la même époque, décrit la Présentation au Temple, l'Annonciation, la Visitation, les très attachantes scènes de la Nativité et de l'Annonce faite aux bergers (au centre), le roi Hérode et les rois mages. Les deux extrémités ont été agrandies pour être cadrées par le portail. Le linteau inférieur, d'un relief accentué, illustre l'histoire de Joachim et d'Anne avec une grâce pleine de bonhomie. Remarquons l'échelle décroissante des personnages du haut en bas; l'œil du spectateur, qui regarde en sens inverse, en est satisfait; mais la préoccupation de l'artiste était sans doute de donner la place majeure à la Vierge, à Notre-Dame triomphante au seuil de sa cathédrale. Au trumeau, une statue moderne de saint Marcel a été sculptée par Geoffroy Dechaume d'après la statue ancienne arrachée pendant la Révolution. Les statues des piédroits, rois, reines, saints, sont sorties de son atelier, de même que les statues en niches dans les contreforts qui séparent les trois portails : de droite à gauche, saint Denis, la Synagogue, l'Eglise et saint Etienne.

Portail Sainte-Anne.

Rose occidentale. Au centre, la Vierge à l'Enfant, entourée des douze prophètes, puis des douze vices, des douze signes du Zodiaque, des douze vertus et des douze mois de l'année.

Les portails sont séparés de l'étage de la grande rose par la galerie des rois. Bien alignés sous des arcades tréflées ce sont les vingt-huit rois de Juda et d'Israël, qui avaient été confondus avec les rois de France. Ce fut leur malheur. Les révolutionnaires firent basculer avec des cordes tous ces personnages bibliques. Ceux que nous voyons aujourd'hui, impeccables, sont donc modernes. Sur la balustrade se dressent cinq statues (exécutées en 1854 et plusieurs fois restaurées depuis) qui représentent Adam et Eve, dans l'axe des tours, et, au centre, une Vierge à l'Enfant entre deux anges. La grande rose (9,60 m de diamètre) a toujours été l'objet de l'admiration générale. L'organisation géométrique en est simple et robuste : de l'œil central rayonnent douze colonnettes reliées par une arcature où s'appuie un second rayonnement de vingt-quatre colonnettes; elle emplit bord à bord les étages et les contreforts. Les écoinçons supérieurs sont ornés de deux trèfles. Les baies latérales se composent de deux fenêtres surmontées d'une petite rose aveugle et de trèfles. Les arcades qui s'alignent à la base des tours sont d'une extrême délicatesse. Les artistes de la fin du XIIIe siècle, en de nombreux monuments, semblent avoir mis leur point d'honneur à ouvrager avec la plus grande finesse ces arcades en tiers-point qui, deux par deux, se chevauchent pour donner naissance à un jeu subtil de figures fleuronnées. Au-dessus, derrière une balustrade en quatre-feuilles, une galerie de circulation a été établie. Viollet-le-Duc y a perché, au croisement des contreforts, des animaux imaginaires.

Les tours sont creusées sur leurs quatre faces par des baies de 16 m qui les ouvrent presque de part en part; leur mouvement ascensionnel confère à ces masses quadrangulaires une appréciable légèreté. Leurs multiples contreforts sont ornés de colonnettes, de clochetons, de gargouilles et reçoivent les alignements de crochets sculptés (reconstitués à bien des reprises jusqu'au milieu du XXe siècle). Leur sommet est couvert d'une terrasse de plomb et reçoit la tourelle de la cage d'escalier. C'est dans la tour nord que se trouve le « gros bourdon » — son poids est de treize tonnes — dont Louis XIV et Marie-Thérèse furent parrain et marraine.

Les façades latérales.

Les façades latérales sont de conceptions architectoniques à peu près semblables. Le mur extérieur des chapelles est décoré de gâbles à crochets. Ceux des chapelles, correspondant aux quatre premières travées du chœur, sont ornés de feuilles, et les culées des arcs-boutants comportent des dais à colonnettes, des fleurons et des clochetons aigus (refaits lors de la restauration de 1844). Les chapelles du déambulatoire qui datent du dernier stade de la construction ont un décor abondant, plus travaillé, plus animé; les toitures sont plus élevées. Les fenêtres hautes sont jumelées en tiers-point et surmontées d'une rose. Les arcs-boutants qui s'élancent au-dessus du déambulatoire et des tribunes ont 15 m de volée. La toiture, de très heureuses proportions, repose sur une charpente si complexe et si touffue qu'elle était nommée « la forêt ». Au-dessus de la croisée du transept, la flèche de Viollet-le-Duc s'élève à une hauteur de 96 m. C'est un élégant assemblage de charpente de bois recouverte de plomb. On sait que la flèche antérieure fut détruite à la fin du XVIIIe siècle. La nouvelle flèche, plus élevée, a été établie et décorée, comme celle de la Sainte-Chapelle, à l'aide de divers documents anciens qui fournissaient des indications de détails.

Les sculptures des parties hautes, soumises aux caprices des éléments, sont celles qui ont le plus souffert. Figures humaines ou animales, fleurons ou simples crochets, il reste peu d'éléments d'origine. Après bien des restaurations, celle de 1844 fut la plus totale, et aussi la plus excessive, puisqu'elle allait jusqu'à l'invention de ce qui n'avait jamais existé. Telles sont les statues de la Vierge et des Anges, et celles des Apôtres en cuivre verdi qui descendent autour de la flèche ou sur les galeries. Les sculpteurs de l'atelier Geoffroy Dechaume recevaient les conseils de Viollet-le-Duc; le visage du bouillant restaurateur est représenté sur une statue de saint Thomas (d'ailleurs difficilement visible).

Les croisillons entrepris au milieu du XIIIe siècle ont renouvelé et singulièrement enrichi l'aspect des deux façades latérales. Comme la façade principale, ils se composent de trois étages. Le portail septentrional est des plus remarquables. Nommé, en raison de sa situation, portail du Cloître, il est surmonté d'un grand gâble aigu, flanqué de gâbles mineurs d'un même dessin. Six niches vides se répartissent sur les côtés. On ose espérer sans trop y croire que si Viollet-le-Duc n'a pas voulu les garnir c'est pour ne pas porter ombrage à la statue centrale, seule véritable sculpture en

Portail du Cloître.

onde-bosse qui ait survécu aux destructions. Elle date des années
ù la sculpture française atteignait son apogée. C'est une Vierge à
l'Enfant, sans doute le portrait d'une dame robuste de corps et de
isage, qui respire la santé. Son attitude, son expression sont d'un
alme équilibré et d'une noblesse sans pareille. L'Enfant Jésus a été
risé mais on sent sa présence à la légère courbure de la hanche
t à la douceur heureuse qui rayonne de sa mère. Sa tunique
aut placée, caractéristique de l'époque qui l'a vue naître, est d'un
dmirable drapé.

Le registre inférieur du tympan raconte l'enfance du Christ :
a Nativité où la Vierge dans son lit regarde son fils par terre dans
on berceau, réchauffé par le bœuf et l'âne qui — miracle des
ranspositions poétiques — sont couchés sous le lit, la Présentation
u Temple, Hérode conseillé par le diable, le massacre des Inno-
ents; puis la Fuite en Egypte : saint Joseph dont la barbe hirsute
ange le visage, coiffé d'une sorte de chapeau de jardinier, tient la
ride de l'âne et se retourne pour regarder l'Enfant serré dans les
ras de la Vierge avec une expression de tendresse infinie. Les deux
egistres supérieurs sont consacrés au miracle de Théophile, thème
lassablement repris au Moyen Age. On le voit se dérouler depuis
pacte avec le diable jusqu'au triomphe de la Vierge. Des anges,
es vierges et des docteurs qui s'alignent aux voussures ont été fort
estaurés. Une galerie de circulation ajourée passe derrière les
âbles sous la claire-voie. Au-dessus, une autre galerie court au
ied de la grande rose, elle-même surmontée d'une troisième
alerie.

A côté, à gauche, nous rencontrons une porte de dimensions
odestes, mais fort belle; c'est la porte des Chanoines, qui leur
ermet de gagner facilement leurs stalles. Elle est dite aussi
porte rouge », peut-être parce que cette couleur lui fut autrefois

réservée. Un gâble la surmonte encadré de clochetons. Le peti[t] tympan représente saint Louis et Marguerite de Provence agenouil lés priant Jésus et la Vierge que couronne un ange. La voussure, u[n] peu épaisse par rapport au tympan, représente des scènes de la vi[e] de saint Marcel. Le décor des frises, feuilles et fleurs d'églantier notamment, est traité avec un art consommé. Le soubassement [a] reçu une ornementation à croisillon où figure un bestiaire d'u[n] style oriental assez inattendu. Vers l'extrémité du mur, on aperçoi[t] derrière la grille un décor de bas-reliefs célébrant la Vierge, encadré en quatre-feuilles. Ils datent d'environ 1320. Ce n'est plus l[a] superbe plénitude de l'autre siècle. Les narrations sont réalistes e[t] d'un langage plus précis. On y voit notamment le cercueil de l[a] Vierge présenté par les apôtres au visage bouleversé. Les reliefs d[e] l'Assomption où la Vierge, dans la mandorle, est portée par de[s] anges, sont d'une grâce attachante.

Le croisillon méridional a été élevé en 1258, comme le précis[e] une inscription. Une autre inscription indique que Jean de Chelles « de son vivant maître maçon », a pris part à la construction. E[n] réalité, elle a été profondément retouchée par Viollet-le-Duc. C'es[t] le portail de Saint-Etienne, malheureusement peu accessible a[u]

Soubassement de la porte des Chanoines (la porte rouge) : bêtes fantastiques.

public car il fait partie de l'espace proche de la sacristie réservé au clergé. La statuaire est moderne. Mais le tympan, qui décrit la lapidation de saint Etienne, a été sculpté au Moyen Age avec une verve et une habileté de métier peu communes. En bas, à droite, le juge est assis avec désinvolture, jambes croisées. Les autres personnages sont graves, anxieux et semblent dans l'attente d'un événement surnaturel. Au registre supérieur, la scène de la lapidation est traitée à la manière d'une figure de ballet. Non moins intéressants sont les petits reliefs qui décorent les soubassements : personnages inscrits dans des quatre-feuilles, eux-mêmes inscrits dans un rectangle. L'espace compris entre le rectangle et les courbes inférieures contient d'autres personnages et des animaux, très réalistes, qui s'opposent, par leur petite échelle, aux groupes centraux. Tout est fort animé, assez étrange, et certainement d'un art très savant. Scènes de la vie des étudiants ? Episodes pittoresques d'une vie de saint ? Sans doute en disputera-t-on longtemps.

Dominant le portail, la grande rose : du dehors, même privée de la magie des transparences colorées, c'est un chef-d'œuvre. Ses douze rayons organisent à l'extrémité une auréole d'arcs brisés, réflés, renversés, qui s'articule de façon à répartir les poussées à l'extérieur pour soulager les colonnettes de la claire-voie qui ne les supportent qu'en apparence.

La nef.

En pénétrant dans la nef, qui resterait insensible, à son atmosphère de mystère et de recueillement ? C'est la dernière des nefs à
tribunes, ces belles et accueillantes tribunes qui ne laissaient aux
fenêtres hautes qu'une place trop restreinte pour éclairer l'intérieur.
Peut-être les hommes de ce temps étaient-ils moins sensibles que
nous à ces puissances secrètes qui semblent se dégager de la semi-
obscurité des églises romanes et du premier âge gothique. Le
XIIIe siècle a voulu voir clair dans ses églises. Sans quitter Paris,
nous pouvons suivre le cours des inventions qui substituaient le
vides aux pleins, en perçant de hautes baies rapprochées, des roses
immenses, pour faire régner la lumière à travers la radieuse polychromie des vitraux. Un demi-siècle plus tard l'étage supérieur de
la Sainte-Chapelle n'aura plus que des « murs-lumière ». Le chemi-
nement se fit à tâtons. A Notre-Dame, on avait corrigé comme on
pouvait la pénombre de la nef par l'allongement des fenêtres hautes.
Mais qui dira si Maurice de Sully n'avait pas voulu cette pénombre
pour magnifier la luminosité relative du chœur ?

Les irrégularités du plan, presque imperceptibles, restent sensibles
même si elles n'agissent que sur l'inconscient. Les deux premières
travées de la nef sont plus étroites que les autres et le tracé de la
partie nord est légèrement désaxé vers la gauche par rapport au
chœur. Le carré du transept n'est pas carré et aucune de ses travées
n'est symétrique à sa correspondante. Il y a là une sorte d'indécision apparente dont l'accent d'humanité est sans doute plus
émouvant qu'un excès de précision. Les voûtes sexpartites correspondant aux dix travées de la nef sont d'une admirable pureté. Les
grandes arcades retombent sur des piles rondes dont les chapiteaux
s'épanouissent en feuillages, et dont les bases sont à doubles tores.
Les baies des tribunes, cantonnées de colonnettes, sont divisées en
deux arcades réunies sous un grand arc brisé. Les fenêtres hautes,
également à doubles arcades, sont surmontées d'une rose. Aux
deux premières travées de la nef les piliers apparaissent comme
d'imposants massifs de pierre : ce sont eux qui portent tout le
poids des tours. Leur massivité est corrigée par les groupes foison-
nants de colonnettes qui s'élancent jusqu'aux voûtes. Sur les murs,
les arcades sont séparées par un faisceau de trois colonnettes qui
montent des chapiteaux d'un jet à la jonction des ogives. Vastes et
bien éclairées, les tribunes peuvent recevoir 1 500 personnes, et
c'est peut-être leur principale justification : Notre-Dame devait en
effet accueillir de grandes foules, et cet étage supplémentaire permettait à la cathédrale d'abriter près de 10 000 fidèles. Elles sont
voûtées d'ogives dont les nervures sont en forte saillie, et leurs baies
en tiers-point se composent d'une rose polylobée et de deux petites
roses aux écoinçons. Quatre escaliers à vis y conduisent, logés dans
les tourelles accolées à la façade et près du chœur.

Le transept a été agrandi après la construction des chapelles à
l'alignement de celles-ci. A la croisée, la voûte d'ogives, percée à
la clef d'un oculus, repose sur des piles à colonnettes de formes
différentes. Du côté de la nef elles sont revêtues de pilastres plats.

La nef vue de la tribune.

Sculptures du vœu de Louis XIII, dis-
séminées dans le chœur : Louis XIV
de Coysevox, la Pietà de Guillaume
Coustou, Ange portant la couronne
d'épines.

Sous les grandes roses, les murs pleins sont décorés d'arcatures

L'architecture du chœur se compose de quatre travées couverte
par deux voûtes sexpartites qui semblent continuer la nef et d'un
abside en fer à cheval dont la voûte repose sur huit branche
d'ogives rayonnantes. Les arcades, les tribunes, les fenêtres suiven
le rythme ainsi défini. L'ensemble des piles rondes est orné d
larges chapiteaux qui s'épanouissent en épais feuillages. Dans le
doubles bas-côtés, les travées, sauf les deux premières, voûtée
d'ogives sur plan carré, reposent alternativement sur des pile
rondes et des piles fortes cantonnées de colonnettes. Dans l
partie tournante de ces bas-côtés, les travées se multiplient et le
voûtes adoptent une forme triangulaire. De cette heureuse dispo
sition naissent des effets de perspective renouvelés et toujour
séduisants, qui seront imités jusqu'au xve siècle (cf. Saint-Séverin

Lors de l'aménagement du xviie siècle en exécution du vœu d
Louis XIII, le chœur avait été métamorphosé selon un programm
très complet où participaient les plus grands sculpteurs du temps
Au nom de l'unité de style, Viollet-le-Duc
aurait voulu tout supprimer pour faire apparaître le chœur
gothique dans son intégrité. On aboutit à une sorte
de transaction. Si le chœur fut modifié par des
éliminations (que, d'ailleurs, l'on ne
peut toujours regretter) ses
éléments essentiels
subsistent. Mais
ce n'est plus

ujourd'hui le grand ensemble décoratif qu'avait conçu Robert
e Cotte, c'est une exposition de grandes sculptures isolées.
Derrière le maître-autel, la Pietà de Nicolas Coustou, d'une
loquence agitée, est posée sur un socle de marbre où a été insérée
près la Révolution une *Mise au tombeau* de Girardon. De chaque
ôté de l'autel sont agenouillés le Louis XIII de Guillaume Coustou
t le Louis XIV de Coysevox (1715). On peut regretter que ces
tatues magnifiques, entourées d'anges de bronze portant les
struments de la Passion, soient si difficilement visibles. Les
oiseries des stalles sont traitées avec le plus précieux raffinement.
Dessinées par Robert de Cotte elles ont été modelées en
as-relief par Dugoulon et René Charpentier sur le thème
e la vie de la Vierge, en reprenant les partis décoratifs
e la chapelle de Versailles. Les chaires épiscopales,
ues à Antoine Vassé, qui se trouvaient autrefois près
e l'autel ont été placées à l'entrée du chœur. A côté,
dossées aux piliers, les deux statues sont en tous points
issemblables : à gauche, c'est un saint Denis de Nicolas
oustou, et celle du pilier de droite symbolise
Notre-Dame de Paris, du moins pour la
évotion des fidèles; elle provient en réalité
de la petite église toute proche de Saint-Aignan,
et fut placée au trumeau du portail de la Vierge
avant de prendre place ici en 1655.
C'est une très gracieuse
Vierge à l'enfant du
XIVe siècle.

Sur le pourtour de la clôture du chœur, une Cène lourdement repeinte au XIXe siècle.

La clôture du chœur se raccordait autrefois au jubé; c'est la seule de l'époque gothique qui soit parvenue jusqu'à nous. Commencée en 1300 sous la direction de Pierre de Chelles, elle fut continuée en 1318 sous celle de Jean Ravy et achevée en 1351 par Jean Le Bouteiller. Dans la partie tournante du déambulatoire elle fut détruite lors de l'aménagement du chœur, puis remplacée par une grille moderne. Les parties qui nous restent correspondent donc aux travées droites du chœur. Une inscription indique que Jean Ravy, « maître-masson de Notre-Dame, commença ces nouvelles histoires ». Ce sont bien des histoires, en effet, des histoires édifiantes, que les sculpteurs offraient à la vue des fidèles. Par malheur les multiples personnages qui figurent sur ce pourtour ont été complétés lors des restaurations de Viollet-le-Duc, puis enjolivés de couleurs et de dorures déplorables. En partant du bas-côté sud, ils racontent la vie du Christ depuis la Visitation et l'Annonce aux bergers, jusqu'à des thèmes, beaucoup plus rarement traités (côté nord) consacrés aux apparitions du Christ après sa mort. On peut y suivre l'évolution d'une sculpture que l'on pourrait nommer « populaire » si, à cette époque, art populaire et grand art n'étaient pas étroitement liés, depuis les scènes simples et touchantes toutes proches de la gravité du XIIIe siècle, jusqu'aux attitudes et aux drapés déjà plus affectés du milieu du XIVe.

Les roses, dont nous avons vu de l'extérieur les fines armatures,
sont les joyaux de Notre-Dame. C'est par chance qu'elles nous
sont parvenues alors que les autres vitraux sont des créations
du siècle dernier. Ces murs allégés, l'extraordinaire ampleur de ces
roses épanouies c'est évidemment un héritage des innovations
réalisées à la Sainte-Chapelle quelques années auparavant pour
inonder l'intérieur de lumières et de couleurs.

La rose sud.

La rose septentrionale (environ 1255) est la mieux conservée. Si la verrerie eut à subir quelques réparations, presque aucun morceau de vitrail n'a été ajouté. Au centre, une Vierge en majesté autour de laquelle des prophètes s'alignent en couronne. Dans un second cercle, des rois et des grands prêtres. Aux écoinçons, deux petites scènes de l'Antéchrist sont des morceaux modernes. Modernes sont aussi les dix-huit rois de Juda qui figurent à la claire-voie, en soubassement. La rose méridionale, de même dimension, mais non de même dessin, est presque contemporaine de celle qui lui fait vis-à-vis. Mais, par suite de tassements dans la maçonnerie, elle a été entièrement refaite lors de la campagne de restauration de Boffrand (1737). Elle fut enfin comprise dans le programme de Viollet-le-Duc qui la fit reconstruire entièrement à son tour. Les morceaux de vitrail récupérés se trouvent surtout dans les parties centrales (sauf le Christ en médaillon). Nous y voyons la théorie des prophètes, des apôtres, des saints, des vierges, entourés de vingt-quatre petits anges. Le carré du transept est le meilleur point d'où l'on puisse regarder la rose de la façade occidentale, la plus petite, et aussi la plus ancienne, mais maintes fois restaurée. On y voit les Vertus et les Vices, les mois de l'année et les signes du zodiaque sur un fond bleu.

Les seuls vitraux anciens de Notre-Dame sont donc, en partie, ceux de ces trois roses. La plupart des autres ont été exécutés sur des dessins de Viollet-le-Duc par les ateliers Maréchal de Metz. Elles reprennent, l'inspiration en moins, les thèmes habituels aux églises médiévales. Les fenêtres hautes étaient en grisaille pour répondre au constant souci de donner plus de lumière à la nef; mais comme ils semblaient bien froids et trouaient les murs alors que les autres fe- nêtres étaient vivement colorées, on fit l'audacieuse expérience, en 1938, de les remplacer par des verrières polychromes. N'était-il pas normal d'abandonner le pas- tiche du genre Second Empire et de concevoir des vitraux dans le style de l'époque ? On s'adressa aux meilleurs maîtres verriers. Ils exécutèrent des vitraux à person- nages dans le style moderne — qui était alors une sorte de cubisme décoratif à la mode de l'exposition de 1937. Le programme iconographique avait été précisément défini dans son échelle et ses couleurs fondamentales; mais chaque

La rose nord.

artiste s'exprimait selon sa personnalité. Les résultats furent peu convaincants. La guerre arriva. Les vitraux furent démontés pour être mis à l'abri, et l'on n'en entendit plus parler. Après la guerre, lors de l'entreprise de « rajeunissement » des œuvres d'art, la question des verrières de la nef à nouveau se posa. Après bien des essais, Jacques Le Chevalier fut chargé de l'ensemble de la vitrerie haute (1963). Evitant toute figuration, et même tout décor susceptible de se démoder, il mesura la lumière à répandre dans la nef et anima un fond clair de touches scintillantes dont il emprunta les couleurs aux roses voisines. Ainsi, avec discrétion, mais non sans éclat, ces fenêtres se sont-elles adaptées à la calme majesté du monument.

Œuvres d'art.

Malgré les pertes et dégâts survenus au cours des siècles, malgré les ravages de la Révolution, Notre-Dame possède encore de remarquables œuvres d'art. Depuis 1950, des peintures et sculptures déposées au Louvre, en divers musées ou dans des églises, ont retrouvé la cathédrale d'où elles avaient été évacuées durant la Révolution. Les « mays » des orfèvres, notamment, ont pu remédier heureusement à la triste vacuité des chapelles dont les murs, comme ceux du transept, ont été décapés. Au lieu des peintures d'un goût détestable que Viollet-le-Duc alimentait par d'innombrables dessins, nous voyons maintenant un appareil de très belle pierre qui sert de fond aux tableaux et aux sculptures. Les chapelles contiennent un « may » (ils sont tous de même dimension); un panneau discret fixé à l'entrée de chacune d'elles renseigne les visiteurs. Les plus remarquables ont été placés dans le bas-côté sud, le mieux éclairé, où l'on peut voir notamment deux peintures de Le Brun, *la Lapidation de saint Etienne* et *le Martyre de saint André*, *le Martyre de saint Barthélémy* de Lubin Baugin, un *Crucifiement de saint Pierre* de Sébastien Bourdon et la *Prédication de saint Paul à Ephèse* par Lesueur, qui figure au bras nord du transept.

Dans la chapelle Sainte-Clotilde, (bas-côté nord), a été placée la dalle funéraire du chanoine Etienne Yver, la seule rescapée des très nombreux tombeaux qui se trouvaient à Notre-Dame avant la Révolution. Elle date de 1468; sa facture est par certains côtés étrangement archaïque tandis que le réalisme du XVe siècle devant la mort est attesté par le corps du défunt, décharné, grouillant de vers. Les chapelles du chœur renferment beaucoup d'effigies modernes d'évêques et d'archevêques de Paris. Les priants du Cardinal Pierre de Gondi et de son frère, maréchal de France, qui avaient été transférés à Versailles, ont récemment retrouvé leur place d'origine dans la chapelle axiale de Notre-Dame des Sept Douleurs. Cette chapelle fait souffrir par la tapageuse médiocrité de ses vitraux du XIXe siècle, mais nous y voyons, à droite, une peinture murale du

Le martyre de saint Denis.

xive siècle, la seule qui n'ait pas été totalement effacée : la Vierge et des saints entourent l'âme de l'évêque Matifas de Bucy, dont le gisant a été transporté en face, derrière le maître-autel. La chapelle Saint-Guillaume a reçu des œuvres majeures : les priants de Jean Juvénal des Ursins, prévôt des marchands, et de son épouse qui datent du xve siècle; et l'important, bien qu'incomplet, mausolée du comte d'Harcourt, sculpté par Pigalle en 1776; une très grande toile, la *Visitation*, œuvre capitale de Jouvenet, emplit l'un des murs. Il convient de mentionner aussi les boiseries Renaissance placées dans la chapelle Saint-Pierre (bas-côté sud).

Le trésor de Notre-Dame est présenté dans un bâtiment de la sacristie. Ce fut l'un des plus précieux de France. Au cours des siècles presque tout a été fondu. Parmi les pièces anciennes survivantes figurent des calices en vermeil, des crucifix d'ivoire et des reliques sauvées pendant la Révolution, comme les fragments de la sainte Croix ou de la Couronne d'épines; enchâssées dans des pièces d'orfèvrerie qui sont parmi les ouvrages les plus raffinés du xixe siècle.

L'un des rois de Juda.

église
Notre-Dame
des-Blancs-Manteaux

12, rue des Blancs-Manteaux, IVe. Des frères mendiants avaient fondé là un prieuré (1258); le surnom populaire de Blancs-Manteaux leur resta attaché, et passa même aux Guillemites qui les remplacèrent (1297), bien que ceux-ci, de règle bénédictine, fussent habillés de noir. La grande réforme de Saint-Maur permit à la communauté agonisante de retrouver une nouvelle ardeur. Une église plus importante s'imposait. Construite en 1685, elle devint paroissiale après la Révolution. Selon les principes des « Mauristes », elle est très simple d'apparence : une nef sans transept, bordée d'arcades en plein cintre, et un chœur en hémicycle. Des pilastres corinthiens s'alignent sur les piles carrées, et les arcades sont discrètement sommées de bustes en bas-reliefs. En correspondance, sous l'entablement, de petits bas-reliefs symbolisent les lois de l'Ancien et du Nouveau Testament. En 1863, l'architecte Baltard remonta devant une travée supplémentaire la façade de l'église des Barnabites rescapée des démolitions de la Cité. A la même époque le mobilier s'enrichit notamment d'une chaire aussi intéressante qu'insolite dans une église parisienne. Sans doute originaire de l'Allemagne du Sud, elle est décorée de charmants panneaux de marqueterie où le bois se rehausse d'étain et d'ivoire dans un encadrement d'un style rocaille très contourné. Une balustrade de communion provient de la chapelle du château de Bercy.

Le couvent des Blancs-Manteaux s'étendait à l'est. Il a été démoli en plusieurs étapes à partir de 1802. Un square l'a remplacé en partie.   122 N

église
Notre-Dame
de-Lorette

18, rue de Châteaudun, IXe. Placée sous le patronage de la Vierge de Lorette, l'église a prêté son nom aux petites dames faciles qui hantaient le quartier. Les lorettes romantiques venaient-elles y prier ? Dans tous les cas, ce pastiche avoué représente bien l'esprit de l'architecture ecclésiastique de l'époque. C'est en 1822 qu'Hippolyte Lebas, élève de Percier, obtint par concours d'en être l'architecte. Il ne semble pas avoir eu d'autres préoccupations que d'édifier une basilique romaine sur l'espace qui lui était réservé (longueur de la nef : 69 m). Si l'extérieur est ennuyeux, sans harmonie, l'intérieur est réussi. Neuf travées à colonnes ioniques supportent un fort entablement. De grandes fenêtres rectangulaires assurent un éclairage heureusement réparti. La nef est couverte d'un plafond à caissons cruciformes. Une grande arcade la sépare de l'avant-chœur voûté en berceau et des coupolettes dominent les croisillons. L'église se termine en hémicycle. Des peintures d'artistes à la mode ont décoré le chœur, tandis que le symbolisme mystique de Victor Orsel s'est appliqué aux litanies de la chapelle de la Vierge.

Tout cela est très représentatif de ce néo-classicisme qu'annonçait déjà sous Louis XVI l'église Saint-Philippe-du-Roule.   123 N

L'Église N. Dame de Benedictina, en perspectiue du côté de la ruë de Blancsmanteaux a Paris, auec son por tique, dont le fond n'est pas é leué: et ce Portail fait exprêt pour en donner la vuë.

**église
Notre-Dame
des-Victoires**

Place des Petits-Pères, IIe. Pour célébrer sa victoire sur les protestants à La Rochelle, Louis XIII fit élever une église desservie par les Augustins déchaussés, dits « les Petits Pères ». Il en posa la première pierre en 1629. Les plans sont de Le Muet. Bien que d'une conception très simple et qui commençait à devenir courante, elle ne fut terminée qu'en 1741, soit cent douze ans plus tard. Sans crainte du paradoxe, le Directoire y installa la Bourse. La façade est classique : trois portes à l'étage inférieur, une baie cintrée à l'étage supérieur maintenue par des ailerons et dominée par un petit fronton. La nef est bordée de chapelles communicantes. Arcades et baies en plein cintre, coupole aplatie au transept, pilastres, c'est le répertoire banal du XVIIe siècle. Le chœur, plus allongé qu'à l'habitude, indique que l'église était affectée à une communauté religieuse. Le quartier étant devenu commercial, l'église a peu de paroissiens ; mais elle est très fréquentée par les Parisiens qui y vénèrent une statue de la Vierge placée dans le croisillon de droite sous un perpétuel brasillement de cierges ; les 20 000 ex-voto qui tapissent les murs attirent davantage l'attention, de toute évidence, que l'architecture elle-même. Si les grandes compositions de Van Loo, dans le chœur, sont d'un académisme peu attirant, au contraire du tombeau de Lully, dont le buste a été traité par Collignon avec une énergie et un réalisme saisissants.

124 N

Tombeau de Lulli.

61, avenue de l'Observatoire, XIVᵉ. La silhouette de l'Observatoire s'aperçoit au fond de l'avenue qui porte son nom. Construit par Claude Perrault, entre 1668 et 1672, avec la collaboration de François d'Orbay, selon la volonté de Louis XIV et de Colbert, désireux de favoriser les sciences en même temps que les arts, il est situé exactement dans l'axe du méridien de Paris, en face du palais du Luxembourg. C'est un bâtiment rectangulaire d'un seul étage où s'ouvrent de hautes baies en plein cintre dont les quatre faces sont orientées vers les points cardinaux. Un avant-corps fait saillie sur la façade sud. Au nord la façade sur jardin est flanquée de tours octogonales. Deux chutes d'instruments scientifiques en bas-relief composent l'unique décoration. Un grand escalier sur trompes conduit à des salles voûtées en partie réservées à la présentation de documents sur l'histoire du bâtiment et d'anciens instruments astrologiques. Les progrès de l'astronomie ont réduit le rôle de l'Observatoire; mais c'est un des très rares établissements scientifiques dont l'affectation n'ait pas changé depuis trois siècles. Louis XIV ayant nommé Jean Cassini à sa direction, des différends s'élevèrent entre Claude Perrault et le célèbre astronome, lequel réclamait des tourelles pour ses télescopes. L'architecte s'indignait d'une prétention qui aurait défiguré son monument. Il traita Cassini de « baragouineur » et se refusa à tenir compte de ses interventions. Cependant la dynastie des Cassini devait régner longtemps sur l'Observatoire; Jacques Cassini, son dernier représentant mourut à Paris en 1845, âgé de quatre-vingt-dix-huit ans. Le XIXᵉ siècle n'eut pas les scrupules esthétiques de Perrault. Des

Observatoire

L'Observatoire fut construit à la fin du XVIIᵉ siècle. « Outre la magnificence de sa structure, on y voit une solidité qui le fait prendre de loin pour une citadelle », dit la légende qui accompagne cette gravure de Perelle.

coupoles, sans doute utiles, mais disgracieuses ont coiffé le monument.

La qualité de cette construction a toujours été appréciée. La nature d'un sol qui avait servi de carrières obligea à porter les fondations à 27 m de profondeur. Les murs de 2 m d'épaisseur sont des chefs-d'œuvre de stéréotomie. Les blocs de pierre, très choisis, ont été taillés avec des soins particuliers, d'autant que l'emploi du fer et du bois avait été prohibé, ce qui explique notamment les salles voûtées.   125 S

fontaine de l'Observatoire

Avenue de l'Observatoire, VIᵉ. En un temps où la sculpture publique s'amollissait, Carpeaux lui apporta une nouvelle vigueur : la fontaine de l'Observatoire en est un bel exemple. Le thème était ingrat. L'artiste hésita beaucoup à traiter les « Quatre parties du monde », thème académique et statique contraire à son génie. L'inspiration lui est soudain venue : « Mais la terre tourne : Je sculpterai le monde en mouvement. » D'où cette sphère à claire-voie animée par quatre figures de femmes, comme dansantes, qui symbolisent les races de la terre. Le piédestal de Davioud, le bassin où se cabrent les huit chevaux marins de Frémiet contribuent à mettre le groupe de Carpeaux parfaitement en valeur.   126 S

Les chevaux marins de Frémiet.

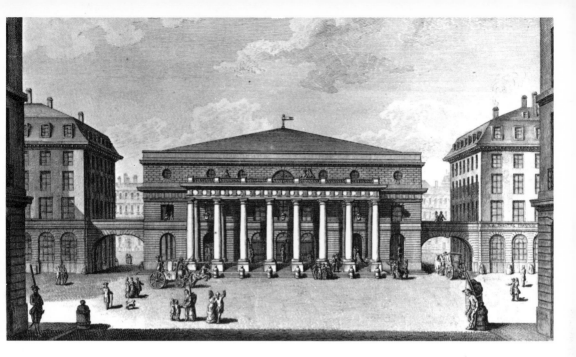

Place de l'Odéon, VIᵉ. La place fut créée avant le théâtre, et pour lui. Ils sont construits tous deux à l'emplacement de l'hôtel de Condé et de ses jardins qui s'étendaient jusqu'à la rue de Vaugirard. En 1773, Louis XVI acheta l'ensemble laissé à l'abandon afin d'y construire un théâtre pour les Comédiens-Français qui, depuis leur départ de la rue de l'Ancienne-Comédie, se trouvaient sans domicile. Ce théâtre, alors le plus grand de Paris, motiva toute une opération d'urbanisme destinée à en dégager les abords, à le mettre en évidence, et à aménager alentour des voies de circulation. C'est ainsi que fut créée la charmante place de l'Odéon, en hémicycle, la rue de l'Odéon, dans l'axe de la façade, les rues Racine, Crébillon et Regnard, ainsi que les rues latérales Corneille et Rotrou. Les nouveaux immeubles obéissaient à une parfaite unité architecturale : arcades et murs à refends au rez-de-chaussée, trois étages et combles mansardés. Le théâtre, situé en haut des anciens jardins, près du Luxembourg, était l'œuvre des architectes Peyre et de Wailly qui le terminèrent en 1782. Il prit le nom de Théâtre-Français. C'est le type même du théâtre « romain » imaginé à l'époque : presque sans ornement il est précédé d'un péristyle surmonté d'oculi. Des galeries en arcades s'étendent sur les côtés. Dans le prolongement des façades, des arches franchissaient les deux rues qui reliaient l'édifice aux maisons voisines et permettaient aux voitures de s'arrêter sous un passage couvert. Ces arches ont disparu peu après. Le théâtre ayant en effet brûlé deux fois, en 1799 et en 1818, fut chaque fois reconstruit extérieurement sur le premier modèle. Ainsi a-t-il gardé son image du XVIIIᵉ siècle.

Les Comédiens-Français y créeront une pièce mémorable : le *Mariage de Figaro*, de Beaumarchais. Devenu « Théâtre de la

Odéon

De part et d'autre de la façade du Théâtre-Français, des arches, aujourd'hui disparues, abritaient les voitures des spectateurs.

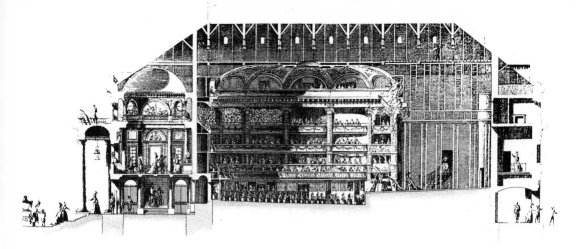

Coupe de l'Odéon. Les architectes en furent Peyre et de Wailly. Ce fut longtemps la plus grande salle de Paris.

Nature », les artistes durent subir de vifs contrecoups de la Révolution. Ceux qui n'avaient peut-être pas oublié ce qu'ils devaient au roi ne cachaient pas leurs sentiments, tandis que Talma avait embrassé avec éclat les idées nouvelles. Les premiers furent envoyés en prison ; Talma, suivi de Dugazon, s'installa dans la salle de la rue Richelieu, futur Théâtre-Français. On donna alors au théâtre du Luxembourg, devenu « Théâtre de la Nation », comme partout ailleurs, des représentations héroïco-patriotiques, puis, en 1797, des fêtes avec musique et chœurs, que l'on disait renouvelées de la Grèce antique ; c'est pour cette raison que le théâtre reçut le nom d'Odéon. Ces spectacles furent éphémères, mais le nom resta. Les Comédiens-Français qui y étaient revenus durent déguerpir l'année suivante, à la suite de l'incendie.

Il semble qu'une malédiction ait passé sur l'Odéon. Tout au long du XIXe siècle, malgré l'appui des pouvoirs publics, malgré la qualité des acteurs et parfois celle des auteurs représentés, il connut moins de succès que de déconfitures. C'était le théâtre de la « rive gauche », au temps où le mot avait un relent provincial, une Comédie-Française au rabais pour familles bourgeoises et où des étudiants faméliques garnissaient le poulailler. Le plus curieux c'est que l'activité enthousiaste de grands rénovateurs, comme Porel, Antoine ou Gémier, n'ait pu venir à bout de situations matérielles presque constamment difficiles.

La réforme de 1948, qui faisait de la « Salle du Luxembourg » — l'ancien nom avait trop porté malheur — une succursale du Théâtre-Français, ne donna point les résultats espérés. Le renouvellement de la salle, avec un plafond moderne dû à André Masson, les spectacles confiés à la troupe Madeleine Renaud-Jean-Louis Barrault, apportèrent un sang nouveau au « Théâtre de France ». Mais quels que soient les changements de nom, ce sera toujours l'« Odéon » pour les Parisiens qui aperçoivent sa familière silhouette trapue au cœur du Quartier latin. 127 S

IXᵉ. L'Opéra est si heureusement situé, si parfaitement adapté à la ville que nous aurions peine à imaginer son absence. Il symbolise le règne de Napoléon III ; il a apporté dans le nouveau Paris le monument de prestige qui lui faisait défaut. Selon le désir exprimé par l'empereur, le quartier du futur Opéra devait faire de Paris « la plus belle ville de l'univers ». Haussmann, au prix de travaux fantastiques, mit tout en œuvre pour que la place de l'Opéra, carrefour essentiel, étape majeure des Grands Boulevards, devînt le lieu de rencontre cosmopolite qui drainera le luxe, la curiosité et la badauderie du monde. Bordée de façades régulières, uniformes et riches, elle sera l'écrin de cet ouvrage monumental, solennel et brillant ; le quartier deviendra dès lors le plus animé de la capitale, et le restera.

Le théâtre était terminé, au moins en apparence, que l'avenue de Napoléon (de l'Opéra) partant du Théâtre-Français ne conduisait encore qu'à hauteur de la rue des Pyramides. A travers d'énormes déblais, elle se creusera lentement et ne sera terminée qu'en 1879. Pour faire pendant à la rue de la Paix, la rue du 4-Septembre y

Opéra

La salle Ventadour abrita l'Opéra pendant la construction du théâtre de Garnier.

prend son départ pour joindre la rue de Réaumur tandis que la
rue Auber joindra le boulevard Haussmann. L'Opéra est encadré
d'un losange de quatre rues qui portent des noms de compositeurs
et de librettistes, et le sommet de cette figure géométrique s'accroche
à la nouvelle rue Lafayette. Dans cette métamorphose du centre
de la ville, toutes les artères convergent vers l'Opéra. L'architecture,
l'urbanisme connaissent une vitalité sans précédent. Et pourtant
ce qui se construit reste, malgré les références aux grands styles
historiques, vide de sensibilité et d'un manque d'invention déses-
pérant. L'Opéra est le seul monument qui surgisse avec éclat dans
ce désert de l'imagination.

Avant l'Opéra de Garnier, il n'y avait pas eu moins de douze
salles d'opéras à Paris. Bornons-nous à citer le premier, aménagé
dans le jeu de paume de la Bouteille, rue Mazarine — il n'en reste
plus trace — où fut représenté (1671) avec le plus grand succès
pendant huit mois consécutifs, le premier opéra français : *Pomone*,
musique de Cambert, sur un texte insipide de l'abbé Perrin, spectacle précurseur des opéras de Lully qui allait obtenir le privilège
de diriger une « Académie royale de musique et de danse », l'une

Maquette du nouvel Opéra.

des premières fondations de Louis XIV. Après l'incendie de la salle
Le Peletier (1873), l'Opéra quitta son avant-dernière demeure pour
se réfugier au Théâtre italien de la salle Ventadour en attendant
que la construction du théâtre Garnier fût terminée. En 1860, un
concours à deux degrés fut lancé. Cent soixante et onze architectes
déposèrent des avant-projets. Cinq furent retenus. Après son envoi
pour le programme définitif, Garnier l'emporta haut la main. Les
intrigues n'avaient pourtant pas cessé. L'impératrice ne cachait
point son admiration pour Viollet-le-Duc, son candidat, dont le
projet, plein de réminiscences, était pourtant fort ennuyeux. N'oublions pas qu'il y avait parmi les concurrents des gens célèbres — ce
qui n'était pas du tout le cas de Garnier, à peu près inconnu
à Paris, bien qu'il y fût né, d'un père forgeron et d'une mère
dentellière.

La première pierre fut posée en 1862, et les difficultés commençaient aussitôt. Les fondations furent envahies par les eaux que
l'on attribuait à la Grange-Batelière alors qu'il s'agissait d'infiltra-
tions de l'ancien lit de la Seine. Il fallut construire un batardeau,
et faire fonctionner des pompes six mois durant. Le devis général

Le décor intérieur prend forme.

se montait à trente-quatre millions, somme énorme que l'on dut faire avaler à la Chambre, par ruse, morceau par morceau. Les travaux n'en furent pas moins rapidement menés puisque trois ans plus tard, lorsque tombèrent les échafaudages, les Parisiens découvrirent les façades, qui semblent les avoir ravis. Presque toute la presse en vantait les qualités; mais les critiques des évincés étaient acerbes. La salle n'était-elle pas sacrifiée à l'escalier? Etait-ce autre chose qu'un morceau de concours, du tape-à-l'œil dont la polychromie était hostile à l'atmosphère de Paris? Garnier répondait qu'un théâtre devait apporter de la joie et qu'il avait voulu faire chanter des couleurs parce qu'on devait donner un air de fête à un théâtre d'opéra. Après l'interruption de la guerre de 1870, on hésita à terminer le décor intérieur fort coûteux; mais les Parisiens en avaient assez de voir cet énorme chantier à l'abandon au cœur de la ville. L'inauguration eut lieu en grande pompe le 5 janvier 1875, en présence de Mac-Mahon, du roi d'Espagne, du roi de Hanovre et du lord-maire de Londres dont les hérauts d'armes, le massier, les shérifs en robe pourpre formaient un cortège sensationnel. Garnier fut célébré en triomphateur et reçut les ovations du public. Avait-on jamais vu un architecte tant à l'honneur? Il était en outre adoré par les ouvriers du chantier qui lui remirent une médaille achetée par souscription.

Le plan de l'Opéra est un véritable chef-d'œuvre qui, pendant un demi-siècle, sera la haute référence de tous les constructeurs de théâtres du monde. Si nous faisons abstraction d'une ornementation surabondante et médiocre dans son ensemble, l'architecture s'ex-

Le grand foyer, ses colonnes, ses cheminées à cariatides et ses peintures allégoriques.

prime avec une aisance et une fertilité d'invention que l'on ne peut qu'admirer. D'après les conceptions du jour, elle est absolument rationnelle, et, malgré la complexité du programme, d'une parfaite unité. Tout d'abord, l'Opéra est un monument gigantesque : il couvre 12 250 m² de superficie et son cubage est de 450 000 m³. Il veut être une œuvre d'art qui emprunte aux meilleurs styles des meilleures époques pour en faire la fusion dans un style de synthèse qui serait le Napoléon III. Il exprime les goûts d'une société tournée vers le luxe et les plaisirs, et célèbre les fastes d'un règne qui vit sous le signe de la prospérité. Rien ne semble trop beau. Les pierres dures, les marbres, les porphyres, les onyx d'Algérie, les brèches violettes, les granits roses des Vosges et les granits verts de Suède, entre bien d'autres, vont concourir à la construction et à l'ornementation. Les sculpteurs les plus renommés y seront appelés. Le superflu est répandu avec prodigalité à l'extérieur comme à l'intérieur. Programme redoutable en un temps où étaient bien perdus l'esprit de finesse et l'invention décorative du siècle précédent. C'est la maîtrise de la conception du plan, la logique interne de la distribution et la sûreté d'agencement de chacune des parties qui ont permis de créer une œuvre qui, malgré tant d'ornements pastichés, dépasse l'éphémère.

Avant d'être recouverte par le « plafond » de Chagall, c'est une œuvre de Lenepveu, « les Heures du jour et de la nuit », qui décorait la coupole.

Coupe longitudinale du nouvel Opéra de Garnier, inauguré en 1875.

A l'entrée de l'Opéra, la Pythie en bronze de Marcello.

Le grand escalier.

Tout dans la façade exprime la volonté de l'apparat et de la monumentalité. Sur un soubassement aux arcades basses et puissantes, la loggia palladienne et ses avant-corps à fronton marquent la présence du foyer et des salons aux extrémités. Seize colonnes monolithes accouplées, en pierre rouge de Bavière, ressortent sur les grands rectangles des baies encadrées de minces colonnes « fleur de pêcher » et surmontées d'œils-de-bœuf où se détachent des bustes de musiciens en bronze doré. L'attique présente de grandes sculptures derrière lesquelles s'intercalent des médaillons incrustés de mosaïque. Un bandeau sculpté en brocatelle mauve orne la corniche où de grandes figures ailées se détachent aux extrémités. Le dôme, revêtu de bronze patiné, est couronné par un Apollon élevant sa lyre. Le grand escalier d'honneur est le morceau de bravoure. Il occupe un espace considérable, et Garnier s'est expliqué sur les raisons qui lui faisaient accorder de telles dimensions à un escalier d'apparat : il mène à l'étage noble, aux premières loges, au foyer qui, lui-même, doit être le grand salon du Tout-Paris. Cette énorme antichambre est conçue pour le spectacle mondain. Tout est prévu pour les cortèges de spectateurs qui graviront ses marches en s'offrant eux-mêmes en spectacle. C'est ainsi qu'à l'étage l'escalier est entouré d'arcades et de balcons arrondis en avancée. Il est inspiré de l'escalier du théâtre de Louis à Bordeaux; dans l'un et l'autre monument, la volée centrale débouche sur une entrée à fronton encadrée de cariatides, mais l'ensemble, avec ses courbes et contre-courbes, ses marches de marbre blanc subtilement dessinées, ses balustres d'onyx, la majestueuse richesse des galeries parées de colonnes de marbre qui l'entourent, rappelle davantage les dessins de Bibiena et les palais du baroque italien. Il suffit de se placer près du foyer ou des galeries pour admirer le jeu des perspectives architecturales contrastées où se manifestent les lois de l'équilibre et les rythmes de la vie.

Si l'on regarde le plan ou la coupe de l'Opéra, on est surpris de constater la faible importance de la salle par rapport à l'ensemble. Bien qu'elle fût la plus grande salle du monde, elle paraît toute réduite entre le vestibule, le foyer, l'escalier et l'énorme scène, qui dépasse la hauteur du dôme, les pavillons latéraux en rotonde, les dégagements, l'école de danse, les locaux de l'administration. Cette salle à l'italienne, comme toutes les autres, semble moins conçue pour la vue de la scène que pour la parade des spectateurs. Sous un lustre géant, qui exige pour être remonté sous le dôme une machinerie compliquée, se déploient les rangées de fauteuils de l'orchestre et du balcon d'où les messieurs peuvent lorgner les loges avancées comme des présentoirs d'épaules nues, de crinolines et de diamants. Des artifices de peinture permettent parfois à la décoration de jouer l'or, pour des raisons d'économie qui, en définitive, conviennent bien à un théâtre. Le plafond fut demandé à Lenepveu peintre alors célèbre, qui n'était certes pas un génie, mais dont le talent d'école avait au moins le mérite de s'accorder au style de la salle et à son aspect pompeux. La Ve République a cru devoir camoufler ce plafond et s'est adressée, pour ce faire, à Cha-

gall. Toujours sous l'influence diffuse du folklore de son village natal, ce grand artiste a peint une œuvre décevante qui se trouve aux antipodes de son cadre de brillance et de brio. Sage précaution : le vieux plafond démodé du Second Empire, seulement dissimulé, est resté en place.

Sans avoir l'opulence de la façade principale, la façade postérieure, avec sa cour en retrait, accessible aux va-et-vient des décors, est d'une architecture très soignée. La porte monumentale était nécessaire à l'harmonie de cette face du bâtiment. C'est l'entrée des magasins, des bureaux, des salles de répétition, des loges d'artistes, tout étant desservi par des dégagements de grande ampleur. Les deux façades latérales sont heureusement coupées par des pavillons coiffés de coupoles, décorés de bustes et de balustrades en marbre vert. A droite, derrière des arcades en rotonde, c'est le pavillon des abonnés qui donne accès à leur salon réservé et à une salle d'attente pour les cochers et valets. A gauche, c'est le pavillon de l'empereur, qui a pris le nom de « pavillon du chef de l'Etat », car Napoléon III ne l'aura pas vu terminé. Les sculptures prévues pour son vestibule restent toujours à l'état de pièces d'attente. Une double rampe carrossable en fer à cheval monte à l'étage où se trouve, directement accessible, l'avant-scène impériale, derrière laquelle était annexé un véritable appartement avec salle des gardes, salon des aides de camp, grand salon à colonnes pour les réceptions de l'empereur, boudoir pour l'impératrice, etc. Cette entrée dessert maintenant le musée et la bibliothèque.

La prolixité de la statuaire, l'exubérance de la décoration, au-dehors comme au-dedans, contribuaient sans doute aux effets théâtraux recherchés; elle ne contribue guère à l'esthétique du monument. Presque tous les sculpteurs qui bénéficiaient alors d'un certain renom furent appelés. Combien s'élèvent-ils au-dessus de la recette académique ou de la médiocrité ? Une exception, mais éblouissante : Carpeaux, et son groupe de la Danse qui figure à droite de la façade (sous forme de copie, l'original étant aujourd'hui au Louvre). Ce chef-d'œuvre de grâce bondissante, de musique et de lumière, fut aussitôt la victime de vertueuses indignations. Les uns lui reprochaient son réalisme et trop de nudités dévoilées, les autres, ceux de l'Institut, son manque de conformité aux canons de la beauté. La Danse reçut des jets d'encre et des flots d'imprécations de la part des gardiens patentés des normes de l'art. « Ces ménades aux chairs flasques, molles et usées, dont les jambes semblent s'avachir sous leur corps fatigué, ces ménades ne sont-elles pas ivres ?... Elles sentent le vice et puent le vin. » L'auteur de ces lignes donne le ton des critiques. Un arrêté ministériel ordonna de la retirer pour « défaut de proportions » et un autre groupe de remplacement fut commandé au sculpteur Guméry, décision qui, par bonheur, resta sans suite.

Cette aventure, dans son raccourci, est un témoignage fort explicite des goûts qui régnaient dans la société du temps. C'est miracle qu'ait pu s'imposer, malgré tant d'indigences ornementales, une architecture aussi heureuse que celle de l'Opéra. 128 N

Le groupe de la Danse par Carpeaux. L'original est au Louvre.

Jean Marot fecit   Veue de l'Eglise des P.P. de l'Oratoire bastie apres les desseins de Mr. Mercier   *P. Mariette excu.*   4

temple de
l'Oratoire

147, rue Saint-Honoré, Ier. Temple protestant depuis 1811, l'église fut construite en 1621 pour les prêtres de l'Oratoire dont la congrégation venait d'être fondée par le cardinal de Bérulle. Commencée par Clément Métezeau, elle a été continuée par Le Mercier. La façade sur la rue Saint-Honoré a été ajoutée en 1750. C'est un beau monument, mais disposé de telle sorte qu'il est difficile de l'embrasser du regard. La rue Saint-Honoré est trop étroite pour que l'on puisse voir dans son ampleur une façade qui, en outre, est plantée de biais. Quant au chevet, sur la rue de Rivoli, il est presque invisible derrière des arcades, des grilles et un monument tapageur à l'amiral de Coligny (érigé en 1889).

Louis XIII avait décidé de faire de ce sanctuaire l' « Oratoire royal » du palais du Louvre dont il devint la chapelle, l'église Saint-Germain-l'Auxerrois restant paroisse royale. Une entrée directe reliait le palais au couvent des Oratoriens qui occupait l'emplacement de la rue de Rivoli. La Révolution a détruit toute la statuaire extérieure et intérieure, et dispersé tout le mobilier. Reste l'architecture qui est un élégant témoignage de l'époque classique. La façade, surajoutée un siècle après la construction de l'édifice, se présente, surtout depuis qu'elle a été dépouillée des

Veue de la Maison et de l'Eglife des P.P. de l'Oratoire.

Jean Marot, fecit.   P. Mariette exc.

…culptures qui l'animaient, comme une œuvre honorable, sans plus. La façade latérale, rue de l'Oratoire qui, avec ses grosses consoles …ues et ses pots à feu, ne manque pas d'originalité, conduit à un …hevet plein d'intérêt. Ses toits aigus, ses tourelles à lanternon, …ien que dans un style classique, rappellent le Moyen Age. Le …hœur des religieux lui fait suite dans un bâtiment indépendant sur …lan ovale.

L'intérieur est très froid; non seulement il a été dépouillé de son …obilier mais, depuis son affectation au culte réformé, des modifi-…ations fort regrettables ont été apportées : le chœur et la nef, …ntourés d'arcades surmontées de tribunes à croisillons, ont été …ménagés avec beaucoup de sévérité, des chapelles ont été cloi-…onnées; mais enfin, rien n'a été commis d'irréparable, et il serait …ouhaitable que le monument retrouvât son aspect primitif. Les …ratoriens, qui avaient pour mission de répandre la Parole, ont …ait venir à la chapelle royale les plus éminents prédicateurs de …eurs temps. Des cérémonies extraordinaires se sont déroulées sous …es voûtes, des funérailles de Richelieu à celles de Rameau. La …usique y tint une grande place; et la tradition, aujourd'hui …ncore, n'est point perdue.

129 N

maison de l'O.R.T.F.

Avenue du Président-Kennedy, XVIᵉ. C'est le premier monumen de conception moderne, avec celui de l'Unesco, qui ait été édifié Paris. Les révolutions opérées dans les techniques de la construc tion n'avaient encore engendré que des immeubles en forme d parallélépipèdes destinés à empiler des logements ou des bureaux La création de ce qui fut d'abord nommé la « Maison de la radio répondait à des besoins urgents. Sur concours, Henry Bernard fu désigné comme architecte en chef. Les travaux commencèrent er 1957. Le bâtiment devait s'insérer dans un environnement des plu disgracieux : le voisinage était désordonné et couvert d'immeuble informes. De l'autre côté de la Seine, s'étendait Grenelle, o aucun plan d'urbanisme n'était encore décidé. D'autre part, l terrain correspondait à peine à l'importance du programme.

La Maison fut en état de fonctionner en 1963 — sans que l décoration fût terminée. Elle se présente comme une organisatio de volumes concentriques que ponctue, sur l'anneau central, u haut volume quadrangulaire. Son plan circulaire a surpris L'architecte s'en est expliqué : il n'était point né d'une idée pré conçue ; il découlait naturellement du programme. Que demandait on ? Des studios d'enregistrement de capacités très différentes e répondant à des objectifs variés, une centrale technique, et enfi des locaux destinés à abriter des collections d'enregistrements, qu s'augmenteraient de jour en jour. L'essentiel était de considére cette « maison » comme « amie des sons et ennemie des bruits » en conséquence d'isoler les studios le plus parfaitement possibl hors des atteintes sonores de l'extérieur et de leur donner un structure favorable à l'acoustique. La solution s'imposait : cons truire le hall d'entrée, les foyers publics et les bureaux comme u rempart contre le bruit, disposer vers l'intérieur, sur plan trapé zoïdal, la salle de musique, la salle de spectacle, la salle de concer destinées aux émissions publiques, et les grands studios. Ceux-c sont tous indépendants, juxtaposés comme des boîtes, les paro étant isolées par un mur radial pour assurer leur insonorisatio Le noyau central est le cerveau technique où tout s'élabore et s distribue, relié par câbles aux studios. La documentation es classée dans la tour centrale. Le plan est clair et, sur des donnée fonctionnelles précises, tout s'ordonne comme une mécaniqu bien réglée. La distribution des volumes et leur sobriété contribuer au grand effet plastique de l'architecture. Ces volumes décroisser de hauteur, par degrés, à mesure qu'ils se rapprochent de la Sein vers le Midi, où se développe la façade d'entrée, celle des grand foyers publics, éclairée par de très hautes glaces suspendues. L première couronne extérieure est en béton ; à l'intérieur elle es métallique ; la menuiserie apparente est en aluminium oxyd Les façades de la couronne de studios sont revêtues de mosaïque de grès cérame. Tout est lisse, satiné, facilement nettoyable, impe méable à la crasse de Paris. La simplicité et la précision des volume conviennent à un bâtiment dont chaque élément doit être strict ment défini. On peut regretter que la tour centrale n'ait pu atteindr la hauteur prévue par l'architecte pour un plus juste équilibre d

proportions. Une tour élevée n'aurait nullement contrarié en ce lieu l'harmonie du paysage parisien. Tel qu'il est, ce bâtiment honore l'architecture contemporaine. Il métamorphose par sa présence un secteur de Paris maltraité. On s'applique à lui donner un cadre moins ingrat, non sans difficultés.

La part décorative, bien insérée dans l'architecture, est généralement d'excellente convenance. Dès le foyer d'entrée des éléments de bois en faisceaux sculptés par Stahly imposent leurs verticales. Dans les foyers des artistes se répartissent de grandes peintures décoratives de Mathieu, de Bazaine, une tapisserie de Manessier, une mosaïque de Singier et, dans les salles d'auditions publiques, des sculptures de Leygue, une tenture de Bezombes. Notons que les reliefs disposés sur les parois des studios pour régler l'acoustique jouent souvent un rôle décoratif intéressant. Il n'est guère d'éléments pratiques ou techniques qui ne contribuent par leurs lignes et leurs couleurs à la qualité esthétique de l'ensemble. 130 N

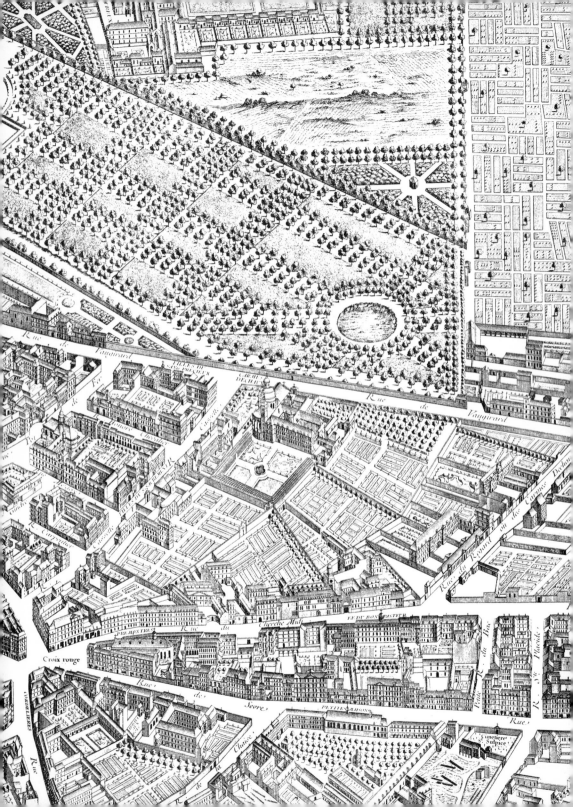

Rue de Vaugirard

Rue de Vaugirard

Rue du Renard ou des Carmes Dechau

Croix rouge

Rue du Cherche Midi

EF DV BON PASTEVR

Rue de Sevre

PETITE MAISONS

Cimetiere S.t Sulpice

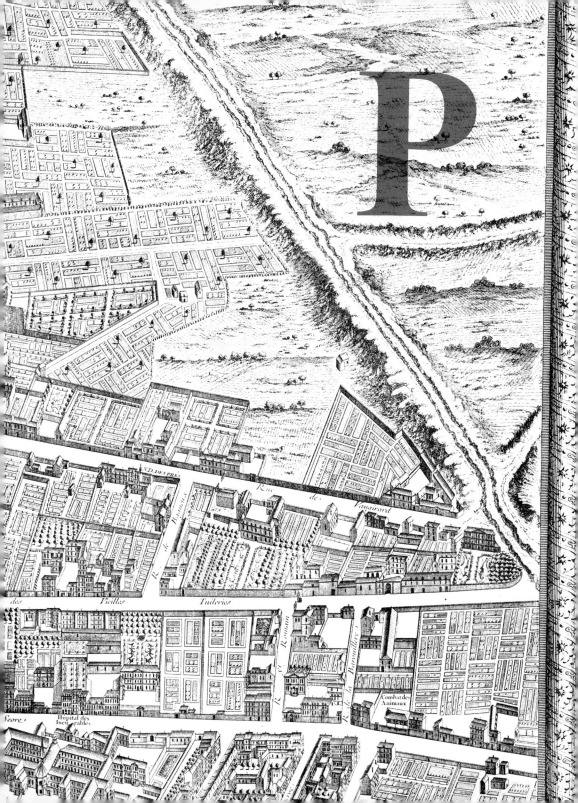

P

V.D. DES PRÉS

Rue de Vaugirard

des Vieilles Tuileries

Hôpital des Incurables

Combat des Animaux

Palais-Bourbon

Le Palais-Bourbon fut construit par Gabriel pour Mme de Condé.

VIIᵉ. Tout y est paradoxe, même son appellation. Le siège des assemblées républicaines porte le nom d'une famille honnie des républicains qui occupa en Europe jusqu'à quatre trônes à la fois. Ses précieux bâtiments Louis XV ont été travestis en temple antique, c'est-à-dire masqués par une façade à colonnades érigée de travers devant eux, après quoi, ils furent dépecés, subirent tant de transformations et d'adjonctions que la duchesse de Bourbon ne pourrait à peu près rien reconnaître de son palais.

Veuve du duc de Bourbon, petit-fils du Grand Condé, la duchesse était fille légitimée de Louis XIV et de Mme de Montespan. Femme d'esprit, dont les épigrammes réjouissaient ou irritaient la Cour, elle désirait quitter son triste hôtel de Condé (à l'emplacement de l'Odéon). Son conseiller, ami et amant, le marquis de Lassay, amateur d'art, l'orienta vers les terrains vagues de la Grenouillère. C'était un coin retiré, mais on y avait la Seine à ses pieds, et vue sur les Tuileries et le Cours-la-Reine. En reconnaissance de ses services, le marquis recevait une partie du terrain du côté des Invalides. Il choisit l'architecte italien Ghirardini qui, sous ses directives, traça les plans de l'hôtel de son amie et le sien (1722). L'architecte mourut peu après et ce furent Lassurance, Jacques Gabriel et Jean Aubert qui en assurèrent l'exécution. La cour, avec deux pavillons en avant-corps, ouvrait sur la rue de l'Université, face à la rue de Bourgogne. L'hôtel ne se composait que d'un rez-de-chaussée, dans l'esprit du Grand Trianon. Les pièces,

richement décorées, étaient traitées avec fantaisie; beaucoup étaient de formes arrondies. De grandes baies en plein cintre s'ouvraient partout sur la hauteur de l'étage, encadrées de colonnes jumelées. Une balustrade, décorée de groupes d'enfants et de pots à feu, courait devant la toiture en terrasse. Un jardin dominait le quai. L'hôtel voisin du marquis de Lassay, moins important, et ne comprenant aussi qu'un rez-de-chaussée, fut construit dans le même style (aujourd'hui l'hôtel de Lassay est la résidence du président de l'Assemblée Nationale).

Louis XV, venant de décider la création de la place de la Concorde, acheta le palais Bourbon qui, à la suite de successions difficiles, menaçait de tomber en ruine. En 1764, il le céda à son cousin Louis-Joseph de Bourbon, prince de Condé, qui venait de prendre une part brillante aux armées pendant la guerre de Sept ans. Il arrivait avec une maison civile et militaire imposante et entreprit aussitôt sa restauration, des agrandissements et des embellissements. Il décida notamment d'établir deux ailes sur la façade de la rue de l'Université qui joignaient les anciens pavillons d'entrée; de chaque côté de l'avenue conduisant à l'hôtel de Lassay furent construits de grands corps de bâtiment, tandis qu'un petit hôtel destiné à sa fille fut élevé au bout des jardins, sur l'esplanade des Invalides.

En 1789, le prince de Condé quitte la France et devient l'un des chefs de l'émigration. En 1791, le Palais-Bourbon, bien national, est partiellement transformé en prison. Deux ans plus tard on y

L'architecte de la façade, Poyet, voulut en faire un temple de la Loi, digne pendant au « temple de la Gloire », la Madeleine.

loge l'Ecole des Travaux publics, future Ecole Polytechnique. C'est en 1795 que se fixe son destin; un décret de la Convention l'affecte au Conseil des Cinq-Cents. Les architectes Gisors et Lecomte remplacent alors les salons de réception par une salle de séance en hémicycle, avec deux salles latérales. De chaque côté du fauteuil présidentiel, six niches abritent des sages de l'antiquité. Une nouvelle entrée permet d'accéder par les quais.

La salle sera ensuite occupée par le Corps législatif. Napoléon souhaitait que le palais se présentât de façon plus solennelle et, naturellement, dans le style néo-antique. C'est alors que fut édifiée (1804-1807) la façade bien connue par l'architecte Poyet qui voulait conférer à son monument la dignité d'un « Temple de la Loi », face au « Temple de la Gloire » (la Madeleine) qui se construisait au bout de la rue Royale; mais, pour le placer dans cette perspective, il fallut ruser; le palais Bourbon était en effet orienté en direction de l'entrée du Cours-la-Reine. La nouvelle façade a donc été posée comme un décor en oblique, et Poyet dut combler par diverses pièces le triangle qui restait vide. Ce fut alors qu'apparurent sur la terrasse les quatre imposantes statues des législateurs : Sully, L'Hospital, Colbert, et d'Aguesseau. Le grand fronton de Fragonard fils, où l'empereur était cinq fois représenté, a subi des « remaniements », selon les régimes, avant que Cortot ait sculpté celui que nous voyons aujourd'hui.

A la chute de l'Empire le prince de Condé voulut retrouver ses biens confisqués. Louis XVIII y consentit, à condition qu'il habitât l'hôtel de Lassay et louât le Palais-Bourbon aux députés pour un loyer annuel de 124 000 F. Son fils, le duc de Bourbon, devait le vendre à l'Etat en 1827 au prix de 5 250 000 F. Savait-il que les fondations, construites sur un sol assez marécageux, donnaient des inquiétudes ? Bref, l'année suivante il fallut démolir la salle des séances et les pièces voisines. Les dispositions utilisées jusqu'alors étant fort incommodes, ce fut l'occasion d'une réfection générale. On aménagea des couloirs, une salle des pas perdus, une salle de conférences, une bibliothèque et de nombreux dégagements. L'hôtel de Lassay fut relié au Palais-Bourbon par une galerie, décorée de tapisseries du XVIIIe siècle. L'hémicycle fut reconstruit dans les structures qu'il a gardées jusqu'ici. Le programme comprenait la décoration de toutes les voûtes, voussures ou coupoles des nouveaux bâtiments. On fit appel aux peintres les plus appréciés du temps. Il y aurait peu à en dire si, grâce à l'amitié de Thiers, les commandes les plus intéressantes n'avaient été attribuées à Delacroix. En 1833 lui avaient été déjà commandées les peintures du Salon du Roi. Cinq ans après il reçut, malgré les jalousies et les cabales, la commande des coupoles et des hémicycles de la bibliothèque. Il pouvait là exprimer son génie dans toute son ardeur passionnée; et il fit preuve d'un esprit d'invention, et d'un sens de la composition décorative qui, depuis les grands Vénitiens, ne s'étaient plus manifestés avec cet éclat. Cinq coupoles, divisées chacune en quatre panneaux, sont consacrées à des sujets pris dans l'Antiquité, traités avec une fougue et une expression réaliste qui classent leur

La bibliothèque du Palais-Bourbon et les peintures de Delacroix qui en ornent les coupoles. Au fond, « Attila, suivi de ses hordes barbares, foule au pied l'Italie et les arts ».

« Les Arts », bas-relief de la façade nord.

auteur fort au-dessus des imagiers contemporains : les Sciences, la Philosophie et l'Histoire, la Législation et l'Eloquence, la Théologie, la Poésie. De chaque côté, dans les hémicycles, s'opposent la naissance et la destruction de la civilisation.

Le Palais-Bourbon a abrité, avec quelques à-coups, la vie parlementaire de la France. Envahi par les émeutiers en 1848 et en 1870, il fut déserté pendant les invasions de 1870, de 1914 et de 1940. Siège de l'administration militaire allemande pendant l'occupation, une bombe, lors de la Libération tomba sur les réserves de la bibliothèque qui furent en partie incendiées.

De la demeure de la duchesse de Bourbon, notre Palais-Bourbon n'a guère conservé que sa cour d'honneur, encore que passablement modifiée. Par contre, la tribune de l'Assemblée Nationale et le fauteuil présidentiel — acajou et bronze doré — sont un héritage du Conseil des Cinq-Cents. L'intérieur a été bien des fois restauré et réaménagé pour répondre à des améliorations pratiques et de confort. Les derniers travaux ont eu lieu en 1971. Ils concernaient notamment la rénovation de l'hémicycle. 131 S

Palais de Justice

Boulevard du Palais, Iᵉʳ. Le temple de la loi se trouvait non loin de Notre-Dame, temple de la foi. Dans l'île de la Cité, pouvoir civil et pouvoir religieux s'unissaient ou s'affrontaient. A l'ouest un petit palais-forteresse avait déjà été construit aux premiers siècles, où siégeaient les fonctionnaires que Rome envoyait à Lutèce. C'est là que Julien sera proclamé empereur, que sera fondée la dynastie mérovingienne. La consécration fut définitive lorsque les Capétiens étendirent leur gouvernement au-delà de leurs petits domaines et commencèrent à rassembler peu à peu les terres qui allaient faire la France. Hugues Capet, déjà, se plaisait sur les rives de la Seine. Et Robert le Pieux fit construire, à l'emplacement d'un tribunal gallo-romain, la Grand-Salle du Roi — là où se trouve maintenant la salle des Pas perdus.

Saint Louis voulait que Dieu fût premier servi. Tous ses efforts se portèrent sur la Sainte-Chapelle. Souvent hors de Paris, il s'y contentait de ce que lui avaient laissé ses prédécesseurs. En dépit d'une légende tenace, c'est Philippe le Bel, et non point saint Louis, qui fut le grand bâtisseur du Palais. En visitant la Conciergerie nous mesurerons l'importance de ce qui lui est dû. Bien d'autres bâtiments de cette époque ont disparu ou ont subi de telles transformations au cours des âges qu'ils sont méconnaissables. Lorsque Charles V et ses successeurs établirent leur résidence à l'hôtel Saint-Pol ou au Louvre, le « Palais » ne fut pas abandonné pour autant. Il devint le siège du Parlement, ses plus belles salles restant utilisées pour les réceptions princières et les actes politiques importants. En 1618, la Grand-Salle gothique ayant été ravagée par l'incendie, Salomon de Brosse fut chargé de la réédifier. Deux nefs en plein cintre s'appuyaient sur une ligne médiane de forts piliers. (C'est dans le même esprit qu'elle a été à nouveau reconstruite après l'incendie de la Commune.) Le Palais était un centre d'animation qui ne réunissait pas seulement juges, avocats ou plaideurs, on y trouvait des étalages de livres, de lingerie, de colifichets; au XVIIe siècle la

Le Palais de Justice à la fin du XVe siècle. Miniature de Romuléon.

La Galerie du Palais, par Abraham Bosse.

Galerie Mercière était un lieu de rendez-vous pour ceux et celles qui se piquant de suivre la mode y trouvaient les nouveautés. Les bâtiments n'ont cessé de se transformer en raison d'extensions nécessaires, du désir de remplacer le vétuste par du neuf et de l'obligation de reconstruire à la suite des incendies qui se sont multipliés. Le plus grave fut celui de 1776. C'est à la suite de cette catastrophe que la cour de Mai et les galeries intérieures qui l'entourent ont pris l'aspect que nous leur connaissons. Les architectes Antoine, Couture, Moreau et Desmaisons élevèrent des bâtiments d'un bon équilibre classique qui se développent autour de la grande entrée à péristyle. Celle-ci se dresse devant un escalier monumental, et supporte une forte corniche coiffée d'un dôme. La cour est fermée par une superbe grille en fer forgé où les ornements à l'antique s'ordonnent autour des fleurs de lys et des armes de France. Par malheur l'aile de gauche se trouve presque au ras de la Sainte-Chapelle dont on voit seulement émerger le sommet. En même temps fut abattue sans pitié la sacristie, véritable joyau, qui flanquait le monument de Pierre de Montreuil. Telles étaient les exigences de la symétrie, règle d'or de l'art classique.

SÉANCE EXTRAORDINAIRE TENUE PAR LOUIS XVI, AU PALAIS,
Le 19 Novembre 1787.

Le Palais de Justice au XVIIIe siècle.

Mais c'est le XIXe siècle qui devait porter au Palais ses coups les plus durs. Sous le Second Empire l'architecte Louis Duc fut chargé de le remanier et de l'agrandir. Il y travailla pendant trente ans avec un manque de respect et une absence de goût qui n'avaient d'égale que sa prétention. Ses constructions représentent en superficie près des trois quarts de l'actuel monument, et il a partout porté la main. C'est lui qui a refait la façade du quai de l'Horloge en construisant des séries de bureaux d'allure vaguement médiévale entre les quatre tours arrangées à sa manière. La tour de l'Horloge, à l'angle du boulevard du Palais, a été coiffée d'un chemin de ronde fantaisiste. Pour décorer le cadran de la première horloge publique de Paris, on s'était jadis adressé à Germain Pilon; ce qui n'empêcha point Duc de le travestir comme le reste. Juxtaposés à ces architectures de ce faux style moyenâgeux, les bâtiments de la place Dauphine sont traités en ordre corinthien avec un grand luxe de statues et de cariatides. Devant la façade fut élevé un double escalier dont la masse forme une excroissance monstrueuse. Pour mettre cette lourde composition en évidence on n'hésita pas à détruire la base du triangle de la place Dauphine, la première des places royales.

Cet escalier conduit au vestibule de Harlay où se trouve l'entrée de la fastueuse Cour de Cassation aménagée au XIXᵉ siècle. Si l'on veut voir, dans le dédale du Palais, un vestige ancien, on le trouvera à la première chambre civile. C'était la Grand-Chambre du Parlement, dont une baie était située entre la tour César et la tour d'Argent; Louis XII la fit décorer d'un plafond somptueux (restauré). Tout le corps de bâtiment à l'angle du quai des Orfèvres et du boulevard du Palais a été construit au début du XXᵉ siècle, et en porte bien la marque.

C'est en visitant la Conciergerie que nous pouvons retrouver les témoins les plus émouvants et les plus authentiques du Palais de l'époque de Philippe le Bel, les exemples parisiens les plus importants de l'architecture civile du Moyen Age. Les salles se trouvaient au rez-de-chaussée, et c'est l'exhaussement des quais de la Cité qui leur a donné une apparence semi-souterraine. N'oublions pas que le Concierge du Palais était un grand personnage qui, depuis l'abandon de cette résidence par les rois, avait la charge de gardien de leurs locaux, — désignés sous le nom de Conciergerie — et représentait le pouvoir royal auprès du Parlement en cas de difficultés. La salle des Gardes — dite à tort salle Saint-Louis — date de la fin du XIVᵉ siècle. Des piliers massifs la divisent en deux nefs voûtées d'ogives. Elle a été remaniée au XIXᵉ siècle, (quelques chapiteaux intéressants subsistent). La Grand-Salle basse, ou salle des Gens d'armes, constitue l'étage inférieur de la Grand-Salle haute (salle des Pas perdus) que supportent ses beaux piliers. Elle était éclairée autrefois par des fenêtres en tiers-points dont on distingue encore le contour sur les murs. Au fond un escalier à vis ajouré permettait l'accès à la Grand-Salle. Une grille la sépare d'un passage à mi-hauteur qui coupe la dernière travée. Tout est admirablement rythmé, hormis de malencontreuses piles de renfort ajoutées au siècle dernier. Les cuisines, dites encore de saint Louis, sur plan carré, frappent surtout par les quatre grandes cheminées d'angles, dont les hottes sont maintenues par des arcs-boutants d'une structure originale. Ces trois salles étaient destinées au service de la maison du roi.

Il y eut toujours des prisons et des cachots à la Conciergerie. En dehors du tout-venant des délinquants, des personnages bien connus y ont séjourné, tels que Ravaillac, Damiens, la Brinvilliers, Cartouche et sa bande. Pendant la Terreur, quand siégeait le Tribunal révolutionnaire, les prisons furent largement étendues et fort encombrées. C'est là que prirent place sur la charrette bon nombre de ceux qui furent menés à la guillotine. Les lieux de leur détention ont subi tant d'avatars qu'il est bien difficile de les localiser autrement que par approximation. Dans la Cour des femmes, à la Chapelle des Girondins, on ne peut qu'évoquer des souvenirs. Seul le cachot de Marie-Antoinette, transformé en chapelle expiatoire en 1819, peut être identifié avec certitude. 132 N

A l'origine, la salle des Gens d'armes abritait le réfectoire de la maison du Roi.

Le Palais-Royal avant la Révolution.

Palais-Royal

Ier. C'est le nom de Richelieu qu'il convient d'évoquer tout d'abord. En 1624, le cardinal, à l'apogée de sa fortune, désireux de faire bâtir une demeure conforme à son inclination pour le faste et pour les arts, jeta son dévolu sur l'hôtel de Rambouillet, celui des précieuses, de Julie d'Angennes et du salon bleu d'Arthémise; Sauval nous dit qu'il « avait été fait dans un siècle brut et fort grossier ». Lisons qu'il était gothique : il datait du XIVe siècle. Richelieu le fit démolir pour bénéficier de l'emplacement; celui-ci étant fort insuffisant pour son goût de l'apparat, il acheta dans le même but les maisons voisines. La démolition des remparts de Charles V lui permit en outre de se faire attribuer un large morceau de terrain et il acquit par-derrière nombre de potagers et de vergers où il fit tracer un immense jardin de parterres et de bassins bordé d'alignements d'arbres sur les côtés. Quelques propriétaires ayant eu l'audace de se montrer récalcitrants, de malencontreuses enclaves ont désaxé les perspectives. On ne se privait point de critiquer les ambitions et les dépenses du cardinal. Mais il ferma la bouche aux jaloux en léguant au roi son palais — à l'exception de sa bibliothèque. Ainsi, le « Palais-Cardinal » devint-il « Palais-Royal ». A la suite de la suppression de la porte Saint-Honoré et des remparts, puis de l'établissement du palais et de son jardin, le quartier fut complètement « modernisé ». Ce fut le point de départ de la rue de Richelieu (alors nommée rue Royale) dont le tracé rectiligne était une nouveauté.

Le palais donnait sur la rue Saint-Honoré dont il était séparé par une cour. Son architecte était Jacques Lemercier, grand protégé du cardinal, qui devait parallèlement construire la ville de Richelieu et son château (détruit). L'intérêt se concentrait sur la façade de la cour d'honneur ouvrant sur les jardins : les ailes latérales étaient décorées de pompeux bas-reliefs représentant des proues de navires et des ancres marines qui évoquaient la surintendance de la navigation dont le ministre avait la charge. Seule la façade de l'aile de l'est subsiste, très modifiée, sous le nom de « galerie des proues ». L'intérieur était somptueux, décoré de sculptures, de tapisseries et de collections de tableaux de maîtres italiens et français d'une inestimable valeur. Une grande salle de théâtre à l'italienne en était la principale curiosité, car Paris ne connaissait alors que de petites salles de fortune. L'inauguration eut lieu en 1641 avec une représentation de *Mirame*. Un peu plus tard ce fut le théâtre de Molière lorsque celui-ci dut quitter le Petit-Bourbon, et l'opéra de Lully. (L'entrée se trouvait à l'emplacement du 1, rue de Valois.)

Dès la mort de Richelieu (1642), Anne d'Autriche, à qui le Louvre rappelait de désagréables souvenirs, vint habiter le nouveau domaine royal avec son fils, encore enfant, le futur Louis le Grand. Versailles devait tout éclipser. Mais le Régent, Philippe d'Orléans, frère du roi qui lui avait donné le Palais-Royal en apanage, vint y résider et lui conféra un éclat inattendu. Malgré les rancunes et ragots de l'ancienne cour de Louis XIV, il fit merveilleusement rénover les appartements du premier étage par Oppenord et commanda de grandes peintures décoratives à Coypel. Il y mena durant le jour la vie studieuse d'un parfait homme d'Etat et, la nuit, celle d'un parfait libertin. Un passage reliait les appartements à l'Opéra où se déroulaient des « bals publics » qui faisaient beaucoup jaser... Son petit-fils, à la suite de l'incendie de 1763 qui ravagea l'Opéra et les appartements voisins de l'aile droite, fit rebâtir par Contant d'Ivry la façade sur cour (plus étroite que celle du Conseil d'Etat d'aujourd'hui). Elle sera reprise par Fontaine au début du siècle suivant, et le palais aura, dès lors, l'aspect général qu'il a conservé. Des portiques et des arcades le séparent de la place du Palais-Royal; l'aile gauche est décorée d'un fronton de Pajou, qui est également l'auteur des trophées figurant sur l'attique de l'avant-corps central. Sur l'aile de Valois un pavillon octogonal abrite un magnifique escalier dont la rampe a été ciselée par Caffieri, ponctué de groupes d'enfants et situé dans un décor en trompe-l'œil.

Le duc Louis-Philippe d'Orléans, arrière-petit-fils du Régent, fut le dernier possesseur du Palais-Royal avant la Révolution. Esprit vif et entreprenant, féru de nouveautés, dépensier à la folie, il se

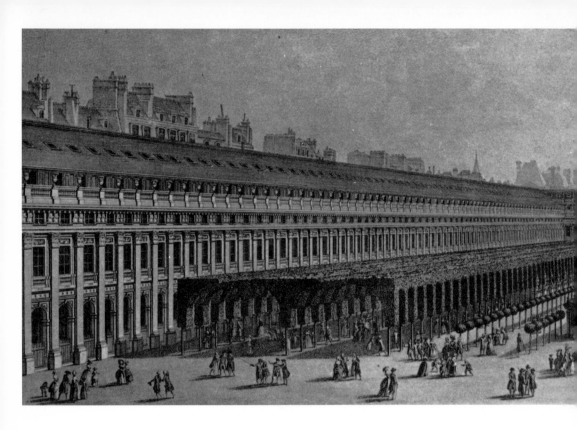

couvrit de dettes. Pour se tirer d'une situation désastreuse, il eut l'idée d'entreprendre une grande opération immobilière de caractère insolite. Son domaine, apanage royal, étant inaliénable, le duc devint « promoteur » et fit construire autour du jardin, en le réduisant d'un tiers, un « grand ensemble » d'habitations dont les rez-de-chaussée devaient être occupés par des galeries et des boutiques. Par faiblesse, Louis XVI laissa faire — et le parlement ne se priva point de lui adresser des remontrances. Le public, qui craignait, à tort, d'être privé de la jouissance du jardin, exprima vivement sa mauvaise humeur. Le duc s'adressa à l'architecte Victor Louis, l'auteur du théâtre de Bordeaux, qui imagina ce jardin clos par des alignements de colonnades d'une unité et d'une élégance exceptionnelles. Entre 1781 et 1784, soixante immeubles à loyer furent construits, correspondant chacun à trois arcades de galerie, décorés d'agrafes et de lampadaires. Des pilastres corinthiens colossaux montent jusqu'aux tympans sculptés des fenêtres du grand étage. Des mezzanines s'ouvrent dans la frise. Une forte corniche surmontée d'une balustrade court devant l'attique. Entre la deuxième cour et les jardins, des portiques relient les galeries des bâtiments. Ceux-ci sont desservis par les nouvelles rues de Valois, de Beaujolais et de Montpensier, où les façades sont beaucoup plus simples.

Le quartier est recherché, fréquenté par l'aristocratie, la bourgeoisie, le menu peuple; c'est un lieu de rencontre des artistes, des écrivains et des nouvellistes à l'affût des échos de la vie parisienne et c'est aussi le terrain de chasse privilégié des filles en quête de bonne fortune. Les magasins s'emplissent de bijoutiers et de marchandes de frivolités. Les restaurants, les cafés s'y installent en nombre. Le plus important est le célèbre café de Foy, galerie de Montpensier, qui avait obtenu le droit de servir des glaces — sa spécialité — dans le jardin même. Le mouvement est déclenché. Une animation bigarrée emplit le Palais-Royal dans une atmosphère de mode et de dépense sans pareille. On palabre sans fin. « Le Palais-Royal, écrit Chamfort, est le forum du peuple parisien. »

Le duc d'Orléans faisait tout ce qu'il fallait pour favoriser la plaisance, les complaisances et les plaisirs. Après l'incendie de l'Opéra, il avait demandé à Victor Louis de construire la salle des Variétés-Amusantes qui devint, en 1799, le Théâtre-Français. Dans le jardin, une salle à demi souterraine, que l'on nommait « le cirque », fut installée — où se trouve aujourd'hui le bassin —, qui abrita successivement un manège, une salle de bal, une salle de fêtes et un théâtre de tableaux vivants.

Depuis la Régence, le Palais-Royal avait bien conquis son renom de licence et de prodigalité. La liberté des mœurs s'y étalait de

La police n'avait pas le droit de pénétrer à l'intérieur du Palais-Royal, propriété du duc d'Orléans. Aussi abritait-il cercles de jeux et maisons de plaisirs.

Vuë des Pavillons en Treillage dans L'Interieur du Jardin du Palais Royal.

5.

façon toujours plus provocante, d'autant que la police n'avait pas le droit de pénétrer dans le domaine princier. La liberté qui régnait au Palais-Royal et le libéralisme de son propriétaire expliquent pour une bonne part la prolifération des sociétés de pensée qui furent la base idéologique de la Révolution. Le 12 juillet 1789, Camille Desmoulins, grimpé sur une table devant le café de Foy, lance le premier appel aux armes.

L'audacieux duc d'Orléans voit son entreprise tomber en faillite. La vente des collections d'œuvres d'art et des bibliothèques de ses parents et grands-parents ne peuvent suffire à combler le déficit. Il avait voulu doter les Parisiens d'un centre commercial et de résidences magnifiques. Il y était parvenu. Mais les Parisiens ne lui en ont aucune gratitude. Membre de la Convention il croit sauver sa tête du couperet en votant la mort du roi. Le Palais-Royal de Philippe Egalité est devenu le « Palais-Egalité » et son jardin le « Jardin de la Révolution ». Tout cela n'empêche point qu'il soit conduit quelques semaines plus tard à la guillotine. Le jour même, son domaine est déclaré bien national. Le Palais-Royal l'avait échappé belle. Le comité de Salut Public avait voté sa destruction. Des citoyens excités avaient commencé à mettre le feu du côté du Théâtre-Français. Mais les voisins alarmés sortirent des pompes et des seaux, firent la chaîne. L'ordre de destruction fut reporté.

Entre-temps, le jardin avait été le théâtre de scènes hautes en couleurs. Après la prise de la Bastille, la tête du vieux Foulon, intendant aux armées, est promenée au bout d'une pique autour des galeries, une brassée de foin entre les dents. En 1791, le mannequin du pape y est brûlé. En 1792, c'est le mannequin de La Fayette qui subit le même sort. Des députés sont jetés dans le bassin et brocardés par la populace. Dans ce Paris de la Révolution quels étonnants contrastes! On fait queue au petit jour devant les boulangeries pour obtenir un morceau de pain. Le sucre a disparu. Mais au Palais-Royal se sont installés les cuisiniers des ci-devant, et jamais enrichis ne trouvèrent dans un restaurant autant de mets somptueux, ni de bouteilles vénérables dont chacun sait qu'elles proviennent des caves d'émigrés de haute souche. Le commerce de la galanterie s'étale avec une ampleur qui n'a jamais été dépassée. Les demoiselles du Palais-Royal, qui pourtant, selon Mercier, « ont pour habitude de visiter les poches », jouissent d'une renommée qui attire la province et l'étranger. Elles considèrent l'exercice de leur métier comme de droit coutumier et s'élèvent contre des mesures restrictives qui ne sont d'ailleurs jamais suivies d'application.

Le 20 janvier 1793, veille de l'exécution de Louis XVI, un nommé Pâris, ancien garde du roi, transperce d'un coup d'épée le conventionnel Le Peletier de Saint-Fargeau qui soupait galerie Montpensier. Dans les salons du restaurant de Beauvilliers, ancien officier de bouche du comte de Provence, célèbre par ses suprêmes de volailles aux truffes, et qui dirige le service l'épée au côté, on rencontre Rivarol et son groupe de pamphlétaires, tandis que les

Jacobins fréquentent plutôt la Grotte flamande ou le restaurant de la Chancellerie tenu avec splendeur par Méot, l'ancien officier de bouche du duc d'Orléans. Signalons enfin le café de Chartres auquel succédera le Grand-Véfour.

Durant le Consulat et l'Empire la vogue du Palais-Royal ne fait que grandir. Les estampes du temps nous montrent la foule des élégantes et des beaux officiers. Dans les salles de jeu — on en a recensé dix-huit, sans parler des tripots clandestins — les pièces d'or sont jetées à poignées. Le restaurant Véry, celui des Frères Provençaux ont acquis grand renom, tandis qu'au Café Mécanique, les plats arrivent du sous-sol sur les tables par des trappes. On va se distraire aux Ombres Chinoises, aux Petits-Comédiens — à l'emplacement de l'actuel théâtre du Palais-Royal. On se presse dans les affreuses Galeries de Bois, nommées « le Camp des Tartares », qui séparent la cour du jardin, constructions provisoires cernées d'appentis.

Sous la Restauration, le nouveau duc d'Orléans, futur roi Louis-Philippe, s'installe au Palais-Royal et y décide d'importantes transformations. Avec Fontaine pour architecte, il fait achever le corps de logis sur la deuxième cour et décide d'entourer de terrasses les bâtiments qui la bordent. L'aile de Valois est entièrement reprise et décorée intérieurement de salons magnifiques (aujourd'hui ministère des Affaires culturelles). Du côté de l'aile Montpensier, les péristyles doriques évoquent des palais romains. L'influence italienne est aussi très sensible à l'intérieur. L'escalier d'apparat de Percier et Fontaine à départ central puis à deux volées est décoré de colonnes, de pilastres, de candélabres, de statues et de voussures peintes. A la place de la vulgaire Galerie de bois, Fontaine édifie la galerie d'Orléans qui relie les deux ailes : des arcades vitrées, séparées par des pilastres, constituent la devanture des boutiques ; elle

A partir de 1830, les cafés succédèrent aux tripots, et les enfants aux demoiselles de petite vertu.

La galerie d'Orléans qui sépare la cour d'honneur du jardin.

est éclairée par une verrière en berceau. Louis-Philippe, avant de s'installer aux Tuileries, habitera deux ans le Palais-Royal où il entreprend d'installer une vaste galerie de tableaux. Mais, lors de la Révolution de 1848, le Palais est à nouveau incendié. Si les murs ne s'effondrent pas, il ne reste rien des décors, des meubles et des tableaux. Lorsque le roi Jérôme-Napoléon s'y installera sous le Second Empire il faudra reconstituer une grande partie de la décoration intérieure. Enfin la Commune voulut faire flamber le Palais-Royal comme les Tuileries. Elle n'y réussit que partiellement. Seuls le pavillon de Valois et le côté est de la façade furent la proie des flammes.

Au cours du XIXᵉ siècle, l'animation du jardin s'éteint peu à peu, c'est vers le boulevard, entre la Madeleine et Tortoni, que s'est déplacé le centre de la vie mondaine. Elle s'y développe, s'y étend, alors que les commerces et cafés du Palais-Royal périclitent, que les galeries deviennent sombres et tristes, et le jardin un havre de grâce, en plein cœur de Paris, pour les amis du silence et de la solitude.

Si le Palais-Royal a gardé son irréprochable ordonnance, c'est parce qu'il s'est bien défendu contre de multiples projets d'urbanisme (1880 à 1901) dont certains ne prévoyaient rien de moins qu'une percée à la hauteur de la galerie d'Orléans par une voie de 30 m de large qui aurait uni l'actuelle rue du Commandant-Driant à l'avenue de l'Opéra.

Depuis un demi-siècle naissent des propositions pour la réanimation du Palais-Royal. Mais on assiste, au contraire, au refoulement progressif des petits commerces installés sous la galerie de Valois et à la prolifération de dépendances des administrations voisines.

1830. Départ de Louis-Philippe pour l'Hôtel de Ville. Peinture d'Horace Vernet.

Colette à son balcon.

Panthéon

Place du Panthéon, Vᵉ. Edifié sur un sommet, visible de partout, entouré de grandes facultés, d'écoles et de bibliothèques, sa majestueuse carrure fait oublier qu'avant d'être une nécropole laïque le Panthéon était une église.

Quand Louis XV fut subitement guéri du mal redoutable qui l'avait frappé, il fit le vœu d'élever à Paris une église destinée à marquer par sa splendeur la reconnaissance qu'il devait à la Providence pour un événement que beaucoup considéraient comme miraculeux. Son vœu rejoignait un ancien projet des chanoines de l'abbaye Sainte-Geneviève qui voulaient remplacer leur église vétuste par un monument moderne. C'est Clovis qui avait fondé leur abbaye élevée en haut de la colline, nommée assez abusivement « montagne » Sainte-Geneviève. Elle avait reçu non seulement le corps du roi des Francs (c'était alors la basilique des Saints-Apôtres), mais celui de son épouse Clotilde, puis celui de sainte Geneviève elle-même. Une châsse de cuivre et d'or aurait été ciselée, selon la tradition, par saint Eloi, pour honorer les reliques vénérées de la patronne de Paris. Maintes fois reconstruits au cours des âges, ses bâtiments disparurent en grande partie lors du percement de la rue Clovis (1806). Ce que l'on nomme aujourd'hui « tour de Clovis » n'est en réalité que le clocher survivant d'une église du xvᵉ siècle construite sur des bases romanes (elles apparaissent aux deux premiers étages de la tour). Subsistent de beaux vestiges des bâtiments monastiques englobés dans le lycée Henri-IV tels que le long réfectoire du xiiiᵉ siècle que l'on voit derrière le Panthéon.

L'architecte Soufflot, appuyé par l'intendant Marigny et par sa sœur la Pompadour, fut désigné pour bâtir la nouvelle église Sainte-Geneviève. Ce choix, en soi fort heureux, était révélateur du désir de suivre les tendances esthétiques d'avant-garde, c'est-à-dire celles des « antiquisants ». Soufflot était un familier de l'Italie; il avait participé, en compagnie de Cochin, à ce fameux voyage d'études qui devait infléchir l'orientation des arts français. Chef de file du mouvement néo-classique, il n'en était pas moins grand admirateur des principes architectoniques du Moyen Age et avait l'ambition de réunir « la légèreté de l'architecture gothique et la magnificence de l'architecture grecque ». C'est en tenant compte de ces dispositions d'esprit qu'il convient de regarder notre Panthéon qui fut le couronnement de sa carrière.

Commencés en 1756, les travaux furent fréquemment interrompus par suite de la défaillance des crédits. Jaloux d'avoir été écartés, des architectes ne cessaient de dénoncer l'aventureuse audace des projets auxquels on reprochait de rechercher avant tout des effets plastiques et de suivre des principes doctrinaires au détriment de la solidité. En creusant le sol pour les fondations on s'aperçut qu'il était perforé par des galeries qu'il fallait combler.

Soufflot mourut en 1780 sans avoir vu son œuvre terminée. Ses successeurs, toujours harcelés de mises en garde, crurent prudent de renforcer les piles d'appui du dôme — ce qui eut naturellement pour effet d'alourdir l'élan de la partie centrale. Pour mettre son monument en valeur Soufflot avait étudié son environnement et

Maquette de la basilique
Sainte-Geneviève en 1781.

fait une œuvre d'urbanisme que nous ne saurions négliger. En 1764, une maquette de la façade, peinte en grandeur réelle, était présentée à Louis XV. Une rue — celle qui porte son nom — était prévue dans l'axe de la façade pour lui assurer une juste perspective (la moitié de la rue fut inaugurée en 1807, mais il fallut attendre 1880 pour qu'elle fût ouverte de bout en bout). Aux angles, des façades d'ordre ionique en pans coupés assuraient l'ordonnance. L'une est celle de l'Ecole de Droit, l'autre, en réplique, ne fut construite qu'en 1850 pour la mairie du Ve arrondissement.

Les multiples métamorphoses qu'eut à subir le Panthéon à travers les régimes successifs de la France sont le reflet des agitations politiques. En 1790 le dôme était achevé; mais l'année suivante, l'Assemblée nationale décréta que la basilique Sainte-Geneviève serait désaffectée et que l'on y déposerait les cendres des grands hommes ayant bien mérité de la Patrie. On fit alors disparaître tous les attributs religieux de l'extérieur et de l'intérieur. A la croix

du lanternon, on substitua une grande Renommée soufflant dans sa trompette. Le plus grave — parce que définitif — devait être la suppression des quarante-deux fenêtres qui éclairaient la nef (nous en distinguons le dessin sur les murs extérieurs). Elles furent bouchées pour obtenir un effet « sépulcral ». Napoléon rendit l'église au culte et désigna le chapitre de Notre-Dame pour la desservir. Mais les offices solennels prévus pour les grandes circonstances n'y eurent jamais lieu. Louis XVIII rendit Sainte-Geneviève à sa première destination paroissiale. La croix réapparut sur le dôme et des symboles sacrés ornèrent le fronton. Puis Louis-Philippe, fidèle à son principe d'honorer « toutes les gloires de la France », voulut que l'édifice retrouvât « sa destination légale ». L'église fut donc à nouveau laïcisée, et la dédicace aux grands hommes réinscrite sur la façade, tandis que David d'Angers, chargé de décorer le fronton, sculptait le grand bas-relief que nous voyons encore aujourd'hui (la Patrie reconnaissante distribuant à ses grands hommes les couronnes que lui offre la Liberté). Dès qu'il prit le pouvoir, Louis-Napoléon voulut donner satisfaction aux catholiques parisiens : Sainte-Geneviève fut non seulement rouverte au culte, mais devint basilique nationale. La troisième République laissa les choses en état durant quinze ans. Mais l'influence de la libre pensée domina; le transfert du corps de Victor Hugo en 1885 devait décider d'une nouvelle laïcisation. Son sixième avatar en moins d'un siècle.

Architecte savant et cultivé, Soufflot, en face d'une commande royale de si haute importance, avait-il voulu traduire son idéal de perfection ? Qu'était alors cet idéal ? La Grèce, revue par Rome, telle qu'elle s'exprimait dans l'art de la Renaissance italienne. Le plan central en forme de croix grecque fut adopté. Le péristyle n'est pas sans réminiscences du Panthéon de Rome.

Le monument conçu par Soufflot fut continué après sa mort par ses disciples Brebion et Rondelet. Il saisit par ses dimensions et sa majesté (110 m de longueur, 82 m de largeur, 83 m de hauteur). Les façades latérales, dont les fenêtres ont si malencontreusement disparu, sont d'une nudité que d'épaisses guirlandes sculptées sous l'entablement ne font qu'accuser. Le péristyle avec ses vingt-deux colonnes corinthiennes, hautes de 19 m, ne réussit point à atténuer une impression d'académisme glacé. Le dôme à lanternon, soutenu par trente-deux colonnes relativement légères et quatre cages d'escalier cylindriques en retrait qui servent de contreforts, s'élève assez fièrement sur la colline sacrée, mais il faut bien convenir qu'il reste assez loin de celui de Saint-Pierre de Rome, et de celui des Invalides. Les préoccupations scientifiques du siècle des encyclopédistes ont pesé sur l'essor de l'imagination.

A l'intérieur, la parfaite simplicité du plan s'impose avec solennité. Les alignements des colonnes corinthiennes et des piles de la croisée, leurs chapiteaux brillamment sculptés, les nefs coiffées de coupoles, les tribunes à balustres, les frises, les arcades, l'aisance du mouvement circulaire de l'abside, tout compose un ensemble digne et harmonieux. L'étagement de la coupole, son décor régulier et recherché, la fresque de Gros qui décore le sommet, forment un ensemble qui en impose. Hélas! comment ne pas être offusqué par les énormes et tumultueux groupes sculptés, et par la fade imagerie qui constituent le décor officiel surajouté par la Troisième République? Un goût détestable, une absolue méconnaissance de l'adaptation à l'architecture défigurent le monument à un tel point qu'il faut faire effort pour discerner les qualités de la structure. On a largement épuré ces intrusions d'une prétentieuse sculpture historique. Ce qui reste est encore superflu. Quant aux peintures murales, œuvres des grands médaillés des Salons, on n'a pu les effacer. Dans cette indigence, seules les peintures de Puvis de Chavannes *(Vie de Sainte-Geneviève)* dispensent une lumière poétique et paisible qui répond à une certaine conception de l'art mural et de l'art religieux.

Les façades latérales étaient à l'origine percées de fenêtres qui furent occultées en 1791 par l'architecte Quatremère de Quincy lorsque l'Assemblée constituante décida de transformer la basilique en Panthéon.

La crypte avec les perspectives de ses longues galeries, dont la sobriété est relevée par de nombreuses colonnes doriques, joue bien le rôle de « Panthéon français » que lui imposa la Révolution. Mirabeau en fut le premier bénéficiaire; mais pas pour longtemps : son corps fut retiré trois ans plus tard pour faire place à celui de

Le dôme.

Marat — qui, d'ailleurs, n'eut pas meilleur sort. En 1791, la crypte reçut les restes de Voltaire, puis, en 1794, ceux de Jean-Jacques Rousseau. Sous le règne de Napoléon elle devint un cimetière de maréchaux et de dignitaires de l'Empire. Après le mémorable enterrement de Victor Hugo, la Troisième République réserva le Panthéon à quelques-uns de ses grands hommes, entre autres à Sadi Carnot, Zola, Berthelot, Jaurès, Painlevé. Le cœur de Gambetta fut déposé dans une urne en 1920. Un grand cérémonial eut lieu en 1964 en l'honneur de Jean Moulin, symbole de la Résistance française.

Porte de Saint-Cloud, XVIe. C'est le troisième stade édifié au même endroit. Le premier fut établi en 1896, simple piste sablée de 666 m autour d'une pelouse — ce qui était beaucoup à l'époque. Succéda, en 1932, un stade-vélodrome de 33 000 places où, chaque année, se terminait le Tour de France. Celui que nous voyons aujourd'hui (50 000 places) a été construit par l'architecte R. Taillibert et inauguré en juin 1972 pour la coupe de France de football.

Au bord du boulevard périphérique — dont le tracé obligeait à la destruction du stade antérieur — il est corseté par un entourage qui empêche d'en avoir une vue d'ensemble; mais la seule découverte de ses structures extérieures en caissons de béton précontraint ne peut laisser indifférent. Les poteaux (de 46,60 m à 32,50 m de hauteur selon qu'ils correspondent au petit axe ou aux angles du terrain) et les consoles (de 34,50 m à 24,90 m) témoignent, dans leur complexité, d'une vigueur peu commune. A l'intérieur, tous les gradins sont couverts d'une toiture au mouvement ondulatoire qui s'avance sur 48,50 m en porte-à-faux (record mondial), ce qui permet, à toutes les places, de bénéficier d'une parfaite visibilité. Les gradins sont libérés de tout point d'appui intermédiaire. Dans son dynamisme cette géométrie architecturale ne fait que traduire avec clarté les tensions, les poussées, les efforts qui s'exercent dans les audacieuses structures d'un ouvrage qui, par ailleurs, répond aux données les plus modernes du spectacle sportif.   135 S

stade du Parc des Princes

C'est tout à fait au début du siècle dernier que Paris connut la vogue des passages couverts. Ils n'étaient pas seulement prévus pour les piétons qui se rendaient d'un point à un autre, mais pour ceux qui trouvaient mille raisons d'y flâner. Ils étaient généralement pourvus de bout en bout de magasins, de cafés, de maisons de jeux ou de spectacles. Le premier passage parisien ne répondait cependant pas à ce rôle : le passage du Caire, inauguré en 1799, était voué à l'imprimerie, à la lithographie et à la papeterie. Mais, dès l'année suivante, le passage des Panoramas rencontra près de la belle société un succès vif et durable. C'est avec la Restauration qu'il connut l'apogée de son élégance et de son animation. Il devait son nom et sa réputation aux deux grandes rotondes qui flanquaient son entrée où s'étaient installés les *Panoramas* importés par James Thayer et Robert Fulton. On y pouvait admirer de grandes vues circulaires du port de Toulon ou du Camp de Boulogne, de Rome, d'Athènes ou de Jérusalem. « L'illusion était complète, écrivait Chateaubriand, je reconnus au premier coup d'œil les monuments que j'avais indiqués. Des fragments de mon *Itinéraire* ont servi de programmes et d'explications populaires aux tableaux. » On conçoit, qu'en l'absence de cinéma, les panoramas aient connu une telle faveur. Le commerce du passage des Panoramas était très huppé. Les magasins de mode, de nouveautés, de

Passages

frivolités attiraient les élégantes, notamment celui de Mme Lapo
tolle, la plus en vogue des modistes de Paris. Marquis y proposa
ses chocolats, Susse la papeterie des élégants, J.-M. Farina s
véritable eau de Cologne. Au cours des années 1820, ce fut peu
être, avec le Palais-Royal, l'endroit le plus fréquenté de Pari
Sa réputation devint telle que cinq nouveaux passages devaient s
greffer sur lui. Dès lors s'en ouvrirent d'autres du même genr
couverts d'une verrière et bordés de magasins qui sacrifiaient l'uti
à l'agréable. On en comptait une centaine en 1840, particulièremer
denses dans les quartiers des Porcherons et de la Grange-Batelièr
Le passage de l'Opéra (rue Le Peletier), qui disparut avec le pre
longement du boulevard Haussmann, fut l'un des plus brillant

Pour nous limiter à ceux qui ont survécu, après avoir perdu bea
coup de leur lustre d'autrefois, nous citerons le passage Vivienn
(1823) dont l'entrée sur la rue des Petits-Champs s'adorne de cari
tides, les passages Choiseul et Sainte-Anne (1825), le passage Vér
Dodat (1826), avec ses colonnettes, ses chapiteaux, ses glaces, se
plafonds à caissons où apparaissent de vagues figures mytholo
giques, les charmantes petites arcades de ses devantures, tout cel
intact, de parfaite unité, et qui nous restitue les charmes discret
d'un temps où on accrochait le passant par la finesse et le bon to
Et puis c'est le passage Ponceau (1826), tronçonné par le boulevar
Sébastopol, le passage Brady (1828), coupé par le boulevard d
Strasbourg, la galerie et le passage Colbert (1828), qui avaient asse
belle allure avec leur rotonde ordonnancée, le passage du Havr
(1845) près de la gare Saint-Lazare, les passages Verdeau et Jouffro
(1845), animés par la présence du musée Grévin et, naguère, pa
celle du Petit-Casino, le dernier des cafés-concerts.

On aimait flâner dans ces passages couverts, intimes, à l'abri de
intempéries. Ces témoins éphémères de la vie urbaine correspon
daient à des mœurs parisiennes qui n'existent plus. Mais il n'e
pas impossible que, sous une autre forme et dans un autre styl
les passages prennent un nouvel essor. Ceux qui ont été ouverts su
l'avenue des Champs-Elysées, dans la mesure où ils sont reliés
des rues latérales, possèdent une convenance pratique et commer
ciale qui peut devenir exemplaire.

De beaux plafonds à caissons ornent
le passage Véro-Dodat.

Dans l'ombre de Lautréamont et de
Maldoror, la galerie Vivienne survit
à son glorieux passé.

temple de Pentémont

106, rue de Grenelle, VIIe. Le petit portail à fronton arrondi qu donne sur la rue de Grenelle est celui d'un ancien couvent de cis terciennes dépendant de l'abbaye de Pentémont. Les bâtiment abbatiaux sont implantés autour d'une cour qui ouvre au 37 ru de Bellechasse. Après la Révolution, ils furent convertis en caserne ils sont occupés, depuis la guerre de 1914-1918, par le ministère de Anciens combattants. Leur disposition, centrée sur un pavillon fronton, est rythmée avec une noble simplicité. Par contre, la cou pole de la chapelle et son lanternon s'élèvent sur un ensemble d toitures qui s'emboîtent avec la plus lourde gaucherie. L'intérieu de l'édifice s'exprime de façon intéressante et originale : la nef n présente qu'une seule travée; le chœur des religieuses est plu important; le transept, proportionnellement très vaste et très orné forme à la croisée, dominée par la coupole, un ensemble d'arcade remarquables. Les croisillons dont les extrémités sont incurvée comportent de petites tribunes sur les côtés. En 1844, Baltard fu chargé de restaurer cette chapelle qui devait être adaptée au cult réformé. Son intervention, dite « restauration », fut désastreuse Il a notamment fait poser sur la partie inférieure des croisillons de boiseries qui altèrent tout l'effet architectural recherché.   137 :

La chapelle du couvent de Pentémont fut élevée dans la seconde moitié du XVIIIe siècle d'après les dessins de Contant d'Ivry.

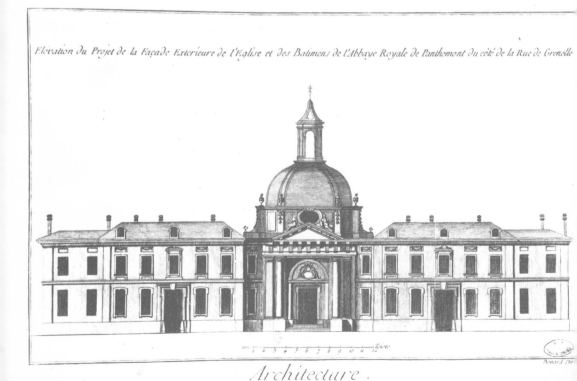

Elevation du Projet de la Façade Exterieure de l'Eglise et des Batimens de l'Abbaye Royale de Panthemont du côté de la Rue de Grenelle

Architecture.

Boulevard de Ménilmontant, XXᵉ. Le préfet Frochot signait en 1801 un arrêté qu'imposaient d'urgentes raisons de salubrité. L'interdiction d'inhumer dans les églises et la fermeture des nauséabonds cimetières paroissiaux commandaient de grandes nécropoles hors de la ville. Ainsi fut décidée la création de trois cimetières : celui du Nord (Montmartre), celui du Sud (Montparnasse) et celui de l'Est qui devait être nommé : Père-Lachaise. Au XVIIᵉ siècle les jésuites de la rue Saint-Antoine avaient là une maison de repos et le père La Chaise, confesseur de Louis XIV, s'était fait construire dans le voisinage une maison particulière. Alors que les autres cimetières sont plats, celui-ci est situé sur le versant d'une colline qui s'incline vers Paris ; et l'on comprend que Balzac ait choisi ces lieux pour y mener Rastignac derrière le corbillard du père Goriot avant de lancer dans le crépuscule son fameux défi à la ville qui s'étendait devant lui.

La désignation de l'architecte Brongniart, dont le talent était fort estimé, témoigne du désir de créer un décor de grande dignité. Les 18 hectares dévolus furent entourés d'une enceinte où paraissaient des arcades à la ressemblance d'un *campo santo*. Dessiné et planté comme un parc, ce cimetière fut inauguré en 1804. Dès 1824, il dut être agrandi ; sa superficie fut presque doublée. En même temps une porte monumentale était érigée sur le boulevard de Ménilmontant.

On peut diviser le Père-Lachaise en deux parties d'aspect fort distinct. Celle qui s'étend de la porte d'entrée à flanc de coteau, la

cimetière du Père-Lachaise

L'actuel cimetière porte le nom du confesseur de Louis XIV qui s'était fait bâtir à cet emplacement une maison de campagne.

De Musset à Nerval, de Bizet à Delacroix, le Père-Lachaise est, entre autres, comme un dictionnaire des Arts et Lettres du XIXe siècle.

plus ancienne, est de beaucoup la plus intéressante. Elle est traversée par la grande avenue centrale qui a pour fond de décor, sous la chapelle, le monument de Bartholomé (1895) considéré comme un chef-d'œuvre de la sculpture française avant d'être traité de médiocrité académique, bien qu'il ne mérite ni cet excès d'honneur ni cette indignité. De part et d'autre, les allées sinueuses et les arbres, les monuments où reposent tant de corps illustres, composent des paysages de douceur et de mélancolie. Ces charmes sont particulièrement évocateurs vers le sommet, où le sol a gardé son relief agité, près du chemin dédié à Molière et à La Fontaine. En haut, sur le plateau, le charme est rompu. Les sections rectilignes sont divisées en damier. N'y cherchons plus de jardin paysager : c'est déjà la rigueur administrative à laquelle nous ne pouvons échapper, même après décès.

La visite du Père-Lachaise nous permet d'assister à l'évolution de l'art funéraire depuis le début du XIXe siècle. Nous découvrons mille réactions sentimentales devant la mort. C'est un résumé des goûts, des modes, des tendances d'esprit de la bourgeoisie parisienne. Si la plupart des tombes se conforment aux modèles commercialement imposés à l'époque, d'autres témoignent d'originalité, d'ostentation, d'orgueil sans crainte du ridicule. On rencontre

des statues équestres, des châteaux, des pyramides, un phare. Les styles s'inspirent de l'Egypte ou de Rome, du néo-gothique ou du réalisme fin de siècle. Au début, l'emplacement des monuments n'était pas limité, aussi en voyons-nous de considérables. Il en est d'affreux et d'autres d'une attendrissante naïveté. Le columbarium a été construit par Formigé, architecte de la Ville, sur la partie haute (1899), dans un style romano-byzantin.

Héloïse et Abélard, morts au XIIe siècle, sont incontestablement les plus vieux habitants du cimetière. Ce qui restait de leurs ossements y a été transféré en 1817, après bien des pérégrinations. Ils sont représentés gisant côte à côte sous un dais de style néogothique des plus romantique où ont été insérées des pierres sculptées provenant de l'abbaye du Paraclet. Tout au fond du cimetière, à l'angle nord-est, le mur des Fédérés rappelle les tragiques souvenirs de la Commune. Dans leur dernière retraite les fédérés se retranchèrent dans le cimetière qu'ils défendirent pied à pied contre les Versaillais. Parmi les tombes la lutte fut horrible. Les tués ont été enterrés là. Puis c'est devant ce mur que furent fusillées les victimes de la répression. Les corps de 1 017 fédérés reposent à cet endroit. A chaque anniversaire de longs cortèges défilent pour rendre hommage à leur mémoire.

Une simple plaque, toujours fleurie, commémore l'exécution des derniers Communards.

138 N

Avenue W.-Churchill, VIIIe. Pour l'Exposition universelle de 1900, le Petit Palais fut élevé, face au Grand Palais, par l'architecte Charles Girault : il contribua à cette grande perspective parisienne qui s'ouvre des jardins des Champs-Elysées aux Invalides, seul acte d'urbanisme important et durable laissé à Paris par une exposition. Comme son voisin, il porte la marque d'un style éclectique à la mode du temps. Le plan trapézoïdal est intelligent, et la cour-jardin intérieure, bordée de colonnades, est agréable. L'architecte a tenté visiblement d'harmoniser la façade avec celle des Invalides. L'archivolte monumentale de la porte d'entrée veut évoquer celle de Libéral Bruant, et il n'est pas jusqu'au dôme central qui, bien qu'aplati, n'ait cherché à s'inspirer de celui de Mansart. Il y a un certain souci de « faire classique » — avec les bâtardises habituelles à cette fin de siècle — et la décoration est moins profuse, moins agitée que chez son grand voisin. Une porte monumentale domine un haut perron ; son fronton qui dépasse la toiture est orné d'une allégorie de dimensions considérables, due à Injalbert, qui représente la Ville de Paris parmi les Muses. La rotonde d'entrée est couverte d'une coupole peinte par Albert Besnard. Deux galeries concentriques font le tour du bâtiment. Partout règnent les amples proportions qui caractérisent les musées-palais de cette époque. Celui-ci appartient à la Ville qui y montre le meilleur de ses collections et y reçoit des expositions temporaires de haute qualité.   139 N

Petit-Palais

Un aspect peu connu du Petit-Palais : son jardin intérieur.

Elle fut construite entre 1190 et 1213. Si l'on excepte le petit mur de défense élevé en hâte autour de l'île de Lutèce vers 283, c'est la première enceinte de Paris. Epaisse de 3 m, haute de 9 m, elle était couronnée d'un chemin de ronde crénelé et jalonné par 67 tours. Malgré les enceintes qui lui ont succédé, elle n'a jamais été démolie ; laissée à l'abandon, elle offrait une excellente et proche carrière de pierres aux Parisiens, et servait parfois d'appui à des maisons en construction. Depuis qu'ont été abattues, en 1946, les maisons vétustes de la rue des Jardins-Saint-Paul, elle apparaît sur une centaine de mètres, avec deux tours. D'autres vestiges subsistent rue Clovis, rue Guénégaud, cour du Commerce ; une tour est encore visible dans les bâtiments du n° 55 de la rue des Francs-Bourgeois.

enceinte de Philippe Auguste

L'orangerie du jardin du Roi.

jardin des Plantes

Le plus ancien jardin de Paris. En 1626, Louis XIII, répondant aux instances du médecin et botaniste Guy de la Brosse, promulgua un édit qui décidait d'établir un « jardin royal des plantes médicinales comme étant les plus excellents outils que la Nature a produits pour la guérison des maladies ». Il était spécifié que cinquante arpents seraient « réservés à l'instruction des écoliers de l'Université et à l'utilité du peuple ». Ces arpents furent choisis derrière la vaste abbaye Saint-Victor et les chantiers de bois du port Saint-Bernard.

Guy de la Brosse, premier intendant du jardin du Roi — notre Jardin des Plantes — y cultiva plus d'un millier de plantes médicinales dont il dressa le catalogue. C'était important. Presque toute la pharmacopée se trouvait là quand n'existaient pas encore nos laboratoires et leurs cent mille spécialités. Malgré les protestations de la Faculté de médecine qui n'admettait point cette concurrence, des chaires de botanique, de chimie et d'histoire naturelle furent créées dans la nouvelle institution, grâce au soutien de Gaston d'Orléans, puis de Colbert; le jardin en était une dépendance expérimentale. En un demi-siècle la science botanique avait fait des pas de géant, notamment sous l'impulsion de Fagon, le médecin de Louis XIV, puis de Tournefort, qui, après avoir herborisé dès son jeune âge dans sa Provence natale, allait parcourir l'Europe et une partie de l'Asie à la recherche de plantes exotiques. Il y eut ensuite la dynastie des Jussieu, dont Bernard, en relations suivies avec Louis XV, fut le fleuron.

Buffon était plus philosophe, plus imaginatif, plus écrivain qu'homme de science, mais sa personne rayonnait d'une telle autorité qu'il sera toujours considéré comme le grand homme du Jardin des Plantes. Durant un demi-siècle, il occupe la charge d'intendant, s'intéresse à toutes les branches de l'histoire naturelle, complète les collections, achète des maisons voisines pour y loger les professeurs, fait construire des galeries de curiosités, agrandit le jardin qu'il étend jusqu'à la Seine.

La Convention, influencée par l'esprit de l'*Encyclopédie*, respecte cette institution royale et porte intérêt notamment aux minéraux, aux fossiles, aux squelettes d'animaux. Le nom de Jardin du Roi est supprimé pour être remplacé en 1793 par les titres de « Muséum d'histoire naturelle » et de « Jardin des Plantes ». Daubenton en fut le premier directeur. Bernardin de Saint-Pierre, lui, n'aime pas la science de cabinet. Il voudrait de la vie. « Nos livres sur la Nature n'en sont que le roman et nos cabinets que le tombeau. »

Si nous pénétrons dans le jardin par l'entrée principale de la rue Cuvier, nous passons par l'ancienne cour d'honneur de l'hôtel de Magny, dont les murs latéraux ont été démolis. Les communs, aux fenêtres fleuries, tapissés de plantes grimpantes, les jardinets clos de treillage, tout est d'une simplicité rustique dont on ne trouve plus guère d'exemple à Paris. Quant à l'hôtel lui-même, il fut édifié par Pierre Bullet à la fin du XVIIᵉ siècle. Il a été remanié pour les besoins de l'administration qui s'y est établie, mais sa façade sommée d'un grand fronton sculpté a conservé son carac-

Le premier cèdre planté en France le fut par Jussieu (1734) sur les pentes du labyrinthe.

Les charpentiers du jardin du Roi construisirent en 1809 une carcasse pour recevoir la peau d'un éléphant. Puis ils y organisèrent une joyeuse fête.

tère. Plus loin, le volume clair du grand amphithéâtre se détache dans la verdure. Construit en partie par Verniquet en 1789, il fut repris en 1793 par Molinos qui a contribué à lui donner ce style néo-classique net et froid; c'est un des rares monuments parisiens datant de la Révolution. Buffon put obtenir, par acquisition ou par échange, les maisons que nous voyons encore de ce côté du jardin. D'illustres maîtres y furent logés tels que Lacépède, Fourcroy, Daubenton, l'abbé Haüy et Chevreul qui y mourut en 1889 à l'âge de cent trois ans. Nous rencontrons des arbres magnifiques (sycomore, orme de Sibérie, le fameux cèdre du Liban planté par Bernard de Jussieu en 1734, dont une légende raconte qu'il en rapporta le plant dans son chapeau). Nous sommes sur les flancs du « Labyrinthe », un monticule artificiel, qui daterait de 1303, formé d'abord par un amoncellement de détritus. Il est enlacé d'allées ombreuses en spirales qui mènent au sommet dans un jardin de rocailles. Un kiosque d'une grâce légère s'y élève dans le style chinois du XVIIIᵉ siècle. On le doit à Verniquet qui employa exclusivement le fer, la fonte et le cuivre. C'est sans doute la plus ancienne des constructions métalliques qui devaient, au siècle suivant, s'épanouir avec tant de force.

Depuis Louis XIII le jardin s'est beaucoup agrandi. Il s'est étalé presque jusqu'à la Seine et l'entrée principale se trouve devant le pont d'Austerlitz. Il a conservé le dessin de ses parterres géométriques qui concilient leur double vocation; jardin écologique et jardin d'agrément. Comme il se doit, on y trouve les plus belles plantes, les plus belles fleurs, les plus beaux arbustes. Treize mille espèces sont cultivées, classées par variétés, genres et familles. C'est l'héritage du classement magistral de Tournefort au XVIIᵉ siècle, complété par Linné et les botanistes qui lui ont succédé. Le public trouve plus d'animation et d'amusement dans le jardin zoologique. Les premiers animaux vivants provenant de la ménagerie de Versailles ont été introduits au cours de la Révolution. A vrai dire, il n'y restait plus qu'une autruche, un hippopotame et un vieux lion pelé. Ce sera tout de même l'embryon de la ménagerie organisée par Geoffroy Saint-Hilaire. En ce temps-là, l'arrivée de nouveaux animaux exotiques était un événement. La girafe, donnée à Charles X par le pacha d'Egypte, débarquée à Marseille en 1828, fut un sujet de curiosité et de réjouissances prolongées.

Les bâtiments allongés sur le côté sud du jardin datent du XIXe siècle. Du côté de la Seine, ils groupent les galeries d'anthropologie, de paléontologie et d'anatomie comparée. A l'autre extrémité, se trouvent les galeries de botanique, de géologie et de minéralogie. Celui qui s'élève au fond de la perspective centrale est consacré à la zoologie. De grandes serres — belles réussites de l'architecture métallique — abritent un palmarium qui permet de pénétrer dans l'atmosphère glauque et moite des forêts tropicales. 141 S

Le palmarium.

Pont Neuf

Quai de la Mégisserie, Ier - quai de Conti, VIe. L'aménagement de la place Dauphine devait être complété par un pont appuyé à la pointe de son triangle pour rejoindre les deux rives. Il y avait là un groupe de petites îles, comme l'îlot des Patriarches ou celui des Javiots, qui émergeaient à fleur d'eau. Des terrassements avaient été effectués, dont l'actuel niveau du square du Vert-Galant par rapport à celui du pont nous permet de mesurer l'importance. Le Pont Neuf fut commencé sous Henri III, en 1578, sur les plans de Jacques Androuet du Cerceau. Les troubles des guerres de Religion ralentirent les travaux et ce n'est qu'avec le règne de Henri IV, le rétablissement de l'ordre et de la prospérité qu'ils seront poursuivis. Le pont fut terminé en 1604. Il se compose de douze arches reposant sur des piles en éperon, sept sur le grand bras de la Seine et cinq sur le petit bras, toutes de largeurs inégales et toutes diversement cintrées. Leur ouverture varie de 10 à 19 m.

C'est le plus ancien pont de Paris. Il ne peut être considéré seulement comme un moyen de passage sur la rivière : c'est un monument, un ouvrage de prestige destiné à l'ennoblissement de la ville et au plaisir de ses habitants. Sa largeur (20 m) était anormale. (Il satisfait encore la circulation d'aujourd'hui.) Il était garni de trottoirs — ce que l'on ne verra plus avant deux cents ans. Il dessinait sur ses côtés des balcons en demi-lune dont les parapets formaient des accoudoirs pour regarder le fleuve et ses rives. Extraordinaire nouveauté : il n'était pas chargé de maisons, comme les autres, et comme on en verra encore à Paris pendant longtemps.

Le Pont Neuf en 1771.

Tous les agréments y étaient satisfaits, les piétons sur les bords
surélevés, les voitures sur la chaussée. Ce qui ne veut pas dire qu'il
n'y eut point d'encombrements : le Pont Neuf, en effet, devint aussitôt le grand rendez-vous parisien. Les trottoirs sont garnis
d'échoppes volantes et animés de bateleurs, de marchands d'orvié-
tan, de charlatans, de « farceurs » célèbres comme Mondor, Taba-
rin, Gautier-Garguille et le montreur de marionnettes Brioché. Le
peuple vient s'y réjouir et les grandes dames arrivent en carrosse.

Du côté du Louvre, sur la seconde arche, une pompe avait été
établie pour amener l'eau de Seine aux Tuileries. La technique, en
ce temps-là, s'associait intimement aux beaux-arts : un château
d'eau fut élevé qui se présentait sous la forme d'un aimable pavillon
orné d'un bas-relief représentant la Samaritaine versant l'eau à
Jésus. Au-dessus, une horloge avec un jaquemart qui sonnait les
heures sur une cloche, et les douze apôtres qui défilaient à midi.
Eternelle attraction pour les badauds. La Samaritaine disparut en
1813. Plus tard un grand magasin gardera son souvenir.

L'attraction la plus notoire fut ce que l'on nomma longtemps
le « cheval de bronze ». A la mort de Henri IV, la reine mère résolut
de lui élever une statue équestre. Côme II, de Florence, proposa à
Marie de Médicis de faire exécuter le cheval en bronze par Jean
Bologne et de lui en faire cadeau (à charge pour elle de régler l'artiste et ses praticiens, et aussi le transport — qui connut bien des
vicissitudes). Le cheval fut élevé, comme prévu, face à la place Dauphine, mais l'effigie cavalière du roi exécutée par Gilbert Dupé ne

put être mise en place que plusieurs années après, entourée des esclaves de bronze de Pierre de Francheville (conservés au Louvre). C'était la première fois qu'une statue indépendante de toute construction était érigée en France sur une place publique.

Pendant la Révolution, comme toutes les statues royales, celle du Vert-Galant, fut fondue. Elle sera remplacée en 1818 par la statue de Lescot que nous voyons aujourd'hui, payée par souscription nationale, le bronze étant fourni par les statues de Napoléon de la place Vendôme et de Boulogne. Il se trouva que l'un des praticiens était un fervent bonapartiste : on apprit après sa mort qu'il avait glissé dans le bras droit de Henri IV une statuette de Napoléon emballée dans des pamphlets anti-légitimistes. Au xviiie siècle les demi-lunes du Pont Neuf avaient été couvertes de loges en pierre de taille, que Soufflot avait dessinées dans un noble style antique pour être louées à des graveurs, marchands d'estampes, de bibelots, de dentelles, ou de parfums. Elles disparurent vers 1850 lorsque la chaussée du pont fut légèrement abaissée. En 1887 les piles ont été consolidées. En somme, l'image que nous avons du Pont Neuf reste à peu près identique à celle qu'il offrait aux contemporains de Henri IV — l'animation et la gaieté en moins.   142 NS

Pont Royal

Quai Voltaire VIIe — quai des Tuileries, Ier. Construit en 1685 par Jacques Gabriel et par le père Romain, ses cinq arches en plein cintre sont rythmées par des contreforts en éperon. Son dos d'âne, légèrement retouché au xixe siècle, lui confère une rare élégance. Avec le Pont Neuf et le Pont Marie, c'est un survivant de l'Ancien Régime, et c'est aussi celui dont la pureté de lignes est la mieux affirmée.   143 NS

abbaye de Port-Royal

119, Bd de Port-Royal, XIVe. Devenue hôpital de la Maternité, l'ancienne abbaye cistercienne de Port-Royal, filiale parisienne de Port-Royal-des-Champs, nous est parvenue presque intacte. Ce qui prend d'autant plus de valeur que tous les autres couvents parisiens ont disparu avec la Révolution. Contrairement à une néfaste habitude, les constructions de l'hôpital moderne ont été élevées en arrière pour préserver son unité; et récemment l'on a mis bas des pavillons modernes qui faisaient écran entre la grille du boulevard et les bâtiments anciens. La chapelle et le cloître restent hantés par les ombres de ces religieuses intraitables toutes dévorées par la flamme de leur vie intérieure; nous évoquons ces « retraites » qui attirèrent tant de grands esprits captés par la doctrine janséniste, tous les drames spirituels qui flamboyèrent dans ce haut lieu de la mystique.

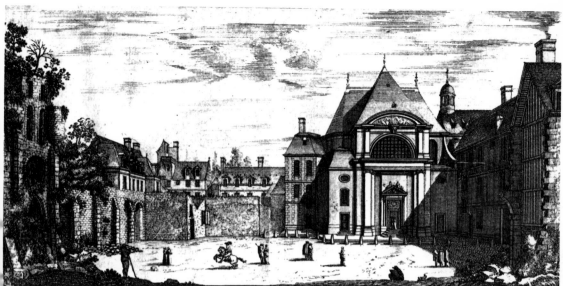

L'Eglise du Monaſtère du S.ᵗ Sacrement, des Religieuſes de PORT ROYAL Ordre de Ciſteaux, portant le titre et l'habit des Filles du S.ᵗ Sacrement, baſtie ſur le deſſin de M.ʳ le Pauſtre, dans le Fauxbourg de S.ᵗ Iacques a Paris.   (B.N.)   Deſſignée et grauée par I. Marot, Auec priuilege du R. Chez P. Mariette, 10

La mère Angélique Arnaud d'Andilly avait décidé de quitter Port-Royal-des-Champs pour établir sa communauté à Paris. La chapelle fut construite en 1646 sur les plans d'Antoine le Pautre, une vaste chapelle de la plus grande sobriété, comme le voulait l'austérité cistercienne aggravée encore par la sévérité janséniste. L'architecte avait prévu un péristyle à colonnes décoré de statues, ce qui parut un luxe intolérable. On ne construisit pas le péristyle et il n'y a plus de perron, de sorte que nous voyons les portes d'entrée au-dessus du vide. Une baie semi-circulaire est dominée par un fronton arrondi. L'intérieur, voûté en berceau, presque sans ornement, est de proportions très pures. La mère Angélique, qui préférait la laideur par esprit de pénitence, disait être confuse d'avoir une chapelle trop jolie. Elle est cependant inhumée dans le chœur des religieuses séparé de la nef par une grille. C'est là que Pascal vint longuement méditer. Et c'est pour Port-Royal, dont il fut le familier, que Philippe de Champaigne a peint le meilleur de son œuvre.

A côté de la chapelle, les bâtiments abbatiaux, brique et pierre, dans leur simple dignité, caractérisent parfaitement le style Louis XIII. A l'intérieur règne le même esprit, particulièrement sensible dans les escaliers aux grosses rampes de bois. Le vaste cloître est intégralement conservé, avec ses épaisses arcades surbaissées. Tout est quiétude et discrétion au sein de la ville surexcitée. 144 S

La chapelle du monastère de Port-Royal, dessinée par Le Paultre.

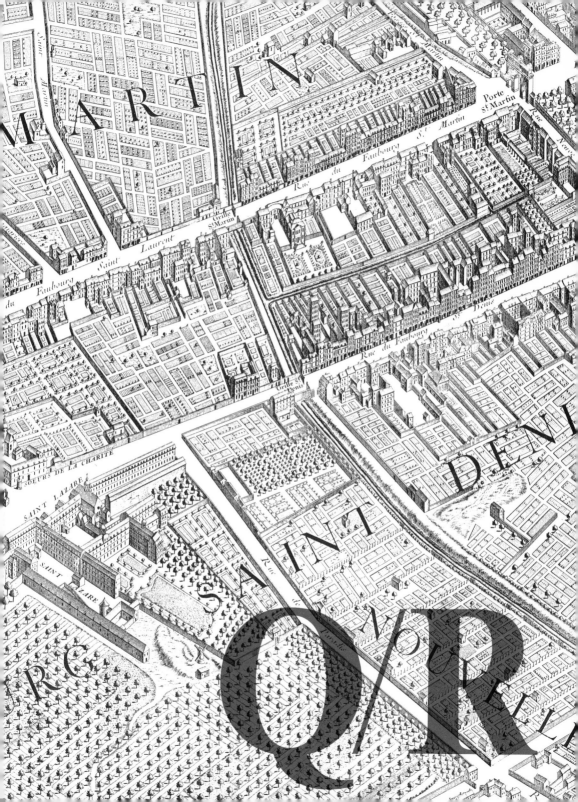

fontaine des Quatre-Saisons

57-59, rue de Grenelle, VII⁰. Enserrée dans une rue étroite par des immeubles locatifs, près d'un carrefour encombré, les passants ne lui prêtent guère attention. Ainsi la plupart des Parisiens ignorent-ils la qualité, souvent même l'existence, de ce chef-d'œuvre d'un des grands sculpteurs français. L'aristocratique faubourg Saint-Germain commençait à se construire. Il fallait l'alimenter en eau. En 1734, le prévôt des marchands, Michel Turgot, père du ministre de Louis XVI, passa la commande de ce monument à Edme Bouchardon, qui revenait de Rome après y avoir conquis une jeune célébrité. Il en fut à la fois l'architecte et le sculpteur. Il y travailla durant sept ans.

C'est le triomphe du style classique sur le baroque. Une large façade en hémicycle, décorée de statues et de motifs sculptés, met en évidence, sous un portique ionique, le groupe central représentant la Ville de Paris, au-dessus des effigies de la Seine et de la Marne. L'ensemble est à la fois aimable et solennel. Mais on retient surtout la délicatesse des quatre bas-reliefs représentant des enfants qui, en se jouant, se livrent aux travaux des saisons.

Tout ce déploiement pour aboutir à deux petits mascarons destinés à distribuer avec parcimonie un liquide alors si rare à Paris... Dans une lettre au comte de Caylus, Voltaire, qui songeait sans doute à la fontaine de Trevi, prévoyait ce contraste, et aussi combien la vue d'un monument de cette importance souffrirait du manque de recul : « Je ne doute pas que Bouchardon ne fasse de cette fontaine un beau morceau d'architecture, mais qu'est-ce qu'une fontaine adossée à un mur dans une rue à moitié cachée par une maison ? Qu'est-ce qu'une fontaine qui n'aura que deux robinets où les porteurs d'eau viendront remplir leurs seaux ? Ce n'est pas ainsi qu'on a construit les fontaines dont Rome est embellie; nous avons bien de la peine à nous tirer du goût mesquin et grossier. Il faut que nos fontaines soient élevées dans les places publiques et que les beaux monuments soient vus de toutes les portes. Il n'y a pas une seule place publique dans le vaste faubourg Saint-Germain, et cela fait saigner le cœur. »   145 S

square Rapp

Le mur en trompe-l'œil et la grille Modern Style au fond du square Rapp, bel exemple des inventions de l'art nouveau.

9, avenue Rapp, VII⁰. Ce square assez hétéroclite a la particularité de rassembler quelques témoignages, rares dans l'architecture parisienne, de « l'art nouveau » — dénommé « modern style » par les Français —, créé dans les dernières années du XIX⁰ siècle. D'abord sa grille médiane; puis, en face d'un institut de théosophie, la façade d'un grand immeuble (n⁰ 3) construit par Lavirotte. A l'intérieur, une élégante rampe d'escalier. Dans le voisinage, au 29, avenue Rapp, le même architecte est l'auteur d'une maison typiquement « art nouveau » remarquable par un abondant décor sculpté dont l'agitation ne contrarie pas l'équilibre.   146 S

**hôtel de
Rochechouart**

La cour centrale et sa maison Renaissance.

110, rue de Grenelle, VIIᵉ. Construit en 1778 par Cherpitel pour Madame de Courteilles, il porte le nom de son gendre. Après avoir appartenu (1804) au maréchal Augereau, il devint ministère de l'Instruction publique en 1829. Par agrandissements successifs, baptisé ministère de l'Education nationale, il a occupé les immeubles voisins (n° 112 et 114) et des bâtiments ont été construits sur la rue de Bellechasse. Ce volumineux ensemble se présente donc de façon assez incohérente; malgré tout, les façades de l'hôtel de Rochechouart ont été à peu près respectées. Sur la cour, l'ordre colossal, généralement adopté à la fin de l'Ancien Régime, lui donne de la majesté, d'autant que les deux entrées sont réparties derrière des perrons aux angles des façades latérales. Des pilastres corinthiens unissent les deux étages sommés d'une corniche d'importance exceptionnelle. L'attique en retrait masque le comble. Sur le jardin, la façade s'ordonne autour d'un balcon dans un jeu de décrochements du plus heureux effet. Les salons du rez-de-chaussée ont conservé une grande partie de leur décoration d'époque.   147 S

Rue du Jardinet à passage du Commerce-Saint-André, VIᵉ. Perdue
dans l'agitation du Quartier latin et de Saint-Germain-des-Prés, cette
paisible oasis nous transporte au siècle dernier. Sa présence paraît
paradoxale. Est-ce l'amabilité, la douceur de ce coin du vieux Paris
qui lui a permis d'échapper à l'anéantissement ? Ses maisons défient
l'alignement, ses grilles, ses pavés ont exercé leurs charmes jusque
chez les fonctionnaires de la voirie. Elle ne se rattache à la grande
circulation que par des passages qu'il faut bien connaître pour y
accéder. On peut y parvenir soit par la cour et le passage du Commerce qui relient le boulevard Saint-Germain à la rue Saint-André-
des-Arts, soit par la rue du Jardinet, sans doute ainsi nommée
parce qu'elle fut établie sur l'ancien jardin de l'hôtel des archevêques de Rouen qui, depuis le XIVᵉ siècle, s'élevait à cet endroit.
(L'usage a déformé Rouen en Rohan.) Il était adossé au rempart
de Philippe Auguste qui longe la cour du Commerce et dont on
voit encore des vestiges dans les caves et les maisons. Un immeuble
a été construit en terrasse sur ses assises.

cour de
Rohan

Sous Louis XIII les archevêques de Rouen vendirent leur hôtel
— aussitôt remplacé par une belle demeure que l'on voit aujourd'hui de la cour centrale (une aile a été démolie). C'est à la fin du
XVIIIe siècle qu'une brèche fut ouverte dans le rempart pour permettre à la cour de Rohan, qui était un cul-de-sac, de communiquer
avec la cour du Commerce. Il y a donc trois cours inégales, fermées par des grilles. Les maisons qui les entourent datent d'époques
diverses, toutes en décrochements et plantées de guingois. Leur
saveur et leur pittoresque sont entretenus avec soin par leurs
habitants. A l'intérieur de la boutique d'un serrurier, à l'angle du
passage du Commerce, on peut voir la base de l'une des tours de
l'enceinte de Philippe Auguste.   148 S

**hôtel de
Rohan**

Façade sur le jardin.
Le cabinet des Fables d'Esope, décoré
en vert et or.

37, rue Vieille-du-Temple, IVe. L'hôtel de Rohan (ou de Strasbourg), a été construit à peu près en même temps que celui de
Soubise et lui est relié par un jardin. Le prince de Soubise, en effet,
avait concédé en usufruit des parcelles de terrain qui touchaient à
la rue Vieille-du-Temple au cinquième de ses onze enfants, Armand
de Rohan-Soubise, qui venait d'être nommé évêque de Strasbourg
à l'âge de trente ans (1705). Personnage brillant, séduisant et de
grand esprit, l'évêque se fit construire une majestueuse demeure en
rapport avec ses goûts et ses ambitions. Il prit pour architecte
P.-A. Delamair en qui il avait toute confiance et qu'il avait recommandé à ses parents pour la construction de l'hôtel de Soubise.

A sa mort, l'hôtel du cardinal de Rohan échut à son petit neveu (1749) qui fut également évêque de Strasbourg et cardinal. C'est lui qui fit exécuter les célèbres décors du premier étage et constitua une des plus riches bibliothèques de France — qui occupait le rez-de-chaussée. Deux autres Rohan, cardinaux aussi, lui succédèrent. Le dernier, Louis de Rohan-Guémené, esprit scintillant mais frivole, fut toujours la dupe d'aventuriers. Ainsi devait-il être injustement accusé dans la fameuse affaire du collier de la reine, incarcéré à la Bastille, acquitté, mais tout de même exilé à l'abbaye de la Chaise-Dieu jusqu'à son émigration pendant la Révolution.

Lorsque Napoléon installa les Archives impériales à l'hôtel de Soubise, il convertit l'hôtel de Rohan en imprimerie. Si l'extérieur est resté à peu près intact, l'intérieur fut presque entièrement dévasté. Toutes les œuvres d'art, tous les livres, tout le mobilier avaient d'ailleurs disparu dans la tourmente révolutionnaire.

Le portail, rue Vieille-du-Temple, s'ouvre au centre d'un mur concave, et le départ de la cour est symétriquement arrondi. L'ensemble est d'une assez froide majesté : une balustrade, devant les toits brisés, est le seul ornement des ailes; la façade à refends se distingue par la hauteur de l'étage noble qui contraste avec l'attique rehaussé de deux trophées, seuls ornements depuis que les armes cardinalices ont disparu du fronton. Sur le jardin, la façade est plus aimable; c'est un type purement classique de l'architecture Louis XV où l'ornement joue un rôle efficace bien qu'extrêmement discret. Les trois ordres de l'avant-corps sont de proportions rigoureuses. De petites lucarnes ovales ponctuent les combles.

Dans le vaste vestibule, l'escalier prend un départ à double volée. Détruit par l'imprimerie impériale, il a été reconstitué lors de la restauration qui eut lieu de 1928 à 1938. C'est seulement à cette date, en effet, que l'hôtel de Rohan fut débarrassé des ateliers, magasins et bureaux qui l'encombraient et le débordaient. Ce qui subsiste des délicieuses décorations des appartements établis au milieu du XVIIIe siècle sous la direction de Boffrand nous permet d'imaginer la splendeur de l'ensemble. La grande antichambre a reçu une suite de tapisseries de Beauvais sur cartons de Boucher qui y figuraient autrefois, elles disparurent et furent enfin retrouvées en 1924. Nous verrons encore le grand salon, avec ses lambris blancs et or, ses dessus de portes à paysages mythologiques, et surtout ce « cabinet des Singes », peint par Christophe Huet, dont les fines arabesques semblent avoir gardé leur première fraîcheur; des fleurs, des oiseaux, des insectes, puis les singes joueurs dont l'artiste s'était fait une spécialité, encadrent les panneaux peints représentant de petits Chinois jouant à des jeux très français. Des boiseries provenant des petits appartements dénudés de Soubise ont pu être remontées : ainsi le « cabinet des fables » couvert de délicieux panneaux vert et or possède-t-il un charme inattendu. Un passage à droite de la cour d'honneur mène à la grande cour des écuries et à une cour annexe qui ouvrait sur la rue des Quatre-Fils. Entreprises à partir de 1725, elles ont été bâties au fur et à mesure que l'achat des maisons voisines le permettait. En réalité l'ensemble, resté inachevé, ne fut

complété qu'en 1937 (moitié de la façade nord) et en 1959 (façade ouest) en suivant les directives de Delamair. Il y avait là dix remises à carrosses, une écurie de cinquante-deux stalles, sans parler des logements des cochers, écuyers et palefreniers. La porte des écuries est surmontée du magnifique bas-relief de Le Lorrain : *Les chevaux du soleil*, où des coursiers aux naseaux palpitants surgissent de la pierre au milieu des nuages et des éclats de l'astre rayonnant.

Le grand îlot formé par la rue Vieille-du-Temple, celles des Francs-Bourgeois, des Archives et des Quatre-Fils a fait l'objet d'un intéressant programme d'urbanisme et de restauration. Les deux grands hôtels — Soubise et Rohan — sont tous deux affectés à la conservation et à la consultation des archives nationales. Ils se rejoignent maintenant, comme autrefois, par les jardins. Les demeures voisines, avec, sur la rue des Francs-Bourgeois, les hôtels d'Assy, de Breteuil, de Fontenay (où se trouve maintenant la direction des Archives) et Le Camus, ont été peu à peu annexées à cette grande institution qui trouve là un cadre historique digne et paisible éminemment favorable aux chercheurs. C'est une restitution de ce que pouvait être un îlot du Marais avant la Révolution ; restauré, curété, dépouillé des divers parasites qui étaient venus l'encombrer, il revit avec une vocation nouvelle.

Le cabinet des Singes fut peint par Christophe Huet (détail).

149 N

Décoration du côté de la Cheminée de la chambre à coucher de l'Hôtel de Roquelaure, du dessein de M. le Roux architecte

hôtel de Roquelaure

Projet d'ornementation de la chambre à coucher, par l'architecte J.-B. Leroux.

246, boulevard Saint-Germain, VIIe. Le ministère de l'Equipement et du Logement occupe l'hôtel de Roquelaure — et même davantage puisqu'il étend ses bureaux au 244 boulevard Saint-Germain, et qu'il possède, en arrière, un autre hôtel, moins important, celui de Lesdiguières. Lassurance mourut en 1724 avant d'avoir terminé ce bâtiment pour le maréchal de Roquelaure. Il fut affecté en 1840 au ministère des Travaux publics qui précédait celui de l'Equipement. Jean-Baptiste Leroux en fut le décorateur, et presque toute son œuvre nous est parvenue. On y pénètre par un portail en demi-lune flanqué de colonnes doriques jumelées. La cour arrondie à l'entrée est bordée d'arcades, dont l'une s'ouvre sur une basse-cour; les perrons joignaient des accès latéraux car, à l'origine, la façade n'avait pas d'entrée; celle que nous voyons date de l'occupation par le ministère. La façade est pure, sans autre ornement que des masques aux clefs. Le fronton, largement occupé autrefois par les armoiries du propriétaire, est maintenant nu. Le vestibule à pilastres est orné de chutes d'armes de Leroux. Dans le grand salon du rez-de-chaussée, superbement décoré dans le style Louis XV, on remarque sous le plafond, aux écoinçons dorés, des scènes charmantes, notamment des amours joueurs de cartes et d'échecs. Une petite chambre d'un décor très fin a reçu des pastorales de Natoire. La façade postérieure, très allongée, donne sur un beau jardin malheureusement encombré de quelques constructions parasites.

150 S

hôtel de Rothelin

101, rue de Grenelle, VIIe. Ministère du Développement industriel et scientifique, après avoir été celui du Commerce et celui de l'Intérieur, avoir appartenu au maréchal Legendre, à un certain Hoguier, homme de finances et, bien entendu, au marquis de Rothelin son premier propriétaire, cet hôtel offre un involontaire contraste entre les grâces joyeuses du règne de Louis XV et les austères fonctions qui lui sont dévolues. C'est le cas de bien d'autres ministères ou administrations qui occupent les plus aristocratiques demeures du faubourg Saint-Germain. Situation assez irritante. Mais peut-on la regretter ? N'est-ce pas la rançon de leur sauvegarde essentielle ?

La façade sur jardin de cet hôtel de Rothelin est un délice. Très longue, très basse, ses fenêtres affleurent le sol; seul l'avant-corps central s'élève sur deux étages; sur les côtés le rez-de-chaussée est coiffé de combles élégamment mansardés. Au centre, trois portes cintrées sont encadrées de colonnes qui soutiennent un balcon décoré de fer forgé. Le cintre de la fenêtre médiane déborde dans le fronton décoré d'une figure de la Fécondité à demi étendue parmi les fleurs et les fruits. Subsiste à l'intérieur un salon à panneaux sculptés et à décors peints en dessus de porte. De petits salons ont été décorés sous Louis XVI.

151 S

Façade sur jardin de l'hôtel de Rothelin, construit par Lassurance.

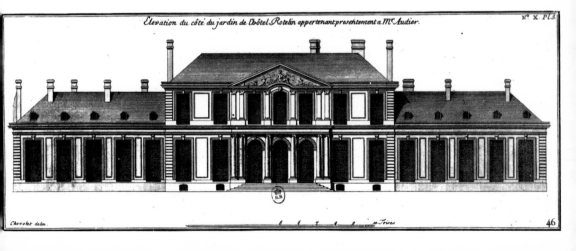

Élévation du côté du jardin de l'hôtel Rotelin appartenant présentement à Mr Audier.

N° X. Pl.3.

Chevotet delin.

46

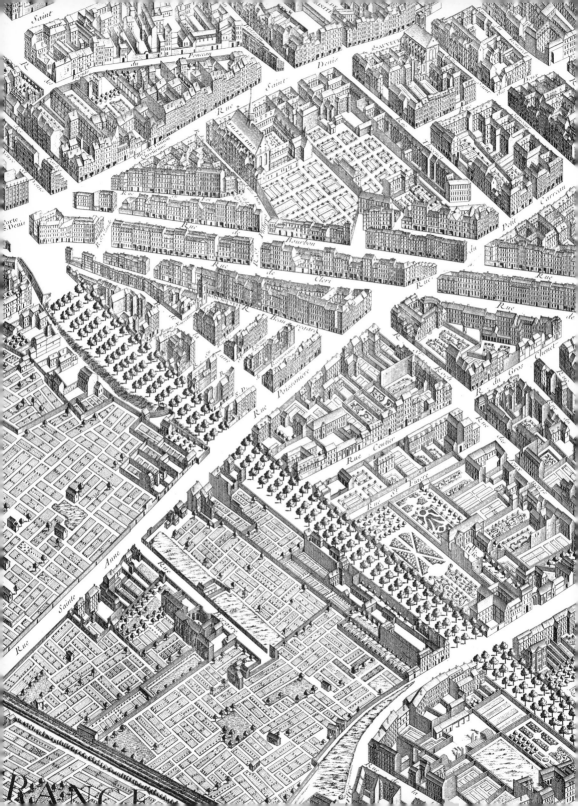

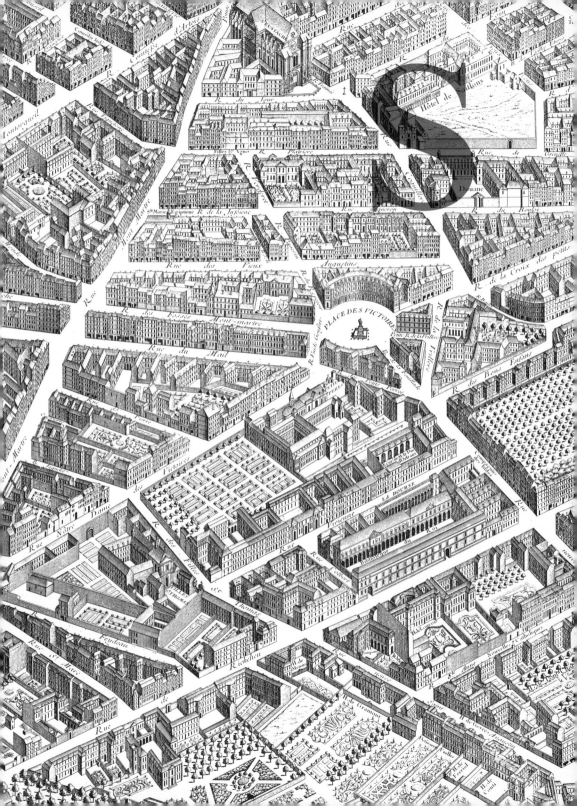

37, rue du Chevalier-de-la-Barre, XVIIIᵉ. Pour répondre au vœu de catholiques qui, lors de l'invasion prussienne de 1870, avaient promis de construire un sanctuaire en l'honneur du Sacré-Cœur pour appeler la miséricorde divine, l'Assemblée nationale, en 1873, vota une loi décidant la construction d'une basilique au sommet de la butte Montmartre, c'est-à-dire au point le plus élevé et le plus visible de la capitale. Aux crédits accordés par le gouvernement, s'ajoutèrent le bénéfice d'une souscription publique, puis de nombreuses offrandes qui permirent d'élever le monument religieux le plus important, de beaucoup, du Paris moderne. Parmi les soixante-dix-huit projets d'architectes qui se référaient surtout aux styles romans ou gothiques, celui de Paul Abadie, inspecteur général des édifices diocésains, remporta la palme. Cet architecte avait auparavant, sous prétexte de les restaurer, maltraité les principales églises de Bordeaux et d'Angoulême, et presque refait à neuf Saint-Front de Périgueux. Son incontestable érudition et ses prouesses techniques étaient malheureusement au service du pire goût de l'époque pour le pastiche. C'est le style romano-byzantin qu'il avait adopté dans son projet.

En 1875, le cardinal Guibert posa la première pierre du monument qui ne devait être terminé qu'en 1919. Ce n'est pas une

basilique du Sacré-Cœur

Coupe du Sacré-Cœur, illustration extraite de l'album de l'architecte Paul Abadie.

paroisse mais une église de pèlerinage. Longue de 85 m, large d 35 m, elle est établie sur plan central, surmontée d'une coupole e d'un dôme ovoïde coiffé d'un lanternon. La rotonde s'inscrit dan un carré dont les angles s'élèvent en coupoles et en dômes qui son la réduction du dôme majeur. Le chœur semi-circulaire est entour d'arcades et d'un déambulatoire où s'ouvrent sept chapelle rayonnantes; il est couvert d'une grande voûte en cul-de-four La construction de cette masse de pierres sur le terrain meuble d la butte Montmartre n'avait pas laissé de poser des problèmes. I fallut creuser des puits de plus de 30 m pour établir les fondations Vingt-cinq ans plus tard, les dons n'ayant cessé d'affluer, u campanile de 84 m sur plan quadrangulaire fut construit à côt de la basilique et lui est relié. Il contient la célèbre cloche : l « Savoyarde », qui pèse 18 000 kilos.

L'intérieur est décoré avec un faux luxe accablant. Peintures sculptures, vitraux, rien où l'on puisse arrêter son regard. A l voûte du chœur, toute en mosaïque, Luc-Olivier Merson a repré senté un gigantesque « Pantocrator » modernisé.

Il faut cependant reconnaître que, vue d'un peu loin, la silhouett du Sacré-Cœur se détachant dans le ciel parisien a de la majesté Le monument perd son aspect de géante sucrerie. Insolite par s blancheur et ses dômes exotiques, s'il ne peut s'incorporer à Paris il le domine comme une apparition.   152 N

hôtel de Saint-Aignan

71, rue du Temple, IIIe. La façade sur rue est austère. De simple refends encadrent la porte monumentale, mais ses vantaux son ornés avec une fantaisie imprévue de quatre têtes de sauvages u anneau entre les dents. L'hôtel a été construit par Le Muet, d 1640 à 1650, pour le comte d'Avaux, surintendant des finances frère du président de Mesmes qui possédait un hôtel voisin. Pe après il fut acheté par le duc de Beauvilliers Saint-Aignan, homm d'esprit et de grand caractère qui avait conquis l'estime d Louis XIV et devint secrétaire d'Etat. Son hôtel fut décoré e meublé avec magnificence.

La déchéance commença en 1795, lorsque s'y installa la mairi d'arrondissement qui saccagea l'intérieur et répandit ses service dans la cour et le jardin. Après la Révolution différents proprié taires le restaurèrent sommairement; mais, mis en vente en 1856 il fut morcelé, découpé, déformé par une surélévation de troi étages afin d'en tirer le maximum de profits. La disgrâce ne fit qu s'accentuer. La société de produits pharmaceutiques qui en étai propriétaire y installa ses dépôts. Une trentaine de locataires s' entassaient. L'ancien jardin était entièrement couvert de bâtisses

En 1962, la Ville de Paris décida de l'acquérir pour le restaure en l'affectant à ses archives trop à l'étroit dans leur immeuble d quai Henri-IV. Les travaux commencèrent par la restauration de anciens communs. En 1972, les trois étages ajoutés au bâtimen central ayant été abattus, il fut possible de retrouver la silhouett

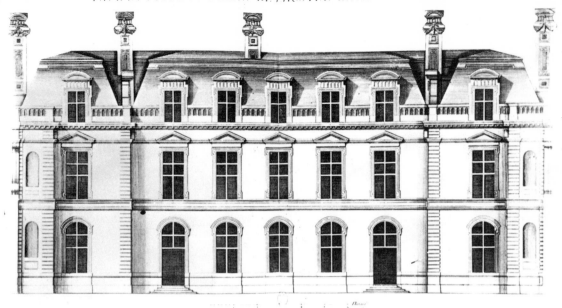

d'origine. La restitution dans l'état primitif est facilitée par une gravure très précise de Le Muet.

Le bâtiment n'est pas sans grandeur. L'ordre colossal des pilastres corinthiens sépare chaque travée qui comprend un rez-de-chaussée en arcades et un étage percé de hautes fenêtres dominé par un entablement. Une balustrade s'étendait devant le comble, rompue par un large décor héraldique sur la travée centrale. La façade latérale gauche n'est qu'un placage : le terrain était en effet limité de ce côté par le mur de l'enceinte de Philippe-Auguste que l'architecte dissimula derrière une fausse façade à fausses fenêtres.

Les services des archives occuperont cet hôtel entièrement restauré. Devant la façade sur jardin, les parterres seront reconstitués. Les liasses d'archives seront déposées dans cinq étages de sous-sols creusés sous la cour d'honneur et les jardins. 153 N

C'est d'après les gravures d'époque que peut être menée à bien la restauration fidèle de l'ancien hôtel de Saint-Aignan.

Place Saint-Augustin, VIIIe. Une église s'imposait à ce quartier très Napoléon III de bourgeois cossus. Saint-Augustin (1860-1871) porte mieux que toute autre la marque de ce qui plaisait aux parvenus. Baltard, architecte de la Ville, qui avait construit pour les Halles une architecture métallique importante, reçut la commande. Il avait cependant donné la mesure de son médiocre talent de pasticheur dans les restaurations d'églises anciennes. La situation de l'édifice, son ampleur (94 m de longueur), justifiaient un programme ambitieux qui se caractérisa par l'emploi d'une structure de fonte et de fer et par le plus grand éclectisme dans la décoration.

église
Saint-Augustin

L'église Saint-Augustin symbolise le style Napoléon III. A travers elle s'y reconnut la bourgeoisie du Second Empire.

Ainsi emprunta-t-il aux styles byzantin, roman, gothique et surtout à ceux de la Renaissance. L'élément fonctionnel en métal est camouflé extérieurement par une construction de pierre. Qui eût accepté alors une église ressemblant à un marché public ? A l'intérieur, de minces colonnes de fonte « gothicisées », plaquées contre les murs, supportent une voûte de fer sans élégance. Le plan triangulaire est rectifié dans la nef par les chapelles latérales de plus en plus élargies en allant vers le chœur. Ce n'était pas, en soi, un mauvais parti, mais tout, même dans les éléments constructifs apparents, est abâtardi par de pauvres réminiscences d'école.

Malgré la statuaire alignée sur la façade, la grande rose en fonte dorée et l'archivolte sculptée, malgré la décoration de lave émaillée, le haut ciborium en bronze et l'autel enrichi de mosaïque, Saint-Augustin laisse paradoxalement une impression de sécheresse. Par contre, il faut reconnaître que la coupole, directement inspirée de la Renaissance italienne, ne manque pas de majesté. Vue d'un peu loin elle fait impression.

154 N

X^e. Après avoir étendu ses frontières, la France victorieuse n'avait plus à protéger sa capitale; c'est sur les côtes, le Rhin ou les Alpes, que Vauban bâtissait remparts et bastions. La vétuste enceinte de Charles V était périmée. Il fut décidé de la remplacer par un grand cours planté d'arbres (plus tard les « grands boulevards » jalonné d'arcs de triomphe célébrant les conquêtes de Louis XIV. Les murs furent arasés, les fossés comblés, le sol nivelé, les glacis dégagés. La porte Saint-Denis de Charles V se trouvait en face du n° 248, rue Saint-Denis. En 1672 celle de Louis XIV fut érigée par François Blondel, à 50 m au nord. Quatre pyramides sont adossées à l'arche sur ses deux faces décorées de trophées à l'antique qui dominent des figures symboliques. Aux écoinçons figurent des Gloires et des Renommées. Au sommet, des bas-reliefs inscrits dans un rectangle, sculptés par Girardon et par Michel Anguier, représentent, au sud, le passage du Rhin et, au nord, la prise de Maestricht. Des inscriptions latines célèbrent la rapidité des conquêtes de Louis le Grand.   155 N

porte Saint-Denis

La porte Saint-Denis fut érigée pour célébrer les conquêtes du Roi-Soleil.

église
Saint-Étienne
du-Mont

Place Sainte-Geneviève, Vᵉ. Depuis l'époque où Clovis fit élever une basilique dédiée aux apôtres Pierre et Paul pour recevoir le corps de sainte Geneviève, les églises n'ont cessé de se succéder et de s'amplifier, au point d'occuper presque tout le sommet de la « montagne » dédiée à la patronne de Paris. L'abbaye de Sainte-Geneviève, celle de la puissante congrégation des Génovéfains, occupait au XIIᵉ siècle l'actuel emplacement du lycée Henri-IV. De son église démolie en 1802, ne subsiste que le clocher, dit « tour de Clovis », dont les étages inférieurs remontent à l'âge roman. Cette église abbatiale assurait aussi un service paroissial de plus en plus étendu. Les moines obtinrent d'élever une église distincte, qui fut remplacée par celle, beaucoup plus importante, que nous connaissons, dédiée à Saint-Etienne, premier martyr chrétien. Sa construction fut entreprise en 1492 en commençant par le chœur, selon l'usage. La façade était terminée cent trente ans plus tard. Au cours de ce long intervalle les arts avaient très sensiblement évolué. On était passé des derniers moments du gothique à l'épanouissement de la Renaissance française. Néanmoins, l'église a conservé une sorte d'unité et une ampleur de conception qui lui confèrent ses pouvoirs de séduction. Les différences stylistiques, loin de nuire à cette grande œuvre, concourent par leur variété même au plaisir des yeux. De même la singularité d'un

L'église Saint-Etienne-du-Mont fut adossée à l'église Sainte-Geneviève, aujourd'hui disparue.

Le seul jubé qui subsiste à Paris.

plan de biais assez accusé, motivé par la configuration de l'espace utilisable, et les asymétries qu'il impose à la nef, causent moins de gêne que d'agrément.

Le seul jubé qui subsiste à Paris.

La façade principale retient l'attention à bien des titres. Son originalité tient surtout à ce que son auteur, Charles Guérin, au confluent de deux siècles qui s'opposent de façon fondamentale, réussit à en célébrer l'alliance avec une grâce un peu hésitante qui témoigne d'une rare sensibilité. La superposition de trois étages en retrait, chacun d'une conception différente, n'était pourtant pas sans danger. Comment a-t-il évité l'écueil? Le portail est encadré de colonnes baguées à la florentine qui supportent un fronton triangulaire; à l'étage supérieur s'inscrit une rosace, médiévale de structure, mais non point d'esprit, sous un fronton circulaire; l'ensemble est couronné d'un pignon triangulaire très aigu sur un entablement rompu. L'opposition imprévue de ces figures géométriques est d'un effet savoureux, éloigné de tout académisme. Légèrement en arrière, une tour haute et fine, flanquée d'une tourelle d'escalier, sommée d'un lanternon ajouré, accentue un élan dont il y a peu d'exemples à l'époque.

Dans la nef, les piles rondes, la vigoureuse balustrade de la coursière et ses encorbellements sur les bas-côtés, les ogives du chœur, l'épanouissement des voûtes à la hauteur du transept, tout

semble venu sans effort. La clef centrale, qui mesure 5,50 m, est un de ces exploits de virtuosité qui caractérisent les dernières floraisons du gothique. Autre jeu de virtuoses, l'audacieux et célèbre jubé, d'autant plus apprécié qu'il reste seul à Paris, les autres ayant été démolis au XVIIIe siècle. Son architecture appartient encore au gothique flamboyant. L'axe transversal est soutenu par un arc en anse de panier auquel Philibert Delorme n'est peut-être pas étranger. Les escaliers qui y conduisent, d'un généreux et savant décor d'entrelacs ajourés, s'enroulent autour des piliers comme des lianes et continuent leur ascension jusqu'à la coursière. Les gracieuses et souples Renommées qui figurent aux écoinçons apparaissent comme les symboles de la Renaissance. Les portes adjacentes qui s'ouvrent sur le déambulatoire se réfèrent aux arts d'Italie, mais traduits par des Français.

Saint-Etienne-du-Mont a le privilège de posséder une chaire à prêcher et un buffet d'orgue d'origine. La chaire est couverte de personnages en bas-reliefs et en ronde-bosse traités avec le plus grand talent. Le buffet d'orgue de Jean Buron est considéré par Norbert Dufourcq comme « l'un des plus parfaits chefs-d'œuvre de la boiserie européenne du XVIIe siècle ». Les proportions sont d'une rigueur mathématique, et tout révèle un sens aigu de la mise en scène. Au sommet, des anges pleins de vie encadrent un Christ victorieux. Des atlantes portent les deux grandes tourelles, tandis que, sur le positif, jouent des angelots. Toutes les surfaces visibles sont sculptées en bas-relief de scènes bibliques, ou plus simplement décorées avec cette maîtrise qui domine le thème particulier pour l'inscrire dans un ensemble somptueux.

Parmi les tableaux qui ornent l'église, l'intérêt se portera particulièrement sur les deux grands *ex-voto* qui proviennent de l'abbaye. Même sujet : les échevins de Paris rendent grâce à sainte Geneviève d'avoir arrêté une calamité publique; mêmes attitudes, mêmes personnages, mais trente ans les séparent. Largillière a peint des hommes dignes et graves du Grand Siècle tandis que de Troy nous montrera des échevins en proie à une agitation toute théâtrale. Si les vitraux de l'église, trop souvent restaurés sans goût, sont des exemples appréciables de l'art de la peinture sur verre de l'époque, c'est derrière l'abside, au cloître des charniers, qu'il faut chercher les œuvres majeures — qui ont en outre l'exceptionnel avantage d'être présentés à la hauteur des yeux. Des scènes de l'Evangile se composent avec leurs préfigurations de l'Ancien Testament en scènes vives et admirablement contrastées. *Le Pressoir mystique*, notamment, confère à cette pieuse imagerie d'étranges profondeurs.

A l'entrée de la chapelle de la Vierge ont été déposés le corps de Pascal, qui habita la paroisse, et celui de Racine, transféré presque en secret de Port-Royal-des-Champs. La châsse de sainte Geneviève, en cuivre doré, aussi médiocre que prétentieuse, date du Second Empire. Elle est vide, le tombeau de la sainte ayant été profané pendant la Révolution.   156 S

Le *Pressoir mystique* de Saint-Etienne-du-Mont (début du XVIIe siècle) utilise l'un des grands thèmes symboliques de l'iconographie chrétienne.

**église
Saint-Eustache**

2, rue du Jour, Ier. Une église vouée à sainte Agnès avait été construite au XIIIe siècle à l'emplacement du chœur du monument actuel. Dans l'animation marchande la plus active de Paris, le quartier voyait sa population s'accroître sans cesse. Comme ailleurs, s'y côtoyaient toutes les classes de la société. L'église était le siège de nombreuses confréries, de corporations qui ne concernaient pas seulement l'alimentation, mais les tissus, le vêtement, la lingerie. Des banquiers faisaient commerce d'argent dans les parages. Cette opulence peut expliquer pourquoi l'on ne trouva point téméraire, lorsqu'il fut décidé de bâtir une nouvelle église, de reprendre le plan rectangulaire de Notre-Dame qui avait été tracé 350 ans auparavant. Si Saint-Eustache ne mesure que 100 m de long alors que Notre-Dame atteint 130 m, les hauteurs sous voûtes sont à peu près semblables : c'est ce qui confère à la nef, et surtout aux collatéraux, un mouvement ascensionnel si saisissant. Les plans furent donnés en 1519 (on ne peut que faire des suppositions très imprécises sur leur auteur). Les campagnes de travaux seront sept fois interrompues et l'édifice ne sera terminé qu'en 1640.

Ces deux dates expliquent le caractère composite d'un monument commencé à la fin de l'âge gothique et dont l'achèvement fut contemporain du départ de la cour du Louvre. La structure générale appartient au style flamboyant, tandis que la plus grande partie de l'enveloppe et du décor intérieur sont nettement plus tardifs. La longue façade sud, la plus en vue depuis la démolition des Halles, permet d'analyser le mariage des deux styles qui, en principe, s'opposaient foncièrement. Trois niveaux en retrait, du sol au comble, sont fortement soulignés par des balustrades. Le vaisseau central est contrebuté par des contreforts à double volée. Le transept, bien qu'il ne fasse pas saillie, est affirmé. Il est typiquement Renaissance (les statues du porche sont modernes), mais l'ensemble, d'une structure trop géométrique, ne répond pas par sa précision scolaire à l'envolée gothique. Tout au long de cette façade, là où on attend des fenêtres en tiers-point, nous voyons des courbes en arcades dont les remplages sont d'un dessin assez médiocre. La chapelle de la Vierge, construite en même temps que la nef, est un corps de bâtiment arrondi, coiffé d'un lanternon, dont la partie basse est cachée par une construction du XVIIIe siècle destinée à une sacristie. Lorsqu'elle fut commencée en 1615, la façade orientale devait être encadrée de deux tours. L'ensemble était traité dans le même esprit gothico-renaissance. A la suite de travaux dans les soubassements, un tassement se produisit et, pour des raisons de sécurité, la façade et ses tours (inachevées) furent jetées bas en 1688. Elles ont été remplacées au XVIIIe siècle par la construction que nous voyons aujourd'hui, dont l'architecte fut Jean Hardouin-Mansart de Jouy, qui n'avait pas hérité du génie de son grand-père. Les travaux furent définitivement arrêtés en 1789. Cette façade dite « principale » est décevante. Divisée en cinq travées séparées par des groupes de deux colonnes, on voit au-dessus du porche une tribune surmontée d'un lourd bas-relief. La tour nord n'a été montée qu'à deux étages, l'autre est restée à

Le marché des Prouvaires fut construit au début du XIXe siècle à proximité de Saint-Eustache. Avant les Halles, il abritait déjà la corporation des bouchers.

l'état d'embryon. Notons que Hardouin-Mansard de Jouy avait projeté devant sa façade une place à colonnades qui eût apporté au quartier un faste très italien.

Malgré son caractère composite et quelques défauts manifestes, le vaisseau de Saint-Eustache se dresse avec une majestueuse ampleur au-dessus du vieux quartier des Halles et lui donne son rayonnement. Dès que nous entrons dans la nef, nous sommes saisis par une impression de hardiesse et d'unité : ce qui pouvait être considéré à l'extérieur comme une juxtaposition de styles antinomiques se résout à l'intérieur dans une intime alliance qui donne de l'intensité aux lignes de force de l'architecture. La clarté partout répandue contribue à l'atmosphère d'allégresse qui permet d'apprécier l'élancement des piles et la splendeur des voûtes. Celles-ci sont particulièrement remarquables au transept et dans le chœur; traitées dans le style flamboyant le plus riche, liernes et tiercerons en étoile, les nervures se décorent de nombreuses clefs pendantes et de clefs retombant en couronne.

Les piles que les gothiques auraient portées d'un jet jusqu'aux voûtes sont ici devenues des pilastres et des colonnes classiques, interrompus par des chapiteaux qui décomposent les trois ordres. Mais l'ensemble est traité avec une légèreté qui réduit étrangement l'incohérence du programme. Les proportions du monument n'en sont pas altérées et nous comprenons l'esprit des hommes de la Renaissance qui voyaient là un enrichissement. La croissance en profondeur des chapelles sud de la nef rectifie l'inflexion du mur. On notera que, malgré la centaine d'années que durèrent les travaux, la constance dans l'unité a été respectée : des différences peu perceptibles témoignent seules des changements d'entreprises.

Les vitraux ont été fort endommagés, notamment lors de la pompe funèbre de Mirabeau où l'on eut l'idée de renforcer l'émotion dramatique par des tirs de mousqueterie, et pendant l'insurrection de la Commune. Des peintures murales exécutées dans les chapelles par des peintres de l'atelier de Simon Vouet ont été très restaurées. L'église regorgeait d'œuvres d'art offertes par des confréries de marchands. Dans ce que la Révolution a laissé, ou ce qui fut rapporté par la suite, il convient de noter en premier lieu le magnifique tombeau de Colbert, qui était marguillier de la paroisse et la combla de bienfaits. Mis à l'abri par Lenoir pendant la Révolution, il a été restitué en 1817. Le ministre est agenouillé, vêtu du long manteau des chevaliers du Saint-Esprit, sur un haut sarcophage de marbre noir. Les figures de la Fidélité et de la Prospérité, à la même échelle, sont à ses pieds. L'architecture de ce monument a été dessinée par Le Brun; les statues sont de Coysevox, sauf celle de la Prospérité dont Tuby est l'auteur. Le monumental banc d'œuvre est dû à Pierre Le Pautre. Parmi les tableaux venus décorer l'église au cours du XIXe siècle, nous voyons un *Tobie et l'ange* de l'école florentine, un autre représentant *les Disciples d'Emmaüs*, de la jeunesse de Rubens, une *Extase de la Madeleine*, de Manetti. La Vierge sculptée par Pigalle, placée sur l'autel de la chapelle absidiale, provient des Invalides. Au cours d'un incendie qui se produisit en 1844, la chaire et l'orgue furent brûlés. Celui-ci possédait un ravissant buffet du XVIIe siècle qui avait été transporté de Saint-Germain-des-Prés après la Révolution. Il a été remplacé en 1854 par un instrument de qualité.

157 N

Le tombeau de Colbert : l'Abondance
sculptée par Coysevox.

église
Saint-Germain
l'Auxerrois

Saint-Germain-l'Auxerrois vu par Claude Monet.

Sainte Marie l'Egyptienne.

2, place du Louvre, Iᵉʳ. La majestueuse colonnade du Louvre étant une affirmation de l'entrée principale du palais, on s'accordait à dire qu'elle devait commander une place, une perspective, au lieu de buter sur un carrefour étriqué. Entre 1660 et 1848, il n'y eut pas moins de quarante projets conçus pour la mise en valeur de la glorieuse façade; la plupart prévoyaient une place monumentale d'où une large avenue conduirait à l'Hôtel de Ville — ou même à la Nation. Dans la plupart d'entre eux l'église Saint-Germain-l'Auxerrois était soit camouflée derrière un décor classique, soit totalement abolie. Aucun de ces projets n'eut de suite : on se trouvait dans un quartier fort peuplé, et l'achat des maisons condamnées se serait heurté à des résistances et eût coûté un prix exorbitant. Il fallut attendre le Second Empire et la loi d'expropriation pour cause d'utilité publique pour voir renaître des projets beaucoup plus menaçants. Déjà l'amorce d'une vaste perspective partant de l'Hôtel de Ville dans l'axe du Louvre avait été tracée (avenue Victoria). Haussmann s'est fait gloire de s'être opposé à un prolongement qui eût entraîné la destruction de Saint-Germain-l'Auxerrois. Par contre, c'est bien lui et son équipe d'architectes qui sont responsables d'un entourage incohérent, de cette mairie simili-Renaissance ornée d'une rosace qui prétend répondre à celle de l'église, et de ce beffroi simili-gothique qui surgit en son milieu avec tant de maladresse.

Une église dédiée à saint Germain, évêque d'Auxerre, existait déjà au temps de Charlemagne. Elle fut détruite par les Normands. La tour, située maintenant près du chœur, indique qu'il y eut une reconstruction au XIIe siècle. Peu de monuments ont subi tant de remaniements au cours des âges. Le chœur et la chapelle de la Vierge datent de la seconde moitié du XIIIe siècle. Les constructions les plus importantes furent celles de la nef et des bas-côtés (1420-1425), suivies, dix ans plus tard, de celle du porche. Le portail latéral, le collatéral sud et la plupart des chapelles datent du XVIe siècle. Le jubé construit sur les dessins de Pierre Lescot a été détruit, comme tant d'autres, seules les sculptures de Jean Goujon ont survécu (au musée du Louvre). Au XVIIIe siècle, le chœur fut habillé au goût du jour, et la flèche du clocher abattue. En 1831, au cours d'un service à la mémoire du duc de Berry, l'église fut saccagée, puis fermée, puis occupée quelque temps par une fabrique de ballons. Non moins déplorables devaient être les restaurations et enjolivements de Lassus et de Baltard. Enfin, en 1912, l'élargissement de la rue des Prêtres-Saint-Germain-l'Auxerrois provoqua d'autres perturbations sur la face sud de l'édifice.

La façade à fronton triangulaire, flanquée de tourelles d'escalier, manque d'élancement. Le porche du XVe siècle est assez bien conservé, mais la statuaire a été remplacée au XIXe siècle, à l'exception de la statue de saint François d'Assise, et de celle, particulièrement gracieuse, de sainte Marie l'Egyptienne (remplacée par un moulage en raison de sa fragilité). L'intérieur, à doubles bas-côtés, est voûté d'ogives (voûtes en étoile à l'abside et aux chapelles du chœur). L'étage inférieur du chœur a été métamorphosé au XVIIIe siècle : pour suivre la mode antiquisante les colonnes ont été cannelées et les chapiteaux décorés de guirlandes ou de têtes d'anges. En même temps, pour que la nef fût plus éclairée, les vitraux du XVe siècle ont fait place à une vitrerie sans intérêt — à l'exception des fenêtres hautes du transept. Par contre, l'église renferme des œuvres d'art remarquables; en premier lieu deux grands retables flamands du début de la Renaissance, ornés de scènes pittoresques en bois sculpté (l'un d'eux possède de beaux volets peints). Le banc d'œuvre, d'une importance exceptionnelle, a été conçu pour la famille royale sur des dessins de Lebrun. La statue de saint Germain figurait au trumeau du portail paroissial (XIIIe siècle) avant sa démolition. Le grand Christ de la nef est de Bouchardon. Une douce Vierge champenoise figure sur l'autel de la Vierge. Le chœur est entouré d'une grille, superbe travail de ferronnerie (1767) dû à Pierre Dumiez, serrurier du roi. On remarquera à l'entrée les bénitiers de marbre de Lorambert. L'orgue provient de la Sainte-Chapelle. Son buffet incurvé, précieusement sculpté, possède toutes les grâces du plus pur style Louis XVI.

158 N

église
Saint-Germain
des-Prés

3, place Saint-Germain-des-Prés, VIᵉ. Au carrefour d'une circulation tumultueuse, devant des terrasses de cafés animées tard dans la nuit et des foules bigarrées qui font de ce quartier un haut lieu des avant-gardes, l'église de l'ancienne abbaye de Saint-Germain-des-Prés semble perdue et son clocher-porche, qui date des environs de l'an mille, se dresse comme un défi. C'est l'ancêtre des monuments chrétiens de Paris. Le temps n'est pas si loin — celui du premier tiers de notre siècle — où Léo Larguier parlait de son village de Saint-Germain comme d'une cité des livres et des lettrés qui échappait aux activités bruyantes de la capitale. Les « Deux-Magots » donnaient alors sur une place d'un calme provincial.

Cette tradition littéraire a de fort lointaines origines. La première abbaye, fondée en 542, devint un ardent foyer de vie spirituelle et intellectuelle. C'est Childebert, fils de Clovis, qui fit édifier la première église et y établit des moines venus de Saint-Symphorien d'Autun. En 558, il fut enterré dans l'abbaye, exemple qui sera suivi jusqu'à Childéric II (673). Ainsi l'église devint-elle la nécropole des rois mérovingiens. Pourquoi ce vocable de saint Germain ? Celui-ci était évêque de Paris lorsqu'il donna tous ses biens à la nouvelle abbaye. Il consacra l'église vers 557. Son corps y fut déposé et vénéré. Un autel fut élevé (détruit pendant la Révolution) sur le lieu même où saint Germain avait été inhumé. Des fouilles se poursuivent qui mettent au jour de nombreux vestiges mérovingiens.

Les chroniqueurs disent leur admiration pour la richesse ornementale du monument illustre surnommé Saint-Germain-le-Doré. En vérité, il portait depuis le VIIIᵉ siècle le nom de Saint-Germain-des-Prés en raison des prairies, vergers et vignobles qui l'entouraient; le célèbre Pré-aux-Clercs s'étendra jusqu'aux rives de la Seine. D'illustres abbés se succédèrent à la tête de cette communauté prospère. Charlemagne la dota de privilèges et d'immunités qui la rendaient indépendante des autorités civiles, — droits qui furent d'ailleurs l'objet de conflits et de querelles avec l'Université. L'invasion normande lui fut cruelle. L'édifice mérovingien dut être démoli à la fin du Xᵉ siècle pour faire place à l'église romane dont subsiste le clocher-porche. Guillaume de Volpiano, venu de Lombardie, avait donné la mesure de son talent et de son ardeur à Dijon et en Normandie, quand il fut nommé abbé en 1024 et réforma la communauté selon la règle bénédictine. Quelque temps après elle comprenait plus de cent moines — ce qui obligea à construire un autre chœur plus important, consacré en présence du pape Alexandre III en 1163, l'année même où était posée la première pierre de Notre-Dame. Le portail reçut alors des statues-colonnes de structures semblables à celle des portails royaux de Saint-Denis (disparues) et de Chartres qui devaient profondément marquer l'intime fusion de la sculpture et de l'architecture.

Au XIIIᵉ siècle les bâtiments monastiques furent reconstruits sur de nouveaux plans; le réfectoire et le dortoir en formaient la partie nord (un peu au-delà de notre rue de l'Abbaye); les autres bâtiments, salle capitulaire, bibliothèque, etc, se raccordaient à

Miniature de 1519. Au premier plan, saint Germain et saint Vincent, patrons de l'abbaye. Au fond, l'église.

Peinture franco-flamande du XVe siècle. L'abbaye Saint-Germain-des-Prés, le Louvre, la butte Montmartre.

l'église, formant un rectangle au centre duquel se trouvait le cloître. L'édifice le plus remarquable — probablement le plus audacieux et le plus raffiné de l'époque avec la Sainte-Chapelle — fut la chapelle abbatiale dédiée à la Vierge. Ce chef-d'œuvre, construit par Pierre de Montreuil entre 1245 et 1255 à l'emplacement des n°s 6 et 8 de la rue de l'Abbaye, fut détruit en 1802. Les quelques débris qui nous restent permettent seulement d'en imaginer la qualité (les uns dans le square à gauche de l'église, les autres dans le jardin du musée de Cluny). Les vitraux provenaient du même atelier que ceux de la Sainte-Chapelle.

Sous Charles V l'enceinte de la cité monastique fut reconstruite et fortifiée. Elle disparut lors de l'urbanisation du quartier.

Le rayonnement de l'abbaye était des plus brillants lorsqu'elle s'affilia, en 1631, à la congrégation bénédictine de Saint-Maur dont elle devint le chef d'ordre. Elle fut alors animée d'un nouveau souffle qui en fit l'un des centres intellectuels les plus féconds de la chrétienté. Grâce à ses méthodes de travail collectif, purent voir le jour les travaux de Félibien, de Bouillart, de Mabillon, de Bernard de Montfaucon; mais ces mauristes étaient davantage des hommes d'études que des hommes de goût. C'est à eux que l'on doit notamment la fâcheuse adjonction des lourds portails dits classiques — ce qui peut paraître d'autant plus curieux qu'à

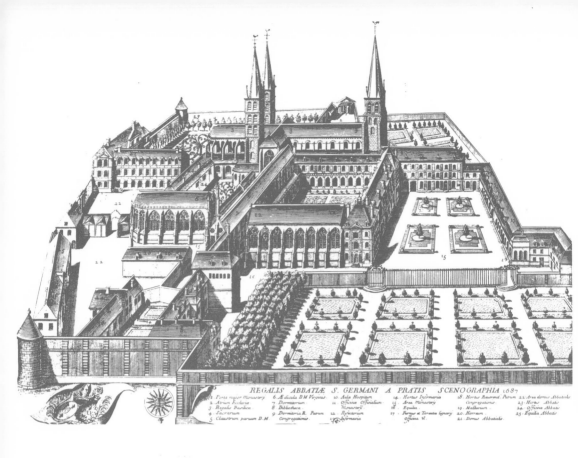

REGALIS ABBATIÆ S. GERMANI A PRATIS SCENOGRAPHIA 1687.

1. *Porta major Monastery.*   6. *Ædicula B.M Virginis.*   10. *Aula Hospitum.*   14. *Hortus Infirmaria.*   18. *Hortus Reverend. Patrum*   22. *Area domus Abbatialis.*
2. *Atrium Ecclesia.*   7. *Dormitorium.*   11. *Officina Officinalium.*   15. *Area Monasterij.*   *Congregationis.*   23. *Hortus Abbatis.*
3. *Regalis Basilica.*   8. *Bibliotheca.*   *Monasterij.*   16. *Equilea.*   19. *Mallearum.*   24. *Officina Abbatis.*
4. *Sacrarium.*   9. *Dormitoria R. Patrum*   12. *Refectorium.*   17. *Ferma et Torcular liquorij*   20. *Horreum.*   25. *Equilia Abbatis.*
5. *Claustrum parvum B.M.*   *Congregationis.*   13. *Infirmaria.*   *Officina &c.*   21. *Domus Abbatialis.*

L'abbaye en 1687.

l'abbaye même avaient été élaborés les premiers ouvrages sérieux sur le Moyen Age.

La Révolution a meurtri Saint-Germain-des-Prés; les bâtiments monastiques servirent de dépôts et de prisons. En 1792 plus de 300 personnes y ont été massacrées en une nuit. L'église fut transformée en raffinerie de salpêtre; les tombes des rois mérovingiens disposées autour du chœur, le portail royal et ses statues-colonnes furent brisés, la châsse de saint Germain fondue et il ne resta à peu près rien du mobilier; les effets de l'eau salpêtrée portèrent si gravement atteinte aux assises de l'église que l'on songea à la démolir. A partir de 1819, elle bénéficia de restaurations urgentes, mais les deux tours qui encadraient le chevet furent sacrifiées. Triste sort en vérité pour un monument que les Parisiens avaient nommé pendant des siècles : l'église aux trois clochers. De nouvelles restaurations furent opérées en 1843 sous la direction de Baltard qui remplaça la plupart des chapiteaux de la nef. Celle-ci comme le chœur fut couverte de peintures et de dorures qui les défigurent. Aujourd'hui ces turbulentes polychromies romano-modernes sont devenues insupportables. Mais, au-dessus des arcades, les parois sont décorées de grandes fresques représentant des scènes de l'Ancien et du Nouveau Testament; ces œuvres d'Hippolyte Flandrin, élève d'Ingres, étaient considérées à leur époque comme des chefs-d'œuvre de la peinture religieuse. Un siècle plus tard, le vent ayant tourné, il fut question de les faire disparaître. Ces talentueuses compositions, d'une grande noblesse de sentiment, sont, il est vrai, d'un académisme bien froid. Avant de condamner il faut toutefois réfléchir aux variations du goût à travers les âges.

L'église Saint-Germain-des-Prés émeut autant par les diverses expressions de son architecture que par les souvenirs qui s'y attachent; chaque âge lui apporta des transformations plus ou moins visibles qui en compliquent l'étude. Le clocher-porche, d'allure massive, flanqué de contreforts et d'une tourelle contenant un escalier à vis, date des environs de l'an mille. Comme on peut facilement s'en rendre compte, son couronnement et sa courte flèche sont modernes. Le porche du XVIIe siècle greffé sur la tour abrite quelques vestiges du XIIe siècle qui permettent de situer la place des statues-colonnes détruites. Un linteau représentant la Cène a été martelé. La nef romane (fortement restaurée) comprend cinq travées à bas-côtés autrefois couverts de charpentes et vraisemblablement d'un plafond de bois qu'au XVIIe siècle les mauristes ont fait remplacer par des voûtes gothiques. Les grandes arcades sont modernes. Les chapiteaux ont été retaillés ou remplacés. (Quelques originaux sont conservés au musée de Cluny.) Les croisillons, refaits à plusieurs reprises, ne présentent à peu près plus rien d'antérieur au XVIIe siècle. Le chœur romano-gothique à quatre travées se termine en hémicycle. Les arcades supportaient des tribunes au-dessus des fenêtres hautes qui ont été transformées au XVIIe siècle en triforium où l'on peut voir des

L'église lors du percement du boulevard Saint-Germain. Photographie rehaussée d'aquarelle.

Le déambulatoire.

colonnettes de marbre mérovingiennes réemployées avec habileté. Ce chœur est la partie la mieux conservée de l'édifice. La première travée est aveugle et correspond aux souches des tours romanes démolies, l'hémicycle à cinq pans est déterminé par des arcades en tiers-point. Sur le déambulatoire voûté en croisée d'ogives, s'ouvrent deux chapelles latérales carrées tandis que sur la partie tournante les cinq chapelles rayonnantes sont voûtées de cinq branches d'ogives. Quant à la chapelle axiale, hors d'échelle, c'est une création de 1819. Dans les croisillons nous trouvons quelques sculptures remarquables : le tombeau du roi Jean-Casimir de Pologne, par les frères Marsy, le saint François Xavier de Guillaume Coustou, les statues de la Foi et de la Fidélité qui ont échappé à la destruction du très riche tombeau d'Olivier de Castelan.

A l'extérieur, le chevet, bien que son rythme soit un peu rompu par la chapelle ajoutée, se présente avec la simple pureté que nous trouvons généralement à cette époque dans les églises d'Ile-de-France. A l'origine il n'était soutenu que par un placage de contreforts. C'est dans les toutes dernières années du XIIe siècle que, pour mieux maintenir l'abside, furent posés — grande nouveauté — ces arcs-boutants en quart de cercle que l'on vit apparaître en même temps à Notre-Dame. A droite de la façade occidentale, l'ancien presbytère ne manque pas de poésie. Sur le boulevard Saint-Germain, dont elle est séparée par un square, la façade méridionale est interrompue par le portail Sainte-Marguerite, adjonction du XVIIe siècle, — on remarquera les grandes consoles renversées qui s'appuient aux contreforts voisins. Quant à la façade septentrionale, c'est à peine si on peut l'apercevoir derrière les constructions qui se sont accumulées.

Les bâtiments monastiques ont été complètement saccagés à partir de 1790. Le réfectoire des religieux, surmonté d'un dortoir, œuvres de Pierre de Montreuil, mesurait 37 m de long. Transformé en poudrière, il explosa en ébranlant fortement la chapelle de la Vierge. En 1794, la célèbre bibliothèque, riche de manuscrits datant de sa fondation et d'incunables, fut incendiée. A partir de 1799, commença le percement inutile de la rue de l'Abbaye, provoquant en chaîne les massacres des restes du grand cloître, du réfectoire et enfin de la chapelle de la Vierge. En 1804, le jardin de l'abbaye fut tranché par la rue Bonaparte. Enfin, le Second Empire et la Troisième République, en ouvrant le boulevard Saint-Germain, mutilèrent la partie nord de l'enclos. (Le square est construit à l'emplacement d'un cimetière mérovingien.)

Le palais abbatial s'élève à l'est de l'église. En 1586, le cardinal de Bourbon avait commandé à Guillaume Marchand ce puissant bâtiment en brique et pierre. Le fastueux cardinal de Fürstenberg le fit agrandir (1691) d'une grande aile en retour. Devant l'entrée, au sud, il établit un large passage vers une cour des communs dont le tracé est celui de la rue et de la place de Fürstenberg. Par ses hautes fenêtres du grand étage, par l'opposition colorée des briques et des chaînages de pierre, par ses toits d'ardoise bleutée, par l'absence d'ornementation sculptée autre que purement architecturale, c'est le premier exemple en France d'une nouvelle orientation monumentale. Quelques années plus tard naîtront la place des Vosges, la place Dauphine, premiers exemples du style Louis XIII. Pourquoi fallut-il que les urbanistes du XIXe et du XXe siècle, n'aient eu que mépris pour un palais abbatial dont, par exception, l'architecture n'avait eu que peu à souffrir ? On croirait qu'ils se sont appliqués à en masquer la vue. La façade qui longe la rue de l'Abbaye était encore libre dans sa plus grande part lorsque après la première guerre mondiale on utilisa une étroite bande de terrain disponible pour y construire des bâtiments qui en dissimulent la partie inférieure.   159 S

**église
Saint-Gervais**

2, rue François-Miron, IVe. Un sanctuaire, dont nous savons fort peu de chose, fut élevé à cet endroit, vers le XIe siècle, dédié aux frères jumeaux Gervais et Protais, martyrisés à Milan sous Néron, qui bénéficièrent d'une dévotion particulière en Occident. Ce fut probablement la première paroisse de cette rive droite qui resta longtemps un faubourg assez désert de la Cité. La construction du monument que nous voyons commença en 1494 à partir du chœur et se continua lentement, les marguilliers se trouvant constamment en difficulté avec les propriétaires de terrains voisins. La nef fut élevée dans les premières années du XVIIe siècle et terminée en 1616. La Renaissance avait eu beau passer par là, l'ensemble fut traité dans le même style gothique qui avait été celui des premiers constructeurs du XVe siècle. Immédiatement après fut posée par le jeune Louis XIII la première pierre de la façade classique.

Ce portail fut l'objet d'une admiration unanime. Au XVIIIe siècle Piganiol de la Force écrivait que c'était « un des plus beaux portails qu'il y ait en Europe », et Sauval renchérissait : « Ce portail doit être considéré comme le plus beau morceau d'architecture qu'il y ait en France et ailleurs. » Le romantisme est venu avec son amour sans partage pour le Moyen Age et pour l'ogive. Aujourd'hui encore, certains critiquent ce « décor », ce « placage » artificiel de la façade sur le monument gothique. Et pourtant, combien leur jonction est heureuse! Du parvis, nous ne découvrons que ce portail monumental et l'extrémité arrondie de la nef qui ne choque nullement. C'est un puissant élément d'intérêt et de beauté novatrice, l'un des premiers ouvrages de style classique exécutés à Paris. Il fut longtemps imité, jamais égalé.

Dès le Moyen Age, l'orme de Saint-Gervais fut célèbre. On y rendait la justice et l'on y réglait ses affaires. L'arbre actuel date de 1912.

Les auteurs que nous venons de citer et la plupart de ceux qui parlent de ce monument l'attribuent à Salomon de Brosse. Mais on a découvert plus tard que c'est la signature de Clément Métezeau qui figure au procès-verbal du marché. Celui-ci fut-il l'architecte du portail ? Le seul architecte ? La concordance des témoignages anciens et les usages pratiqués dans les contrats ne permettent guère de l'affirmer. Mais on peut supposer que cet habile architecte a pu jouer un rôle, même important, dans la genèse des travaux.

Quoi qu'il en soit, nous comprenons que l'œuvre ait pu susciter une telle admiration. L'étage inférieur, notamment, d'ordre dorique, est d'un équilibre parfaitement rythmé. La porte centrale, avec un arc en plein cintre et un fronton triangulaire soutenu par deux jeux de doubles colonnes, s'inscrit de la façon la plus harmonieuse, et les vantaux sont de remarquables exemples de la robuste sculpture décorative Louis XIII. L'étage d'ordre ionique répond exactement à celui du rez-de-chaussée, et l'étage supérieur ne comporte qu'une travée surmontée d'un fronton circulaire. La composition d'ensemble est une pure géométrie dont tous les éléments s'ajustent et s'intègrent au mieux. La statuaire a été renouvelée. Dans les niches, les statues de saint Gervais et saint Protais datent du XIXᵉ siècle, ainsi que celles du fronton. Les statues

C'est sur cet orgue que la dynastie des Couperin exerça son talent.

d'évangélistes qui dominent l'ordre ionique, elles, ont remplacé au XXᵉ siècle les sculptures d'origine complètement désagrégées. Les premières chapelles latérales de l'église, bien que contemporaines de la façade, ont été construites en style gothique pour assurer la liaison entre des éléments architecturaux de conception toute différente. La façade nord est masquée par les belles maisons ordonnancées du XVIIIᵉ siècle de la place Baudoyer dont les balcons sont décorés d'un orme (par une tradition qui s'est perpétuée un orme est planté devant l'église). Derrière ces maisons se trouve l'ancien charnier qui a été dégagé de ses bâtiments parasites. Cette opération d'urbanisme, qui se prolonge derrière l'église, sur la rue des Barres, a été menée avec beaucoup d'habileté et de goût par Albert Laprade vers 1950. C'est le premier acte de réhabilitation de quartiers anciens qui ait eu lieu à Paris. Il permet d'avoir des échappées sur ce côté de l'église. L'autre façade latérale est moins heureuse. Edifiée contre des maisons, elle n'était pas faite pour être vue à distance et le dégagement ne l'a pas servie. Le gothique flamboyant y est banal et ses éléments décoratifs assez mal répartis. Mais les voûtes de chœur sont contre-butées par des arcs-boutants appuyés sur de hauts et vastes contreforts qui ont été décorés de pinacles d'un grand effet. Au chevet, un petit portail classique.

L'intérieur, dont nous avons dit l'homogénéité, présente un intéressant exemple d'adaptation d'un élément important d'architecture antérieure : les deux premiers étages de la tour de l'église précédente (consacrée avant 1420) ont été incorporés ; placée au nord à hauteur du chœur cette tour était extérieure au monument avant de devenir un élément constitutif de la nef. La base a été remplacée par quatre puissants piliers circulaires qui soutiennent non seulement les deux étages de l'ancien clocher mais deux autres qui lui furent ajoutés en 1657. C'est la largeur de ce clocher qui a commandé celle des collatéraux, d'une ampleur assez insolite par rapport à celle de la nef, mais qui confère à celle-ci son élégance et son jaillissement. Au fond, la chapelle de la Vierge est couverte de voûtes à nervures qui, au centre, se terminent par une clef en couronne très saillante et d'une extraordinaire légèreté. Ce chef-d'œuvre porte la signature des frères Jacquet.

Plusieurs chapelles latérales renferment des œuvres d'art d'une haute qualité. La chapelle dorée du président Goussault, sur la gauche, bâtie hors œuvre, avec son oratoire fermé par une grille de bois peint, est sans autre exemple à Paris (1629). L'oratoire est couvert de petits tableaux rectangulaires enchâssés dans une précieuse boiserie dorée, d'inspiration nettement flamande mais sans doute exécutés par une main française au temps de Louis XIII. La chapelle du Sacré-Cœur est décorée d'un triptyque de l'école flamande du XVᵉ siècle représentant avec beaucoup d'animation la vie et la passion du Christ. Sur le premier pilier à gauche du chœur a été placée une statue de la Vierge dite « de la Bonne Délivrance » qui possède la grâce des Vierges du XIVᵉ siècle. Et elle a une histoire. Placée à un angle de la rue du Roi-de-Sicile, elle fut décapitée par des huguenots en 1528. Transportée à Saint-Gervais, elle

Notre-Dame de la Bonne Délivrance.

Chapelle de la Vierge.

fut l'objet d'une dévotion particulière, puis reléguée dans les combles avant d'être placée près du chœur. La tête de la Vierge et celle de l'Enfant Jésus ont été remodelées en 1865. Contre le mur de la sacristie le grand Christ en bois de Préault (1840) ne peut passer inaperçu : c'est une des œuvres les plus saisissantes de la sculpture romantique. A droite de la chapelle de la Vierge, une vaste chapelle contient le mausolée de Michel Le Tellier, premier marguillier de la paroisse, qui inspira à Bossuet une célèbre oraison funèbre. Ce groupe de marbre, dû à Mazeline et à Hurtrelle, est particulièrement représentatif de l'art funéraire de la fin du XVIIe siècle. Une grande toile de Claude Vignon : *La décollation de saint Jean-Baptiste*, est traitée avec une véhémence dont il est peu d'exemple dans l'école française de l'époque. Découpée par des voleurs en 1972, retrouvée peu après, réentoilée, restaurée, elle fut dérobée à nouveau en 1973.

Les vitraux ont été détruits dans leur plus grande partie, mais ce qui nous en reste nous permet d'étudier d'excellents témoignages de cette époque. Les plus complets figurent dans les trois fenêtres du fond de la chapelle de la Vierge. Ce sont des scènes lumineuses et d'un charme angélique, sans doute une œuvre franco-flamande (malgré la signature douteuse de Robert Pinaigrier). La tribune d'orgue s'appuie sur une arcade sculptée d'anges joueurs de trompette qui s'harmonise parfaitement avec le décor du petit buffet, son ange au luth et ses panoplies d'instruments de musique, tandis que le grand buffet est décoré des torsades caractéristiques du règne de Louis XV. Cet orgue conserve quelques éléments de la tuyauterie qui existait au temps où Couperin le Grand en était titulaire.   160 N

tour Saint-Jacques

Rue de Rivoli, IVe. Lorsque l'église Saint-Jacques-de-la-Boucherie fut démolie (1797), la tour du clocher qui dominait tout le quartier, fut conservée. L'église, ainsi nommée parce qu'elle se trouvait dans le voisinage de la Grande Boucherie, près du Grand Châtelet, avait été rebâtie sous Louis XII dans un style qui marquait l'extrême fin du gothique parisien. Elle occupait à peu près l'emplacement de la partie nord du square actuel et de la rue de Rivoli. La tour, haute de 52 m, fut terminée en 1522 par Jean de Felin. Une grande statue de saint Jacques s'élevait au sommet, ainsi que l'aigle de saint Jean, le bœuf de saint Luc et le lion de saint Marc. Après la disparition de l'église, elle fut achetée par un certain Dubois et louée à un armurier qui l'utilisa pour fabriquer des plombs de chasse : du plomb fondu était versé du haut de la tour, passait dans un crible, avant de tomber goutte à goutte dans des cuves d'eau. L'affaire marchait bien puisque la Ville de Paris ayant racheté ce monument en 1836 le reloua pour le même usage aux héritiers Dubois.

Sous Napoléon III, la prolongation de la rue de Rivoli entraînait la disparition de la butte sur laquelle l'église avait été construite; il fallut en niveler le sol. La tour dut être reprise en sous-œuvre; l'architecte chargé de l'opération la fit reposer sur une assise élevée entourée de degrés, avec des massifs aux quatre angles et un dispositif de voûtes; le tout, habillé en gothique.

Haussmann eut l'idée d'y installer une statue de Pascal pour rappeler ses expériences sur la pesanteur de l'air. Le reste de la tour fut consolidé et son ornementation, en partie ruinée, remise à neuf, statues comprises, selon les recettes en cours. Les abat-son ont été remplacés par d'affreux vitraux qui n'ont rien à faire dans un clocher. Au pied, Alphand aménagea son premier square parisien avec un luxe extrême. On avait fait venir des arbres d'espèces inconnues sous nos climats qui nécessitaient les plus grands soins. Des débris de sculptures ont été disposés dans le jardin, entre autres les originaux fort dégradés des animaux symboliques. Le square a été transformé récemment de façon malencontreuse : tous les massifs sont enclos de murets de ciment.   161 N

252, rue Saint-Jacques, Vᵉ. L'église tient son nom de l'hôpital fondé à proximité, au XIIᵉ siècle, sur le chemin de Saint-Jacques-de-Compostelle, par des Frères hospitaliers venus d'Altopassio (Haut-Pas). Elle fut commencée en 1630, abandonnée, puis reprise en 1675, grâce à la générosité de la duchesse de Longueville, et consacrée en 1685. L'abbaye de Port-Royal se trouvant sur la paroisse, elle devint le foyer d'une ardente fidélité janséniste. Sa façade, restée inachevée, est d'une grande banalité. La construction répartie sur deux campagnes éloignées révèle des divergences de partis chez les architectes. Des travées inégales sont voûtées en berceau ou couvertes de coupoles. Un gothique très tardif se manifeste dans le pourtour du chœur où des croisées d'ogives retombent sur des colonnes doriques. Par contre, l'hémicyle du chœur est régulier, et plus encore une chapelle axiale elliptique que l'on attribue à Libéral Bruant. Le buffet d'orgue qui a été transporté en 1792 de l'église Saint-Benoît (détruite) est une curiosité : nous y voyons de précieux panneaux Renaissance utilisés lors d'un remaniement général au XVIIIᵉ siècle. Il y a quelques tableaux intéressants : une Vierge à l'Enfant, peinte au début du XVIᵉ siècle par Mazzola, qui provient d'une église de Parme, une Annonciation de l'un des frères Le Nain.

église
Saint-Jacques
du-Haut-Pas

162 S

église
Saint-Julien
le-Pauvre

3, rue Saint-Julien-le-Pauvre, V^e. Au fond d'un square décoré de débris de sculptures gothiques — où un acacia aux membres amputés, le plus vieil arbre de Paris, est pieusement soutenu par des béquilles — apparaît la petite église Saint-Julien-le-Pauvre. C'est aussi l'une des plus anciennes de Paris, avec Notre-Dame, sa contemporaine, toute voisine.

Parmi la foule des visiteurs de la majestueuse basilique, bien peu traversent le pont au Double pour saluer cette humble église sans clocher et toute tassée sur le sol. Elle est pourtant le seul témoin des nombreux monuments religieux autrefois rassemblés autour de la cathédrale. Nous ne trouvons pas à Paris d'évocation plus émouvante de son lointain passé. Et c'est l'endroit d'où l'on peut le mieux voir Notre-Dame se déployer dans son ampleur.

A la croisée des deux grandes voies rectilignes où fut construite la ville gallo-romaine, un sanctuaire avait été fondé dès les premiers siècles de la chrétienté que jouxtait un hospice où étaient reçus les voyageurs et où Grégoire de Tours habitait lorsqu'il se rendait à Paris. C'est peut-être pour cette raison que, parmi les trois saints Julien qui peuvent lui avoir donné son patronage, celui de saint Julien l'Hospitalier a été choisi. Mais il est très bien que le nom de Saint-Julien-le-Pauvre ait été adopté : c'est une définition.

Sa situation sur les rives de la Seine en faisait une proie facile pour les Normands. Lors de leur incursion de 885, ils le ravagèrent. Au XIIe siècle, les ruines furent cédées aux moines clunisiens de l'abbaye de Longpont qui décidèrent d'y édifier un prieuré. D'abord désireux de prendre modèle sur Notre-Dame — en réduction, bien entendu — dont on venait de poser la première pierre, la modicité de leurs ressources les incita à plus de prudence, en utilisant les fondations de l'édifice démoli. Les travaux commencèrent vers 1170.

Saint-Julien-le-Pauvre a l'apparence d'une église rurale soutenue par de gros contreforts plaqués au mur. La nef fut entreprise au début du XIIIe siècle. Elle était composée de six travées qui se terminaient par un beau portail. Nous en parlons au passé : ce portail fut en effet démoli fort malencontreusement en 1651 — parce qu'on manquait d'argent pour le réparer — ce qui entraîna la disparition des deux premières travées de l'église. A leur emplacement se trouve une petite cour devant un portail du XVIIe siècle d'une extrême indigence. Quelques vestiges de l'ancienne entrée sont encore apparents. A gauche, l'extrémité du bas-côté a été transformée en sacristie par remploi de matériaux de démolition.

Celui qui pénètre pour la première fois dans la nef peut avoir une impression de surprise et de dépaysement : elle est coupée à la hauteur du chœur par une iconostase de bois marqueté (qui date de 1900). L'église est en effet affectée au culte catholique grec melchite, héritier du siège apostolique d'Antioche. Les offices liturgiques y sont chantés en grec ou en arabe. La nef et le bas-côté sud ont été restaurés. Les nombreux chapiteaux du chœur, de la nef et des absidioles sont ornés d'un décor de feuillage stylisé fort répandu au premier âge gothique. La travée du chœur est couverte d'une

voûte sexpartite. La plus grosse colonne présente un remarquable chapiteau représentant des figures de harpies où Huysmans voulait voir « des têtes de femmes écloses dans des nids d'aigles ».

L'église Saint-Julien connut au Moyen Age sa grande époque de prospérité. Elle était située au cœur du quartier de l'Université dont les assemblées se réunissaient sous ses voûtes. En 1524, les étudiants, contestant violemment l'élection du recteur, brisèrent des vitraux, des statues et saccagèrent le mobilier. Par décision du Parlement, les réunions universitaires furent dès lors transférées aux Mathurins. La décadence ne fit que s'accélérer. L'église fut vendue à l'Hôtel-Dieu en 1655 et le titre de prieuré lui fut retiré. Elle devint simple chapelle dépendante de Saint-Séverin. Notons toutefois qu'elle continua à abriter le siège de la corporation des marchands de papier, comme par respect ancestral pour la chose écrite.

Fermée pendant la Révolution, transformée en grenier à sel, elle resta longtemps sans affectation. Allait-on la jeter bas ? Il en fut question. Son sauvetage eut lieu à la fin du siècle dernier de façon inattendue. Qui eût pensé que ce monument d'allure sévère, et qui porte tous les sceaux de la civilisation occidentale, serait voué à la liturgie byzantine ?

Une résurrection du vieux Paris : l'église Saint-Julien-le-Pauvre, aujourd'hui affectée au rite catholique grec melchite.

163 S

**église
Saint-Leu-
Saint-Gilles**

92, rue Saint-Denis, Ier. L'église est dédiée à saint Leu (saint Loup) de Sens, et à saint Gilles de Provence parce que leur fête tombait le même jour de l'année. Leur église n'a cessé de subir les pires avanies, au point qu'en faire l'histoire c'est raconter une histoire du vandalisme. Elle fut construite en 1319 à la place d'une église du XIIIe siècle. Les six premières travées de la nef étaient voûtées d'ogives, le reste était de charpentes apparentes. Au XVIe siècle on les couvrit d'ogives en plâtre et on exhaussa des fenêtres. Au siècle suivant le chœur fut agrandi. Au XVIIIe, afin de donner au gothique un vêtement à la mode, on retailla les moulures des arcades qui retombent sur des consoles polygonales. En 1793, l'église fut convertie en dépôt de salaisons par les charcutiers du quartier. En 1847, la façade fut plus que restaurée. En 1858, Baltard, dont les interventions dans les églises parisiennes sont généralement si fâcheuses, dépassa ici toute mesure : le percement du boulevard de Sébastopol affectant l'abside de l'église, il la tronqua, monta un mur plat d'un invraisemblable style néo-Renaissance, puis fabriqua des façades latérales munies de chapelles, démolit l'ancienne chapelle de la Vierge, au nord, pour en construire une autre au sud, coupa les colonnettes des piles à mi-hauteur pour y placer des têtes d'anges, etc. Quelques œuvres d'art se trouvent dans la nef, dont on retiendra surtout une belle statue de sainte Anne, par Jean Bullant, qui provient du château d'Ecouen.

IVᵉ. Si, depuis les ravages haussmanniens, la Cité a perdu sa personnalité et n'est plus autre chose qu'un rassemblement de grands monuments publics de tous âges et de toutes destinations, l'île Saint-Louis, qui se rattache à elle par l'enjambée d'une passerelle, est, au contraire, d'une homogénéité presque parfaite. Malgré les atteintes qui lui furent portées au cours du Second Empire et de la Troisième République elle a gardé une unité de style. Ancrée derrière Notre-Dame comme un grand bateau couvert d'architectures royales, il n'est guère de site parisien plus agréable. Il n'en est point qui ait conservé une telle pureté originelle.

L'île resta isolationniste jusqu'à une époque récente, elle vivait en autarcie grâce à l'abondance de ses petits commerces et de ses artisans, et elle ne recevait guère de l'extérieur que les pêcheurs à la ligne et les clochards qui séjournaient sur ses berges. Il passait peu de voitures dans le quartier. La nuit tombée, quelques solitaires se penchaient sur les gros parapets de pierre poursuivant leurs rêves dans les reflets de l'eau et des feuillages. Elle a conservé longtemps, au cœur de Paris, cette atmosphère provinciale que décrivait Champfleury en 1858 et qui enchanta tant d'écrivains, d'artistes et de poètes : « On pourrait trouver dans Paris un certain nombre de Parisiens qui n'ont jamais pénétré dans l'île Saint-Louis et qui, s'ils y mettaient les pieds, reviendraient plus étonnés que d'une

île
Saint-Louis

Jusqu'au début du XVIIᵉ siècle, l'île Notre-Dame resta un terrain vague.

petite ville de province. Les logements y étaient meilleur marché que dans le centre de Paris... Plusieurs avantages étaient attachés à ces logements vastes, larges, bien aérés, hauts, n'ayant pas subi les modes d'architecture moderne qui dénomment appartement trois ou quatre pièces qu'il y a cinquante ans on traitait de cabinets. Beaucoup d'hôtels de l'ancienne noblesse, de maisons de gros bourgeois restèrent ce qu'ils étaient dans le principe, avec leurs vastes pièces, leurs immenses cheminées, leurs larges escaliers... » Que dirait aujourd'hui Champfleury! En conquérant des foules d'adorateurs, l'île a évolué. Les pires taudis sont devenus « studios de caractère ». Les « vins et charbons », avec leurs caves, sont transformés en restaurants de luxe ou en boîtes de nuit. Mais, derrière les vieilles façades ressuscitées se trouvent des pièces saines et confortables. Et les hôtels des quais ont conservé leur allure majestueuse.

De l'archipel parisien qui émergeait de la Seine aux premiers siècles de notre ère ne subsistent que deux îles, les plus grandes. La dernière disparue est l'île Louviers : séparée de l'extrémité de l'île Saint-Louis par le petit bras du fleuve, elle a été rattachée à la rive droite en 1843. Bien qu'à si faible distance de la Cité, l'île Saint-Louis resta déserte jusqu'au xviie siècle. Elle portait le nom de Notre-Dame. Le chevet de la cathédrale n'était-il pas tourné vers elle ? De plus, elle appartenait au chapitre depuis l'an 857. Ses rives fangeuses disparaissaient sous les roseaux. Elle était inondée à chaque crue un peu forte. Restée à l'état de terrain vague, elle n'était guère fréquentée que par des pêcheurs, des mariniers, et par des promeneurs du dimanche qui venaient respirer un air de campagne et, à la belle saison, y trouvaient des guinguettes et des tirs à l'arc.

Ce vaste terrain avait toutefois servi de cadre à des cérémonies mémorables. C'est là que saint Louis arma chevalier son fils aîné, futur Philippe le Hardi, et, avant de partir en croisade reçut la croix des mains du légat du pape. Philippe le Bel y arma ses trois fils en présence du roi d'Angleterre et de sa cour. Ces cérémonies provoquaient un grand concours de peuple pour lequel un pont de bateaux unissait l'île de Notre-Dame à celle de la Cité. En 1329, un chenal fut creusé à la hauteur de notre rue Poulletier. Il défendait la tour d'appui d'une chaîne tendue entre la rive droite et la rive gauche. La partie isolée par ce bras d'eau prit le nom d'île aux Vaches.

C'est au début du xviie siècle que commença la véritable histoire de l'île Notre-Dame — baptisée du nom de Saint-Louis en 1726. Henri IV, qui avait des vues « prospectives » sur l'urbanisme parisien, avait nommé un audacieux personnage, Christophe Marie, « entrepreneur général des ponts ». Celui-ci présenta au roi le projet d'un double pont lancé entre le quai des Ormes (des Célestins) et celui de la Tournelle dans le but évident d'attirer les constructeurs sur ses terres vierges. Le couteau de Ravaillac mit fin aux pourparlers. Mais Marie, qui croyait au succès de son entreprise, les reprit peu après et chercha des commanditaires : les sieurs

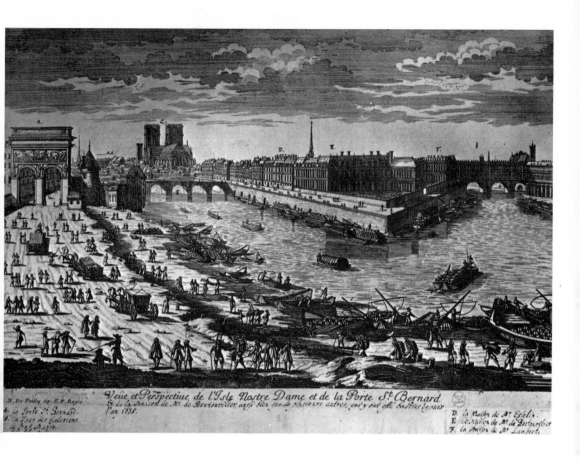

Veüe et Perspectiue de l'Isle Nostre Dame et de la Porte St Bernard
& de la maison de Mr. de Bretonviller ainsi bien que de plusieurs autres, qui y ont esté basties depuis l'an 1638.

Poulletier, puis Le Regrattier devinrent ses associés. Nous pourrions dire aujourd'hui qu'ils furent les « promoteurs de l'opération immobilière. » Ils seraient sans doute oubliés si deux rues ne portaient leur nom, tandis que celui de Marie fut donné, comme de juste, à son pont. Les tractations durèrent plusieurs années. Enfin, en 1614, Louis XIII, alors âgé de treize ans, se rendit en grand cortège, accompagné de Marie de Médicis, à l'emplacement du pont dont il posa la première pierre.

Les contrats avaient été méticuleusement préparés. Marie devait construire les deux ponts en pierre, ceinturer l'île de quais particulièrement élevés pour la mettre à l'abri des inondations, sans mordre sur la Seine, ouvrir des rues pavées sur plan régulier, relier l'île à la Cité par une passerelle de bois. Toutes les mesures, jusqu'aux dimensions des pierres de taille, étaient précisées. En retour, Marie bénéficiait de la propriété des terrains à bâtir, pouvait prélever un péage sur les ponts d'un double par personne et de deux par cheval, construire et faire exploiter douze étaux de boucherie, des moulins à eau, des bateaux-lavoirs, une maison d'étuves et un jeu de paume.

L'île Saint-Louis au XVIIIᵉ siècle. A sa pointe, l'hôtel de Bretonvilliers, aujourd'hui disparu.

Commencèrent aussitôt des difficultés de toutes sortes. Les chanoines de Notre-Dame, bien qu'il n'aient tiré jusque-là qu'un maigre rapport de leur terrain, témoignèrent d'exigences inouïes dès que le roi voulut s'en rendre acquéreur. Ils s'opposaient à toute construction dans leur île, prétextant, par exemple, que des bâtiments n'y étaient point nécessaires « y ayant dans Paris plus de maisons qu'il n'en faut », que leurs demeures canoniales dont les jardins donnaient sur la Seine seraient privées de la vue sur la campagne et qu'elles perdraient « la sérénité de l'air », celle-ci étant « d'un prix inestimable ». Après vingt ans de discussions et de coups fourrés, un arrêt de 1634 finit par leur accorder une indemnité de 50 000 livres. Cependant, la vente des lotissements aux particuliers n'avait point avancé. Marie et ses associés ne pouvaient faire face à leurs créanciers. Un jour arriva où les ouvriers ne furent plus payés. D'où des récriminations, des querelles, des arbitrages remis en cause et des procès qui durèrent pendant trente ans. Les « promoteurs » se trouvaient plus ou moins ruinés.

Le pont Marie fut achevé en 1635. Alors, des parlementaires, de hauts fonctionnaires, d'importants bourgeois séduits par le quartier et la proximité du Palais surent mettre à profit les lotissements établis et composèrent sur les rues coupées à angle droit et sur les lignes plus ondoyantes des rives un ensemble d'une cohérence et d'une harmonie sans précédent à Paris. L'esprit « classique » triomphait des pittoresques désordres de la ville médiévale.

Louis Le Vau, qui allait devenir Premier architecte du roi, joua un grand rôle dans la construction. Il habitait l'île, où il travaillait avec son père et son frère. Il possédait un sens élevé de l'architecture, et aussi celui des affaires. En même temps, de petits banquiers, des commerçants, des artisans, venus s'établir dans les simples maisons de la rue des Deux-Ponts et de la rue Saint-Louis, commencèrent à animer le quartier d'une vitalité qui devait se perpétuer par la suite.

Abordons l'île par sa partie occidentale, c'est-à-dire à la « cassure » du quai Bourbon. La maison du Centaure, qui fait figure de proue, doit son nom à deux bas-reliefs en répliques représentant *Hercule abattant Nessus*. Son extraordinaire situation lui permet de regarder les deux bras de la Seine, avec, au confluent, une vaste échappée sur le fleuve. On ne s'étonne point que tant d'écrivains et de poètes y aient élu domicile. C'est là que la princesse Bibesco écrivit *Catherine-Paris* et réunit gens de lettres, hommes politiques et diplomates. En remontant le quai Bourbon, nous croisons la rue Jean-du-Bellay percée en 1867 en prolongement du pont Louis-Philippe à travers un ensemble de maisons anciennes. Cette tranchée hors d'échelle a porté un grand coup à l'harmonieuse ordonnance dont l'île avait bénéficié jusqu'alors. Au-delà, jusqu'au pont Marie, les façades du quai Bourbon sont d'une grande noblesse — en particulier celle de l'hôtel de Boisgelon dont les hautes fenêtres sont surmontées d'un léger décor sculpté. A l'angle de la rue Le Regrattier, sous la plaque officielle, à côté d'une statue décapitée, nous lisons, gravé dans la pierre : *Rue de la femme-sans-teste.*

Le clocher de Saint-Louis-en-l'Ile.

Ne pas confondre : il s'agit en réalité d'un saint Nicolas que le premier propriétaire, Nicolas de Jassaud, avait fait placer à l'encoignure de son immeuble. La façade sur le quai (n° 19) est importante. Couronnée de trois frontons ornés de guirlandes de fruits, elle est animée d'un ravissant balcon ondulé. Dans sa dissymétrie, la grande cour de l'hôtel Charron (n° 17) avec ses mascarons, sa tourelle d'angle, est fort attrayante. L'immeuble du n° 11 appartint à Philippe de Champaigne qui résida dans l'un de ses appartements avec son neveu Jean-Baptiste.

Devant le pont Marie, nous croisons la rue des Deux-Ponts, la première ouverte lors de la construction de l'île. Elle est plus large que les autres, et d'aspect bancal : en effet, le conseil municipal, en 1912, décida de porter sa largeur à 16 m, alors que les autres ne mesurent que 7, 80 m. Malgré les protestations, la municipalité donna son accord à cette opération qui avait pour but de mettre la rue à l'échelle du très large pont de la Tournelle en reconstruction. Tout le côté impair fut donc abattu. Depuis 1930, maisons du XVIIe et du XXe siècle se regardent face à face.

A l'angle du quai et de la rue des Deux-Ponts se trouve le cabaret du Franc Pinot qui a conservé ses belles grilles décorées de pampres et de raisins. En face, le grand et monotone immeuble d'angle a été reconstruit en 1970 sur le terrain d'une maison démolie depuis quarante ans. Elle portait l'enseigne du Petit Matelot, décrite par Balzac, dans *César Birotteau*, comme le premier magasin de nouveautés de Paris et dont il dit qu'il connut « une vogue inouïe dans l'endroit de Paris le moins favorable à la vogue ».

Le quai d'Anjou a gardé sa noble beauté originelle. C'est un alignement d'hôtels dont ceux qui n'ont pas été édifiés par Le Vau ont reçu sa puissante influence — qui s'étendit d'ailleurs sur une grande partie de l'architecture privée de Paris. Au n° 19, nous voyons l'une des façades de l'hôtel Méliand, d'un grand style : hautes fenêtres de l'étage noble, mansardes architecturées ; l'entrée se trouve rue Poulletier (n° 20). C'est aujourd'hui une école maternelle dont la porte vigoureusement sculptée est surmontée d'un grand écusson de pur style Louis XIII. L'hôtel Lauzun, contigu, est très sobre dans son architecture extérieure. Daumier fut locataire pendant dix-sept ans du dernier étage de l'immeuble qui porte le n° 9. Il avait aménagé le grenier en atelier. Le quai d'Anjou se termine par la façade de l'hôtel Lambert. En réalité, cette façade sur rez-de-chaussée surélevé englobe la maison voisine (n° 3) que Le Vau construisit pour lui en même temps que la superbe demeure de son client en lui donnant, par facilité, ou par vanité, exactement la même apparence.

La pointe occidentale de l'île fut complètement mise à sac sous le Second Empire lors de la percée du boulevard Henri-IV. Les deux parties du pont Sully qui s'y appuient datent de 1876. Ce furent les derniers moments d'agonie de l'hôtel de Bretonvilliers, le plus vaste monument de l'île, qui avait été construit sur cet emplacement magnifique par Jean Androuet du Cerceau. Sur plan carré, avec une cour centrale de grande ampleur, son entrée donnait sur la rue de

Le Saint-Nicolas décapité, surnommé « la femme sans tête », de la rue Le Regrattier.

Au fond d'une cour, sur l'île Saint-Louis.

Bretonvilliers créée pour le desservir. L'arcade sur la rue Saint-Louis marque cette destination de voie privée. Devant les façades principales, longé par une galerie, un jardin se déployait en terrasses au confluent des deux rives d'où la vue s'étendait sur la Seine jusqu'à Charenton. Les plus grands peintres français avaient décoré ses galeries et ses salons. Il avait été édifié pour Claude Le Ragois, conseiller d'Etat; mais, dès 1720, ses descendants le mirent en location. Séquestré à la Révolution, il servit de magasin militaire, puis fut affecté à divers bureaux, à une teinturerie, à une parfumerie. Morcelé, sa démolition commença en 1840. La construction en biais du pont Sully n'en laissa que des épaves. Ce cap occidental était la plus admirable région de l'île et la plus admirée; c'est aujourd'hui un amalgame incohérent.

Le quai de Béthune, comme celui d'Orléans, est exposé au midi. C'est un précieux alignement d'hôtels à balcons — il se nommait quai des Balcons — dont plusieurs peuvent être attribués à Louis ou à François Le Vau. On peut y voir de majestueux escaliers, et de grandes cours ornées. Très recherché pour son exposition, il fut habité par des familles fortunées qui entretinrent soigneusement leurs habitations et en renouvelèrent la décoration. C'est ainsi que plusieurs façades ont été enrichies au XVIIIe siècle. Les deux hôtels joints sous le n° 18 ont appartenu au maréchal de Richelieu. Le portail Louis XVI, le vestibule, le grand escalier lui confèrent une singulière majesté. Cet escalier descend jusqu'au sous-sol.

Le balcon de l'hôtel Lauzun.

Comme plusieurs hôtels de l'île Saint-Louis, il possédait une porte d'eau qui permettait de se rendre par un passage souterrain jusqu'à la berge où les embarcations étaient amarrées. Les façades sur cour sont ornées de pilastres. Des arcades basses en plein cintre sont surmontées de balustres. Francis Carco est mort dans cette demeure. Les portes des deux hôtels voisins sont surmontées de frontons et de têtes ailées ; les balcons reposent sur d'importantes consoles. Un immeuble moderne (n° 24) a été construit par l'architecte Louis Sue en 1934 à l'emplacement de l'hôtel Hesselin, de Le Vau. Seules ses portes sculptées par Le Hongre ont été remployées dans la demeure nouvelle. Au moins celle-ci a-t-elle été conçue avec talent pour s'adapter à son environnement. On ne saurait en dire autant de sa voisine, quai d'Orléans (n° 10), bâtie vers 1912 en remplacement d'une maison Louis XIII ; cette construction, dont les briques roses ont été enfin camouflées, est l'exemple même de ce qu'il ne fallait pas faire. De nouveau quai de Béthune, nous remarquons les fenêtres à fronton de l'hôtel Sainctot (n° 26), les aimables bas-reliefs Louis XVI de l'hôtel Perrot (n° 28), les décors de guirlandes de fleurs et d'instruments de musique de l'hôtel Potart (n° 30) et les façades à ferronnerie des deux hôtels suivants.

Le grand hôtel édifié, sur le quai d'Orléans, pour Antoine Moreau, secrétaire du roi, abrite depuis 1838 la Bibliothèque polonaise, fondée par les patriotes polonais émigrés en France. A l'angle de la

rue Budé, une maison se glorifie d'avoir vu naître le poète Arvers dont le père était marchand de vins en gros, profession abondamment représentée dans l'île au XIXᵉ siècle, en raison de la proximité de la halle aux vins. Son gracieux balcon ondulant retient l'attention. Un gros immeuble a été construit en 1864 à l'emplacement du jardin de l'hôtel Chenizot situé rue Saint-Louis. L'hôtel Rolland (nᵒ 18) dont la porte est commune à l'hôtel voisin date du XVIIIᵉ siècle. En 1925, il passa entre les mains d'Américains si enthousiastes pour les monuments historiques français qu'ils lui ont fait des fenêtres gothiques et l'ont surélevé à l'aide de contreforts en ogive. Les nᵒˢ 28, 30 et 32, auxquels on accède maintenant par une seule porte, constituent, face à l'abside Notre-Dame, le dernier immeuble d'origine du quai d'Orléans.

L'île, de bout en bout, est traversée par la rue Saint-Louis-en-l'Ile. Les rez-de-chaussée sont tous occupés par des boutiques généralement minuscules. Ce sont des maisons simples, mais, pour qui sait voir et lever la tête, les façades, les cours, sont pleines de diversité. On y rencontre trois édifices majeurs. La très imposante entrée de l'hôtel Lambert se trouve au nᵒ 2. (De hauts murs sévères défendent la vue de cette somptueuse demeure.) L'église Saint-Louis-en-l'Ile est placée à l'angle de la rue Poulletier où lui est accolé un presbytère qui ne comprend qu'un seul mais immense étage. L'hôtel Chenizot (nᵒ 51) est tombé dans une déchéance lamentable, mais on y retrouve encore en excellent état un décor sculpté Louis XV qui est une curiosité de l'île Saint-Louis : devant la fenêtre centrale à large fronton décoré de vases, un grand balcon est soutenu par d'étonnantes consoles à dragons de style rocaille. La porte encadrée de refends vermiculés est coiffée d'une agrafe à tête de faune. Dans la cour, une haute arcade en plein cintre est ornée au tympan d'une demi-rosace traitée avec exubérance et légèreté. Comme tant d'autres, l'hôtel Chenizot a beaucoup souffert au cours du XIXᵉ siècle. En 1840, l'archevêché ayant été dévasté, il fut loué à l'Etat pour y loger l'archevêque de Paris. Mais il fut ensuite occupé par le siège de la gendarmerie. En 1863, son nouveau propriétaire, marchand de vins en gros, céda le jardin, qui s'étendait jusqu'au quai d'Orléans, à un banquier qui y fit construire un grand immeuble locatif. L'hôtel fut surélevé et découpé en multiples logements. Il y eut jusqu'à soixante-trois locataires, dont beaucoup vivaient dans de véritables taudis. Enfin des ateliers s'installèrent dans la seconde cour. Le souvenir de Mgr Affre reste attaché à l'hôtel Chenizot. C'est en effet de cette résidence qu'il partit le 25 juin 1848 vers les barricades du faubourg Saint-Antoine où il reçut une balle qui le blessa à mort.

Les rues transversales (Le Regrattier, Budé, Poulletier) ont gardé leur authenticité. Elles enchantent ceux qui s'émeuvent aux témoignages du passé; ils peuvent découvrir à chaque pas de grosses portes à clous, des fenêtres à grille, des passages voûtés, des entrées pavées, des mansardes à poulie. Détails. Peu de chose, sans doute. Mais choses qui, en un temps vulgarisé par ses produits de série, prennent signification d'œuvres d'art.

165 N

Au nᵒ 51 de la rue Saint-Louis-en-l'Ile, le décor Louis XV de l'hôtel Chenizot.

pont
Saint-Louis

De l'île de la Cité à l'île Saint-Louis, IVe. Entre les abords du chevet de Notre-Dame et l'île Saint-Louis ce pont occupe un site privilégié. Lancé en 1970, il avait été précédé de sept ouvrages dont l'histoire est une suite d'erreurs et de catastrophes. Dès la construction de l'île, en 1627, avant même que le pont Marie fût terminé, une passerelle de bois relie le quai Bourbon à la rue des Ursins. Une crue l'ayant mis à mal, il est remplacé en 1710 par le « Pont Rouge », également en bois, qui est emporté par les inondations de 1795. Celui qui lui succède, dont les piles et les culées sont en maçonnerie, terminé en 1806, voit ses arches s'affaisser treize ans plus tard. En 1842 apparaît un encombrant et malencontreux pont suspendu, accessible seulement aux voitures légères, qui relie la rive droite à la Cité en s'appuyant sur la pointe de l'île. Il est incendié en 1848. Deux autres, en pierre et en fonte, le remplaceront en 1860 : le pont Louis-Philippe et le pont Saint-Louis. Comme des tourbillons d'eau se produisent à cet endroit où la Seine s'infléchit, près du pont Saint-Louis, des péniches entraînées par le courant venaient heurter l'une ou l'autre retombée. Le dernier accident, en décembre 1939, lui fut fatal. Le pont s'effondra. Remplacé par une horrible et lourde passerelle de fer dont la présence en ce paysage insigne était scandaleuse ; elle resta cependant là pendant trente ans malgré les réclamations unanimes. Le nouveau pont, inauguré en 1970, est un chef-d'œuvre de technique, d'une extrême légèreté. L'emploi d'aciers spéciaux a permis de l'affranchir de toute béquille afin de le rendre invulnérable aux chocs des bateaux. Son profil accuse une légère courbure dans un but purement esthétique.   166 N

Rue Saint-Louis-en-l'Ile, IVe. L'art de Louis Le Vau peut se mesurer à l'ingéniosité dont il fit preuve pour tirer parti d'un terrain exigu, enclavé, limité sans recours par la rue et par des murs mitoyens. L'architecte a utilisé, au centimètre près, tout ce qui était disponible pour élever des façades d'une grande sobriété. Trois marches en saillie sur l'étroit trottoir commandent l'accès à un portail orné de beaux vantaux sculptés. Une petite porte d'angle ouvre sur le déambulatoire. Rien ne retiendrait l'attention des passants si une charmante flèche ajourée (Louis XV), disposée à l'aplomb de la rue Saint-Louis-en l'Ile et visible sur sa longue perspective, ne signalait une église.

église
Saint-Louis
en-l'Ile

Les premiers habitants de l'île Saint-Louis ne bénéficiaient que d'une chapelle (construite en 1623), qui se révéla bientôt insuffisante pour accueillir une population croissante. La construction d'une véritable église, en rapport avec le nombre des fidèles, fut demandée à Le Vau. La première pierre fut posée en 1664. En 1702, un ouragan détruisit les combles et porta grand dommage à la nef qui dut être en partie reconstruite. Son ordonnance corinthienne est d'une grande élégance. Pas de transept saillant, des niches plates, une coupole plate, un chevet plat, mais des bandeaux, des reliefs, tout un décor créant l'illusion et permettant de croire à la multiplicité et à la concavité des formes. On attend à l'ouest l'entrée principale, mais celle-ci n'a été qu'ébauchée lors de la reconstruction. L'ornementation sculptée, d'une grâce légère, est due aux dessins de Jean-Baptiste de Champaigne. Les points forts de la structure étaient rehaussés d'or.

Cette église est un salon, un cadre aimable pour les cérémonies auxquelles assistait l'aristocratie insulaire. Pendant la Révolution elle fut dépouillée, à l'exception de deux grandes statues, celle qui domine l'autel de la Vierge, et celle de sainte Geneviève, par François Ladatte, sauvées grâce à d'astucieux paroissiens qui les déguisèrent en déesses Raison et Liberté. Au XIXe siècle, on a renchéri sur les dorures — en dépassant la mesure. Le curé de la première paroisse, qui répondait au nom magnifique de Louis-Auguste-Napoléon Bossuet, érudit et curieux, consacra sa fortune à l'achat d'œuvres d'art des plus variées, qui, bien que d'inégale valeur, font de l'église un petit musée. Il y a des sculptures de toutes les époques, en bois, en marbre, en albâtre, des céramiques italiennes et des peintures parmi lesquelles on distingue une suite de petits panneaux flamands du XVe siècle, les *Pèlerins d'Emmaüs* de Charles Coypel, un Saint-François-de-Sales, de Noël Hallé et de curieuses scènes en albâtre représentant la Passion qui proviennent d'un atelier anglais du XVe siècle. L'abbé Bossuet fit aussi une extraordinaire trouvaille : il allait visiter, dans sa petite maison du Bois de Boulogne, le vieux gardien des ruines de l'abbaye de Longchamp, lorsque son attention fut attirée par les chiffons qui bourraient les portes disjointes. C'étaient des broderies merveilleuses, rares chefs-d'œuvre du travail d'aiguille, dont certaines remontaient au XIIIe siècle. En raison de leur fragilité, elles ne sont montrées qu'une fois l'an pour la fête de saint Louis.   167 N

**porte
Saint-Martin**

Xe. Elevée par Pierre Bullet en 1674, à la suite de la porte Saint-Denis, elle fut commandée, comme elle, aux frais de la Ville par le prévôt des marchands et les échevins. Avec ses trois arches inégales elle s'inspire de l'arc de Constantin de Rome; bien que beaucoup plus sobre la sculpture y est localisée selon le style classique français; elle décore les surfaces laissées libres entre les structures couvertes de puissants refends vermiculés. Les personnages y sont traités à la romaine. Ainsi voit-on paraître Louis XIV en Hercule presque nu, bien que tout de même en perruque. Les quatre bas-reliefs ont été exécutés par les sculpteurs des jardins de Versailles : Le Hongre, Desjardins, Le Gros et Marsy qui racontent à leur manière antiquisante la prise de Limbourg, la prise de Besançon, la défaite des Allemands, et la rupture de la Triple-Alliance. Mais en vérité, il faut le savoir — d'autant qu'aujourd'hui les bousculades de la circulation autour et à travers cette porte empêchent normalement d'en considérer les détails.   168 N

141, rue Mouffetard, V^e. Lorsqu'elle fut construite, entre la fin du xve siècle et le début du xviie, c'était la simple église d'un quartier qui avait gardé, malgré sa vitalité, un caractère villageois. Bien qu'elle n'ait rien d'extraordinaire nous lui trouverions du charme et de la bonhomie, si, quelques années avant la Révolution, elle n'avait été livrée à l'architecte Petit-Radel, un « antiquisant », ennemi du gothique qui, ayant à construire une chapelle absidiale dans le style néo-classique, entreprit de déguiser les colonnes du chœur en colonnes de temple dorique : leur fût a été cannelé et se termine par une dalle carrée. C'est d'un effet pour le moins surprenant (notons que c'est le même architecte qui, pendant la Révolution, inventa un procédé, dont il était fier, qui permettait de détruire en quelques minutes une église gothique en plaçant une charge de poudre à la base des piles de soutènement).

De nombreux tableaux secondaires du xviie et du xviiie décorent les bas-côtés et les chapelles. On y distingue un émouvant Christ mort dans l'esprit de Philippe de Champaigne.

**église
Saint-Médard**

Dessin de Philippe de Champaigne représentant le quartier et l'église Saint-Médard.

Le diacre Pâris et les convulsionnaires de Saint-Médard défrayèrent la chronique au XVIIIe siècle.

Saint-Médard fut à l'origine d'événements qui ont pris une place mémorable dans la chronique parisienne. Pendant les guerres de Religion, des huguenots pénétrèrent dans l'église durant les vêpres, tuèrent et blessèrent des fidèles et se livrèrent à des saccages tels qu'il fallut vingt ans pour les réparer. Ces actes de fureur, nommés « vacarmes de Saint-Médard », ont été suivis, autour de 1730, d'effervescences d'un autre ordre provoquées par les « convulsionnaires de Saint-Médard ». Dans le cimetière, recouvert aujourd'hui par la chapelle des catéchismes, reposait le diacre Pâris, ardent janséniste, mort à 36 ans à force de jeûnes et de macérations. Des disciples se réunirent sur sa tombe, et bientôt ce fut un véritable culte. Des scènes de mysticisme désordonnées s'ensuivirent qui attirèrent les foules, et le cimetière dut être fermé par la police. Mais les « convulsionnaires » avaient si fortement impressionné les esprits que, vingt ans plus tard, un conseiller au Parlement publiait trois volumes sur les « miracles » de Pâris en stigmatisant les mesures prises contre ses adeptes — ce qui le mena à la Bastille.

169 S

75, rue Saint-Martin, IVe. C'est vers l'an 700 que saint Merry fut inhumé dans une chapelle au long de l'ancienne voie romaine qui est devenue notre rue Saint-Martin. Ce lieu sacré a subi bien des métamorphoses avant qu'une église y fût construite à partir de 1535. Elle a bénéficié d'une seule campagne de travaux qui dura quarante ans, ainsi possède-t-elle une unité assez rare dans les églises parisiennes. L'époque de sa construction, au milieu du XVIe siècle, c'est-à-dire en pleine Renaissance, témoigne de cet attachement prolongé des Français au style gothique pour leurs édifices religieux. L'église Saint-Merry est un exemple de pur gothique flamboyant. En outre, les constructeurs ont suivi la vieille tradition médiévale en édifiant ses façades à l'alignement continu des maisons de la rue Saint-Martin et de la rue de la Verrerie dont elle forme l'angle. Les maisons de Dieu s'unissaient aux maisons des hommes.

La façade principale a conservé à peu près sa structure d'origine, mais les sculptures du portail ont été détruites pendant la Révolution, et la reconstitution entreprise sous Louis-Philippe

église
Saint-Merry

Saint-Merry : la croisée du transept, gothique flamboyant (XVIe siècle).

Sainte Geneviève et ses moutons, au milieu d'un cromlech. Peinture du XVIᵉ siècle.

n'en donne qu'une image falote. Le clocher a perdu son étage supérieur démoli en 1883, après avoir été incendié pendant la Commune. Sur la rue de la Verrerie, un presbytère bâti au XVIIIᵉ siècle masque l'abside; il faut aller à l'opposé pour découvrir cette partie de l'édifice, ses contreforts, sa balustrade ajourée. L'intérieur, par contre, nous révèle beaucoup mieux les remarquables qualités de son architecture et son homogénéité. Nous parlons de l'homogénéité architecturale car le chœur — plus long que la nef — a reçu une décoration Louis XV dont le but évident était de dissimuler ce gothique « barbare » pour composer un cadre conforme au goût classique. On a coutume d'accuser les chanoines de ces transformations. Effectivement, il y avait bien des chanoines à Saint-Merry qui était une paroisse « fille » de Notre-Dame, mais ne trouve-t-on pas ailleurs, en l'absence de chanoines, le même genre de décors imposés par la mode aux personnages qui se piquaient de suivre l'évolution des arts ? Les piliers et arcades gothiques du chœur sont donc habillés d'un aimable placage de marbres roses et de stucs dorés. Une « gloire » due à un habile décorateur du XIXᵉ siècle domine le maître-autel. Des autels à fronton, décorés par Van Loo, sont plaqués aux croisillons. Ainsi paré, le sanctuaire, contrastant avec la nef, se revêt d'une luxueuse élégance qui fut très appréciée. La chaire est ornée de guirlandes et de palmiers. Tout cela fut exécuté sous la direction des Slodtz. La voûte de la croisée du transept a reçu un décor compliqué de nervures où quatre branches d'ogives rejoignent une clef pendante.

La nef est simple et belle. Au-dessus des grandes arcades court une ravissante frise de feuillages où paraissent de petits animaux. Le bas-côté sud est doublé d'un second bas-côté plus important construit au XVIIIᵉ siècle par Boffrand. Avec la chapelle de la Communion il était réservé au service paroissial, ouvrait sur la rue et ne communiquait pas avec l'église. L'orgue, très sobre, a été repris par Michel-Ange Slodtz qui transforma la tribune en hémicycle décoré et enrichit l'ornementation du positif. Par malheur, pour mieux éclairer ces nouveautés, les chanoines ont fait détruire les vitraux pour les remplacer par du verre blanc. Quelques beaux fragments subsistent cependant dans les fenêtres hautes. On trouve à Saint-Merry des peintures estimables, comme les *Disciples d'Emmaüs* de Coypel (dans la chapelle de la Communion), *Saint Merry délivrant les prisonniers* de Simon Vouet, et *le Sacrilège à l'église Saint-Merry*, par Claude Belle, au croisillon nord; mais il y a surtout (dans la sacristie) l'étrange et ravissant panneau du XVIᵉ siècle représentant sainte Geneviève gardant ses moutons, au centre d'une construction mégalithique en forme de cromlech. Paris apparaît dans le lointain.   170 N

254, rue Saint-Martin, IIIᵉ. Le percement de la rue Turbigo et les opérations d'urbanisme consécutives ont enserré l'église dont la face nord disparaît derrière les nouveaux immeubles qui s'y sont accolés sans scrupule. Elle a subi des agrandissements successifs, très caractérisés, qui ont suivi le développement du quartier. La première construction remonte à 1420-1480. La façade date de cette époque, de même que le clocher et les sept premières travées de la nef. Quatre travées, plus élevées, d'un tout autre style, et les doubles bas-côtés ont été ajoutés pendant la Renaissance. Deux nouvelles travées, le pourtour du chœur, l'abside et ses chapelles ont été bâtis au début du XVIIᵉ siècle. Malgré cette œuvre disparate, chacune des parties, dans son développement chronologique, présente un intérêt architectural. La façade d'entrée, fortement restaurée, est décorée d'arcatures et de reliefs couramment employés dans le gothique tardif. La statuaire est moderne. Au-dessus du portail la grande fenêtre d'origine est surmontée d'un fronton Renaissance. En franchissant le vestibule on remarquera, sous le plafond de chêne, sculpté de rosaces, une paire de fortes consoles, également en chêne, qui soutiennent la tribune d'orgue invisible sous la forme de femmes ailées, le corps à demi dénudé, jaillissant de bouquets de fleurs. Le long vaisseau offre un contraste saisissant entre les premières travées en ogive aux lourdes nervures à pénétra-

église
Saint-Nicolas
des-Champs

Des remaniements tardifs, un ensemble disparate, mais des solutions architecturales intéressantes.

tion et les six dernières dont le maître d'œuvre semble avoir voulu accuser le nouveau style : arcades en plein cintre reposant sur des colonnes cannelées à chapiteaux doriques. Les voûtes du pourtour du chœur, remaniées au XVIIIᵉ siècle, reposent sur des colonnes ovoïdes cannelées à chapiteaux ioniques. Ces oppositions insolites n'engendrent pourtant point de désordre. En revanche, le retable monumental du maître-autel est d'un style Louis XIII de puissante et harmonieuse carrure : des colonnes de marbre rouge encadrent deux belles peintures de Simon Vouet. Beaucoup de tableaux sont répandus dans les chapelles; ce sont pour la plupart des œuvres modernes ou des copies de maîtres anciens. Les plus précieuses étaient de petites peintures italiennes du XIVᵉ siècle sur fond d'or qui décoraient un retable; elles ont été volées en 1971. Saint-Nicolas-des-Champs possède un ouvrage d'architecture-sculpture fort remarquable : le portail sud, l'un des exemples les plus purs de la Renaissance française : deux paires de pilastres corinthiens aux admirables chapiteaux ciselés encadrent une porte cintrée surmontée d'anges en bas-relief et d'un fronton. Les rapports des lignes et des formes touchent à la perfection. Cet ouvrage, dont on ignore l'exécutant, est très nettement inspiré d'un décor de fête dessiné par Philibert de l'Orme. On remarquera la toiture du chevet qui, d'une même pente, couvre à la fois l'abside, les chapelles et les bas-côtés, ce qui est exceptionnel en France.

Rue Saint-Victor, V^e. Un tel nom peut intriguer. En voici l'origine. Au Moyen Age, un clos dépendant de l'abbaye Saint-Victor, planté de vignes, ayant été laissé à l'abandon, se couvrit de chardons, ce pourquoi il fut appelé désormais « le Chardonnet ». C'est sur ce terrain que fut bâtie l'église dédiée à saint Nicolas. Cet édifice, qui remplaçait une église du XIIIe siècle, fut maintes fois remanié, et il n'en subsiste plus qu'une tour-clocher; bien que construite en 1625, elle a gardé un caractère médiéval qui n'est pas sans contraster avec le reste du monument. L'église actuelle fut commencée en 1656. Dans ce quartier alors en pleine croissance, il fut décidé qu'elle jouxterait l'ancienne — ce qui explique son orientation nord-sud contraire à la tradition. Les travaux, souvent arrêtés, durèrent très longtemps. On y travaillait encore en 1756. Et il appartint au XXe siècle — cas tout à fait exceptionnel — de la terminer.

L'église est de style Louis XIV. Qui en est l'auteur ? On ne peut qu'avancer des hypothèses. D'après Blondel, c'est Charles Le Brun qui en serait le maître d'œuvre. Celui-ci, alors directeur de la manufacture des Gobelins, était peintre et décorateur. Ses dons étaient prodigieusement variés, mais enfin, s'il a dessiné des portails, des autels avec leur statuaire, il n'a jamais été architecte. Nous ne pouvons que supposer qu'il ait collaboré au plan et dirigé les travaux de décoration. Dans tous les cas, paroissien de Saint-Nicolas, il a comblé l'église de bienfaits.

La façade principale, prévue dès l'origine, comme en témoigne un de ses dessins, n'avait pas été réalisée faute d'argent. Celle que nous voyons a été commencée en 1934 et terminée après la guerre. Il fallait agrandir l'église d'une cinquième travée et l'honorer de la grande entrée dont elle avait été privée. La question fut fort discutée. Ferait-on de la copie d'ancien ou du moderne ? Copier c'est toujours trahir. Quant à la formule « moderniste », si elle eût été appliquée, songeons à ce que serait un échantillon de l'art décoratif de cette époque greffé sur l'architecture classique! La solution retenue fut d'établir une façade d'esprit classique, d'honnête allure, qui a éliminé tout élément superflu. Seuls deux anges, dus au sculpteur Poisson, surmontent le portail. Le vieux clocher est maintenant un peu en retrait de la façade neuve. Sur la rue des Bernardins on remarquera l'étroit mais riche et vigoureux portail à fronton de Le Brun. L'abside, avec les jeux souples de ses arcs-boutants, est tournée vers le boulevard Saint-Germain dont la percée, au temps d'Haussmann, a entraîné quelques remaniements. L'architecte Baltard s'est autorisé à la modifier et à ajouter un petit dôme coiffé d'un piètre lanternon.

Les arcades en plein cintre de la nef sont surmontées de chapiteaux composites. Sept chapelles flanquent les bas-côtés et onze chapelles rayonnent autour du déambulatoire. La plupart d'entre elles contiennent des tableaux intéressants. Des siècles classiques signalons des œuvres de Claude Vignon, de Coypel, de Crayer, de Restout, de Natoire, de Lagrenée. On s'arrêtera devant une *Annonciation* flamande et surtout une extraordinaire *Crucifixion* groupant dans

église
Saint-Nicolas
du-Chardonnet

un paysage tumultueux une foule de petits personnages éclatants qui semblent bénéficier à la fois de l'art de Breughel l'Ancien et de son fils Pierre Breughel II; on regardera aussi un *Martyre de saint Jean l'Evangéliste*, où Le Brun a mis un réalisme vigoureux au service d'un sens exceptionnel de la composition. Une des chapelles du déambulatoire contient le tombeau de Jérôme Bignon, grand maître de la Bibliothèque royale, par Girardon. Une autre — celle de saint Charles Borromée — acquise par Le Brun, renferme le dramatique tombeau de sa mère décharnée surgissant d'un sarcophage, enveloppée d'un suaire admirablement drapé. L'exécution de cette œuvre intense est due à Jean Collignon. A côté se trouve le tombeau de Le Brun lui-même par Coysevox. Un grand nombre de stalles entourent le chœur. Elles nous rappellent que le séminaire Saint-Nicolas, le premier en date de Paris, était tout voisin et que sa vie était intimement liée à celle de la paroisse jusqu'aux événements sanglants de 1792 qui virent la dévastation du bâtiment et le massacre des nombreux prêtres et séminaristes. Il se trouvait à l'emplacement de la salle de la Mutualité.   172 S

Martyre de saint Jean par Le Brun.

99, rue Saint-Antoine, IVᵉ. L'histoire de cette église est liée à celle de l'ordre des jésuites en France et aux agitations de la politique. Leur maison professe, rue Saint-Antoine, était installée dans le vaste hôtel qui leur avait été donné en 1580 par le cardinal de Bourbon. Une chapelle, à l'emplacement de l'église actuelle, était vouée à saint Louis. Mais, en 1595, les jésuites, trop mêlés à l'action de la Ligue, furent expulsés de France et ne purent rentrer qu'en 1606. Ils bénéficièrent ensuite de l'appui de Louis XIII : afin qu'ils puissent construire une église digne de l'importance qu'avait gagnée leur établissement, le roi mit à leur disposition des terrains rendus libres par la ruine de l'enceinte de Philippe-Auguste. En 1627, assisté de Jean-François Gondi, archevêque de Paris, il posa la première pierre. En 1641, entouré de sa famille, il assistait à la première messe célébrée par le cardinal de Richelieu. Les jésuites étaient donc rentrés en grande faveur. Ils la gardèrent jusqu'à ce que leur ordre fût supprimé, en 1762, par décision du Parlement.

On parle abusivement d'un style jésuite. Les églises de la compagnie de Jésus participent, en somme, au style de l'époque, et, comme les autres, offrent bien des diversités. On ne peut guère y trouver de normes particulières. Il est vrai que l'église Saint-Paul dérive directement du Gesù de Rome. Il est vrai que c'est le frère Martellange, principal architecte de la compagnie, qui en conçut les plans. Mais c'est le père Durand qui a établi une coupole dont nous avions vu déjà d'autres exemples; il éleva une façade très proche de celle de Saint-Gervais, bien que de dimensions sensiblement plus grandes, d'un style moins pur et plus orné. N'oublions pas que l'église, dépendance de la maison professe des jésuites, était au centre du quartier aristocratique et de la vie mondaine. Les plus grands orateurs sacrés s'y sont fait entendre.

église
Saint-Paul-
Saint-Louis

La façade de l'église Saint-Paul-Saint-Louis est influencée par l'église du Gesù de Rome.

Mme de Sévigné écrit avec délectation qu'elle se propose d' « aller en Bourdaloue ». Richard Delalande y tint l'orgue, et Marc-Antoine Charpentier en fut maître de chapelle.

La sculpture de la façade est d'une opulence qui s'exalte parfois au détriment de l'architecture; l'ordre corinthien a partout triomphé. A l'étage supérieur s'inscrivent les armes de France et de Navarre sous un fronton triangulaire. Les grandes niches sont encadrées de doubles colonnes; les ornements sont plus généreux au fur et à mesure que le monument s'élève. La grande horloge inscrite dans un rayonnement doré, qui date de 1627, provient de l'église royale Saint-Paul (disparue) et fut posée ici en 1802. Notons que la statuaire des niches a été restituée au XIXe siècle. Vue avec un certain recul, cette façade ressemble à un grand retable — d'autant qu'aucune baie ne vient l'éclairer. Le dôme, engoncé dans les combles, est masqué. Pour le découvrir il faut aller vers la Seine, par la rue des Jardins-Saint-Paul : la silhouette un peu lourde, mais solide, du chevet et du dôme octogonal apporte à un paysage urbain assez confus une valeur significative de l'esprit du Grand Siècle.

On ne peut qu'admirer l'ampleur et la noblesse de la nef. Bordée d'arcades en plein cintre, voûtée en berceaux, elle est flanquée de chapelles à coupolettes toutes reliées par des passages engendrant des perspectives d'un heureux effet. Des tribunes s'ouvrent par des arcades en anse de panier. Le large entablement constitue sous les fenêtres hautes une galerie de circulation qui court tout autour de l'église ornée d'une légère balustrade en fer forgé. Le dôme, à la croisée du transept, repose sur des pendentifs à médaillons représentant les quatre évangélistes. L'abside semi-circulaire suit le mouvement de la nef mais ses panneaux ont été peints en 1840 de personnages d'une grande fadeur.

Avant la Révolution, l'église contenait un mobilier d'une richesse éclatante. On y voyait des tableaux de Simon Vouet, de Philippe de Champaigne, de Vignon. La chapelle où reposaient les cœurs de Louis XIII et de Louis XIV avait reçu leurs statues en argent par Sarrazin et Guillaume Coustou. Le superbe monument funéraire du prince Henri de Condé, par Sarrazin, fut acheté par le duc d'Aumale qui le fit remonter dans la chapelle du château de Chantilly. Deux tableaux de Simon Vouet ont subsisté. Et, par bonheur, nous pouvons voir encore, dans la chapelle à gauche du chœur, la *Vierge de pitié*, de Germain Pilon, dont la douceur dramatique rayonne sur une magistrale composition de draperie.

Lorsque sous le règne de Louis XV les jésuites durent à nouveau s'exiler, leur maison fut dévolue aux chanoines du prieuré de Sainte-Catherine-de-la-Couture, et l'église fut nommée Saint-Louis-la-Couture jusqu'à la Révolution. En 1802, l'église Saint-Paul, toute voisine, ayant été démolie, les habitants réclamèrent un service paroissial et c'est le nom de Saint-Paul qui désormais passa en premier pour conserver le souvenir de la vieille église royale. La maison professe avait subi de graves dommages. Sa célèbre bibliothèque, à laquelle sont particulièrement attachés

les noms de Ménage et du père La Chaise, fut dispersée. Les locaux furent occupés par une école centrale, puis par le lycée Charlemagne (1804). Leur état actuel est fort décevant. Des inestimables richesses qu'ils contenaient ne reste guère que le grand escalier avec son plafond peint par Giovanni Gherardini, qui est également l'auteur du plafond de l'ex-bibliothèque. Les abords de l'église ne manquent pas d'un certain pittoresque. A gauche, l'étroit passage Saint-Paul, dont les maisons datent de la construction de l'église, conduit à une entrée secondaire de la nef. La minuscule rue Eginhard relie la rue Saint-Paul à la rue Charlemagne. 173 N

Le plan de l'intérieur fut rapporté de Rome par le père Martellange. Durand conçut la coupole.

154, rue du Faubourg-Saint-Honoré, VIIIe. Chalgrin, très féru de « retour à l'antique » trouva une excellente occasion de s'exprimer lorsqu'il reçut la commande de Saint-Philippe-du-Roule, construite entre 1774 et 1784. Le quartier Saint-Honoré commençait à se peupler. A quartier neuf, église de style nouveau. Chalgrin devait faire figure de précurseur en s'inspirant des basiliques romaines. La sévère façade est donc précédée d'un péristyle bordé de quatre grosses colonnes doriques surmontées d'un fronton triangulaire que soulignent de forts modillons. La nef, simple et harmonieuse, est bordée d'une colonnade ionique qui se poursuit en hémicycle autour du chœur. Elle est couverte d'une voûte en berceau. Le chœur était limité par un mur plein, jusqu'à ce que, la paroisse s'étant beaucoup développée, l'architecte Godde eût été chargé d'agrandir l'église. Il ne toucha pas au vaisseau de Chalgrin, mais établit un déambulatoire desservant une grande chapelle axiale. Le cul-de-four du chœur a été décoré d'une vaste et solide composition de Chassériau figurant la Descente de Croix. Le chœur a été réaménagé en 1967 en s'adaptant aux nouveautés liturgiques; les lignes générales de l'architecture s'en trouvent dégagées avec bonheur. 174 N

église
Saint-Philippe
du-Roule

30, rue de Chaillot, XVIe. L'église construite pour desservir l'opulent quartier de Chaillot a été terminée en 1937. C'est la dernière église parisienne qui ait été conçue dans un esprit de pastiche. L'architecte Emile Bois s'est inspiré de l'art roman mais l'a traduit avec une sorte de régularité mécanique très éloignée de l'art et de la spiritualité de ses modèles. On est avant tout surpris par l'ampleur du tympan historié où le sculpteur Henri Bouchard a décrit saint Pierre en gloire entouré de scènes légendées. L'ensemble est traité dans le style « moderniste » qui régnait alors dans la sculpture officielle. La nef est surmontée de trois coupoles. La tour, d'aspect géométrique, voudrait aussi être romane. L'ossature de cette vaste église a eu recours au béton, mais camouflé par de la pierre. 175 N

église
Saint-Pierre
de-Chaillot

Le télégraphe de Chappe fonctionna dès 1793 sur l'abside de Saint-Pierre.

église Saint-Pierre de-Montmartre

Au sommet de la butte Montmartre, XVIIIᵉ. En ce lieu sacré par le sang des martyrs, l'église a été mutilée plus qu'aucune autre église parisienne — au point que nous pouvons difficilement reconnaître ce qui reste encore du monument d'origine. Celui-ci remonte à 1147, au temps où Louis le Gros et sa femme Adélaïde de Savoie avaient installé sur la colline un monastère de bénédictines. Au XIVᵉ siècle leur église était tombée dans un tel état de délabrement qu'elles durent l'abandonner pendant dix ans pour en permettre les réparations. Au siècle suivant, l'abbesse ayant été contrainte de réserver le tiers des revenus de l'abbaye à l'entretien des bâtiments, les voûtes de la nef purent être reconstruites. Sous Louis XIV une façade fut réédifiée, celle que nous voyons, ainsi qu'une partie des murs. En 1793, Chappe fit élever une tour sur l'abside pour installer son télégraphe optique qui permettait, avec 16 relais, de correspondre avec Lille. Visible de partout, cette tour et ses signaux affligèrent le paysage pendant 65 ans. Les Russes, en 1814, transformèrent les absidioles en fours à pain. Vers 1830, l'église menaçant de crouler on dut en reconstruire les murs et amputer les bras du transept. Mérimée considérait alors que l'église était définitivement perdue. Pourtant des travaux furent exécutés — plutôt des constructions neuves que des réparations — avant que fût entreprise une restauration générale, d'ailleurs non sans mérite, qui se prolongea jusqu'aux premières années du XXe siècle.

Que reste-t-il donc de la vieille église romane ? A l'extérieur, rien. A l'intérieur, la dernière travée de la nef; les autres ont été édifiées postérieurement avec un décalage manifeste dans l'éléva-tion. Les voûtes en ogives datent du XVe siècle — remplaçant pro-bablement un plafond plat — celles du vaisseau central du XIXe. L'abside avait été reconstruite à la fin du XVIIIe siècle. Les bas-côtés furent entièrement rebâtis vers 1900 au cours d'une campagne de restauration qui réussit à donner à l'ensemble une certaine appa-rence d'homogénéité.

On peut pourtant voir des chapiteaux du XIIe siècle dont certains représentent de curieuses scènes historiées. Au revers de la façade et près de l'abside se détachent des colonnes de marbre noir cou-ronnées de chapiteaux de marbre blanc. Elles étaient considérées comme des remplois de monuments antiques jusqu'à ce que Jean Hubert eût démontré (1938) qu'ils provenaient des ateliers d'Olo-ron d'où ils étaient parvenus à Montmartre au VIIe siècle. Ce qui tend à authentifier l'existence, jusque-là légendaire, d'un ancien sanctuaire. Passant de ces vestiges archaïques aux dernières nou-veautés, mentionnons que grâce à la générosité d'un paroissien, tous les vitraux ont été exécutés par Max Ingrand et mis en place en 1953. Les fenêtres hautes sont consacrées à une symbolique de saint Pierre, patron de l'Eglise.   176 N

Place Victor-Basch, XIVe. Parmi les nombreuses et souvent très importantes églises édifiées sous le second Empire, généralement en simili-gothique, Saint-Pierre-de-Montrouge se distingue par une architecture qui échappe à l'habituelle vulgarité du pastiche. Vaudremer, son architecte, possédait une certaine vigueur d'accent et cherchait à s'évader des routines. S'il s'est ici inspiré des basiliques paléo-chrétiennes et byzantines, son art reste simple, dépouillé; il échappe au répertoire courant. Le clocher-porche coiffé d'une flèche pyramidale s'élève avec assurance et dignité. On remarquera les arcatures et les bandes discrètement moulées en terre cuite. La nef (65 m) est couverte de charpente apparente en sapin rouge. Les bras très allongés du transept se terminent en absides polygonales. Le grand ciborium qui domine le maître-autel est sans doute moins heureux; le décor est indigent; mais, dans l'ensemble, ce monument est d'une qualité architecturale assez rare pour l'époque.   177 S

église
Saint-Pierre
de-Montrouge

église
Saint-Roch

296, rue Saint-Honoré, Ier. Le quartier qui dépendait encore, au
début du XVIIe siècle, de la paroisse Saint-Germain-l'Auxerrois, se
peuplait avec rapidité. Une nouvelle et vaste église s'imposait.
Les plans furent demandés à Jacques Lemercier ; mais les troubles
de la Fronde retardèrent longtemps sa construction et l'architecte
mourut lorsque commencèrent les travaux, la première pierre ayant
été posée par le jeune Louis XIV en 1652. La configuration du
terrain, le désir d'implanter la façade sur le faubourg Saint-Honoré
empêchèrent l'orientation traditionnelle. Par manque de crédits,
les travaux devaient durer près de cent ans. Lorsque l'église fut
consacrée en 1740, Jules-Robert de Cotte commençait seulement
à élever la façade, d'après un projet de son père, et la plupart des
travaux de décoration n'étaient pas terminés. On avait vu très
grand, et l'avenir du quartier devait témoigner qu'on ne s'était
pas trompé. L'architecture reste fidèle aux recettes habituelles de
l'âge classique : deux ordres superposés sur une façade (qui a perdu
sa décoration d'origine). Cette façade offre une particularité : la
nef, déjà longue, et le chœur de quatre travées ouvrent sur une
importante chapelle de la Vierge de plan circulaire dont les bas-
côtés mènent, dans le même axe, à la chapelle de la Communion.
Enfin, derrière celle-ci, se trouve une troisième chapelle, celle du
Calvaire. Ces curieuses dispositions étaient prétextes à effets de
perspectives scéniques à travers les arcades, à des oppositions

d'éclairage destinées à dramatiser le sanctuaire, toutes choses que goûtait l'époque : l'architecte Boullée, le sculpteur Falconet et le peintre J.-B. Pierre se sont livrés mutuellement à des jeux d'optique dont il ne reste plus aujourd'hui que des images atténuées. Cependant, compte tenu d'un nouvel autel placé au transept sur un podium pour satisfaire à la nouvelle liturgie, cinq autels s'échelonnent les uns derrière les autres.

Saint-Roch renferme une statuaire abondante et intéressante qui en fait un véritable musée. Au XVIIIe siècle des artistes, des écrivains, des personnalités importantes en furent les paroissiens. Ils y sont enterrés et leur mémoire est souvent rappelée par un buste ou un monument dû à un sculpteur de renom. Dès l'entrée, près du portail, nous lisons une inscription à la mémoire de Corneille. Dans les chapelles nous remarquerons, entre autres, le monument du duc de Créqui, par Mazeline et Hurtrelle, le Baptême du Christ et le buste de Mignard par Lemoyne, le cardinal Dubois par Coustou, saint Jérôme par J.-S. Adam, saint François de Sales par Pajou, l'admirable buste de Le Nôtre par Coysevox qui surmonte une longue inscription racontant sa vie et célébrant son génie. Le groupe de la Nativité par Michel Anguier qui domine le maître-autel provient de l'église du Val-de-Grâce où il a été remplacé par une réplique. Parmi les tableaux les plus importants nous citerons le *Godefroy de Bouillon* de Claude Vignon, *la Mort de Saint Louis* de Coypel, *la Présentation au temple* et *le Triomphe de Mardochée* de Restout. De nombreux tableaux romantiques décorent les murs; la chapelle des fonts baptismaux a reçu des peintures murales de Chassériau dont la vigueur d'expression contraste avec l'habituelle fadeur répandue dans la peinture religieuse de son temps. La chapelle de la Communion accueillit sous la Restauration des éléments décoratifs insolites inspirés, dit-on, par le temple de Jérusalem : sur un autel massif le tabernacle qui symbolise l'arche d'alliance est entouré de candélabres à sept branches.   178 N

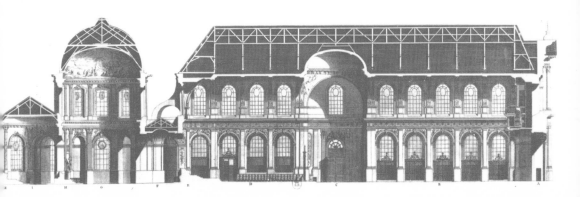

église Saint-Séverin

1, rue des Prêtres-Saint-Séverin, Ve. Saint-Séverin est aujourd'hui l'église la plus connue, la plus aimée de cet étrange quartier à qui elle a donné son nom, un quartier de tracé médiéval, de fréquentation cosmopolite, réceptacle des engouements et amusements culturels ou autres de la jeunesse du Quartier latin. Les petites foules bigarrées qu'on y rencontre, chercheuses d'émotions et sensations variées on peut douter qu'elles évoquent la mémoire du saint patron « Séverin le solitaire », ermite venu du Valais qui, si l'on en croit la tradition, guérit miraculeusement le roi Clovis. La découverte d'un grand nombre de sarcophages de plâtre atteste que nous sommes sur un lieu sacré depuis les temps mérovingiens. L'église actuelle fut entreprise au début du XIIIe siècle, mais, probablement à la suite d'un incendie, il n'en resta plus que les trois premières travées de la nef et les étages inférieurs du clocher. Les autres travées, le bas-côté sud, le double bas-côté nord, l'abside et les déambulatoires datent du XVe siècle ainsi que la partie haute du clocher dominé par une flèche aiguë. Les chapelles latérales ne furent terminées qu'au XVIe siècle. Enfin, au XVIIe siècle, le jubé fut démoli et Hardouin-Mansart construisit la chapelle elliptique de la Communion.

Cette église possède un charme indéniable, dû sans doute au fait que ses apports successifs sont restés dans l'esprit du plan d'origine : les pignons triangulaires des chapelles, les arcs-boutants d'une grande légèreté et la structure des combles composent un ensemble bien articulé. Il faut signaler le portail du XIIIe siècle provenant de la petite église démolie de Saint-Pierre-aux-Bœufs dans la Cité; bien que maltraité, il a pu s'insérer dans la façade occidentale (1839).

Les chapelles avaient été décorées avec beaucoup de recherches mais en 1793, l'église ayant été transformée en poudrière, il fallut restaurer entièrement l'intérieur; et les chapelles furent peintes par de nombreux artistes en honneur au milieu du XIXe siècle.

Huysmans, qui fréquentait beaucoup Saint-Séverin et l'admirait profondément, écrivait du déambulatoire qu'il était « l'une des plus étonnantes ombelles que les artistes d'antan aient jamais brodées pour abriter le Saint-Sacrement de l'autel ». Nous sommes là en effet, sous des voûtes d'ogives — plus élevées que celles des bas-côtés — dont les retombées constituent un jeu savant et complexe de grande architecture. Le pilier axial torsadé semble commander le jaillissement et le foisonnement des nervures qui se déploient dans un équilibre mystérieux d'ombres et de lumières. L'atmosphère de douceur et de recueillement nous paraît cependant perturbée par les vitraux de Jean Bazaine, posés en 1967; ce peintre de noble talent a voulu des accords fulgurants et asymétriques qui sont contraires à l'harmonie d'un lieu où la loi du cadre s'imposait.

Il y a de très beaux vitraux sur les fenêtres hautes des premières travées qui représentent des figures de saints sous des dais d'architecture très caractéristiques de la fin du XIVe siècle, entre autres le grand saint Jacques à robe bleue qui a été transféré de Saint-Ger-

L'église Saint-Séverin, par Utrillo.

main-des-Prés en 1858. D'autres, plus tardifs, illustrent les fenêtres hautes des dernières travées. Un magnifique *Arbre de Jessé* s'étale sur la grande baie de la façade occidentale (vers 1500). Le buffet d'orgue (1745), d'une courbe concave très harmonieuse, est enrichi de groupes d'anges et de chérubins.

Au nord de l'église s'étend un charnier du XVᵉ siècle dont les galeries ont été malencontreusement réduites de moitié en 1840 par la construction d'un presbytère. Lors du dégagement du chevet, en 1920, autre méfait, mais inverse : l'adjonction sur les arcades de grands pignons qui n'avaient jamais existé que dans l'imagination de leur architecte. 179 S

Le déambulatoire et le pilier axial torsadé.

église Saint-Sulpice

Place Saint-Sulpice, VIᵉ. Par ses dimensions Saint-Sulpice est proche de Notre-Dame et leurs plans ne sont pas très différents : nef à bas-côtés, chapelles latérales, transept non saillant, chœur en hémicycle, déambulatoire et nombreuses chapelles rayonnantes. Les voûtes contrebutées par des contreforts accusent une certaine identité de structure entre les deux églises. Là s'arrête toute comparaison. On pourrait même désigner ces monuments comme des pôles opposés pour caractériser deux expressions divergentes de l'art de bâtir et de l'art tout court. « Saint-Sulpice, écrit Viollet-le-Duc, par son plan et son système de structure, est encore une église gothique élevée par des constructeurs médiocrement habiles qui n'ont rien trouvé de mieux que de substituer aux supports grêles des églises du Moyen Age de lourds piliers obstruant la vue et la circulation. » Comment Viollet-le-Duc, dans sa passion exclusive pour le gothique, a-t-il pu écrire des choses aussi absurdes ? Il parle comme s'il ignorait l'existence de Vignole, de Palladio ou de Michel-Ange, comme s'il oubliait que l'esprit de la Renaissance s'était implanté au cœur de la chrétienté.

Au XIIIᵉ siècle, une petite église Saint-Sulpice était la paroisse du bourg Saint-Germain, émanation de l'abbaye de Saint-Germain-des-Prés. Elle ne cessa de s'agrandir, en même temps que s'étendait la paroisse, jusqu'à ce qu'on eût jugé préférable d'en construire une autre beaucoup plus vaste. Cette décision venait d'un prêtre dont la personnalité marqua profondément son temps. L'abbé Olier, curé de Saint-Sulpice, était un de ces mystiques actifs qui contribuèrent au renouveau spirituel du XVIIIᵉ siècle. En 1642 — il avait 34 ans —, sa tâche était définie : il revivifierait sa paroisse, et il fonderait un séminaire dont il renouvellerait l'enseignement. Il voyait très grand : la nouvelle église triplait l'ancienne en superficie. Les plans ayant été demandés à l'architecte Joseph Gamard, la première pierre fut posée en 1646. L'église est longue de 119 m et large de 57 m. (Notre-Dame 127 × 48.)

L'abbé Olier étant mort cinq ans plus tard, les travaux sont confiés à Daniel Gittard en 1660, puis arrêtés en 1678 faute de crédits. D'obscures querelles règnent entre les marguilliers. Le déficit est énorme. N'étaient encore élevés que le chœur, les piles de la croisée et un bras du transept, qui enserraient l'ancienne église. Les travaux sont alors interrompus durant 41 ans. Le curé, J.-B. Languet de Gergy, qui s'était promis d'en finir, déploya une prodigieuse ardeur à recueillir les fonds nécessaires à la continuation du bâtiment qui fut confiée à Gilles-Marie Oppenord. L'église put être consacrée en 1745. Restait la façade... Servandoni, désigné par concours, édifia les deux majestueux portiques superposés qui forment un porche élevé et profond, et sont couronnés de deux tours : celle du nord, habilement habillée par Chalgrin en 1777, s'oppose à sa voisine, restée nue avec les blocs de pierre à l'état brut prévus pour les sculptures. Cette disparate est encore accusée par leur écart qui laisse un large vide : un grand fronton triangulaire les reliait au-dessus des portiques, mais à peine était-il terminé qu'il fut brisé par la foudre. La Révolution survint, l'église fut désaffectée avant qu'on ait pu faire à cette façade les réparations nécessaires. Quant aux façades latérales, elles sont d'une grande sévérité. Au nord, un portail classique en rompt sans agrément la monotonie. Mais au chevet, les coupoles, les toitures bulbeuses qui correspondent aux chapelles de la Vierge et des Allemands, composent un ensemble un peu éparpillé plein de saveur : le seul « désordre organisé » que l'on puisse trouver dans une architecture aussi strictement ajustée.

Franchies les colonnades doriques de la façade, nous pénétrons à l'intérieur de l'église sous d'autres portiques. Tout y est de proportions si parfaites que l'on n'en mesure pas dès l'abord l'immensité. Le décor, discret, toujours d'une grande rigueur, contribue à cet accent de gravité et de noblesse donné par la carrure des piliers et la vigueur des arcades. Une lumière abondante est distribuée par de hautes baies. L'ensemble est d'une homogénéité absolue, irréprochable presque à l'excès. Chaque élément participe avec exactitude à la sûreté de son équilibre : larges pilastres profondément cannelés, entablement en forte saillie, lunettes largement ouvertes où s'encastrent les fenêtres hautes. Les formes architecturales déterminent des ornements réduits en nombre et localisés avec précision.

Les bénitiers sont des coquillages géants, dons de la République de Venise à François Ier, qui furent ensuite offerts à l'église par Louis XV. Pigalle leur a sculpté des socles semblables à des rochers marins parsemés d'algues, de crabes et de poulpes traités avec réalisme. Ce qui donne dès l'abord une note baroque que nous retrouverons çà et là dans la décoration du monument. Les chapelles rondes, de chaque côté de l'entrée, ont été décorées par Chalgrin. Celle de droite, la chapelle des Saints-Anges, a reçu de grandes peintures murales de Delacroix que l'on peut placer au sommet de son œuvre : au plafond, Saint-Michel et le dragon; sur les murs, Héliodore chassé du Temple et la lutte de Jacob avec l'ange où celui-ci reçoit avec la confiante sérénité reçue de la Providence les coups furieux que lui porte son adversaire, tête baissée, le corps tendu, dans un paysage de splendeur et de paix. Les peintures des

Le projet de Servandoni pour la façade. Il ne fut jamais mené à bien.

Banquet donné aux généraux Bonaparte et Moreau, le 6 novembre 1799.

autres chapelles, qui datent aussi du XIXᵉ siècle, sont à peine visibles tant elles sont noircies par le temps; mais il ne semble pas qu'on ait à le regretter. Dans la dernière chapelle à droite avant le transept, le monument funéraire du curé Languet, par Michel-Ange Slodtz, en marbre noir et blanc, dont l'agitation et le baroquisme sont exceptionnels dans l'histoire de la sculpture française.

La chapelle axiale, chapelle de la Vierge, a été deux fois remaniée au XVIIIᵉ siècle, par Servandoni, puis par Charles de Wailly. Contrairement à ce qui se passe généralement à la suite d'interventions successives, le résultat, pour être théâtral, n'en est pas moins digne de la plus grande admiration. Entre des pilastres de marbre blanc dominés par des angelots et des guirlandes s'intercalent des peintures de Carle Van Loo. L'autel, dont le marbre blanc à reliefs de bronze doré contraste avec des colonnes antiques de marbre cipolin, est dominé par une haute niche où paraît une blanche et douce Vierge à l'Enfant de Pigalle. Elle reçoit un éclairage zénithal dont l'effet était beaucoup plus extraordinaire lorsque la chapelle n'était éclairée qu'à la lueur des cierges. Une apparition du ciel. Pour distribuer dans la chapelle une mystérieuse lumière, les architectes ont conçu un jeu de coupoles superposées. La coupole dominante est décorée d'une fresque de Le Moyne — sévèrement restaurée.

A côté, une porte souvent fermée conduit à la vaste chapelle de l'Assomption, dite des Allemands parce qu'elle fut la paroisse des Allemands de Paris au XVIIIᵉ siècle. Construite hors-d'œuvre en 1670, elle a été modifiée en 1750 et couverte de boiseries rocaille. Noël Hallé en a peint le plafond. La sacristie est entièrement décorée de boiseries Louis XV en chêne sculptées par Oppenord. Des ferronneries d'appui ont été dessinées par Michel-Ange Slodtz. Dans la nef, on remarque l'extravagant tour d'équilibre de la chaire à prêcher, toute en marbre, qui date de l'extrême fin du règne de Louis XVI. L'orgue, enfin, est le plus puissant de Paris. Exécuté en 1779 d'après les dessins de Chalgrin, il a la forme d'un temple antique cintré. Huit colonnes corinthiennes cannelées supportent un très vaste entablement où des anges aux ailes déployées présentent une lyre. La montre restait entièrement apparente, mais, au milieu du XIXᵉ siècle, l'ensemble fut surchargé d'une horloge surmontée d'un roi David jouant de la harpe, de statues dans les entrecolonnements, et, sur les côtés, de lourdes femmes portant des vases de fleurs.

L'église Saint-Sulpice aurait dû se présenter de façon beaucoup plus imposante si l'on avait suivi jusqu'au bout le projet de Servandoni. Il prévoyait devant la façade une grande place ordonnancée d'une architecture homogène et digne. Nous pouvons la regretter en voyant la seule maison qui ait été construite, à l'angle de la rue des Canettes, dont le style simple et assuré contraste vivement avec celles qui ont ensuite bordé la place. Rappelons que le grand bâtiment situé au nord fut construit par Godde entre 1820 et 1838. C'était le séminaire Saint-Sulpice qui remplaça celui de l'abbé Olier jusqu'à la loi de Séparation. Depuis, le ministère des Finances y a installé les bureaux des impôts.   180 S

**église
Saint-Thomas
d'Aquin**

Place Saint-Thomas-d'Aquin, VIIᵉ. Sage et solide façade, sans originalité mais bien rythmée. Elle est due au frère Claude, architecte du noviciat des Frères Prêcheurs dont cette église était la chapelle. Elle était dite église des « jacobins ». Ainsi surnommait-on depuis des siècles les dominicains. Devant la façade, une placette ronde la faisait communiquer avec la rue Saint-Dominique (aujourd'hui coupée par le boulevard Saint-Germain). Les bâtiments conventuels étaient groupés alentour dans un enclos. La nef et le chœur furent édifiés à partir de 1683 par Pierre Bullet, architecte parisien de talent. Puis, 40 ans après, le noviciat devant s'agrandir, un grand chœur des religieux fut construit derrière le chevet. Quant à la façade du frère Claude, elle a été plaquée sur l'église seulement en 1765. Ce type de façade à ordres superposés n'était certes pas une nouveauté; on l'avait déjà vu apparaître cent cinquante ans auparavant à Saint-Gervais, adopté presque exclusivement ensuite par des dizaines d'églises et chapelles parisiennes; il avait ses racines à Rome, et, en pleine Renaissance, Philibert de l'Orme n'en avait-il pas dégagé les principes au château d'Anet ? La disposition intérieure de l'église se réfère aux modèles classiques : berceau et arcades en plein cintre, surmontés d'un fort entablement, pilastres corinthiens, bas-côtés unissant les chapelles, coupole aplatie, abside en hémicycle. Mais tout ici témoigne de beaucoup de rigueur et d'une exécution très soignée. Il y a cependant deux excentricités qui datent de la construction du chœur des religieux qu'il fallait faire communiquer avec l'église. La première est cette grande baie vitrée percée au-dessus du sanctuaire, tache de lumière inopportune. L'autre est le motif de marbre où une gloire de bronze doré est posée sur une draperie agitée dont le style baroque contraste singulièrement avec l'austérité de l'ensemble. On remarque une série de bustes de Caffieri. Quelques tableaux du XVIIIᵉ siècle ornent l'église. Mais une peinture domine de loin toutes les autres, c'est le plafond de la chapelle Saint-Louis où François Le Moyne, en représentant la Transfiguration, a mis la même fougue, le même sens de la coloration en perspectives infinies, que dans la vaste composition mythologique qui illumine le salon d'Hercule au château de Versailles.   181 S

Sainte-Chapelle

Boulevard du Palais, Iᵉʳ. Comparer la Sainte-Chapelle à une châsse c'est un lieu commun dont on n'oserait faire usage si le mot ne convenait pas si exactement à la définir. Une châsse, au sens propre, puisqu'elle abritait la Couronne d'épines et les insignes reliques que saint Louis avait rassemblées. Et c'est bien une châsse que nous évoquons devant ce monument miraculeux, où la pierre parée de verres flamboyants comme des émaux réussit à acquérir la légèreté, l'acuité et les délicatesses d'une pièce d'orfèvrerie.

A la suite de négociations avec Baudoin II, empereur d'Orient, les reliques firent l'objet de trois voyages. Saint Louis allait à leur rencontre à Villeneuve-l'Archevêque et portait lui-même la châsse, pieds nus, à leur entrée dans Paris. Puis il décida d'élever un monument digne de les abriter. La Sainte-Chapelle fut consacrée en 1248. C'était l'âge d'or de l'architecture et de la sculpture françaises ; Notre-Dame de Paris était presque terminée ; les chantiers des grandes cathédrales, revêtues d'une statuaire de la plus étonnante beauté, se trouvaient en pleine activité et d'innombrables églises couvraient le pays. Partout les bâtisseurs apportaient une révolution dans l'art de l'architecture. A la Sainte-Chapelle ils témoignèrent d'une hardiesse, et même d'une témérité sans précédent, tout en matérialisant un sens si sûr des lois de stabilité et d'équilibre que, malgré les incendies, cet ouvrage d'apparence si fragile a bravé le temps sans défaillir. Bien qu'aucun document ne le confirme, des rapprochements avec un autre édifice dont on sait que Pierre de Montreuil fut l'auteur — la chapelle de la Vierge de Saint-Germain-des-Prés — ont longtemps permis de croire qu'il avait inspiré ce monument ; on en doute aujourd'hui sans pouvoir pour autant substituer un autre nom.

Chapelle palatine, elle fut élevée au centre de la cour du palais des rois. De nombreuses constructions postérieures empêchent qu'elle soit, comme alors, visible de toutes parts : en 1776, notamment, les reconstructeurs du Palais de Justice incendié masquèrent complètement sa façade septentrionale. Notons qu'à l'origine elle dépassait très sensiblement les bâtiments qui l'entouraient. Des adjonctions ont disparu : la sacristie, au nord, en forme d'église réduite, qui desservait ses deux étages, l'escalier droit, au sud, qui permettait l'accès direct au porche de la chapelle haute. En 1630, le feu prit dans les combles et le clocher s'écroula. Un nouveau clocher fut achevé trente ans plus tard. Pendant la Révolution, la Sainte-Chapelle fut mise en vente mais ne trouva point d'acquéreur. Elle devint magasin de farines. Un sculpteur fut chargé de faire disparaître tous les emblèmes monarchiques, et, ceux de la flèche étant difficiles à atteindre, on jugea plus expéditif de la démolir. La châsse avait fondu; mais les reliques furent en partie sauvées; elles se trouvent aujourd'hui à Notre-Dame. Sous l'Empire, la chapelle haute étant devenue le dépôt des archives judiciaires, des casiers furent établis tout autour, ce qui entraîna la destruction des vitraux sur 2 m de hauteur. En 1837, commença la restauration générale sous la direction de Duban, Lassus et Viollet-le-Duc. Ces chirurgiens avaient beaucoup de talent et de savoir, mais ils appliquaient les méthodes en cours : quel que soit l'état du monument on devait le reconstituer, tel qu'il se trouvait, ou qu'il aurait pu se trouver, en son état primitif. Ici, l'essentiel n'a pas été modifié.

La Sainte-Chapelle comprend deux étages desservis par un seul porche. La chapelle haute, de plain-pied avec les appartements royaux, était réservée à la famille royale et aux grands officiers; la chapelle basse était ouverte au public. Avec ses murs relativement épais, c'est le soubassement de la chapelle supérieure. La mince silhouette du monument est d'une incomparable élégance. L'excep-

Projet de restauration de la flèche (1631).

La chapelle basse.

tionnelle hauteur des fenêtres, les contreforts qui s'amenuisent au
fur et à mesure qu'ils s'élèvent, lui confèrent son exceptionnelle
légèreté. La construction plaquée à la quatrième travée, faussement
dite « oratoire de saint Louis », est une petite chapelle surmontée
d'un oratoire qui date de Louis XI. La plupart des ornements,
balustrades, clochetons, etc. étaient fort dégradés lors de la grande
réfection du XIXe siècle. Le clocher de Lassus, en cèdre revêtu de
plomb, a été étudié avec grand soin, mais il ne ressemble guère à
ses prédécesseurs. Le porche s'ouvre à l'ouest par des baies en
tiers-point encadrées de puissants contreforts. Le banc de pierre
qui court au long des murs constitue un soubassement. Toutes les
sculptures des portails, y compris celles des chapiteaux, sont
modernes; seule la grande rose, au-dessus du porche, date du
XVe siècle. Le terme « chapelle basse » peut être pris dans ses deux
sens : c'est la partie inférieure du monument, et sa nef n'a que
7 m de haut. Elle est séparée de ses étroits bas-côtés par des colonnes
cylindriques contrebutées par des arcs-boutants ajourés. Des piles
engagées dans les parois se développent en faisceaux de colonnettes
qui reçoivent les nervures de la voûte. Une série d'arcatures trilobées
repose sur le banc de pierre. Le sol est dallé de pierres tombales.
Les deux colonnes insolites gauchement placées dans le chœur ont
été ajoutées par la suite pour soutenir la chapelle haute. A cela près,

cette nef est d'une architecture extrêmement savante. Malheureusement les peintures dont elle a été revêtue au siècle dernier sont d'une indiscrétion malséante. On peut juger du contraste avec les peintures d'origine car d'authentiques vestiges d'une Annonciation subsistent dans la première travée nord du déambulatoire.

Deux escaliers à vis logés dans les contreforts conduisent à la chapelle haute. Pour le moins averti des visiteurs le spectacle est saisissant. C'est une immense verrière multicolore que le ciel illumine à toutes les heures du jour. Les fenêtres s'allongent sur 17 m de hauteur et toute la vitrerie est maintenue par un réseau de pierre d'une extrême légèreté. Des chaînages de fer invisibles contribuent au maintien d'une armature de pierre d'une audace inouïe. L'élan vertical de cette nef sans appui apparent semble appartenir à un monde irréel et l'on comprend qu'à une époque où les ressources techniques étaient si limitées elle ait été nommée « le paradis ». Elle est plutôt dessinée que compartimentée par quatre travées voûtées d'ogives sexpartites, tandis que l'abside comprend huit voûtes d'ogives rayonnant autour d'une clef centrale. Comme à la chapelle basse, un banc de pierre court au long des murs sur quoi s'appuie une très fine arcature. Les arcades sont groupées deux par deux sous des arcs en tiers-point; des quadrilobes sont illustrés de scènes sur fond d'or gaufré ou d'un bleu

Les vitraux de la chapelle haute : le baiser de Judas.

intense. Les chapiteaux des colonnettes sont traités avec la plus rare vigueur ; le thème du feuillage léger s'y répète sans monotonie et le regard attentif discerne toute une variété de végétaux sculptés avec un réalisme vivant qui, désormais, fera école. Aux piles sont adossés les douze apôtres. En 1797 ces statues célèbres furent transportées par Alexandre Lenoir dans son musée des Petits Augustins. Deux ont été perdues pendant la dépose ; les autres dispersées ou en morceaux. En définitive, il ne reste que quatre statues restaurées au milieu de celles qui ont été « copiées » de façon fantaisiste, et quatre autres, les plus authentiques, sont déposées au musée de Cluny. Le maître-autel et la tribune des reliques ont été détruits, mais d'après des fragments retrouvés et des documents anciens précis, Lassus a pu reconstituer l'ensemble en y incrustant quelques éléments anciens.

Les vitraux de la Sainte-Chapelle bénéficient d'un prestige sans pareil. Au vrai, le monument semble édifié pour eux, pour apporter leur participation essentielle à la « maison de lumière », de cette lumière à laquelle le Moyen Age attachait un sens mystique. Ils témoignent aussi du goût pour la couleur des hommes de ce temps et de leur attrait pour les scènes narratives qui leur étaient contées ; ce sont des livres d'images. Il est fort vraisemblable que les artisans de Chartres, leurs ateliers venant de fermer, ont été mandés à la Sainte-Chapelle. La disposition décorative est cependant toute différente : les fenêtres étant ici beaucoup plus étroites, un autre programme s'imposait. Les verrières se composent de médaillons dont chacun relate une scène animée se détachant sur un fond de mosaïque transparente, parfois semblable aux mosaïques chartraines ; mais le manque de place obligeait à sacrifier les bordures trop riches et l'ornementation végétale qui aurait alourdi le thème principal : ils sont encerclés d'un simple liséré rouge et blanc. Chacun d'eux se rapporte à des scènes de l'Ancien et du Nouveau Testament, thème éternel de la chrétienté.

Les restaurations du XIXe siècle étaient nécessaires, la partie inférieure de la vitrerie ayant disparu. Elles ont eu pour mérite de restituer ce que les restaurations plus que sommaires des siècles précédents avait altéré, et surtout, elles furent exécutées avec tant de science et de soin que, du sol, l'œil le plus averti ne peut distinguer des autres les parties rénovées, pourtant nombreuses. Sur 1 134 scènes, les spécialistes, qui ont pu les examiner de tout près sur un échafaudage, estiment que, seules, 720 datent de l'origine. Cette immense peinture translucide aux couleurs éclatantes, riche d'enseignement et de poésie, apporta aux verriers parisiens qui prenaient la suite de Chartres une primauté incontestée. La comparaison avec la rose de la façade occidentale, qui date du XVe siècle (également restaurée), est très instructive. Le principe de la division des couleurs au profit de panneaux de verre peints et modelés révèle sans doute un progrès technique, mais leur réalisme et leur complication ne font qu'attester la superbe énergie et la primauté des verrières du XIIIe siècle.

La rose de la façade occidentale illustre l'Apocalypse.

182 N

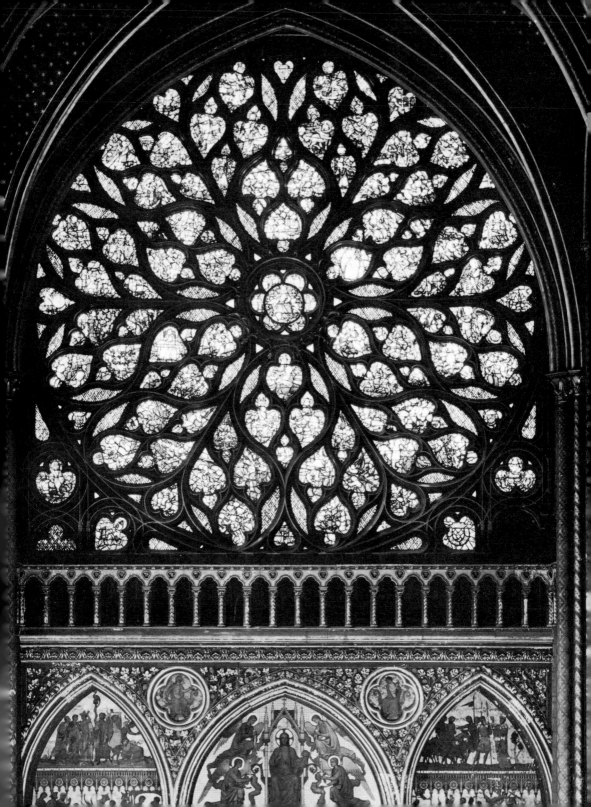

**église
Sainte-Clotilde**

Square Samuel-Rousseau, VIIe. C'est l'exemple parisien le plus complet de ce retour au Moyen Age qui est à l'origine de tant de restitutions approximatives d'églises gothiques perpétrées jusque dans les premières années du XXe siècle. Dans l'architecture nouvelle, comme dans les objets sacrés, la « façon gothique » était devenue synonyme d'esprit religieux. L'église Sainte-Clotilde peut être considérée comme un prototype de cet art du pastiche qui caractérise les goûts de l'époque en s'appuyant sur une érudition érigée en dogme. Sur la place de Bellechasse, la construction d'une église de « style grec » avait été projetée sous le règne de Charles X. Arrêtée pour des raisons financières, elle fut reprise en 1841 et confiée à François Gau, architecte de la Ville. Celui-ci, voulant manifester son esprit d'avant-garde, proposa un édifice totalement gothique. Il y eut des remous. Le conseil municipal tergiversa pendant cinq ans. Les partisans de Gau l'emportèrent. Mais, dès que le monument commença à prendre corps, ce fut la déception. On ne reconnaissait pas l'image des vieilles églises françaises et l'on reprochait à Gau, né à Cologne, de s'être inspiré de modèles allemands. L'architecte Ballu lui fut adjoint et lui succéda bientôt. Il recomposa les façades, démolit les tours commencées pour en construire d'autres d'inspiration plus « française ». Le bâtiment est très grand. (Longueur 96 m, hauteur des flèches 69 m.) L'ensemble, plus ou moins copié d'après divers monuments gothiques, reste sec et insipide. La statuaire, les peintures murales sont appliquées, mais dépourvues de chaleur et d'imagination. Terminée en 1857, l'église, bien que brocardée par les archéologues, semble avoir pleinement satisfait le clergé, les officiels et la plupart des fidèles.

183 S

10, Place du Panthéon, V^e. Edifiée à l'emplacement du collège de Montaigu, connu pour l'extrême dureté de sa discipline, elle devait tout d'abord accueillir le fonds de la célèbre bibliothèque de l'abbaye de Sainte-Geneviève. Sa façade, sur le côté nord du Panthéon, est austère : sous des festons imités de l'œuvre de Soufflot, de grands tableaux de pierre portent gravés les noms de savants et de littérateurs célèbres. Mais l'intérieur est conçu avec une originalité qui fait date dans l'histoire de l'architecture. Labrouste, son architecte, avait le sens de la grandeur, si l'on en croit les excellents relevés d'architecture et les paysages qu'il rapporta d'Italie. Lorsqu'il reçoit la commande de la bibliothèque Sainte-Geneviève (1843-1850) il songe à employer le fer pour limiter les dangers d'incendie. Et il décide, au lieu de le dissimuler, de l'employer avec liberté et franchise, et de le faire participer à l'esthétique architecturale. Le plan, la composition, les formes, tout est soumis au programme de façon parfaitement utilitaire. Dans la salle de lecture, une légère charpente apparente est soutenue par des colonnes de fonte d'une extrême sveltesse. La disposition des arcades, éclairées dans leur partie supérieure, est simple et logique. Ces nouveautés étonnèrent, puis furent approuvées pour leur efficacité. C'est grâce à cette réussite que Labrouste reçut la commande de la Bibliothèque nationale (1862) où il put donner la mesure de son talent et de son esprit d'invention. 184 S

bibliothèque Sainte-Geneviève

Comme, plus tard, la Bibliothèque nationale, Sainte-Geneviève fut construite par Labrouste.

Fig. 1.

église Sainte-Marguerite

36, rue Saint-Bernard, XIe. En partant d'une chapelle construite au début du XVIIe siècle, en l'allongeant cent ans plus tard, en la flanquant enfin de bas-côtés et de chapelles, on est arrivé à composer une véritable église. A vrai dire, le résultat est assez disgracieux, et l'on n'en ferait pas mention si elle ne comportait une curiosité sans autre exemple à Paris. Il s'agit de la chapelle des âmes du Purgatoire construite en 1765 par Victor Louis — l'architecte du théâtre de Bordeaux — et décorée en trompe-l'œil par l'Italien Brunetti. Celui-ci a simulé des files latérales de colonnes et de statues, une voûte en berceau à caissons, et un arc derrière l'autel qui s'ouvre sur une grande toile peinte par Briard figurant les âmes tirées de leurs souffrances. L'ensemble, éclairé par une lumière tombant du haut, offre un spectacle de perspectives d'un caractère théâtral à l'italienne qui agrandit et enrichit singulièrement une chapelle de proportions modestes. Les peintures avaient beaucoup souffert de l'abandon et de réparations déplorables. Elles ont été parfaitement restaurées en 1969.   185 N

temple Sainte-Marie

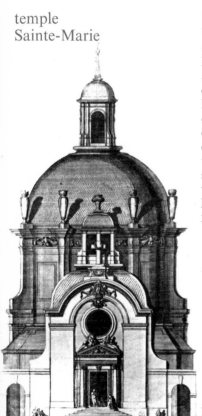

17, rue Saint-Antoine, IVe. C'est l'ancienne chapelle du couvent des Visitandines dont l'ordre avait été fondé à Annecy par sainte Jeanne de Chantal neuf ans avant sa construction. La Révolution détruisit le couvent mais épargna la petite église qui, en 1802, fut concédée au culte calviniste. Construite par François Mansart en 1634 — ce fut sa première œuvre marquante —, entièrement financée par le commandeur Brulart de Sillery, elle prend une place significative dans l'histoire de l'architecture française. La façade, à vrai dire, est un peu confuse. Son portail à fronton surmonté d'un oculus et d'une grande arcade, son porche à toiture bombée s'accrochent tant bien que mal au tambour de la coupole. Mais cette coupole s'appuie sur de vigoureux contreforts, et la partie supérieure du tambour est ornée de guirlandes et de draperies parfaitement localisées (sur la gauche une malencontreuse annexe a été ajoutée au XIXe siècle, qui contrarie la vue d'ensemble.)

La première œuvre marquante de François Mansart.

A l'intérieur un plan particulièrement intéressant organise l'édifice : sous la coupole, l'espace central circulaire est inscrit dans un carré. Plan hérité de la Renaissance italienne et que nous retrouverons plus tard développé au Val-de-Grâce et même, par le petit-neveu Hardouin-Mansart, aux Invalides. Autour de la rotonde ainsi formée, autrefois délimitée par une balustrade, des degrés en « rognon » permettent d'accéder au chœur, à deux chapelles et à des loges sur les côtés. Cette disposition originale, qui situe la rotonde en contrebas, est d'un effet un peu théâtral, d'autant que le chœur à coupole éclairé par un lanternon est amplement décoré de sculptures. Les arcades sont flanquées de pilastres corinthiens. Les fenêtres aux cintres surbaissés sont sommées de têtes d'anges, qui veulent sans doute rappeler que cette église était à l'origine placée sous le vocable de « Notre-Dame-de-la-Visitation-Sainte-Marie ». La chapelle axiale est éclairée par une ouverture en ellipse dont la bordure est ornée de reliefs d'une grande qualité.

La coupole du temple Sainte-Marie.

**église
Sainte-Marie
Médiatrice**

48, boulevard Sérurier, XIXᵉ. Cette église, construite en 1955, reflète les aspirations vers la simplicité d'un architecte d'expérience. Henri Vidal, principal animateur des « chantiers du cardinal », avait commencé, entre les deux guerres, à élever des églises en banlieue à un moment où l'architecture religieuse était au plus bas de sa décadence. Il comprit qu'il devait réagir en mettant au-dessus de tout la discrétion, la franchise des formes, du matériau, et un esprit de pauvreté qui répondait à la fois à l'enseignement évangélique et à la modestie des crédits qui lui étaient affectés. En ce sens Sainte-Marie-Médiatrice marque dans son œuvre un point d'aboutissement (il devait mourir peu après son achèvement). Le parti architectural reste classique : chœur surélevé à chevet plat. Ossature en béton; murs en moellons apparents. Nef et chœur sont éclairés par d'étroites bandes verticales de vitraux de couleurs profondes. Rien d'autre que le grand crucifix au fond du sanctuaire ne capte le regard.   187 N

**hôtel
Salé**

5, rue de Thorigny, IIIᵉ. Pour faire construire cette demeure, l'une des plus importantes du Marais, il fallait beaucoup d'argent. Pierre Aubert de Fontenay avait amassé une fortune grâce à sa charge de fermier général des gabelles. D'où le sobriquet : Hôtel Salé, qui a survécu. Il fut construit en 1656 par Jean Boullier, architecte de faible renom, qui reçut, comme tant de ses confrères, l'influence de Le Vau. Il est annoncé, sur la petite rue de Thorigny, par un simple portail incurvé, bas, sans fronton. La cour d'honneur est bordée de part et d'autre par des ailes basses raccordées à la façade par des consoles et des sphinx. Le principal corps de logis a de la carrure, mais la partie supérieure est assez confuse : l'avant-corps est coiffé d'un petit fronton dont le sommet déborde sur une fenêtre de l'étage supérieur, lui-même écrasé par un lourd fronton curviligne couvert d'épais reliefs. Sur le jardin, la façade se termine par des pavillons en saillie. Notons que l'ensemble de l'hôtel est construit en grand appareil d'un travail particulièrement soigné.

La merveille de l'hôtel Salé, c'est l'escalier monumental à deux volées, d'une ampleur et d'un équilibre de proportions sans pareils dans une demeure privée parisienne. Une rampe en fer forgé conduit le regard vers l'étage noble où les portes, les baies, les trumeaux sont sommés de jeunes atlantes qui portent la corniche et encadrent des médaillons à la romaine. Aux voussures, des aigles, des amours, des festons de guirlandes. L'antichambre qui ouvre sur l'escalier est traitée dans le même esprit. L'ensemble du grand appartement, décoré par les meilleurs artistes du temps, a beaucoup souffert. Après la Révolution, l'hôtel fut occupé de 1829 à 1887 par l'Ecole centrale des arts et manufactures, puis, à partir de 1950, par une Ecole des métiers d'art, qui contribua à de nouvelles détériorations. Des bâtiments adventices encombraient la

cour d'honneur. Quant à la façade postérieure, elle était devenue pratiquement invisible, l'ancien jardin, qui s'étendait jusqu'à la rue Vieille-du-Temple, se trouvant totalement couvert d'appentis, d'ateliers et de hangars. En 1961, enfin, la Ville de Paris décida d'acquérir l'hôtel pour le restaurer et y abriter un musée du Costume. L'Ecole des métiers d'art vida les lieux huit ans plus tard. L'ancien jardin est maintenant débarrassé de ses encombrants occupants. L'intérieur de l'hôtel a été déblayé par des équipes de jeunes gens. Les travaux de restauration vont permettre de remettre en état l'imposante demeure de Pierre Aubert de Fontenay.

Le grand escalier et sa décoration.

hôtel de Salm

64, rue de Lille, VIIe. Le prince de Salm-Kyrburg, souverain d'une petite principauté germanique, fit construire en 1782, sur la rive gauche de la Seine, face au jardin des Tuileries, ce ravissant bâtiment qui, depuis 1804, abrite la Grande Chancellerie de la Légion d'Honneur. Majestueux sur la rue de Lille, charmant du côté de la Seine... Il l'était encore bien davantage quand il occupait le site sans être écrasé par son entourage et quand le quai d'Orsay n'avait pas encore été surélevé pour cause de trafic ferroviaire. L'architecte Pierre Rousseau avait su concilier cette aimable rotonde coiffée d'un dôme qui s'avance dans un jardin vers la rive et cette solennelle cour d'honneur qui donne sur la rue de Lille. Son goût pour la mode néo-antique l'a poussé à élever cette porte qui ressemble à un arc de triomphe, et ces 80 colonnes ioniques alignées comme pour la parade qui encadrent la cour et le péristyle du corps de logis principal en forme de temple grec. Recherche antiquisante encore accentuée par les bas-reliefs des pavillons de la façade : (une *Marche au sacrifice*, de Roland, et un *Cortège funèbre* de Bocquet), par des métopes, des frises où paraissent de lents cortèges et des flots de draperies, des bustes dans des niches rondes, de grandes statues calmes sur l'entablement de la rotonde.

En 1871, la Commune fit flamber l'hôtel de Salm : à l'intérieur, tout fut endommagé. Les dégâts ont imposé de véritables reconstructions; on peut regretter les fraîches peintures murales de Boc-

Construction de l'hôtel de Salm, tableau de 1786.

quet qui savait déployer tant de grâce légère dans ses aquarelles pour les décors et costumes d'opéras et de ballets à la cour de Louis XVI et de Marie-Antoinette. Les peintures historiques qui les ont remplacées, dues aux peintres officiels de la troisième République, n'ont certes point la même qualité. Pour s'agrandir la Chancellerie a commis la faute de surélever les bâtiments bas qui se trouvaient sur les côtés : les proportions du monument en ont été faussées.

Sur la rue de Bellechasse se trouve l'entrée du Musée qui renferme des collections de documents et d'objets se rapportant à l'ordre de la Légion d'honneur.   189 S

Bas-relief des pavillons de la façade. Marche au sacrifice.

hôpital de la Salpêtrière

47, boulevard de l'Hôpital, XIIIᵉ. Louis XIV avait décidé d'édifier en lisière de Paris un vaste « Hôpital général » qui pourrait accueillir les nombreux mendiants, malades et infirmes qui traînaient trop dans la ville. La Salpêtrière, qui devait son nom au village des Salpêtriers où se fabriquait la poudre pour l'Arsenal établi en face, sur la rive droite de la Seine, en devait être le principal établissement.

Les plans de l'hôpital furent étudiés par Le Vau qui, surchargé de commandes royales et privées, confia l'élévation à Duval et à Le Muet. Passée la solennelle porte d'entrée, un jardin s'étend devant une façade au centre de laquelle le porche de l'église, composé de trois arcades, s'insère entre deux pavillons. Autour de spacieuses cours intérieures les bâtiments s'ordonnent avec sévérité; mais leurs proportions très étudiées sont empreintes d'une majesté digne de l'époque Louis XIV. L'ensemble est vaste comme une ville, divers et aéré. Le plan répondait parfaitement à la fonction d'un hospice destiné à abriter des indigents, des vagabonds, des impotents des deux sexes et de tout âge et aussi des « enfants mis à la correction », des « femmes et filles débauchées ». Ce mélange explique la répartition des cours nettement séparées et l'inhabituelle disposition de l'église.

Celle-ci, dédiée à saint Louis, a été construite de 1670 à 1677

par Libéral Bruant, futur architecte des Invalides (les bâtiments de l'hospice avaient été commencés en 1660). Elle est implantée exactement au centre des bâtiments hospitaliers et leur est rattachée. Son plan est en forme de croix grecque dont les bras ont 70 m de longueur; ils se croisent dans une rotonde qui supporte, haute de 65 m, une coupole à pans érigée sur un tambour percé de fenêtres en plein cintre. Ainsi composent-ils quatre nefs voûtées en berceau. Cette répartition répond à un programme très précis : l'autel est placé au centre de la rotonde, visible des quatre nefs, ce qui permettait aux assistants de suivre les offices par groupes séparés et même invisibles les uns des autres pour empêcher toute promiscuité. Quatre chapelles octogonales sont réparties autour de la rotonde aux angles de la croisée. A l'extérieur comme à l'intérieur, nefs et chapelles s'articulent autour de la rotonde. Aucun détail de sculpture ne vient contrarier une austère nudité. Seuls des corniches et des bandeaux de faible saillie accentuent les lignes principales. On retrouve la « pauvreté » cistercienne qui vit de la pureté des formes. Si les toitures ne sont pas sans lourdeur, on ne peut contester l'autorité et la puissance de leur dessin. Il serait souhaitable

L'hôpital de la Salpêtrière au XVIIe siècle, gravure de Mariette.

que ce témoignage d'une architecture aussi épurée soit débarrassé des tableaux et accessoires en désordre qui viennent en perturber la netteté.

Au XVIIIe siècle, la Salpêtrière reçut les aliénées. C'est alors que Viel construisit les « loges pour les folles », le pavillon des incurables et d'autres édifices, aujourd'hui disparus, qu'il avait imaginés dans l'esprit de Ledoux. On ne connaissait pas alors d'autres traitements pour les agités que de les enchaîner. C'est en 1795 que Pinel, nommé à la Salpêtrière, employa des méthodes plus humaines qui devaient soulager leur misère. En 1828, l'hospice fut réservé aux femmes. A la fin du siècle un service psychiatrique subsista où Charcot dispensa son enseignement retentissant.

Le plan grandiose de Le Vau n'avait pas été exécuté dans sa totalité. Les espaces libres, très importants, se sont couverts, selon les besoins, de bâtiments qui semblent semés au hasard, et contrastent évidemment avec ceux qui datent de l'époque où, comme l'écrit M. Louis Hautecœur, on « n'apportait pas moins de soin à construire des refuges de la misère qu'à dresser les palais des souverains ».

190 S

hôtel de Sens

Au début du XIXᵉ siècle, l'hôtel de Sens était occupé par une entreprise de transport.

1, rue du Figuier, IVᵉ. L'hôtel d'Hestomenil était établi à cet emplacement quand Charles V en fit don à Guillaume de Melun, archevêque de Sens, en échange de celui qu'il occupait sur le quai des Célestins. Rappelons que le diocèse de Paris dépendait alors de l'archevêché de Sens, situation qui se prolongea jusqu'en 1622. L'hôtel devint donc la résidence parisienne des archevêques dont la présence était souvent nécessaire dans la capitale. Le neuvième successeur de Guillaume de Melun, Tristan Salazar, ne pouvait se contenter de cette demeure. Fils d'un capitaine espagnol, lui-même officier avant d'embrasser vers la trentaine l'état ecclésiastique, il fut nommé archevêque de Sens en 1474. D'esprit vif et entreprenant, bien en cour, riche, ami des arts et de l'architecture en particulier, il eut pour premier soin de faire démolir le vieil hôtel d'Hestomenil pour construire à sa place une résidence selon ses goûts.

Nous verrons plus loin ce qu'elle était et ce qu'elle est devenue. Disons seulement que la munificence de Salazar s'exerça avec bonheur et que le bâtiment était de haute qualité. Il n'eut à subir que des retouches de détail de la part de ses successeurs qui y séjournèrent plus ou moins longtemps selon les nécessités de leur ministère. Pourtant, une autre destination, fort imprévue, lui fut donnée au temps de l'archevêque Renaud de Beaune. Celui-ci était en excellents termes avec Henri IV. Comme il était requis par de multiples tâches, et ne résidait presque plus jamais à l'hôtel de

Sens, le roi eut la singulière idée, ou le machiavélisme, de lui demander de prêter sa demeure pour y loger Marguerite de Valois, sa première femme, la « reine Margot », qui avait enfin reçu l'autorisation de rompre son exil et de revenir à Paris. Les murs de la maison, qui n'avaient connu jusque-là que d'honnêtes ecclésiastiques, abritèrent alors de basses intrigues, des scènes de libertinage et d'orgie, jusqu'au jour où, les scandales dépassant toute mesure, la ridicule et insolente Margot fut sommée de quitter l'hôtel de Sens pour habiter un hôtel du Pré-aux-Clercs.

Lorsque le diocèse de Paris devint archevêché, l'hôtel de Sens fut mis en location. Les mânes de Salazar durent tressaillir lorsque s'y installa, en 1689, la gare des messageries des coches de Lyon, Bourgogne et Franche-Comté. Jusqu'au milieu du XIXe siècle, des rouliers se succédèrent tandis que les salons des archevêques étaient loués à divers artisans. Le roulage ayant été remplacé par le chemin de fer, on vit l'hôtel de Sens transformé en blanchisserie, puis en fabrique de conserves et en confiturerie. La cour était coiffée d'un toit de verre, les meneaux des fenêtres étaient brisés : l'ancien palais épiscopal faisait peine à voir. Ce n'est qu'en 1911, après bien des tergiversations, que la Ville de Paris se décida à l'acquérir. Les travaux de restauration commençaient à peine quand la guerre de 1914 les arrêta. Ils ne reprirent qu'avec une extrême lenteur. On peut d'ailleurs regretter qu'ils aient continué car les restaurateurs, encore soumis à l'influence de Viollet-le-Duc, n'hésitèrent point à métamorphoser, à compléter, à imaginer, de sorte que nous sommes aujourd'hui devant un ensemble architectural dont bien des parties sont plus que douteuses.

L'hôtel de Sens n'en reste pas moins un exemple intéressant d'architecture privée de la fin du Moyen Age. La façade d'entrée n'a reçu que des modifications superficielles. Le porche se compose d'une grande porte charretière et d'une autre plus petite, dont les tympans étaient autrefois décorés aux armes des archevêques. Il est encadré par deux tourelles en encorbellement dont les nervures rappellent qu'elles étaient ornées d'un fin réseau de pierres sculptées. La haute lucarne à gâble est une reconstitution. Les bâtiments qui donnent sur la rue de l'Hôtel-de-Ville abritaient les communs : ses murs étaient nus, sans ornement, mais de nombreuses ouvertures y ont été percées depuis que l'hôtel a changé de destination. A l'angle sud-ouest, une tour contient un grand escalier à vis. L'allure militaire de l'hôtel est affirmée par la présence d'une bretèche sur mâchicoulis. Les appartements d'honneur ont été reconstruits avec fantaisie, de même que les huit grandes lucarnes à gâbles, toutes identiques, décorées des armes des archevêques.

Les bâtiments situés au nord sont également des constructions relativement récentes. Un jardin régulier a été dessiné sur la rue des Nonnains-d'Hyères qui a repris la place de celui des archevêques. Ces restaurations n'ont été terminées qu'après la seconde guerre mondiale. En 1960, l'hôtel abrita les services d'urbanisme de la Ville. Il a reçu depuis une affectation plus logique et plus heureuse, lorsque s'y est installée la bibliothèque Forney.

Sorbonne

La cour de la Sorbonne au XIXᵉ siècle.

Place de la Sorbonne, Vᵉ. De l'établissement fondé par Robert de Sorbon au XIIIᵉ siècle ne reste que le souvenir d'un haut lieu de la théologie scolastique qui régna sur la chrétienté. Toute manifestation de la pensée philosophique allait se fondre dans cet ardent creuset où se forgeaient les décisions les plus sages ou les plus aventureuses, souvent dans un climat de rigueurs, de querelles et de combats. Quand Richelieu, qui n'était pas encore cardinal, en fut nommé protecteur, son premier soin fut de faire mettre bas les bâtiments médiévaux pour construire à la place une Sorbonne plus vaste et d'esprit classique. Déjà tout un programme. Il posa la première pierre du collège en 1627; puis il décida d'édifier une chapelle dont la magnificence servirait la gloire de l'illustre faculté de théologie — et la sienne propre. La première pierre fut posée en 1635. Les textes témoignent d'ores et déjà de son intention d'y avoir son tombeau. Tous les bâtiments universitaires qu'il fit édifier ont été démolis à la fin du siècle dernier; seule la chapelle nous est intégralement parvenue.

Cette chapelle universitaire a les dimensions d'une église. Richelieu en demanda les plans à Jacques Lemercier, premier architecte du roi, auquel il devait passer par la suite d'importantes commandes. D'inspiration romaine, elle présente aussi toutes les caractéristiques du style Louis XIII. La façade principale donne sur la place que le cardinal avait fait aménager pour la mettre en valeur, aujourd'hui ornée d'un dérisoire monument à Auguste Comte. Elle comprend deux ordres corinthiens superposés : colonnes engagées et pilastres qui encadrent une horloge et une statuaire qui datent du XIXe siècle. Le portail est discret, d'ailleurs toujours fermé. L'ensemble fait corps avec les bâtiments universitaires. La façade latérale, qui donne dans la cour de la Sorbonne, est plus solennelle et plus intéressante. Précédé des larges degrés d'un perron élevé, le porche, soutenu par dix colonnes, est coiffé d'un fronton triangulaire. Il est plaqué contre le croisillon nord, et

La coupole de l'église de la Sorbonne.

s'il est vrai que leur raccord n'est pas très adroit, c'est de ce côté que nous pouvons découvrir le dôme dans son ampleur. Nettement dégagé de l'ensemble, son tambour s'élève avec autorité, flanqué de quatre lanternons contenant des escaliers à vis et sommé d'une lanterne ajourée. Cette belle coupole annonce, par la pureté des formes, celles du Val-de-Grâce et des Invalides.

L'intérieur nous montre que le plan de la chapelle est d'une symétrie absolue, 40 m de longueur, 40 m de hauteur. Trois travées pour la nef, trois travées pour le chœur, séparées par un transept à peine saillant couronné par le dôme. Les arcades sont séparées par des pilastres corinthiens, et des niches sont creusées dans les piles de la croisée. Les armes du cardinal surmontent les arcades et les baies; les arcs doubleaux sont semés de rosaces. Le dessin de l'architecture intérieure de la coupole est remarquable; Philippe de Champaigne est l'auteur des médaillons représentant les Pères de l'Eglise latine inscrits dans les pendentifs. Tout dans ce monument est d'une qualité artisanale irréprochable, mais l'ensemble, dans son égale perfection, reste glacé. Sans doute notre impression n'est pas celle que pouvaient ressentir les contemporains, car des maîtres de l'époque travaillèrent durant cinquante ans à l'orner de peintures, de sculptures, d'orfèvreries, de boiseries et d'autels d'une grande richesse. La Révolution l'a dépouillée de tout ce qui pouvait être enlevé, jusqu'au plomb des toitures. Un chef-d'œuvre a cependant survécu, le monument funéraire du cardinal de Richelieu, que la duchesse d'Aiguillon, son héritière, commanda à Girardon et que celui-ci termina en 1694. Alexandre Lenoir parvint non sans mal, au moment où le tombeau était profané, à le faire transporter au Musée des monuments français. Revenu à la Sorbonne, il a pris place devant le chœur.

La Sorbonne a été reconstruite et considérablement agrandie d'après les projets de Nénot de 1885 à 1900. C'est le plus vaste bâtiment construit à Paris au XIXe siècle. En direction nord-sud, il s'étend sur 246 m. Il avait à abriter le rectorat, les facultés des lettres et des sciences, l'école des Hautes études, l'école des Chartes, une bibliothèque, 38 salles de conférences, 22 amphithéâtres, 240 laboratoires, etc. Il a parfaitement fonctionné jusqu'à ce que l'affluence des étudiants eût obligé à construire de nouveaux bâtiments universitaires. L'entrée principale se trouve sur la rue des Ecoles où se développe, derrière le vestibule, un escalier monumental. Dans le grand amphithéâtre se déploie l'ample peinture de Puvis de Chavannes intitulée *Le Bois sacré*. C'est à peu près la seule œuvre d'art honorable figurant dans cet établissement si profusément décoré. Nous pouvons constater combien la Troisième République était généreuse envers ses artistes : figures symboliques, allégories peintes ou sculptées sont répandues à foison, mais on est bien en peine d'y trouver quelque chose qui dépasse l'honnête médiocrité.

Une soutenance de thèse en Sorbonne à la fin du XVIIe siècle.

192 S

hôtel
de Soubise

60, rue des Francs-Bourgeois, IIIe. Est-il une cour dans Paris qui donne cette impression de solennité et cet émerveillement ? Le portique qui l'entoure, arrondi vers l'entrée, tend ses bras à la façade; ses cinquante-six colonnes jumelées, s'alignent comme des gardes d'honneur pour accueillir les visiteurs et conduisent le regard vers la façade noble et simplement rythmée du palais princier.

L'hôtel de Soubise, construction du début du XVIIIe siècle, a d'illustres ancêtres. Il est bâti à l'emplacement de l'hôtel de Clisson que le futur connétable, compagnon de du Guesclin, avait fait construire au XIVe siècle et qui devint en 1553 la propriété des Guise. Nous voyons encore, sur la rue des Archives, son portail encadré de tourelles à poivrières; il date de l'origine, mais les armes peintes au tympan sont celles des Guise. Ceux-ci ont entrepris de tels travaux de restauration et d'agrandissement que l'on ne trouve plus de l'hôtel primitif que de rares vestiges : la chapelle attenante à l'entrée, la « cour des Marronniers », dont les façades reprises au XIXe siècle ont perdu toute authenticité, un escalier, deux fenêtres à meneaux, un fronton de porte. Sur la cour de Clisson, l'ancienne chapelle a été reconstruite en 1553 par le Primatice, et sa voûte fut peinte par Niccolo dell Abbate. Malheureusement, ces peintures disparurent en 1840.

En 1700, les héritiers vendirent leur hôtel à François de Rohan, prince de Soubise, qui devait tout métamorphoser. Il demanda les plans de sa nouvelle demeure à Alexis Delamair. L'orientation même en fut changée. L'entrée principale s'ouvrit sur la rue de Paradis (des Francs-Bourgeois) où l'on disposait d'un terrain permettant un recul plus majestueux. Ce grand déploiement de colonnades a permis de rectifier une irrégularité de terrrain et c'est à cela que nous devons un plan, une ordonnance, où tout se

Nouvelle entrée de l'hôtel de Soubise. Celui-ci fut commandé par François de Rohan à l'architecte Alexis Delamair.

compose avec aisance et bonheur. Mais pourquoi une cour de dimensions si exceptionnelles dans un hôtel parisien ? Les équipages étaient en rapport avec le faste des Rohan-Soubise, à Paris comme à Strasbourg et à Saverne, et cette cour servait de manège à l'occasion.

L'entrée médiévale de l'hôtel de Clisson fut heureusement incorporée à l'angle du nouvel hôtel de Soubise. La façade de celui-ci est un rhabillage que Delamair a plaqué sur le revers de l'ancien hôtel des Guise. Se détache en avant-corps un ordre de colonnes jumelées qui rappellent celles des portiques et encadrent sur deux étages de hautes fenêtres cintrées. Le fronton a perdu son motif héraldique, mais il est toujours surmonté des statues étendues de la *Gloire*, de la *Magnificence* et de groupes d'enfants, bonnes copies des sculptures originales de Robert Le Lorrain. Les quatre statues des *Saisons* placées sur l'architrave à l'aplomb des colonnes du rez-de-chaussée sont du même artiste.

Vestige de l'hôtel de Clisson, les tourelles à poivrières.

Avant de pénétrer dans les appartements — occupés par les Archives de France — il convient de faire un retour en arrière. L'hôtel, encore semi-médiéval, acheté par les Soubise, fut abattu et reconstruit en 1704 et terminé en 1709. A cette date mourait la princesse; et le prince, trois ans après. En même temps, Delamair élevait pour l'un de leurs enfants l'hôtel de Rohan, relié par le jardin et par une ruelle. L'hôtel de Soubise échut au fils aîné, Hercule-Mériadec, qui deviendra duc de Rohan-Soubise. Celui-ci, veuf et sexagénaire, se remaria avec une délicieuse veuve de 19 ans; c'est pour lui plaire, dit-on, qu'il commanda à Boffrand le rajeunissement complet des appartements avec le concours des meilleurs artistes du temps. A la mort d'Hercule, l'hôtel passa entre les mains de son petit-fils, le futur maréchal de Soubise, aussi célèbre par ses succès d'homme de cour que par ses défaites militaires. La demeure merveilleuse fut animée avec un faste qui éblouissait tout le monde. Le maréchal eut le bon esprit de mourir deux ans avant la Révolution. Avatars et déprédations ne se firent pas attendre : dès 1789, de la poudre et des armes prises à la Bastille y furent entreposées. A partir de 1793, l'hôtel devint grenier à fourrage, caserne, filature. En 1808, Napoléon le fit acheter pour y ranger les archives impériales. Après l'Empire, les dépôts d'archives ne cessèrent de croître aux dépens des précieuses décorations. En 1857, l'hôtel de Soubise devint le siège des Archives nationales de France. Des boiseries démontées, parfois vendues et dispersées, furent remplacées par des rayonnages. Malgré tant d'avanies, les décors restés en place, qui représentent la fleur la plus délicate du style Louis XV, sont d'un attrait irrésistible, et l'on s'applique maintenant à réparer dans la mesure du possible les déprédations des siècles précédents. La création d'un Musée de l'Histoire de France a contribué à des reconstitutions et à des mises en valeur bienvenues.

Les appartements du prince de Soubise se trouvaient au rez-de-chaussée et celui de la princesse à l'étage. De tous deux Boffrand fut le maître d'œuvre et en a fixé tous les éléments dans son grand *Livre d'architecture*. Parmi les peintres qui y ont collaboré, il faut citer Restout, Carle Van Loo, Boucher, Lemoyne, Natoire, Trémolières. L'actuelle salle de lecture des Archives est une reproduction (1902) du grand cabinet de livres du prince de Soubise dont les boiseries étaient de Herpin. Sa chambre, sur le jardin, a pu être à peu près restaurée avec des éléments anciens retrouvés; seules les quatre compositions mythologiques en dessus de portes n'ont pas quitté leur place. La corniche est ornée de beaux médaillons d'angle. Le salon ovale du prince a retrouvé sa grâce incomparable. Au-dessus des lambris, huit hauts-reliefs en blanc mat s'inscrivent dans les courbes et contre-courbes du haut des panneaux. Ces allégories d'une charmante souplesse d'attitude sont attribuées à Jean-Baptiste II Lemoyne et à Lambert-Sigisbert Adam. Une porte est sommée d'un trophée d'armes de la plus haute distinction. Dans cet ensemble à peine teinté, l'or n'apparaît qu'aux palmes posées en encadrement sur les glaces.

Au premier plan, l'hôtel de Rohan. En haut et à gauche, l'hôtel de Soubise.

L'escalier actuel (1844) remplace (fort mal) l'escalier d'honneur à trois volées construit par Boffrand et peint en trompe-l'œil par Brunetti, qui menait aux appartements de la princesse. Dans sa chambre de parade les boiseries blanc et or sont restées intactes. Les grands médaillons d'or mat représentent *Les entreprises amoureuses de Jupiter*. La corniche à rinceaux dorés est ornée de médaillons et de cartouches étincelants surmontés de groupes de stuc en haut-relief dus à Nicolas-Sébastien Adam. De chaque côté d'un lit sommairement reconstitué ont été placées des pastorales de Boucher.

Le salon ovale de la princesse, au-dessus de celui du prince au rez-de-chaussée, passe à bon droit pour le chef-d'œuvre du style rocaille. Quatre fenêtres cintrées et trois glaces en réplique l'illuminent. Les boiseries blanc et or, ouvragées avec une extrême finesse, reçoivent à leur sommet des enfants joueurs. Rejoignant le plafond, les peintures de Natoire, qui racontent en huit scènes l'histoire de Psyché, possèdent une chaleur de tons contrastant heureusement avec le plafond bleu turquoise. Celui-ci est comme tendu d'une rosace de fils d'or et animé de groupes d'enfants. Les deux salles qui suivent, sans bénéficier d'une telle somptuosité, possèdent néanmoins des dessus de portes de Boucher, de Restout et de Trémolières.

Il convient de noter que l'hôtel de Soubise, dont la façade est si pure, est en réalité un conglomérat fort complexe, du fait qu'au XVIIIᵉ siècle les Soubise ont adapté des bâtiments antérieurs et que, d'autre part, l'installation des Archives sous l'Empire devait provoquer au siècle suivant de multiples transformations et constructions nouvelles. Sous Louis-Philippe, l'aile occidentale de la cour des dépôts fut reconstruite et, pour faire pendant au pavillon de Boffrand, un pavillon analogue fut édifié, mais coiffé d'un dôme. Les bâtiments qui donnent sur la rue des Quatre-Fils datent de Napoléon III (on remarquera que, pour des raisons de sécurité, tous les murs des bâtiments extérieurs des Archives sont aveugles). L'annexion de l'hôtel de Rohan en 1927 a été l'occasion d'une réfection des pièces endommagées et d'une restauration générale que commandait un monument historique de cette importance. La jonction s'est établie par l'intermédiaire du jardin recréé entre les deux hôtels, œuvres dissemblables d'un même architecte. 193 N

Salon ovale. Peintures de Natoire représentant l'histoire de Psyché.

Statues

Il ne s'agit pas ici des statues décoratives qui ornent les monuments et les jardins mais d'une statuaire commémorative destinée, en principe, à perpétuer le souvenir de personnages illustres. Sous l'Ancien Régime cet honneur était réservé aux souverains. C'est pourquoi les quatre places royales de Paris étaient conçues pour mettre en valeur la statue équestre du monarque qui l'avait fait construire; elle constituait l'élément central d'un cadre architectural; elle était sculptée en même temps que les bâtiments, à leur échelle et dans un même style. Ainsi furent élevées la statue de

Henri IV au Pont Neuf, dans l'axe de la place Dauphine, celle de Louis XIII sur la place des Vosges, celles de Louis XIV sur la place Vendôme et la place des Victoires, celle de Louis XV sur la place de la Concorde. Bien entendu, ce ne pouvait être que l'œuvre de choix d'un des plus grands artistes du temps. Elles furent toutes renversées à la Révolution.

L'un des premiers actes de la Restauration fut de rétablir de nouvelles statues royales aux mêmes emplacements. Un Henri IV, par Lemot, fut replacé sur le Pont-Neuf, un Louis XIII, par

De g. à dr., les statues de Louis XIV (place des Victoires), de Washington (place d'Iéna), de Jeanne d'Arc (place des Pyramides), du maréchal Foch (place du Trocadéro) et d'Henri IV (Pont Neuf).

Dupaty et Cortot, sur la place des Vosges et un Louis XIV, par
Bosio, place des Victoires. Ce dernier ne manque pas de qualité; les
autres ne peuvent que nous faire mesurer la décadence de la
sculpture au début du XIXᵉ siècle. En 1830, toute une série de
statues de pierre des grands hommes qui avaient illustré la
monarchie prirent place sur le pont de la Concorde. Elles n'avaient
pour elles que leur énormité, et elles étaient d'un effet si détestable
que, sept ans plus tard, Louis-Philippe les envoya à Versailles où
elles figurèrent dans l'avant-cour du château. A vrai dire, ce n'était
guère mieux : la médiocrité de la statuaire est encore plus évidente
lorsqu'elle est placée devant un chef-d'œuvre. On dut cependant
attendre 1931 pour en être débarrassé. Le règne de Napoléon III
a dressé au carrefour de l'Observatoire la statue du maréchal Ney
que Rude sut animer d'un grand souffle épique et qui reste peut-
être la plus belle statue commémorative de Paris.

Jusque-là les statues-portraits étaient fort rares. C'est avec la
Troisième République que va commencer l'ère de la « statuomanie ».
C'est une épidémie. Les carrefours sont encombrés. Dans les
jardins publics elles poussent comme des arbres, sans en avoir
l'agrément. Entre 1880 et 1914 seront inaugurées 121 statues
placées sur la voie publique. D'une façon générale leur qualité
artistique est au-dessous du médiocre et beaucoup sont d'un parfait
ridicule. Dans le choix du statufié la politique joue un rôle primor-
dial. C'est aux politiciens, ou assimilés, que sont réservés les
monuments les plus importants et les lieux privilégiés. Le monument de Gambetta (1888), devant le Louvre, dépassait toute
mesure par son emphase, son agitation et sa vulgarité; en 1954,
sous la pression de l'opinion, il fut enfin décidé de le faire disparaître. Au milieu de ces déferlements du bronze, de la fonte et de la
pierre on peut sans doute décerner çà et là quelques mentions
honorables, mais il faut bien reconnaître qu'à aucun moment de
l'histoire la sculpture officielle n'était tombée aussi bas. Pendant
l'occupation 1940-1944, les statues métalliques durent être envoyées
à la fonte au titre de la « récupération des métaux non ferreux ».
Pour une fois l'ordre de l'occupant fut une aubaine, car, en faisant
un choix, on put se débarrasser des plus incongrues.

Les artistes indépendants auraient-ils été capables de réaliser
de la sculpture monumentale ? Quand on demanda à Maillol de
glorifier Cézanne, il envoya un de ses beaux nus féminins sur le
socle duquel fut inscrit : « Hommage à Cézanne » (Jardin des
Tuileries). L'affaire extravagante de la statue de Balzac par Rodin
est révélatrice de l'état des esprits. C'est en 1891 que la Société des
gens de Lettres passa la commande à l'artiste. C'est en 1939 qu'elle
fut érigée à Paris. Presque un demi-siècle de controverses, d'incom-
préhensions, d'arguties, de bouderies ou de colères pour que la
statue la plus géniale des temps modernes trouvât droit de cité.
Encore a-t-on choisi de la placer sur le trottoir du boulevard
Raspail dans la bousculade du carrefour Montparnasse — c'est-à-
dire au plus mal.

Balzac par Rodin.

62, rue Saint-Antoine, IVe. En tout point le sauvetage de l'hôtel de Sully peut être considéré comme exemplaire. Avant son achat par l'Etat (1951), les passants de la rue Saint-Antoine longeaient une suite de petits magasins encadrés de coffrages criards qui couvraient tout le rez-de-chaussée. Pour gagner quelques pièces, un étage avait été construit sur la porte d'entrée unissant avec une maladresse rare les deux pavillons sur rue, eux-mêmes malmenés. La disposition ancienne des appartements était perdue. Tant de locataires, depuis le début du XIXe siècle, s'étaient succédé qui avaient tout arrangé au gré de leurs besoins ou d'une irrespectueuse fantaisie ! Nous avons pu assister à la résurrection d'une architecture magnifique. L'hôtel fut affecté au Service des monuments historiques qui se devait de restituer la dignité d'un bâtiment aussi remarquable par sa carrure que par les charmes que pouvait revêtir une grande maison privée du temps de Louis XIII.

L'hôtel de Sully ne fut pas construit pour Sully. Il date de 1628, et ses plans sont vraisemblablement dus à Jean Ier du Cerceau. Le premier propriétaire, Gallot, ancien contrôleur des Finances, dilapida sa fortune au jeu. La maison changea trois fois de mains

hôtel de
Sully

L'hôtel de Sully, défiguré par ses habitants successifs, fut l'un des premiers bâtiments restaurés du Marais.

Des panneaux historiés ornent les portes de l'hôtel de Sully.

en huit ans avant d'être achetée en 1634 par Maximilien de Béthune, duc de Sully. Le ministre de Henri IV avait alors soixante-quinze ans. Couvert de charges et d'honneurs, cumulant des bénéfices fort lucratifs, il avait conduit ses affaires personnelles avec autant de sagesse et d'habileté que celles de la France. Possédant trois châteaux d'importance, cet hôtel fut pour lui la maison parisienne de l'âge de la retraite. Elle adopte le plan type de la demeure aristocratique que nous retrouverons longtemps par la suite. Un long portail voûté, encadré de deux pavillons, donne accès à une cour que bordent, de part et d'autre, les services, cuisines et écuries. Le corps de logis, avec un escalier central, se situe entre cour et jardin. Sur la rue, l'hôtel a retrouvé son élégance, avec les colonnes qui encadrent sa porte, les frontons triangulaires des fenêtres de l'étage, et, devant les combles, les deux grands frontons curvilignes percés d'une fenêtre ornée de chérubins. La façade du logis est animée par l'heureuse répartition des baies à frontons et de longues figures sculptées, représentant l'Automne et l'Hiver. Les lucarnes, assez lourdes, sont d'un baroquisme accentué par des consoles en volutes semblables à des hippocampes. L'appareil est de la plus haute qualité, et sa couleur même contribue à nous placer dans le climat de tendresse un peu mélancolique des poètes du temps de Louis XIII. La façade sur jardin en est l'exacte réplique.

Si Sully ne fut pas le maître d'ouvrage de l'hôtel qui porte son nom, du moins a-t-il pris part à sa décoration intérieure. Ami du faste, des tapisseries, des belles étoffes, des bijoux, sa résidence parisienne devait être meublée avec un goût et une richesse égaux à ceux qui régnaient dans ses châteaux. Du rez-de-chaussée ne restent guère que des plafonds à poutres peintes. La partie gauche accueille maintenant des expositions. L'étage a retrouvé en partie sa dignité. La grande salle et le cabinet sont tendus de tapisseries et ont reçu des tableaux de l'époque. L'aménagement de l'aile orientale date de 1651. L'appartement de Charlotte Séguier, fille du chancelier de France et deuxième duchesse de Sully, a pu être évoqué avec tact. Une antichambre à caissons peints sur fond d'or mène à la chambre de la duchesse : un merveilleux coffret. Des pilastres ioniques délimitent des panneaux peints de décors opulents, motifs à l'antique ou motifs floraux, que l'on retrouve sur les portes. Le plafond en coupole repose sur une corniche dorée. Le lit est dans une alcôve toute tapissée; au plafond voltigent des chérubins parmi des guirlandes de fleurs. Un petit cabinet, peint en camaïeu, complète l'appartement.

Sully fit construire au fond du jardin le bâtiment nommé « le petit Sully », soutenu par des arcades, qui communique avec le numéro 6 de la place des Vosges. Abominablement maltraité, cet agréable édifice disparaissait sous des baraquements. Il a été restauré en 1969 et constitue un excellent fond de décor. 195 N

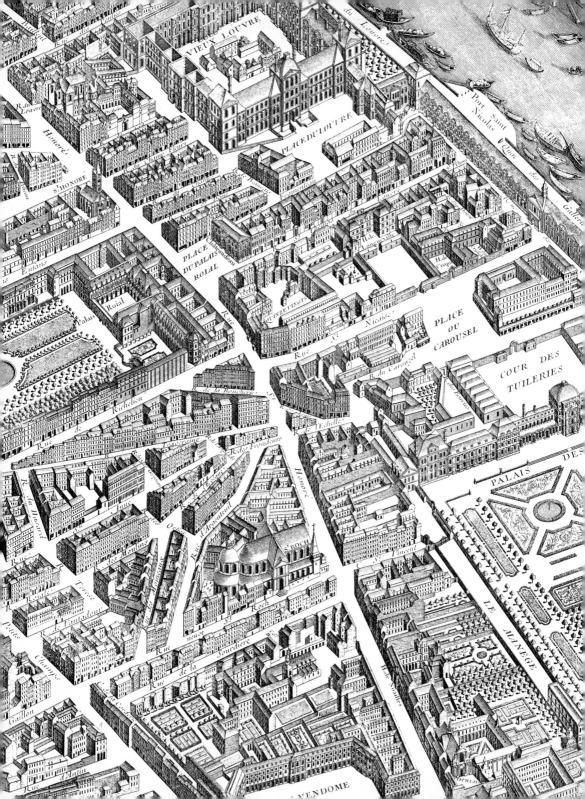

hôtel
Titon

58, faubourg Poissonnière, X^e. Nous avons peine à croire qu'à la fin du XVIIIe siècle ce faubourg Poissonnière était un lieu de choix pour l'habitation des gens de qualité. En pénétrant dans les cours intérieures nous pouvons encore voir l'hôtel Chéret (n° 30) avec sa belle colonnade, l'hôtel Cardon (n° 50) avec son avant-corps arrondi; mais beaucoup furent défigurés par l'installation des commerces, et plus encore démolis. Par contre, l'important hôtel Titon (n° 58) nous est parvenu, extérieurement du moins, presque sans dommage. Construit en 1776 pour le conseiller J.-B. Titon, qui fut guillotiné, il a été livré à de multiples locataires. Sa façade sur rue, surélevée, est assez rébarbative; mais la grande cour, remaniée après la Révolution, reste fort séduisante. En forme d'hémicycle elle est percée du haut en bas de niches garnies de statues qui confèrent à l'ensemble une charmante animation. Au fond, la façade Louis XVI dont les fenêtres sont surmontées en alternance de frontons ou de guirlandes, est de proportions très pures. Une rampe en fer forgé décore l'escalier de l'aile droite.   196 N

jardin des
Tuileries

Ier. Lorsqu'il n'était pas près de la Loire ou sur les champs de bataille, François Ier résidait à l'hôtel des Tournelles. Louise de Savoie, sa mère, y ressentant des langueurs — n'oublions pas que le Marais était effectivement un marais — ses médecins lui conseillèrent d'habiter hors de la ville. Le roi alla reconnaître des terrains situés à l'ouest des remparts, au lieu-dit « les Tuileries », parce que de modestes fabricants de tuiles et de briques avaient mis à profit la terre argileuse des rives de la Seine. C'était un déversoir des ordures de la ville; mais, jusqu'aux hauteurs de Chaillot, on ne découvrait que des prés, des champs et des jardins. Après la captivité de Madrid, François Ier voulut habiter le Louvre, mais après avoir fait construire sur les fondations du château fort une demeure selon les nouveaux goûts. Il mourut au moment où les murs sortaient de terre. C'est en 1564 que Catherine de Médicis demanda à Philibert de l'Orme de lui bâtir un château indépendant, situé à l'emplacement du terrain que François Ier avait acquis pour sa mère. Le projet de l'architecte, en tout point admirable, présentait un bâtiment en forme de quadrilatère dont les façades principales mesuraient 188 m. Les travaux devaient traîner longtemps. Par contre, le jardin fut immédiatement dessiné et planté. On sait quelle importance avait pris l'art des jardins chez les princes et seigneurs d'Italie. Il n'y a pas lieu de s'étonner qu'une Médicis ait voulu, devant sa demeure de plaisance, jouir de vastes parterres qui pouvaient lui rappeler ceux de son enfance.

De ce jardin des Tuileries en son premier état nous saurions peu de chose si Androuet du Cerceau n'avait gravé un plan (1579) portant le château, encore en projet, et le jardin, tel qu'il était déjà réalisé. Des allées se coupaient à angle droit, formant un damier de compartiments quadrangulaires d'importance et de

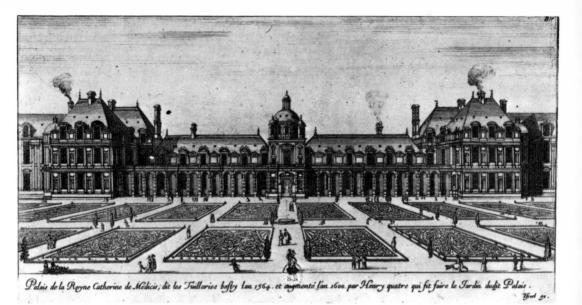

Palais de la Reyne Catherine de Médicis; dit les Tuilleries basty l'an 1564. et augmenté l'an 1600. par Henry quatre qui fit faire le Jardin dudit Palais.

dessins extrêmement variés. Devant l'emplacement du château, deux carrés, eux-mêmes régulièrement compartimentés, traités en parterres de broderie, et une trentaine de rectangles occupés par des gazons bordés de buis ou de romarin, des quinconces d'ormes, des vergers, des potagers, des boqueteaux de pins ou de peupliers, parfois un petit bassin, une fontaine, disposés sans souci de symétrie. On y trouvait aussi quelques amusettes à la mode : un labyrinthe, une volière, un écho en maçonnerie pour divertir les visiteurs. Pas de véritables bosquets composés. Quelques sculptures — des nymphes couchées dues à des artistes italiens — qui furent d'ailleurs critiquées pour leurs attitudes maniérées, des bancs de pierre disposés çà et là, ainsi que de petits pavillons de bois et d'osier. L'ensemble n'était clos que de haies ou de palissades. Ce jardin, à en croire les louanges épistolaires des ambassadeurs étrangers, fut fort admiré.

La mode, venue d'Italie, était alors aux grottes à l'antique, sortes de pavillons ouverts d'un côté, décorés à l'intérieur de stucs en forme de rochers et de stalactites, de mosaïques de cailloux, de coquilles, garnis de niches et de petits bassins. Celle du jardin des Pins à Fontainebleau, et celle de Meudon, à demi souterraine, due au Primatice, furent sans doute les premières en France dans cet esprit. Bernard Palissy inventa ses grottes « rustiques » de terre émaillée. Il aménagea celle des Tuileries en 1556, mais nous n'en avons plus trace. On l'imagine d'après les descriptions générales de ses inventions parues dans sa *Recepte veritable* : rochers de terre cuite émaillée, coquilles, grenouilles, vipères, lézards, tortues, des mousses et des herbes aquatiques, en terre cuite, et « un grand nombre de pisseurs d'eau ».

Les jardiniers paraissent avoir été placés sous les ordres de

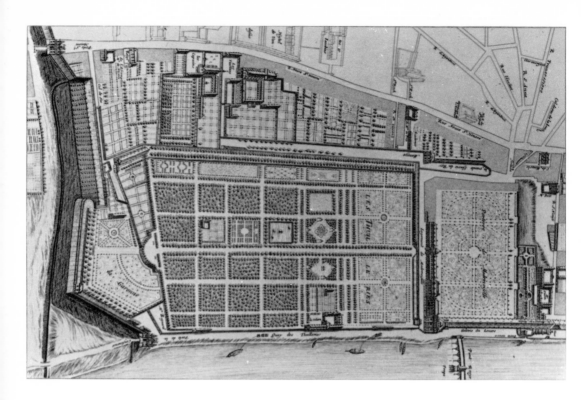

Pierre Le Nôtre, que les actes qualifient de jardinier, marchand de fruits, bourgeois de Paris, paroissien de Saint-Germain-l'Auxerrois. Son fils Jean, jardinier ordinaire des Tuileries sous le règne de Henri IV, eut lui-même pour fils le grand André Le Nôtre. L'intervention de Claude Mollet, qui travaillait pour tous les parcs royaux, est certaine, bien qu'ici sa tâche ne puisse être précisée. En 1593, les bandes déchaînées des soldats de Henri IV avaient si bien saccagé le jardin qu'il dut être entièrement replanté. Au nord, une longue terrasse fut élevée au long de notre rue de Rivoli, et ornée de mûriers : des magnaneries étaient installées dans l'Orangerie.

Lorsque Henri IV eut fait avancer les travaux des bâtiments, deux jardins d'inégale importance étaient disposés devant chaque face du château. Du côté du Louvre, limité par la vieille enceinte de Charles V, le Petit Jardin était composé de parterres cernés de cyprès. Leur entretien fut confié au jeune Jean Le Nôtre lorsqu'il travailla aux Tuileries comme l'avait fait son père et le fera son fils. Ce sera le jardin de la duchesse de Montpensier, la Grande Mademoiselle.

La façade du château, chose surprenante, ne donnait pas directement sur le jardin. Entre les deux se trouvait un chemin qui conduisait du faubourg Saint-Honoré au chemin de halage de la Seine. Il semble avoir été fort mal tenu, au dire des contemporains. De plus, il était bordé d'un bout à l'autre par un mur élevé qui bouchait la vue. Cette anomalie, due sans doute à une servitude de passage, était objet de railleries.

Jacques Boyceau établit en bordure de la terrasse des Mûriers un berceau de charpente qui atteignait 600 m de longueur sur une largeur de 4,50 m, avec une palissade de grenadiers. Les éléments du jardin s'étiraient démesurément en longueur : le Manège ressemblait à un grand corridor, la terrasse des Mûriers, le berceau, les allées parallèles, toutes ces compositions rectilignes étaient commandées, sans doute, par la disposition des lieux, mais rien n'en venait rompre la monotone régularité.

Quand le roi ne résidait pas aux Tuileries, ce qui était fréquent, le jardin était ouvert au public. Les récits du temps mettent en scène des promeneurs de bonne compagnie, calmes, désireux de se délasser en respirant le bon air, ce qui n'empêchait point les rendez-vous galants auxquels le labyrinthe se prêtait particulièrement. « Le labyrinthe a longtemps été signalé, écrit Sauval, pour les prouesses des amants et si les cyprès pouvaient parler, ils nous apprendraient quantité de jolies petites aventures. »

Autre lieu de rendez-vous, très noblement fréquenté, l'établissement tenu par Renard, au fond du jardin, près des deux bâtiments qui fermaient l'entrée vers l'ouest. Ce Renard, ancien valet de chambre du commandeur de Souvré, avait obtenu la concession d'une parcelle laissée en friche qu'on appelait la garenne aux lapins. Il avait fait planter des arbres sur la terrasse, servait des collations, organisait des concerts, et, comme il était homme d'esprit et connaissait son monde, achetait des tapisseries, des meubles précieux, et faisait savoir qu'il « pouvait en vendre aux personnes de qualité ». L'ancienne garenne aux lapins fit fureur. Et Renard fit fortune.

Beaucoup de monde habitait alors le jardin des Tuileries, surtout du côté de la Seine. Il y avait là non seulement les maisons de la capitainerie, des gardiens et des jardiniers, mais, comme au Louvre, des artistes que le roi voulait favoriser en leur « donnant moyen de travailler avec plus de commodité ».

En 1664, sur l'ordre de Colbert, sont entrepris les travaux qui vont métamorphoser le jardin en lui donnant cette majestueuse harmonie qu'il a par bonheur presque intégralement gardée. Ils sont dirigés par André Le Nôtre dont c'est la première œuvre de création importante. Il habitait une maison contiguë au château des Tuileries. Sa famille bénéficiait de l'estime générale et avait acquis, par l'honnête accomplissement de sa tâche, une élévation sociale qu'elle ne paraît point avoir recherchée. Lorsque le père d'André Le Nôtre, en 1637, demanda la survivance de sa charge de jardinier ordinaire des Tuileries pour son fils, le roi lui fit savoir qu'il avait reçu « un bon et louable rapport de la personne de son cher et bien-aimé André Le Nôtre, de ses suffisance, loyauté, prud'homie, expérience

au fait des jardins ». Il sera le collaborateur de son père et lui succédera après sa mort. Alors âgé de vingt-quatre ans, il ne se contente pas de manier la bêche et d'étudier l'horticulture d'après les conseils paternels; curieux de toutes les choses de l'art, il étudie la peinture avec Simon Vouet, et l'architecture probablement avec Mansart. Tout au cours de sa vie, il conquiert ceux qui l'approchent par sa droiture, sa simplicité, son enjouement, même le venimeux Saint-Simon. Ses qualités d'esprit et de cœur, nous en voyons le reflet dans l'art qu'il exerce avec une suprématie que personne ne songe à lui contester. Dès son premier envoi aux Tuileries, il nous livre son génie. Pas de désordre qui n'aboutisse à un ordre, pas de difficulté qu'il ne tourne en beauté.

Le terrain était en assez forte déclivité. Pour le mettre à niveau, il construit la Grande Terrasse, celle du Bord-de-l'Eau, la plus large et la plus haute, tandis qu'à l'opposé, en réplique, la terrasse des Feuillants domine à peine le jardin. Ainsi a-t-il corrigé la dénivellation pour obtenir un parterre absolument plan en enveloppant le jardin dans cette armature de terrassements qui le protègent comme des remparts. C'est sans doute à cela qu'il doit d'avoir résisté aux assauts de la ville qui l'a cerné sans jamais le mordre. Vers les Champs-Elysées, ces terrasses prennent une ampleur magistrale et forment deux esplanades, véritables belvédères sur la campagne. A leur ordonnance anguleuse s'appuient les courbes des rampes qui, avec les balustres de pierre et les cavaliers de Coysevox, composent un paysage si noble et si grand, que ce sera plus tard, tout naturellement, l'entrée solennelle de la place Louis XV.

Entre la terrasse des Feuillants, décorée de caisses d'orangers, et les quinconces s'alignaient des pelouses de gazon. Le Nôtre avait fait abattre les murs de clôture. Le large chemin qui passait entre le château et le jardin, si insolite qu'il fût, avait eu pour avantage d'isoler le jardin et de consacrer son indépendance. Le jardin privé du château se trouvait sur l'autre face, connu sous le nom de Jardin de la Grande Mademoiselle; il subsista jusqu'au fameux carrousel de 1662, date à laquelle il fut remplacé par une sorte de place d'armes. En même temps, devant la façade occidentale du château, s'étend un parterre de 164 m de longueur avec la nappe de lumière de son grand bassin circulaire, jusqu'aux couverts. Il est composé de tapis de broderie dont les figures géométriques encadrent symétriquement, de part et d'autre de l'allée centrale, deux bassins de moindres dimensions. Une allée, très large, grand axe de la composition, est plantée de doubles rangées d'ormes; elle se prolonge jusqu'au vaste bassin hexagonal et aboutit au fossé rempli d'eau de l'enceinte de Louis XIII — sur notre place de la Concorde — entre deux terrasses dont les rampes se courbent en fer à cheval. C'est la grande novation de l'esprit classique. Alors que le jardin précédent était fait de compartiments irréguliers, dessinés et plantés pour eux-mêmes sans recherche d'ensemble, nous voyons ici une composition dont tous les éléments se répondent si parfaitement que l'absence de l'un d'eux perturberait l'ordonnance générale. L'habitation de Le Nôtre était située juste

La statuaire des Tuileries fait grand usage de la mythologie antique.

au nord du palais des Tuileries, à peu près à l'emplacement du pavillon de Marsan. Une porte de son jardin personnel lui permettait de communiquer avec le jardin royal. Celui-ci semblait si précieux que Colbert voulut le réserver au roi et à la cour en le fermant au public. Charles Perrault, l'auteur des *Contes*, intervint près du ministre pour que tout le monde pût y entrer librement, et gagna la partie. Ce fut la promenade la plus animée de Paris jusqu'à la création des galeries du Palais-Royal. S'y rencontraient les philosophes, les nouvellistes, les gazetiers, les dames de qualité soucieuses de parader, les petits-maîtres en quête d'aventures galantes.

En 1715, un pont tournant fut établi sur les fossés au bout du fer à cheval qui permettait de clore le jardin sans borner la vue. Ce sera l'entrée solennelle des fêtes et des grandes réceptions, qui recevra plus tard les chevaux ailés de Coysevox transportés des jardins de Marly. La fête de Saint-Louis attire des foules si compactes que les Suisses n'arrivent pas à canaliser la sortie et que des accidents sont à déplorer. Des lampions ponctuent les bosquets. Des feux d'artifice sont tirés sur les terrasses.

Après les journées d'octobre 1789, les Tuileries seront le cadre d'événements mémorables de l'histoire de France. Lors des massacres de 1792, Louis XVI, pressé par ses familiers, craignant de voir sa famille exterminée, quitte le château, traverse le jardin pour gagner la salle du Manège où siège l'Assemblée législative. Ce seront ses derniers pas avant la prison du Temple et la guillotine.

La Convention déclara que les parterres de fleurs et les bosquets devaient être remplacés par des légumes destinés à nourrir le peuple. En fait, un seul gazon sera transformé en champ de pommes de terre. Plus grave était sa décision de faire disparaître les « statues impersonnelles » pour être remplacées par des effigies de « citoyens dont le souvenir et l'exemple élèvent l'âme des peuples ». Mais le sculpteur Boizot put mettre à l'abri vingt statues de marbre. Les vœux de la Convention n'obtinrent d'ailleurs que des résultats dérisoires : seul un buste de Bara prendra place quelque temps sous un toit rustique soutenu par quatre piques. (Il faudra attendre la Troisième République pour que la statuaire politique détériore les Tuileries.) De nombreux projets de portiques, fontaines et ruines seront dessinés sous la direction de David. Une petite île est construite dans le grand bassin qui reçoit momentanément les restes de Jean-Jacques Rousseau, transférés de son île d'Ermenonville au Panthéon. Des fêtes républicaines se dérouleront dans des décors de plâtre et de carton, d'après des idées de Marie-Joseph Chénier.

L'Empire apportera un nouvel ordre à ces jardins que les goûts de la fin du XVIIIe siècle avaient traités avec de volontaires négligences pour leur donner un aspect champêtre. Vers la fin de son règne, Napoléon fit rectifier l'alignement : la terrasse du Bord-de-l'Eau, isolée par des grilles, est réservée à la famille impériale. On y voit parfois aux beaux jours Marie-Louise conduire le petit roi de Rome au pavillon de jeux qui lui a été bâti au bout de la

— De quel endroit êtes vous, mademoiselle ?
— Je n'en sais rien
— Alors nous sommes pays

LE JARDIN DES TUILERIES

terrasse. Le jardin public n'a rien perdu d'une animation qui, au vrai, n'avait jamais cessé, même lorsque la guillotine était plantée à ses côtés. Napoléon avait fait établir un passage souterrain entre le château et l'extrémité du jardin, sous la terrasse du Bord-de-l'Eau. C'est par là que s'enfuiront l'impératrice et l'enfant impérial lorsque vint la défaite. Quand Louis-Philippe résidera aux Tuileries, il imprimera au jardin sa marque personnelle. Entre le château et le bassin rond, il ne craint pas de faire creuser des fossés, qui existent encore, pour isoler son jardin privé. Cette métamorphose due au roi bourgeois arrive à faire ressembler son jardin privé à un jardin public, tandis que le jardin public, bien qu'amputé, reste royal. Avec Napoléon III le jardin profitera du resplendissement des fêtes données au château des Tuileries : choyé, pomponné, fleuri comme il ne l'avait jamais été, s'il ne favorisait plus les jeux d'esprit et les élégantes fanfaronnades du siècle passé, il continuait à attirer les promeneurs qui en appréciaient le site et la majesté. Après l'incendie du château et la démolition de ses ruines, comment combler l'immense place béante qui venait de s'ouvrir devant le Louvre ? Des pelouses furent disposées sur la cour du Carrousel.

Le peuple entre au château des Tuileries, le 20 juin 1792.

Au moyen d'artifices, de bouquets d'arbres, on a cherché à rectifier l'inflexion du grand axe entre les bâtiments — ce qui explique la présence de bosquets aux côtés de l'arc de triomphe du Carrousel et des deux squares stupidement posés entre l'aile du ministère des Finances et celle du Musée. En 1971, un central téléphonique souterrain a été creusé sous les parterres et la terrasse du Bord-de-l'Eau.

Le jardin des Tuileries est décoré d'une statuaire, égale en qualité à la sculpture versaillaise. Il est vrai qu'elle s'insère parmi beaucoup de médiocrités. Ces sculptures proviennent pour la plupart du parc de Marly. Trente-neuf vases de marbre sculptés y sont répartis qui ont la même origine. On voit encore beaucoup de statues de la fin du XIXe siècle, dont la valeur plastique est mince mais qui, d'un peu loin, jouent leur rôle décoratif. En 1964, celles qui se trouvaient dans les gazons du Carrousel ont été remplacées par des œuvres de Maillol; placées sur des socles bas, elles composent un véritable musée de plein air, et leur force majestueuse rayonne dans ce cadre royal.

L'entrée de la duchesse d'Orléans dans les Tuileries, le 4 juin 1837, par Eugène Lami.

Le parterre d'Apollon et de Daphné, par Mongin.

Près du bassin rond, côté nord, se découvrent de remarquables sculptures : *Flore et Hamadryade* par Coysevox, et, côté sud, deux *Nymphes* de Coustou. Au-delà des fossés, la statuaire, bien que de proportions adaptées au site, est hétéroclite sans être toujours négligeable. Le parterre du grand bassin a reçu des sculptures de Pradier, de Bosio, de Barrias. Il faut aller sous les quinconces pour trouver dans les « salles de verdure » en contrebas, de part et d'autre de l'allée centrale, des sculptures du XVIIe siècle et du début du XVIIIe siècle qui exaltent le mouvement tout en conservant la noblesse et la stabilité de la grande époque classique : *Daphné et Apollon*, par Guillaume et Nicolas Coustou, *Atalante* par Lepautre, et *Hippomène* de Guillaume Coustou. Près du bassin octogonal sont plantés les termes des *Saisons*. En bas du fer à cheval trônent les fleuves, deux antiques : le *Tibre* et le *Nil* à demi étendus, ce dernier entouré d'un sphinx et de seize marmots joueurs qui représentent, paraît-il, les seize coudées que devait atteindre le fleuve pour fertiliser l'Egypte. A leurs côtés ont pris place les groupes que Louis XIV avait fait exécuter pour Marly : les *Epousailles de la Seine et de la Marne*, par Nicolas Coustou, de la *Loire et du Loiret*, par Van Clève. Sur la terrasse de l'Orangerie et du Jeu de Paume sont disposés des antiques, restaurés au XVIIe siècle, ou des copies d'antiques.

Orangerie, Jeu de Paume, c'était la destination de ces bâtiments transformés aujourd'hui en galeries de peintures. Des expositions temporaires sont accueillies à l'Orangerie, surélevée d'un étage en 1965, pour recevoir la collection Walter. Le Jeu de Paume, annexe du musée du Louvre, célèbre l'enchantement des maîtres impressionnistes; il devient trop étroit pour présenter ses tableaux et contenir la foule des visiteurs.

Sous la terrasse de l'Orangerie, dans un encadrement monumental, a été placé un buste de Le Nôtre d'après Coysevox. Il méritait bien cet honneur dans le jardin où, avec tant d'éclat, il fit ses premières armes.   197 N

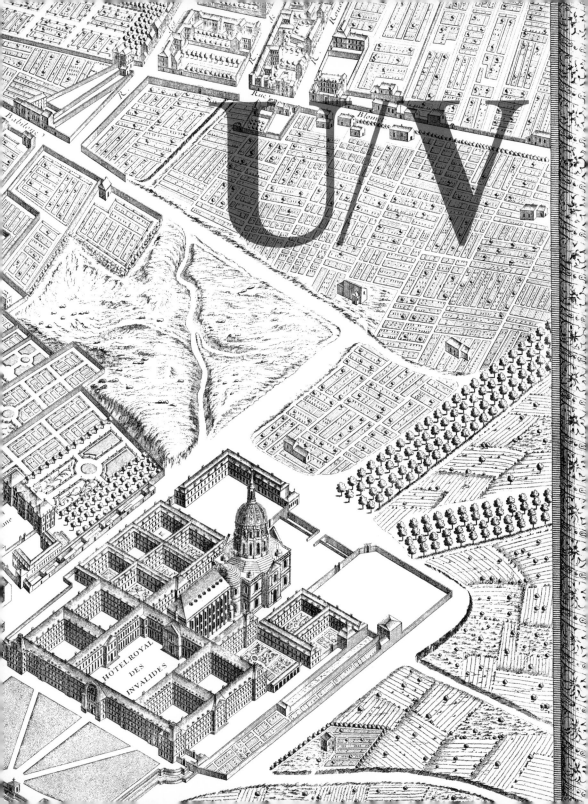

UNESCO

Place de Fontenoy, VIIe. En face de la cour d'honneur de l'Ecole militaire, les bâtiments de l'UNESCO (Organisation des Nations Unies pour l'éducation, la science et la culture) sont implantés dans un des grands sites de Paris, déparé cependant par les ministères bâtis entre les deux guerres sur l'autre côté de la place Fontenoy. L'UNESCO a été édifiée sur des terrains militaires devenus inutiles. Des servitudes en ont réglementé les volumes. Les plans ont pour auteurs trois architectes de renom : Marcel Breuer (américain), Pierre Nervi (italien) et Bernard Zehrfuss (français). Dix nations ont participé financièrement à la construction, les Etats-Unis au tout premier rang ; vingt autres ont pris à charge certains équipements ; le terrain a été offert par le gouvernement français. L'inauguration eut lieu en 1958.

Les exigences d'un site classé, d'abord considérées comme insupportables, ont vraisemblablement servi les architectes. Qu'eût été ce bâtiment de 600 bureaux, avec ses salles de réunion et ses studios de toutes sortes, s'il n'avait pas eu à épouser cette courbe de la demi-lune tracée par Gabriel devant l'Ecole militaire, s'il n'avait pas été limité à sept étages ? Il n'est que comparer avec l'immeuble de l'ONU à New York pour l'imaginer. Le plus important des bâtiments, celui du secrétariat, a été tracé sur plan en Y à branches courbes. Il repose sur des pilotis de béton de cinq mètres de hauteur qui libèrent au rez-de-chaussée un grand hall vitré. Sur la place, les fenêtres sont encadrées de parements de travertin ; sur les autres façades elles sont animées par des brise-soleil. Les pignons sont traités en béton nu. L'implantation des deux autres bâtiments, celui des séances plénières et celui des salles de commission, est volontairement dégagée de tout axe d'alignement et de toute recherche d'identité morphologique. Le premier de ces bâtiments, dont les formes trapézoïdales sont étudiées en fonction de l'acoustique, est relié au secrétariat par une salle des pas perdus ; ses murs de béton brut cannelé, qui portent un toit en accordéon couvert de cuivre vert, composent une architecture d'une rare force plastique. Au dernier moment, la place faisant défaut, un troisième bâtiment fut ajouté au bord de l'avenue de Ségur, grand pavillon rectangulaire de quatre étages. Un jardin japonais, conçu par Noguchi : de l'eau, du sable, des plantes aquatiques, des dalles, des pierres étranges venues du Japon. Le nombre des Etats membres ne faisant qu'augmenter (131 membres en 1971), le nombre de fonctionnaires et de bureaux croissant en conséquence, il fallait agrandir. Les bâtiments étaient posés dans un espace relativement vaste, mais toute construction nouvelle aurait fatalement porté atteinte à l'équilibre établi. C'est alors que Bernard Zehrfuss proposa une solution souterraine : six patios aérés et éclairés naturellement furent creusés sur deux étages formant des cours gazonnées suffisamment ouvertes pour que les occupants ne se sentent pas écrasés (1965).

Les bâtiments ont reçu des œuvres d'artistes notoires de diverses nationalités. Malheureusement elles n'ont aucun rapport avec l'ar-

L'Homme qui marche, de Giacometti.

Le Mur de la Lune, de Mirò et Artigas.

chitecture et semblent avoir été posées au hasard des places disponibles : près de la façade interne du secrétariat, une grande figure
étendue de Henri Moore, un muret revêtu de céramique de Mirò
et Artigas, une mosaïque de Bazaine ; près de l'avenue de Suffren,
un mobile de Calder. Dans la salle des pas perdus une peinture
de Picasso sur panneaux de bois juxtaposés qui n'est pas de ses
meilleurs ouvrages, et d'ailleurs mal placée. Dans les autres bâtiments, des peintures de Roberto Matta, de Karel Appel, de Kelly ;
des fresques de Tamayo, des sculptures de Giacometti, des reliefs
en bronze de Jean Arp, des tapisseries de Lurçat et de Le Corbusier.

En 1967, la nécessité de s'étendre se fit encore sentir, et dans
des proportions que l'UNESCO n'avait pas prévues. Il fallut chercher du terrain ailleurs. Un autre bâtiment fut construit par Zehrfuss à Grenelle, au n° 1 de la rue Miollis. Sans avoir la personnalité
et l'ampleur de celui de la place Fontenoy, dont il est l'annexe, son
architecture est harmonieuse. Les grands volumes sont rythmés
par des châssis vitrés étudiés par Jean Prouvé. Le préau d'accueil
est particulièrement sympathique.

277, rue Saint-Jacques, V^e. « Val-de-Grâce de Notre-Dame-de-la-Crèche, Val profond, à Bièvres-le-Châtel. » Est-il adresse plus ravissante ? C'est là qu'Anne d'Autriche trouva la communauté de bénédictines qu'elle installa à Paris en l'hôtel du Petit-Bourbon, rue Saint-Jacques (1621). La reine se désolant de ne pas assurer la descendance directe de la monarchie, demandant à Dieu de lui accorder un fils, fit la promesse, si cette joie lui était donnée, d'élever à sa gloire, en ce nouveau Val-de-Grâce, une église magnifique. Quatorze ans plus tard naissait le futur Louis XIV.

Il lui fallut pourtant attendre la Régence de la reine mère, c'est-à-dire sept ans encore, avant le début des travaux. C'est accompagnée de son jeune fils qu'elle posa la première pierre. « Peut-être, aussi, fait observer Louis Hautecœur, souhaite-t-elle moins chrétiennement que la splendeur de l'édifice pût rappeler celle de sa Régence. » La construction avait été confiée à François Mansart, qui rencontra tout de suite des difficultés, le sol étant creusé de galeries provenant d'anciennes carrières. Il fit fouiller profondément. Jamais satisfait de soi, il modifiait, à son habitude, ses projets en cours de route. Au bout de trois ans les murs les plus hauts n'atteignaient que 11 m, si bien qu'Anne d'Autriche, impatiente, demanda à Lemercier de continuer l'ouvrage. Cet excellent architecte ne pouvait mieux faire que de suivre les plans de son illustre prédécesseur, au moins pour l'essentiel. Pendant la Fronde, les travaux durent être interrompus. Lemercier mort, ils furent repris en 1655 par Le Muet qui était attaché à l'entreprise depuis l'origine. C'est lui qui a construit le dôme et commencé les bâtiments monastiques.

La cour d'entrée, fermée de grilles appuyées à deux pavillons d'angle, est entourée d'un mur décoratif à frontons. Mansart avait prévu, face à l'église, de l'autre côté de la rue Saint-Jacques, une place semi-circulaire ordonnancée, place qui n'apparut, mais dans le désordre, que deux cents ans plus tard.

Blondel a critiqué, non sans raison, la maladresse de la façade. S'il loue la sobriété de l'ordre inférieur avec son porche en avancée, la répartition des ombres et des lumières distribuées par ses colonnes saillantes et ses niches amples et profondes, il réprouve la superposition de l'ordre supérieur nettement débordant. La colonnade d'entrée s'en trouve écrasée; de plus, la fenêtre placée au milieu de l'étage supérieur avec ses petites colonnettes de chaque côté est d'un effet mesquin. Notons que si la partie basse est de Mansart, l'autre est de Le Muet, moins préoccupé, en ce cas, de justes proportions que de suivre la mode italianisante et de se référer à des modèles romains plus ou moins bien transposés. La comparaison est intéressante avec Saint-Gervais, premier exemple d'une façade d'église parisienne classique, et perfection d'équilibre : on retrouve au Val-de-Grâce la puissance des ailerons en console retournée qui flanquent la partie supérieure. La pauvre horloge qui ponctue le fronton a remplacé les armes de l'abbaye grattées par les révolutionnaires. Reste pourtant leur encadrement en figures d'anges, de Michel Anguier. Cette façade fait corps avec deux ailes basses qui étaient affectées au clergé.

Val-de-Grâce

Le dôme est inspiré de Saint-Pierre de Rome, bien qu'il n'en ait point les proportions, ni, bien entendu, les dimensions. Il repose sur un tambour ceint de médaillons fleurdelisés et épaulé par de forts pilastres surmontés de génies et de consoles continuées par des pots à feu. Le dôme est construit en demi-sphère aplatie d'où s'élance un campanile. Il est visuellement relié à la nef par quatre clochetons ajourés. C'est du jardin que l'on en peut apprécier l'altière vigueur. Dans le paysage parisien, ce dôme qui se situe chronologiquement entre celui de la Sorbonne et celui des Invalides, forme entre eux une transition.

Le plan de l'église est conçu selon sa triple destination. Le Val-de-Grâce était en effet une abbaye, en même temps qu'une église paroissiale et une chapelle royale. La nef était destinée aux paroissiens; à droite, le chœur Saint-Louis, celui des religieuses, communiquait avec le monastère; à gauche est la chapelle Sainte-Anne, ou « chœur de la reine »; au fond, derrière les baldaquins, s'ouvre la chapelle du Saint-Sacrement. L'ensemble est enrichi de sculptures. Dans la nef, des arcades en plein cintre reposent sur des piles ornées de pilastres cannelés dont les chapiteaux corinthiens sont sculptés par de Buyster. Aux écoinçons des figures de Vertus sont l'œuvre de Michel Anguier, qui est également l'auteur des abondantes sculptures en caissons dont est revêtue la voûte en berceau. Les chapelles latérales à coupolettes communiquent entre elles, comme à Saint-Paul-Saint-Louis, par des passages voûtés.

Le chœur est séparé de la nef par une grille en fer forgé. Au-dessus des arcades ouvertes sur les vastes chapelles, des fenêtres à balustres surmontent des figures couchées en bas-relief. Les pendentifs de la coupole sont ornés de quatre grands médaillons représentant les évangélistes. La coupole même, haute de 41 m, peinte par Mignard, a été célébrée par Molière en vers de circonstance fort peu convaincants. Sa hauteur, ses couleurs pâles nous permettent à peine de comprendre qu'elle représente Anne d'Autriche offrant à Dieu l'église du Val-de-Grâce en modèle réduit, par l'intermédiaire de saint Louis, au milieu d'une foule de personnages qui voltigent dans les nuages.

L'attention se porte avant tout sur le monumental baldaquin soutenu par six colonnes torses en marbre où grimpent des feuillages en bronze doré. Le sommet brille d'arcs fleuris, de palmes et d'anges : c'est Saint-Pierre de Rome à Paris, le plus étrange baroquisme acclimaté dans une architecture classique. A cette époque, l'église était terminée par Le Duc, architecte de peu d'invention, mais qui savait copier consciencieusement ses modèles. Sur l'autel, reconstitution approximative de celui qui fut détruit pendant la Révolution, le groupe en marbre blanc de la Nativité est une réplique de l'œuvre originale de Michel Anguier, transporté à Saint-Roch alors que le Val-de-Grâce n'était pas encore rouvert au culte. Les chapelles disposées autour du chœur ont reçu de fort belles grilles de clôture. Celle du Saint-Sacrement (axiale) possède une absidiole en marbre rose dont la voûte est peinte par Philippe

Le baldaquin et la coupole peinte par Mignard.

Les jardins du couvent au XVIIᵉ siècle.

de Champaigne. Celle de Sainte-Anne, ou de la reine (à gauche), conservait les cœurs de la famille royale — profanés en 1793. On remarquera le précieux pavement de l'église, mosaïque de marbres contrastés ; il préfigure celui des Invalides — qui le dépassera en qualité.

Au sud de l'église s'étendent les austères bâtiments monastiques. Sur plan quadrangulaire, ils ont été aménagés en 1624, puis modifiés et agrandis en même temps que s'élevait l'église. Ils s'ordonnent autour du simple et beau cloître dont les galeries à arcades surbaissées sont couvertes de voûtes elliptiques. La façade sur jardin est majestueuse : les fenêtres des combles sont confortées par des ailerons ; au centre se déploie un grand fronton curviligne décoré d'armes et d'écussons. L'œil est attiré par un petit pavillon hors œuvre, insolite, à l'angle nord. Une seule petite pièce couronnée de balustres et de pots à feu repose sur huit colonnes ioniques baguées formant péristyle : c'est l'entrée de l'appartement d'Anne d'Autriche, un souvenir de l'hôtel du Petit-Bourbon. La reine avait là un petit salon et une chambre à coucher où elle venait, en principe chaque vendredi, vivre au milieu des bénédictines ; elle partageait leurs repas au réfectoire et suivait leurs offices.

NORD

43 Champs-Elysées
44 Théâtre des Champs-Elysées
45 Chapelle expiatoire
47 Hôtel de Châtillon
49 Ile de la Cité
53 Colonne astrologique
54 Colonne de Juillet
55 Comédie-Française
56 Place de la Concorde
57 Pont de la Concorde
58 Fontaine de la Croix du Trahoir
59 Place Dauphine
60 Défense
62 Mémorial de la Déportation
66 Palais de l'Elysée
67 Arc de triomphe de l'Etoile
68 Enceinte des Fermiers-Généraux
69 Hôtel Fieubet

182 Sainte-Chapelle
185 Eglise Sainte-Marguerite
186 Temple Sainte-Marie
187 Eglise Sainte-Marie-Médiatrice
188 Hôtel Salé
191 Hôtel de Sens
193 Hôtel de Soubise
195 Hôtel de Sully
196 Hôtel Titon
197 Jardin des Tuileries
200 Place Vendôme
201 Square du Vert-Galant
202 Fontaine de la Victoire
203 Place des Victoires
204 Bois de Vincennes
205 Château de Vincennes
206 Maison de la rue Volta
207 Place des Vosges

Rares sont les couvents et monastères qui ont survécu à la Révolution. Celui-ci reste le témoin d'un temps de grande ferveur mystique. La pensée religieuse et la charité exaltées par le cardinal de Bérulle et Vincent de Paul furent à l'origine de nombreuses fondations. Il y eut trente communautés nouvelles à Paris sous le règne de Louis XIII et la régence d'Anne d'Autriche, et sur la seule rue Saint-Jacques on put en compter jusqu'à quatorze. Le Val-de-Grâce était alors au milieu des prés et des vergers, et les bénédictines possédaient un grand espace clos. Pendant la Révolution, l'église, transformée en magasin des hôpitaux, n'eut que peu à souffrir. Le sacristain avait pris la précaution de protéger les pavements en les recouvrant de chaux. En 1795, le monastère était transformé en hôpital militaire — ce qui le sauva. L'école de médecine et de chirurgie militaires lui fut adjointe peu après. Elle n'a fait évidemment que croître, les bâtiments conventuels devenus insuffisants, le vaste jardin a été peu à peu envahi par des constructions de toutes sortes. Des projets sont en cours, qui prévoient des locaux concentrés et mieux adaptés à leur destination.   199 S

Les médaillons des évangélistes Marc et Luc.

place
Vendôme

Ier. Au milieu du xviie siècle, la rue Saint-Honoré était le grand axe de circulation est-ouest. Dans la partie qui avoisinait le jardin des Tuileries, elle était peuplée de couvents et d'églises (il ne reste que Saint-Roch et l'Assomption). Nombreux s'y trouvaient les terrains maraîchers qui ne demandaient qu'à devenir terrains à bâtir. Et cela n'avait pas échappé à Jules Hardouin-Mansart qui, outre son génie d'architecte, avait celui des finances (les siennes). Par l'intermédiaire de Louvois, son grand protecteur depuis sa jeunesse, il parvint à convaincre Louis XIV qu'une place créée dans l'espace occupé par l'hôtel de Vendôme et ses jardins serait « grande commodité pour la circulation » et pourrait devenir pour Paris un « grand ornement ». Mansart avait bien quelques intérêts en l'hôtel des ducs de Vendôme, ses propositions n'en étaient pas moins intéressantes et elles devaient aboutir à l'une des plus superbes parures de la capitale. Le roi acquit donc l'hôtel de Vendôme, mais, comme il était insuffisant, malgré ses vastes dépendances, pour établir la place projetée, il expropria le couvent des Capucines, tout voisin, en promettant à cette communauté de lui construire un autre couvent à l'emplacement d'un marché aux chevaux qui n'aurait plus rien à faire dans ce nouveau quartier aristocratique. Les religieuses bénéficièrent de locaux et de jardins délimités sur deux côtés par les actuels boulevard et rue des Capucines. Leur église fut construite par François d'Orbay, collaborateur de Mansart, aussi discret que talentueux. La façade de cette église, établie dans l'axe de la future place Vendôme (notre rue de la Paix), fermait brillamment une de ces perspectives scéniques comme savait créer le génie de l'époque.

Hardouin-Mansart avait présenté un plan de place rectangulaire axée sur le faubourg Saint-Honoré et l'église des Feuillants, œuvre de son oncle François Mansart. Au nord, les bâtiments s'ouvraient en arc de triomphe sur la façade de la nouvelle église des Capucines. Des arcades couraient au rez-de-chaussée comme sur la place Royale. Un ordre colossal de pilastres régnait jusqu'au bandeau des toitures.

Louvois espérait que ces bâtiments abriteraient les académies, la bibliothèque royale et des appartements pour les ambassades extraordinaires. Il était convenu que le roi prendrait à sa charge la seule élévation des façades qui assuraient l'unité monumentale, tandis que les terrains qui se trouvaient derrière, en dehors de ceux réservés aux bâtiments publics, devaient être vendus à des particuliers dont on pouvait espérer qu'ils couvriraient les frais. Un beau rêve. Lorsque la paix de 1697 fut conclue, laissant les finances en mauvais état, on entrait dans la période d'austérité d'un règne éclatant sous la vigilante influence de Mme de Maintenon. Comment réduire les dépenses ? Louis XIV renonça aux édifices publics prévus, même à cette bibliothèque dont il avait personnellement caressé le projet. Il lui fallait aussi modifier le dessin de la place, car il pouvait constater que les murs déjà construits « quoique convenables par leur élévation et par leur architecture à la grandeur

de la place étaient incommodes et impraticables pour l'habitation et pour l'usage des particuliers ». On n'avait pas reçu, en effet, la moindre offre d'achat. Mansart dut établir un plan restrictif, moins lourd pour les deniers de l'Etat. Et il mit à cette tâche tant d'intelligence et de savoir que l'on peut se demander si la solution qu'il présenta, et qui fut aussitôt adoptée, n'est pas meilleure non seulement par raison pratique, mais par ses proportions, son harmonie et la majesté de son ordonnance. Afin de n'assurer aucun risque, le roi avait passé une convention avec la Ville de Paris (1699) d'après laquelle il lui cédait la propriété de l'emplacement, à charge de faire construire les façades correspondant au nouveau plan et de vendre les terrains situés en arrière à des particuliers qui pourraient s'adresser à des architectes de leur choix.

Le plan définitif avait réduit la surface de la place en avançant les bâtiments d'environ vingt mètres. L'ordonnance, très stricte, se prolongeait sur ses retours vers la rue Saint-Honoré et la rue des Capucines — qui correspondent aujourd'hui aux premiers tronçons de la rue de la Paix et de la rue de Castiglione. Merveilleuse initiative qui faisait adhérer l'ensemble à la partie visible de ses liens avec la ville et lui évitait la disgrâce de prolongements déséquilibrés. Des pans coupés étaient tracés aux quatre angles qui accroissaient la surface d'occupation des bâtiments. Ainsi passait-on, avec un singulier bonheur, du plan carré à l'octogone. Les galeries ouvertes étaient remplacées par des arcades pleines afin d'augmenter la superficie « rentable » des rez-de-chaussée. Deux étages très inégaux reliés par des pilastres corinthiens sont couverts de grands combles où la lucarne alterne avec l'œil-de-bœuf (disposition malheureusement modifiée au XIXe siècle, la plupart des lucarnes ayant été allongées pour améliorer l'éclairage intérieur). Des avant-corps à fronton triangulaire soutenus par des colonnes engagées animent les pans coupés et les deux grands corps de bâtiment latéraux. Les appuis de fenêtre sont de la plus harmonieuse légèreté. Les mascarons des clefs de voûte, bien que de structure uniforme, sont expressifs et personnalisés.

Notre place Vendôme est place royale. Elle avait pris le nom de place Louis-le-Grand qui lui fut conservé jusqu'à la Révolution. C'est peu de dire qu'elle devait encadrer la statue du roi. Elle était conçue pour elle. Girardon représenta Louis XIV à cheval, en costume romain. Mansart avait dessiné un imposant piédestal enrichi de colonnes et de statues que le roi refusa : s'il en admettait les proportions à l'échelle de l'entourage, il voulait une décoration beaucoup plus sobre, — ce qui fut fait. Le monument fut érigé en 1699 sur une place vide. Les façades de Mansart commençaient seulement à s'élever; mais elles se dressèrent longtemps sans logis derrière elles, comme les portants d'un décor de théâtre.

Il fallut exercer quelques pressions pour que des fermiers généraux, des financiers, se décident à acheter les terrains à bâtir. Le dernier acquéreur, en 1718, fut Law dont le « système » commençait à donner des inquiétudes. Mansart édifia une maison pour lui-même et une pour son gendre. Les autres furent construites par

Veüe et Perspectiue de la Place de Louis le Grand
Paris chez de Poilly rüe St Iaques a la belle image auec priui

divers architectes dont Boffrand et Bullet. Le quartier de la place Vendôme devint un quartier riche qui prit le relai de la place des Vosges et du Marais.

Pendant la Révolution la statue royale fut renversée. Après son assassinat, le corps de Le Peletier de Saint-Fargeau fut exposé sur le piédestal. L'église des Capucines devint une fabrique d'assignats. Le couvent des Feuillants donna son nom au club révolutionnaire qui s'y réunissait.

La place Louis-le-Grand avait naturellement perdu son nom de baptême et se nommait place des Piques. Ses bâtiments mêmes n'avaient que peu souffert, du moins à l'extérieur. Mais l'Empire détruisit ses perspectives : le couvent des Feuillants fut démoli pour percer la rue de Castiglione jusqu'à la rue de Rivoli, le couvent des Capucines pour percer la rue de la Paix. Enfin ses rapports d'harmonie furent rompus par l'érection de la « colonne d'Austerlitz » (44 m de hauteur, alors que la statue de Louis XIV n'en avait que 6).

La place Louis-le-Grand avant son achèvement et les façades de Mansart. Au centre, la statue du Roi-Soleil, par Girardon.

L'idée d'élever une « colonne Trajane » avait séduit les hommes épris d'antiquité romaine. Un décret de 1800 en prévoyait même une dans chacun des départements et deux à Paris. En définitive, c'est la place Vendôme que Napoléon retint pour la dédier à ses armées victorieuses. Commencée en 1806, elle sera terminée en 1810. 1 250 pièces d'artillerie prises aux Autrichiens et aux Russes ont été fondues pour la revêtir. L'âme de maçonnerie recèle un escalier qui grimpe jusqu'à la plate-forme du sommet où est placée la statue de l'Empereur. Napoléon souhaitait se faire représenter en uniforme, mais le sculpteur Chaudet voulait l'habiller en César, prétextant qu'une colonne Trajane ne pouvait être surmontées que par un homme en toge. C'est ce qui prévalut. Toute une troupe de sculpteurs, placée sous l'autorité de Denon, fut mobilisée pour célébrer la geste de la Grande Armée. Les bas-reliefs déroulent en spirale 260 m d'actions militaires. Sculptures insipides et d'ailleurs à peu près illisibles du sol. La statue impériale ne restera que quatre années en place et sera remplacée à chaque changement de régime : en 1815, par une grande fleur de lys, en 1833, par un Napoléon en redingote (qui a été transféré dans la cour des Invalides), en 1865, par un empereur à nouveau en toge romaine. En 1871, la Commune fera abattre le monument que Courbet appelait « le mirliton » et dont, par conviction antinapoléonienne, il

La destruction de la colonne en 1871.

applaudira le « déboulonnement » (on reconstituera par moulages les parties détériorées). La célébrité de cette colonne n'interdit pas de dire qu'elle rompt les proportions d'un espace où tout se compose dans un même rythme horizontal. Elle apparaît dans ce cadre comme un corps étranger.

Habités à leur origine par des gens de finances et par l'aristocratie d'une époque privilégiée où l'on s'adressait aux meilleurs artistes pour décorer les appartements d'apparat, les intérieurs des hôtels de la place étaient généralement dignes de l'extérieur. Au cours du siècle dernier la plupart d'entre eux furent sacrifiés aux exigences de nouveaux propriétaires; et l'on fit commerce de panneaux peints et de boiseries. Quelques exemples témoignent encore sur place de ce que pouvait être la splendeur de ces hôtels. Law avait acquis plusieurs de ceux qui se trouvent en direction de la rue de la Paix. (C'est au n° 23 qu'il faillit être massacré par la foule de ses victimes financières.) Le n° 19, qui appartient aujourd'hui, comme l'hôtel voisin, au Crédit foncier, dont les bureaux s'étendent jusqu'à la rue Cambon où se trouve l'entrée principale, appartenait à Antoine Crozat, ancien commis devenu fermier général qui amassa une énorme fortune. Homme de grand goût, collectionneur fameux et averti, il fit bâtir par Bullet derrière la façade de Mansart un hôtel qu'il emplit de chefs-d'œuvre. Il maria sa fille, âgée de douze ans, au comte d'Evreux, dont le nom figure encore sur le portail d'entrée. La façade de la cour est décorée de colonnes, de pilastres et de grands médaillons. L'hôtel passa entre les mains de son fils, le baron de Thiers, qui fit exécuter des aménagements par Contant d'Ivry, entre autres le grand escalier qui conduit à un beau salon décoré de peintures et de boiseries.

L'immeuble voisin (n° 17) avait été également acheté par Croizat qui fit aménager une grande galerie (disparue). On y voit encore un salon à plafond peint. A côté, l'hôtel Ritz a conservé quelques décorations qui datent pour la plupart de la fin du XVIIIe siècle, notamment un salon peint d'arabesques.

Le ministère de la Justice est établi au n° 13 depuis la Restauration. L'immeuble portait le nom d'hôtel Luillier lors de sa construction (1702) et fut vendu à Paul Poisson, dit De Beauvalais, qui s'enrichit de façon si éhontée qu'après son arrestation il fut taxé pour quatre millions et demi de livres. Son hôtel ayant été saisi, le roi l'acheta pour y installer la Chancellerie, alors sous les ordres de d'Aguesseau. L'intérieur, préservé en raison de son utilisation, possède de belles décorations Louis XIV. Si quelques transformations ne sont pas très heureuses, restent encore des pièces de qualité, notamment un petit salon Louis XVI décoré de précieuses boiseries.

Les n°s 11 et 9 ont été construits par Mansart. Le premier fut acheté dès 1717 par le roi pour agrandir la chancellerie. L'autre fut vendu en 1750 au fermier général Dangé qui le fit décorer de grandes peintures par Oudry (la plupart ont été dispersées). Sous l'Empire ce fut la résidence de l'intendant général du domaine. De 1880 à 1900, il devint hôtel du gouverneur militaire de Paris avant d'abriter les sièges sociaux de compagnies bancaires. Egalement construit par Mansart, l'hôtel en pan coupé était affecté en 1794 au quartier général de la Place de Paris. Un passage commercial, dissimulé derrière la façade, a malencontreusement remplacé l'hôtel ancien : première brèche, mal camouflée, apportée à la place Louis-le-Grand. L'angle est occupé par l'hôtel Vendôme.

L'autre côté était habité à l'origine par des fermiers généraux et des financiers; bien que les reconstitutions soient nombreuses, subsistent çà et là de beaux vestiges. Le n° 10 fut loué au milieu du XVIIIe siècle à l'ambassade de Venise; le 12 à celle de Russie; c'est dans cet hôtel que Chopin mourut en 1849; la plus grande partie a été reconstruite vers 1855. Le n° 14 avait été acquis par le trésorier Paparel condamné peu après pour concussion et détournement à la prison à perpétuité. C'est la banque Morgan qui est aujourd'hui installée dans ses lambris dorés. La compagnie des Indes eut temporairement son siège au n° 20 qui possède un superbe escalier Louis XV et où des salons ont gardé leur première splendeur.

Drapée dans sa hautaine élégance, la place Vendôme accueille aujourd'hui avec la discrétion qui convient le haut commerce de luxe parisien; elle est lieu d'élection des grands noms de la joaillerie. Des banques internationales ont pris la place des trop audacieux financiers du XVIIIe siècle. C'est le point d'attraction d'une élite étrangère qui goûte une certaine lumière de Paris.

On flânait déjà place Vendôme, avant 1914.

200 N

square du
Vert-Galant

Pont-Neuf, Ier. La proue de la Cité, qui s'allonge au niveau des berges comme une tête d'esturgeon, est sans doute, par sa situation, le square le plus aimable et le plus intime de Paris. Ses entrées en contre-bas sont dissimulées derrière le cheval de bronze de son parrain, le *Vert-Galant*. Le royal cavalier semble nous inviter à y descendre. Deux escaliers pris dans le massif de pierre, une porte écrasante, comme d'une nécropole égyptienne, débouchent sur l'eau et la verdure. L'hôtel de la Monnaie, le palais Mazarin, le Louvre, les grandes harmonies classiques de Paris s'élèvent alentour. Les mascarons du Pont-Neuf alignent leurs masques énigmatiques.   201 N

fontaine de la
Victoire

Place du Châtelet, Ier-IVe. La plus importante de celles qui furent édifiées sous l'Empire. C'est une colonne baguée en tronc de palmier sommée d'une Victoire aptère. A sa base quatre figures sculptées par Boizot : la Foi, la Loi, la Vigilance et la Force. Lors des grands travaux haussmanniens qui modifièrent complètement la place du Châtelet elle dut être déplacée de quinze mètres. C'est alors que, pour la mettre à l'échelle, elle fut posée sur un lourd piédestal flanqué de quatre sphinx, afin de sacrifier à la vogue de l'égyptomanie.   202 N

Ier et IIe. Première des places dédiées à Louis XIV, la place des Victoires, il faut bien le dire, est décevante. Ce qui fut un bijou des plus précieux est devenu le carrefour d'un quartier commercial. Comment en est-on arrivé là ? La paix de Nimègue venait d'être conclue. Les guerres éclairs de Louis XIV avaient accumulé les victoires et le roi semblait régner sur l'Europe. Le maréchal de la Feuillade, élevé à la dignité de duc et pair de France, avait été le grand artisan des combats. Il tenait de son beau-père, le duc de Roanez, une très grosse fortune qui s'avérait pourtant insuffisante à combler le coût de ses folies. Donner à son roi une marque de sa reconnaissance pour les honneurs qu'il avait reçus en portant témoignage devant la postérité de la gloire du prince victorieux, qui aurait pu y redire ? Mais, aménager une place au cœur de la ville, acheter deux ou trois hôtels pour les raser et construire une grande place publique pour y édifier un monument considérable, n'était-ce pas une entreprise démesurée ? Louis XIV témoigna de sa satisfaction au maréchal en lui faisant cadeau d'un million de livres, bien qu'il en eût dépensé plus de sept et se trouvât à peu près ruiné.

place des Victoires

La place Royale, celle de Louis XIII, était certes plus vaste, mais ici tout était mis en œuvre pour présenter un chef-d'œuvre de qualité vraiment royale. Le plan circulaire fut adopté parce qu'il était considéré comme un symbole de perfection. Les bâtiments uniformes étaient revêtus de pilastres ; ce qui était, pour l'architecture, l'habit de cour du Grand Siècle. Hardouin-Mansart en fut le maître d'œuvre. Le sculpteur Desjardins conçut et exécuta la statue monumentale dont les proportions avaient été rigoureusement calculées par rapport au diamètre de la place. Les rues aboutissantes ne se trouvaient jamais dans le prolongement d'une autre afin que l'effigie du roi se détachât sur les façades à la limite du regard. C'est l'archétype de la place royale, conçue comme une salle de plein air destinée avant tout à mettre en évidence le vivant symbole de la monarchie. Le monument de Desjardins fut inauguré en 1686 alors que les bâtiments étaient encore inachevés. On suppléa les manquants par de grandes toiles peintes en trompe-l'œil. Louis était représenté en pied vêtu d'un manteau de sacre bien dégagé sur les jambes ; il écrasait un chien tricéphale (la Triple Alliance) ; derrière lui, juché sur une sphère, une Victoire ailée en bronze doré lui tendait une couronne de lauriers. La statue, qui mesurait 4,50 m, reposait sur un piédestal haut de 7 m où des bas-reliefs évoquaient les récentes victoires commentées par de longues inscriptions latines. Au pied, quatre figures assises d'hommes robustes enchaînés au socle par des chaînes dorées représentaient les « nations captives », la Hollande, l'Allemagne, l'Espagne et la Turquie. Autour, quatre fanaux portés par de hautes colonnes décorées de médaillons devaient brûler nuit et jour comme pour accentuer le caractère sacré de ce lieu triomphal.

Les manifestations hyperboliques qui célébraient la gloire de Louis XIV parurent exagérées — au moins dans leur forme. Les mots *Viro immortali* (A l'homme immortel) inscrits dans le marbre

1890.

furent vivement critiqués. Saint-Simon écrivait que ce monument
« renouvelait les anciennes apothéoses » — celles des empereurs
romains. Les fanaux, sous prétexte d'économie, furent éteints
quelques années plus tard, avant d'être enlevés définitivement.

Ce monument n'en était pas moins une magnifique œuvre d'art.
La Révolution envoya à la fonte la statue du roi, avec son allégorie,
et les quatre statues des « nations captives » disparurent. Elle fut
remplacée par une statue de Desaix, représenté nu, à l'antique,
qui suscita des réprobations pudiques et fut aussi envoyée à la
fonte en 1815, pour contribuer au monument de Henri IV sur le
Pont-Neuf. En 1820, elle a fait place au Louis XIV équestre que
nous voyons aujourd'hui, œuvre de Bosio très animée. Quant aux
magistrales statues des Nations soumises, qui avaient échappé au
creuset, elles ont été accrochées aux angles de la façade des Invalides.
Emplacement fâcheux pour des œuvres destinées à être vues à

1973.

hauteur du sol. Elles furent enfin délogées en 1962 et ornent maintenant le parc de Sceaux.

La place des Victoires a connu les pires avilissements. La conception de Mansart, faite de régularité et d'harmonie, qui avait servi de modèle à toutes les places de France durant cent ans, fut défigurée par des transformations incohérentes ou par la reconstruction à une autre échelle (et dans quel style!) de la plupart des immeubles qui l'entourent. Le percement de la rue Etienne-Marcel (1883) a éventré une place qui avait pour originalité d'être fermée, du moins en apparence. Les photographies du XIXe siècle nous la montrent saccagée par les enseignes des marchands qui masquent les pilastres et couvrent les façades du haut en bas. La restauration entreprise avance lentement; pourtant, si nous tournons le dos à la rue Etienne-Marcel, nous pouvons imaginer en face de nous ce que fut l'ensemble de Jules Hardouin-Mansart.

203 N

Paris, XIIᵉ. Le bois de Vincennes, par son ampleur et son aménagement, répond, à l'est de Paris, au bois de Boulogne. Comme lui, il appartient à la Ville de Paris. C'est tout ce qui nous reste de l'immense région boisée, traversée par la Seine et la Marne, dénommée *Lanchonia Silva*. La célèbre forêt de Bondy, disparue lors de l'extension de la banlieue, en faisait partie.

Pour les chasses royales, Philippe Auguste avait fait construire dans le bois un petit castel. Louis VII appela une communauté de religieux Bonshommes — qui devinrent Minimes — leur offrant un terrain, à l'emplacement du lac dont le nom perpétue le souvenir. Ce fut un lieu de pèlerinage vénéré. Saint Louis aima Vincennes au point d'y faire élever une Sainte-Chapelle destinée à recevoir un fragment de la couronne d'épines. Ce fut pour lui un lieu de retraite et de gouvernement. L'image de saint Louis rendant la justice sous son chêne a longtemps illustré les histoires de France. Le fait est relaté de façon précise par Joinville : « Maintes fois advint qu'en été il allait seoir au bois de Vincennes après sa messe, et s'acostoyait à un chêne et nous faisait seoir autour li, et tous ceulx qui avoient affaire venoient parler à li, sans destourbier d'huissier ne d'aultre. » En 1650, Sauval prétendait que ce chêne existait toujours.

Dans la précieuse miniature de la série des *Très Riches Heures du duc de Berry*, le château de Vincennes avec son donjon hérissé de tourelles et ses neuf tours, émerge d'une forêt de chasse à sangliers. Un peu plus tard, en 1451, Nicolas l'Astesa écrit : « Ce parc est subdivisé à l'intérieur en plusieurs parties pour y garder d'un côté les sangliers aux défenses menaçantes, ici les daims timides, les cerfs à la grande ramure, ailleurs les lièvres rapides et les chèvres sauvages; on y rencontre aussi une telle quantité de lapins que l'on en voit quelquefois plusieurs milliers réunis. Aussi trouve-t-on dans ce bois tous les plaisirs de la chasse. Dans une partie du parc, on trouve un beau châtelet qui a pris son nom de la beauté même de sa construction. » Le narrateur exagère sans doute un peu pour ce qui est du gibier; quant au « châtelet », c'était le château de Beauté, à Nogent, qui dominait la vallée de la Marne. Construit au XIIIᵉ siècle, il était encore en assez bon état sous le règne de Charles VII pour que celui-ci y installât Agnès Sorel, la « dame de Beauté », d'où vient son nom. Abandonné, le bâtiment tomba bientôt en ruine sans que personne s'en occupât, si bien que Louis XIII fit raser ses murs croulants, conservant toutefois ses jardins.

L'air de Vincennes était réputé meilleur que partout ailleurs autour de Paris, mais l'eau manquait. Mazarin, qui avait fait tracer de beaux parterres devant le château, fit étudier un projet de dérivation des eaux de la Marne à la hauteur de Chelles. Elles auraient été élevées par des machines, conduites dans les fossés du château pour servir ensuite à alimenter les fontaines de Paris. Jusqu'alors, en effet, on devait se contenter du cours maigrelet du ru de la Pissotte qui avait donné son nom à la région située au nord du château. Les beaux projets de Mazarin furent abandonnés.

bois de
Vincennes

Chasse au sanglier à Vincennes, d'après les Très Riches Heures du duc de Berry.

Après la mort de Mazarin, Louis XIV se soucia peu de Vincennes. Mais Louis XV, qui y avait passé une partie de sa jeunesse, en avait conservé un souvenir durable. Il fit reprendre un projet que Robert de Cotte avait dessiné en 1703 pour ennoblir la forêt tombée à l'abandon. De vastes allées rectilignes, avec des ronds-points à leurs croisées, sont tracées à travers le bois dont la replantation générale est entreprise. Des liaisons sont assurées avec les faubourgs de Paris par de vastes avenues, dont la principale s'adosse à la façade neuve du château et rejoint la place de la Nation.

A la fin du XVIIIᵉ siècle le parc avait atteint une splendeur qu'il n'avait jamais connue. Pas pour longtemps. En 1796, il fut décidé d'en amputer une partie, près du château, pour établir un polygone d'artillerie. Ce fut le commencement de lacérations exécutées par le génie militaire qui ne cessèrent de s'amplifier pendant cent ans.

Sous Louis-Philippe le château est transformé en caserne. Les militaires s'attaquent à la zone sud-est pour y créer un autre polygone, des terrains de manœuvre, les redoutes de Gravelle et de la Faisanderie, tous ces ouvrages étant reliés par des routes stratégiques. 166 ha de bois sont rasés, coupant le parc en deux tronçons. L'administration projette alors de supprimer les trois quarts du bois pour le transformer en camp militaire. Mais les habitants des communes voisines manifestent leur fureur. Ils ont pris l'habitude de venir au bois le dimanche, en famille. Ils ne pouvaient supporter qu'on arrache les arbres, qu'on élève des buttes de tir, que la forêt retentisse de feux de mousqueterie et de coups de canon. Vincennes est surnommé Canonville. Le massacre se poursuit cependant au début du Second Empire. Les terrains de manœuvre et les polygones qui étaient encore séparés par une partie boisée sont réunis. Au sud, 27 ha sont rasés pour établir l'asile de Saint-Maurice et 50 ha pour le chemin de fer de Verneuil-l'Etang. De la magnifique forêt de Louis XV ne restent plus que des lambeaux broussailleux et des fourrés qui servent à tout autre chose qu'aux promenades familiales.

En 1857, Napoléon III met fin à ces dévastations et commande la transformation en parc public de ce que l'armée a épargné. Il charge Alphand de dessiner un bois de Vincennes dans l'esprit du bois de Boulogne. C'est alors que sont entreprises les adductions d'eau et que sont creusés les lacs. Un contrat est passé en 1860, entre l'Etat et la Ville de Paris qui devient propriétaire du bois, à charge de le conserver et de l'entretenir à perpétuité et d'en faire exclusivement un lieu de promenade à l'usage du public. En contrepartie, la Ville est autorisée à aliéner 120 ha au pourtour. Les terrains sont morcelés et lotis avec un cahier des charges rigoureux spécifiant qu'ils seront affectés à des maisons résidentielles en retrait. La ville s'engageait en outre à prolonger le bois jusqu'aux fortifications, entre les portes de Picpus et de Charenton, afin de le rattacher à Paris. C'était alors un grand terrain vague que la création du lac Daumesnil a métamorphosé. N'oublions pas que le bois était alors absolument sec. Pas une flaque d'eau, hors une mare

croupissante près de Saint-Mandé, dont Alphand sut faire une pièce d'eau agréable et très fréquentée.

Mais il était dit que ce malheureux bois devait toujours être offert en holocauste aux militaires. Pendant la guerre de 1870, tous les arbres du plateau de Gravelle seront abattus pour faciliter la défense de Paris. Puis la population parisienne, qui meurt de froid, se précipite pour se fournir de bois de chauffage à la sauvette. Enfin, l'armée allemande complète la besogne. La Troisième République poursuit cette politique dévastatrice. Le ministre de la Guerre, oubliant les contrats passés, traite ce territoire, au nom de la Défense nationale, en pays conquis. Il agrandit les champs de manœuvre et les champs de tir, installe des ateliers de pyrotechnie, des cartoucheries, des dépôts d'artillerie, un quartier de cavalerie, une voie de chemin de fer et crée les établissements de Saint-Maur. L'exposition coloniale de 1931 se tient dans le bois même. Mais son organisation est confiée au maréchal Lyautey. Ce militaire est un humaniste, et son exposition est un chef-d'œuvre. Et pas un arbre n'est touché. Les habitants du XVIe arrondissement, qui

Au XIXe siècle, l'armée, en quête de terrains, voulut obtenir à son profit la disparition d'un bois encore enchanteur.

traversent Paris pour voir la reconstitution du temple d'Angkor, s'aperçoivent qu'il y a là-bas, dans cette région déshéritée et infréquentable, de ravissants paysages.

Après la guerre de 1939, la restauration de Vincennes est entreprise par le Service des monuments historiques, qui commence à restituer les parties « classiques » au sud du château. Un projet d'aménagement du bois est étudié qui reprend dans la mesure du possible les grandes compositions d'autrefois en spéculant sur l'avenir, c'est-à-dire sur l'éventualité du départ des militaires. Des perspectives convergentes sur les terrains libérés laissant la place libre au reboisement ont été tracées au départ de l'esplanade du château. Les casernements qui se trouvent dans l'axe nord-sud de la tour du Bois empêchent encore la réalisation du programme dans son ampleur. En 1968, des bâtiments universitaires, commandés de toute urgence, sont construits au sud-est du château.

Pour faire le tour du parc, nous entrerons par la porte de Charenton ou par la porte Dorée, qui nous mène immédiatement aux rares parties du bois de Vincennes qui jouxtent Paris. La porte Dorée est la seule entrée parisienne qui possède un caractère monumental : des bassins s'étagent en cascade jusqu'à la haute statue dorée de Drivier. Comme l'ex-musée des colonies voisins, l'ensemble date de l'exposition de 1931 — et porte bien sa date.

La vaste plaine de Reuilly, chère aux jeux d'enfants, a été barrée par des pistes de béton destinées à recevoir chaque année la foire du Trône. A gauche s'étendent les 12 ha du lac Daumesnil. Selon la formule employée par Alphand au bois de Boulogne, il est tout en longueur et entoure deux îles reliées par une passerelle où se trouve un temple de l'Amour dressé sur un rocher. Laissons le fameux Zoo, attrayante curiosité parisienne, et dirigeons-nous au sud, vers Charenton. Des arbres entourent le grand vélodrome municipal. C'est alors que nous pénétrons dans la région réellement boisée. On la traverse par la route Aimable, qui rejoint celle de la Tourelle, ou la route des Tribunes, la plus longue, qui mène au champ de courses. A pied, il convient de prendre l'agréable sentier qui suit de bout en bout le ruisseau en le remontant jusqu'à sa source, c'est-à-dire au lac de Gravelle, véritable château d'eau situé au point haut et qui alimente, par des ruisseaux serpentant en sous-bois, les lacs creusés sous le Second Empire. C'est la région du parc aux Daims qui a presque conservé son ancien caractère forestier. Du plateau de Gravelle, la vue s'étend largement sur la vallée de la Marne et au-delà.

En longeant le champ de courses, nous trouvons l'école du Breuil et son arboretum. C'est un aimable bâtiment, construit à la demande de l'impératrice Eugénie, entouré d'un jardin d'autant plus soigné qu'il est celui de l'Ecole municipale d'horticulture. En face s'étend la plaine de jeux de Mortemart. Dans le vaste secteur situé entre le château de Vincennes et Joinville-le-Pont, limité par la route du Tremblay, la forêt a été entièrement dévastée par des installations militaires ou sportives. De l'autre côté, le lac des Minimes est l'une des meilleures créations d'Alphand. Il se trouve

La création du Zoo fut un événement. Pour la première fois à Paris, des animaux sauvages vivaient dans un décor naturel.

à l'emplacement du couvent des Minimes, fondé au XIIe siècle, lieu de pèlerinage qui tombait en désuétude à la veille de la Révolution et dont il ne subsiste que quelques rares vestiges. L'entrée de l'austère couvent des Minimes fait place à celle du restaurant de la Porte Jaune.

Au centre de la forêt se trouvait une étoile à neuf branches où fut élevée une pyramide commémorative rappelant le reboisement de 1731, par ordre de Louis XV. Ce monument inspiré du baroque romain a été sculpté par Michel-Ange Slodtz. Malheureusement, sa signification est devenue dérisoire puisque l'étoile forestière n'existe plus. A côté se trouvaient naguère, au bout d'une voie ferrée, des bâtiments militaires, des ateliers de cartoucheries qui, après de longues tractations, ont été abandonnés par l'Armée. La Ville de Paris a métamorphosé une partie du terrain conquis en y créant le Parc floral de Paris, où des terrassement ont permis de créer d'heureux reliefs de terrain et une grande pièce d'eau qui se prêtent à de pittoresques compositions paysagistes.   204 N

château de Vincennes

Vincennes. Palais, forteresse, ville, c'est la plus vaste et la plus complète, sinon la seule, des résidences royales du Moyen Age qui aient été conservées.

Saint Louis, quand il se rendait à Vincennes, ne songeait certes pas à élever une place forte. Son « manoir » lui suffisait pour manifester sa présence, là comme en tant d'autres lieux du domaine royal. Philippe VI, puis Jean le Bon y construisirent un donjon (1337), mais à peine était-il sorti de terre et tout maigrelet que Charles V décida de l'amplifier et de l'englober dans une grande enceinte où il avait le désir de fonder une véritable ville destinée aux « seigneurs et chevaliers » qu'il aurait distingués. C'est le rempart que nous voyons aujourd'hui, long de 334 m et large de 175. Un formidable appareil défensif. Sous les murailles, jalonnées par neuf tours carrées de 54 m de hauteur, garnies de créneaux et de mâchicoulis, furent creusés des fossés larges de 25 m (la tour d'entrée, dite du Village, la seule qui ait été conservée, nous permet d'apprécier l'importance de ces tours). Elles étaient divisées en plusieurs étages avec une plate-forme dallée et crénelée, renfermaient des magasins de vivres, des dépôts d'armes, des monte-charges qui assuraient leur indépendance. Un système de canalisations relié aux puits et aux citernes conduisait l'eau à tous les bâtiments. Vincennes était considéré comme le modèle des forteresses du XIVe siècle. En vérité, un modèle qui se trouvera bien vite dépassé : les progrès de l'artillerie de feu obligeaient à trouver d'autres solutions, ce qui, pour Vincennes, n'avait d'ailleurs aucune importance, puisque ses murs et ses tours n'eurent jamais à jouer qu'un rôle décoratif. C'est sous cet angle que nous regardons aujourd'hui le château, en regrettant que huit tours sur neuf aient été rasées au niveau du chemin de ronde.

L'entrée de Louis XV à Paris. Au fond, le château.

Château de Vincennes

LE ROI

VÜE GENERALE DU CHAT

Après la Renaissance, ce Vincennes gothique parut de moins en moins agréable. Une révolution s'était opérée dans les mœurs et ces hautes tours avec leurs salles superposées et leur escalier à vis se révélaient fort incommodes à habiter. Le roi résidait dans le donjon — six étages à gravir et des pièces mal éclairées. Louis XI se fit bâtir à côté un pavillon indépendant. Durant près d'un siècle, Vincennes abrita la monarchie jusqu'au moment où le roi dut abandonner l'Ile-de-France pour le Val de Loire. Les Valois n'y firent que des séjours passagers. Tout changea lorsque Mazarin, retour d'exil, devint gouverneur de Vincennes et voulut créer une autre résidence royale, un château « moderne », c'est-à-dire de style « classique ».

Les projets de Le Vau sont acceptés. Deux grands corps de logis construits vers le midi s'ouvrent vers le bois, à l'opposé de la tour du Village, jusqu'alors la seule entrée. Ces nouveaux bâtiments se répondent en symétrie en s'appuyant sur l'enceinte, le pavillon du roi à l'est, le pavillon de la reine à l'ouest. Face aux bois, ils sont reliés par un portique ajouré, percé dans l'ancien rempart; la tour centrale, arasée, s'était métamorphosée en porte triomphale à la gloire de la royauté. Un autre portique en arcades sépare ces bâtiments de la place d'Armes, en déterminant une cour

AU ROYAL DE VINCENE.

d'honneur. Au-delà, de nombreuses dépendances s'étendent, de chaque côté d'une large allée centrale, jusqu'à l'ancienne entrée. Colbert avait ses bureaux dans la tour placée à l'extrémité nord-est de la cour d'honneur qui prit le nom de tour de la Surintendance. C'est alors seulement que fut terminée la Sainte-Chapelle commencée par Charles V et dont la construction, à la suite des vicissitudes politiques, était restée en suspens.

Mazarin meurt en 1661 et le jeune Louis XIV déclare à la surprise générale qu'il ne prendra pas de premier ministre et gouvernera lui-même. Il abandonnera Vincennes pour Saint-Germain-en-Laye et fera commencer les premiers travaux du château de Versailles. Louis XV séjournera à Vincennes dans sa jeunesse. Le bois sera retracé et entièrement replanté, mais bien des parties des bâtiments seront plus ou moins laissées à l'abandon. Le donjon sert de prison. Latude, le célèbre mystificateur qui réussit toujours à s'évader — et à se faire reprendre ensuite —, devient un habitué. Des célébrités y ont séjourné : le prince de Conti, le marquis de Sade, Diderot, Mirabeau, et, sous l'Empire, les évêques qui avaient pris parti pour le pape.

En 1738, s'y intalle un atelier de porcelaines créé par d'habiles ouvriers qui avaient quitté la manufacture de Chantilly. Ils ont pour

La gravure représente les nouveaux bâtiments demandés par Mazarin à Le Vau.

spécialité les fleurs peintes au naturel qui connaîtront un grand succès. Leur manufacture sera transportée à Sèvres lors de sa fondation, sous l'égide de Mme de Pompadour, en 1756.

Pendant la Révolution, le château de Vincennes est mis en vente, comme tant d'autres monuments, mais, comme tant d'autres aussi, ne trouve pas d'acquéreur. Il est de plus en plus mal en point. Les pavillons du roi et de la reine sont dévastés. Une véritable ville s'étend autour du château; des baraquements encombrent les fossés, des maisons sont bâties à l'intérieur de l'enceinte par des particuliers favorisés.

En 1808, Napoléon décide de faire de Vincennes un arsenal : les destructions sauvages seront remplacées par des destructions systématiques. Les tours sont rasées à la hauteur du chemin de ronde et ne s'élèvent plus qu'à peine au-dessus des bâtiments. Leurs ouvertures sont maçonnées. Les créneaux et mâchicoulis sont détruits. La Sainte-Chapelle est convertie en salle d'armes. Seul le pavillon de la reine est épargné pour y loger le colonel de la Garde. Lorsque les Alliés s'approchent de Paris, en 1814, l'intrépide général Daumesnil commande la place; il a perdu une jambe à Wagram et ses soldats l'appellent « Jambe de Bois »; sommé de livrer le château, il s'y refuse : « Rendez-moi ma jambe et je vous rendrai Vincennes. » C'est l'un de ses nombreux mots historiques. En 1815, il fait face à l'armée de Blücher et refoule toutes les propositions de cesser une résistance qui durera cinq mois; il n'ouvrira Vincennes qu'à Louis XVIII. En 1830, toujours gouverneur de la forteresse, il menace de tout faire sauter avec lui, si les insurgés pénètrent dans le donjon où sont enfermés des ministres de Charles X.

Si Napoléon avait transformé Vincennes en arsenal, ses successeurs voudront en faire la pièce majeure du système défensif de Paris. Le bois devient un camp retranché, le château une citadelle, les pavillons de Le Vau des casernes. Les remparts disparaissent sous des casemates couvertes de terre et sont flanqués de glacis. Des bâtiments anciens sont démolis. Le Donjon, la Sainte-Chapelle, sectionnée par des planchers, servent de magasins d'armes. Toutes les ouvertures sont bouchées. Un gros fort est construit à gauche de l'entrée.

Sous le règne de Napoléon III commencent des travaux de restauration dont est chargé Viollet-le-Duc — qui s'intéresse à ce qui lui est cher : il répare la Sainte-Chapelle. Mais l'Armée n'était nullement décidée à abandonner les constructions parasites qu'elle avait fait élever pour ses services à l'intérieur des remparts sans souci de défigurer le château.

En août 1944, au moment même où les troupes allemandes évacuaient Paris, eut lieu un événement qui devait changer le cours des choses. Avant d'abandonner le château de Vincennes, les occupants firent sauter à la mine des casemates emplies de munitions du rempart du midi. L'extrémité du pavillon du roi fut endommagée et le pavillon de la reine incendié. Avec les moyens du bord, fort restreints à l'époque, le service des monuments historiques

Le 28 février 1791, au bruit d'un complot contre-révolutionnaire, le peuple veut détruire Vincennes. La Fayette accourt pour rétablir l'ordre.

s'employa aussitôt à réparer les dégâts, puis s'attaqua à la file des casemates inutilisables, bâties vers 1840, qui formaient l'enceinte du côté du bois. Apparut alors le portique de Le Vau commandé par Mazarin, et son arc de triomphe enfoui depuis cent trente ans et que l'on croyait démoli. Il suffit de comparer les gravures qui représent ce monument, ses colonnes, ses bas-reliefs, la statuaire à l'antique dont il était orné, et la lourde casemate de maçonnerie qui le recouvrait pour juger de l'importance de cette découverte. Les travaux permirent de mettre au jour la porte entière, avec ses décors de

La Sainte-Chapelle.

Van Obstal et Desjardins, à peine altérés, ainsi que le portique dont la plus grande partie subsistait. A la suite de négociations avec l'autorité militaire, on put également dégager le donjon entouré de casemates, découvrir le pont du xive siècle et déblayer ses fossés. La réfection des pavillons du roi et de la reine fut aussi à l'origine de bonnes surprises : des stucs, des peintures réapparurent sous la couche épaisse de badigeons successifs. Le château Louis XIV retrouva son équilibre et un peu de son ancienne splendeur. Le vaste parvis, de grandes avenues qui ouvraient des perspectives dans le bois furent dégagés. Enfin, en 1967, le portique qui fermait la cour d'honneur à la hauteur de la Sainte-Chapelle a été restitué, au moins dans sa silhouette. Restent encore, il est vrai, bien des bâtiments inopportuns, et qui n'ont plus de raison d'être dans un château historique qui, de toute évidence, a perdu son rôle militaire. Il n'y a qu'avantage, en revanche à ce qu'il abrite des organismes qui y sont à leur place comme le Musée de la guerre de 1914, les Archives historiques de l'Armée et la Bibliothèque de documentation internationale contemporaine.

Les visiteurs du château de Vincennes se dirigent tout naturelle-

La Sainte-Chapelle fut achevée par Philibert de l'Orme.

ment vers le donjon et la Sainte-Chapelle. Ils passent d'abord, pour pénétrer dans la cour du château, par la tour du Village où logeait autrefois le capitaine de la place. On remarque aux étages que les fenêtres sont plus grandes que celles habituellement ouvertes dans les châteaux forts. A côté de la porte, une poterne pour piétons a son pont-levis particulier. Le donjon est le plus important qui reste en France. Sa hauteur est de 66 m au-dessus des fossés. Quatre grosses tourelles arrondissent ses angles. S'il a perdu ses créneaux et mâchicoulis, il est entouré d'une « chemise », c'est-à-dire d'une enceinte, dont l'entrée est défendue par une barbacane, un châtelet à deux tours rondes, des ponts-levis. Le donjon comprend six étages surmontés d'une plate-forme dallée. Le plan détermine à chaque étage la même disposition intérieure : une grande salle voûtée d'ogives s'ouvre aux angles sur de petites salles rondes logées dans les tourelles qui étaient transformées en cellules quand le donjon recevait des prisonniers. Au centre, le pilier sur quoi s'articule, du haut en bas, tout l'édifice. La salle royale, au premier étage, communique par une passerelle (reconstituée) avec le châtelet. La chambre royale, au-dessus, est particulièrement remarquable par son pilier octogonal à faisceaux de colonnettes, par les sculptures qui décorent les retombées de voûte, et aussi par sa cheminée à chapiteaux de feuillage. Un large escalier à vis flanque le bâtiment.

En face, sur l'autre côté de la cour, s'élève la Sainte-Chapelle commencée par Charles V vers 1365, qui ne fut terminée et consacrée que sous Henri II, soit près de deux cents ans plus tard. Elle était desservie par une communauté de moines venus du Mont Saint-Michel. C'est Philibert de l'Orme, l'architecte de Diane de Poitiers, qui termina cette chapelle. Il est curieux de constater que ce précurseur du classicisme français voulut, contrairement à l'usage, rester fidèle à l'esprit des architectes du Moyen Age. Seuls diffèrent quelques modes de construction à peine perceptibles. Elle porte la marque du style flamboyant — portail surmonté de gâbles ajourés, clochetons et pinacles finement travaillés; à l'intérieur, une frise court sous les fenêtres minces et aiguës disposées entre les contreforts. Toute la statuaire a disparu. C'est sous Henri II que furent posés les intéressants vitraux représentant des scènes de l'Apocalypse dont le dessin rappelle des gravures d'Albert Dürer. Ils eurent à subir des dommages lors des honteuses affectations de la chapelle et ont été restaurés à la fin du XIXe siècle.

Le monument ayant eu beaucoup à souffrir, sa restauration s'est prolongée de 1852 à 1888. L'oratoire du roi, à gauche du chœur, a reçu en 1852, très modifié, le tombeau du duc d'Enghien dont le souvenir tragique plane sur Vincennes. Banni du territoire en raison de son titre, mais ni émigré, ni conspirateur, il fut enlevé en territoire étranger par ordre de Bonaparte, transporté à Vincennes, jugé la nuit du 20 mars 1804 sans procès, sans témoin, et fusillé à l'aube devant sa fosse creusée en hâte. Une stèle près de la tour d'angle située à droite de la porte du Bois rappelle cette exécution.

Le donjon de Vincennes fut aussi une prison. Cellule de Saint-Cyran.

La plus vieille maison de Paris.

3, rue Volta, IIIe. Les transformations de Paris n'ont laissé que de très rares maisons du Moyen Age. Celle de la rue Volta, qui date vraisemblablement des dernières années du XIIIe siècle, reste un témoin que l'on a voulu préserver au titre de « plus ancienne demeure parisienne ». Titre fort respectable puisque, malgré bien des menaces, elle a défié le tire-ligne des géomètres de la Ville, qu'elle fait saillie sur la rue et que le trottoir s'infléchit devant elle.

maison de la rue Volta

Cette maison haute de quatre étages faisait sans doute partie du faubourg voisin de Saint-Martin-des-Champs. Sa façade à colombage paraît insolite; mais elle était autrefois recouverte de plâtre, comme ce fut toujours l'usage à Paris. Elle avait sans doute pignon sur rue. (Dès la fin du XVIe siècle, tous les toits durent être munis de gouttières.) L'étage supérieur et son toit sont donc largement postérieurs à sa naissance.

Les pièces sont exiguës et n'ont pas tout à fait deux mètres de hauteur. Elles sont éclairées par des fenêtres étroites. Le sol est carrelé. C'était une maison bourgeoise ordinaire; elle nous permet de connaître les conditions d'habitation courantes dans le Paris médiéval. Il y a deux petites boutiques au rez-de-chaussée que l'on reconnaît à la présence de margelles de pierre qui servaient d'étal, et à des baies ouvertes sur l'intérieur (on les bouchait la nuit en posant d'épais volets). Les pièces nous semblent aujourd'hui fort obscures, et l'escalier ne prend jour que sur une courette minuscule. Il convient toutefois de remarquer la robustesse d'une construction qui, malgré la démolition volontaire de ses voisines, reste depuis six siècles toujours debout.   206 N

IVe. La place Royale (des Vosges) est le point de départ et la pièce maîtresse de la ville moderne due à la conception et à l'action toute personnelle de Henri IV. Malgré la grande estime qu'il portait au prévôt François Miron, il n'a cessé d'empiéter gentiment sur les attributions de l'édilité dans le but de « rendre cette ville belle, placide et pleine de toutes les commodités et ornements qu'il sera possible ». Le roi était propriétaire des vastes terrains qui s'étendaient à l'emplacement du palais des Tournelles (démoli en 1563) et de ses multiples jardins, qui n'étaient plus que parcelles maraîchères, vergers ou terres à l'abandon, une partie étant occupée par un marché aux chevaux. Henri IV voulait utiliser un sol parfaitement apte au développement de la ville. Il y fit d'abord installer des manufactures de produits de luxe que la France était obligée d'acheter à l'étranger, notamment des soieries d'ameublement. Trop hâtivement lancée, l'affaire périclita. Le roi, pensant qu'il serait plus profitable et plus agréable pour les Parisiens d'avoir là une grande place ordonnancée, décida de faire bâtir sur des parcelles individuelles — chose très importante pour l'unité de l'architecture — qu'il vendrait à des particuliers. Le contrat (1605) stipu-

place des Vosges

CAROSEL FAIT A LA PLAC

Le carrousel des chevaliers de la
Gloire dura les 5, 6 et 7 avril 1612.
Cette fête grandiose célébra les fian-
çailles de Louis XIII et d'Anne d'Au-
triche et marqua l'inauguration de la
Place Royale.

lait que les constructions seraient uniformes, avec des murs de brique à chaînages de pierre de taille et couvertes d'ardoises. Des boutiques étaient prévues au rez-de-chaussée sous une galerie voûtée qui devait ceinturer la place. Le programme fut exécuté et, depuis, à peu de chose près, rien n'a changé. Les lettres patentes de 1605 restent toujours valables pour la conservation des bâtiments.

Esprit impétueux, passionné pour la bâtisse, Henri IV harcelait les entrepreneurs. Dès le matin, il se rendait sur les chantiers. L'opération était excellente pour le trésor public, et les premiers propriétaires, soit qu'ils aient eu la main forcée, soit par esprit de spéculation, étaient pour la plupart titulaires de charges royales. Le côté nord de la place étant resté deux ans occupé par la manufacture de soierie, l'achèvement du quadrilatère de la place Royale fut retardé d'autant. Qui en est l'architecte ? Son nom ne nous est pas parvenu. On peut supposer qu'il s'agit d'un travail collectif et que le goût de Henri IV n'y fut pas étranger. Ses architectes ordinaires étaient Louis Métezeau et Jacques II Androuet du Cerceau. Claude Châtillon, ingénieur et topographe, qui nous a laissé une gravure si minutieuse de la place, eut probablement son rôle à jouer. Quoi qu'il en soit, nous sommes en présence d'un ensemble dont les répétitions, loin d'engendrer l'ennui de l'uniformité, expriment à la fois la grandeur et la familiarité, la noblesse et les plus simples charmes de la vie. Le rose et blanc des façades, le gris bleuté des combles créent des harmonies savoureuses. Cette séduction tient pour beaucoup au fait que les pavillons se ressemblent sans être exactement identiques. Les parcelles sur lesquelles ils sont construits sont irrégulières et accusent des différences qui vont jusqu'à 1,50 m sur la façade, d'où des arcades de dimensions légèrement variées, des bandeaux qui ne se raccordent pas, etc. Les couleurs aussi sont un peu disparates, des propriétaires ayant employé un revêtement de « briques feintes » c'est-à-dire peintes sur le plâtre en trompe-l'œil. Cette indécision peu visible d'emblée contribue, surtout en notre siècle de fabrications en série, à donner à la place une singulière saveur.

Le roi s'était réservé le pavillon qui donne accès, par la rue de Birague, à la rue Saint-Antoine ; il est édifié sur arcades, plus élevé que ses voisins, mais de même style ; on y voit, du côté de la place, le profil du roi en médaillon, des H couronnés de palmes et des trophées. Les appuis de fenêtres sont des balustres de pierre, contrairement à ceux des autres pavillons. Le pavillon de la Reine, semblable mais sans décor, lui fait face. Notons qu'un autre pavillon fut construit au-dessus de la rue du Pas-de-la-Mule, mais, comme il encombrait la circulation, il fut démoli en 1818. Et rappelons que la place Royale fut nommée « des Vosges » sous le Consulat pour honorer le département dont les citoyens payaient leurs impôts avec le plus d'empressement.

La place était parachevée sur ses quatre côtés en 1611. Henri IV venait d'être assassiné. Le « Carrousel des chevaliers de la gloire » eut lieu l'année suivante, fête fantastique qui dura quatre jours, célébrant à la fois l'inauguration de la place et les fiançailles du petit Louis XIII avec l'infante d'Espagne.

Ce qui avait été marché aux chevaux était encore conçu pour le cheval. Le centre de la place, nu et bordé de lisses, servait aux joutes, tournois et cavalcades. C'est seulement en 1639 que Richelieu y fit placer la statue équestre de Louis XIII, en bronze doré, sur un haut socle de marbre blanc. Le cavalier était dû à Pierre Biard, sa monture avait été achetée auparavant à Daniel de Volterra. Il se dressait sur des compartiments de gazon. A la fin du siècle, les riverains firent poser une grille monumentale dont les portes étaient ornées de médaillons dorés à l'effigie de Louis XIV. Chacun d'eux en avait la clé. Les souhaits de Henri IV étaient accomplis. Il avait voulu donner un « promenoir aux habitants de sa ville, lesquels sont fort pressés à cause de la multitude de peuple qui accourt de tous côtés ». L'allée couverte des arcades, grande nouveauté, et

L'escalier de l'hôtel Richelieu-Bassompierre, au nº 25 de la place des Vosges.

celle, découverte, qui la séparait des lisses remplissaient au mieux cet office. Il avait voulu l'animation et les commodités des commerces : partout les boutiques offraient leurs marchandises au chaland.

La place Royale était effectivement un espace clos, avec deux portes sous les hauts pavillons du nord et du sud, et une autre à l'angle nord-est disparue. On éprouvait déjà le besoin de se retirer en des lieux soustraits à l'agitation. Le succès fut immédiat. Les trente-six pavillons — neuf par côté — sont habités par la société la plus brillante de Paris, où l'aristocratie voisine avec la riche bourgeoisie. Chaque pavillon est un hôtel particulier habité par son propriétaire ou loué. On y fait commerce d'esprit, et aussi de galanterie. Mme de Sévigné naît à l'hôtel de Coulanges (n° 1 bis). Le domicile de Marion de l'Orme reste indéterminé. Quand des souverains ou des ambassadeurs arrivent à Paris, un cortège de grand apparat fait le tour de la place. Elle est le centre du nouveau Marais dont on apprécie les rues régulières, et qui connaîtra la plus grande vogue jusqu'au règne de Louis XV. D'anciennes familles y habiteront encore, mais, au milieu du XVIIIe siècle, le quartier perdra son pouvoir d'attraction. La place se démode, paraît lointaine, prend une allure provinciale. La Révolution renverse la statue de Louis XIII qui sera remplacée en 1838 par une assez triste effigie des sculpteurs Cortot et Dupaty. L'intérieur des hôtels était souvent enrichi d'une belle décoration, dont il reste encore des témoins. A l'étage noble, se découvrent parfois des plafonds à poutres peintes masquées par un plafond de plâtre.

C'est la place la plus ancienne et la plus complète de Paris. Et nulle part en France, hormis place Vendôme, n'existe un ensemble de maisons aussi ample, d'une telle harmonie; il est même miraculeux que la Révolution, si peu respectueuse des monuments, ait passé sans porter atteinte à cette œuvre de la monarchie. Et pourtant cette place sans pareille reste en dehors de l'itinéraire de la plupart des touristes; seuls des connaisseurs viennent admirer ce grand exemple d'un des moments glorieux de l'architecture française.

Il est vrai que sa mise en valeur laisse beaucoup à désirer. On réclame depuis longtemps, pour remplacer le square touffu qui empêche d'embrasser la place d'un regard, un jardin à la française, ou plutôt un simple dallage comme il en est sur toutes les grandes places historiques de l'Europe. En outre, bien qu'elles fussent toutes classées, les façades se sont peu à peu dégradées. Une convention passée entre l'Etat, la ville et les propriétaires, chacun payant sa part, a permis d'établir un programme de restauration — dont l'application sera nécessairement lente et coûteuse. Entrepris en 1968, les premiers bénéficiaires ont été l'hôtel de Chaulnes partiellement occupé par l'Académie d'architecture (n° 9), le pavillon du Roi, la maison qui fut habitée par Victor Hugo et a été aménagée en musée (n° 6), l'hôtel de La Rivière. Les travaux se poursuivent. Et les résultats sont tels que l'on peut imaginer la splendeur de la place le jour où ses façades auront retrouvé l'éclat de leur jeunesse.

La statue de Louis XIII (1825) remplaça celle qui avait été érigée en 1639 et renversée à la Révolution.

Androuet du Cerceau	Jacques I (1510-1583) Connu surtout par ses nombreuses séries de gravures dont la plus célèbre est intitulée « Les plus excellens bastimens de France » (1576).
	Jean-Baptiste, son fils aîné (v. 1555-1590), continue les travaux de Lescot au Louvre (à partir de 1578). Auteur des plans du Pont Neuf.
	Jacques II, second fils de Jacques Ier, travaille au Pont Neuf, à la grande galerie du Louvre et au palais des Tuileries. Peut avoir donné les dessins des maisons de la place des Vosges. Il est vraisemblablement l'architecte de l'hôtel de Mayenne.
	Jean, fils de Baptiste (v. 1590-v. 1650), construit l'hôtel de Sully, l'hôtel de Bretonvilliers.
Jacques Antoine	(1753-1801) Hôtel de la Monnaie (1768-1775), hôtel Fleury, nouvelle façade du Palais de Justice.
Jean Aubert	(1682 (?)-1741) Construit l'hôtel de Biron (Musée Rodin) sur les plans de J.-J. Gabriel (1721). Travaille à l'hôtel de Lassay. [Ecuries de Chantilly.]
Victor Baltard	(1805-1874) Restauration de nombreuses églises parisiennes. Construit les Halles centrales, l'église Saint-Augustin. Participe à la reconstruction du nouvel Hôtel de Ville.
François-Joseph Bélanger	(1744-1818) Pavillon de Bagatelle (1777). Hôtels rue Saint-Georges. Coupole de la Halle au blé (1808).
Henry Bernard	(1912). Maison de la Radio (1960-1963). [Université de Caen, Préfecture du Val-d'Oise.]
Nicolas-François Blondel	(1617-1686) Grand théoricien de l'architecture classique. Auteur de la porte Saint-Denis et de la porte Saint-Martin (terminée par Pierre Bullet).
Dominique de Cortone dit Le Boccador	(? -1549) Ancien Hôtel de Ville de Paris (de 1532 à 1550). [Plans du château de Chambord.]
Germain Boffrand	(1667-1754) Hôtel Lebrun, hôtel de Beauharnais. Participe à la dernière phase de l'hôtel de Soubise. [Place de la Carrière à Nancy, château de Lunéville.]
Marcel Breuer	(1902) Hongrois d'origine, établi aux U.S.A. depuis 1932. L'un des architectes du palais de l'UNESCO à Paris.

Alexandre Brongniart	(1739-1813) Construit surtout des hôtels particuliers, d'un pur style classique dans les quartiers d'Antin et du faubourg Saint-Germain : hôtel de Monaco (ambassade de Pologne); hôtel de Bourbon-Condé, hôtel Masserano, église Saint-Louis d'Antin, et, à partir de 1807, la Bourse.
Salomon de Brosse	(v. 1568-1626) Architecte du palais du Luxembourg (1615-1625), de la fontaine Médicis, peut-être de la façade de l'église Saint-Gervais. [Châteaux de Coulommiers, de Blérancourt, Palais de Justice de Rennes.]
Libéral Bruant	(1637-1697) La Salpêtrière (1665-1670), l'hôtel des Invalides (1671-1675), Notre-Dame-des-Victoires, sur les plans de Le Muet; son hôtel personnel au Marais.
Jean Bullant	(v. 1515-1578) Participe à la construction de l'hôtel Carnavalet, de la chapelle du château de Vincennes et termine le palais des Tuileries. Il est l'auteur de l'Hôtel de la Reine (disparu).
Pierre Bullet	(1639-1716) Porte Saint-Martin, église Saint-Thomas d'Aquin, hôtel Le Pelletier de Saint-Fargeau, hôtel Crozat (place Vendôme).
Jacques Carlu	(1890) Palais de Chaillot, Centre universitaire Dauphine, [Nombreux établissements universitaires en province.]
Jean-François Chalgrin	(1739-1811) Hôtel Saint-Florentin et Talleyrand (place de la Concorde), église Saint-Philippe-du-Roule, tour nord de l'église Saint-Sulpice, escalier d'honneur du palais du Luxembourg, Arc de Triomphe de l'Etoile (de 1806 à 1811).
Pierre Contant d'Ivry	(1698-1777) Eglise de l'abbaye de Pentémont (rue de Grenelle). Participe à la construction des arcades du Palais-Royal et conduit les premiers travaux de la Madeleine (1764).
Robert de Cotte	(1656-1735) Beau-frère et collaborateur de Jules Hardouin-Mansart, travaille à la construction du dôme des Invalides, façade de l'église Saint-Roch. Aménagement du maître autel et du chœur de Notre-Dame. [Chapelle du château de Versailles, hôtels et châteaux en Alsace et en Allemagne.]
Jean Courtonne	(1671-1739) Hôtel de Noirmoutier et divers hôtels disparus. Son œuvre la plus célèbre est l'hôtel Matignon (1721).
Pierre Delamair	(1676-1745) Principal architecte des hôtels de Soubise et de Rohan (Archives nationales), aujourd'hui réunis dans un même ensemble.
Philibert Delorme	(Voir Orme, Philibert de l').
Jacques Gabriel	(1630-1686). Pont Royal.
Jacques-Jules,	fils de Jacques (1667-1742). Premier architecte du roi, Inspecteur général des Ponts et Chaussées. Plans de l'hôtel de Biron (musée Rodin). [Façade de la cathédrale d'Orléans, place de la Bourse de Bordeaux.]
Jacques-Ange	(1698-1782), fils du précédent. Ecole militaire (1751-1773), place de la Concorde. [Opéra de Versailles, Petit Trianon, Pavillon français, château de Compiègne, château de Ménars.]

Charles Garnier	(1825-1898) S'est illustré par la construction de l'Opéra de Paris. Panorama des Champs-Elysées (théâtre Marigny). [Casino de Monte-Carlo.]
Guillaume Gillet	(1912) Centre international de Paris, commencé en 1971, achèvement prévu pour 1974. [Notre-Dame de Royan, Pavillon de la France à Bruxelles (1958).]
Hector Guimard	(1867-1942) Premier architecte français du style Art nouveau (Modern Style). Castel Béranger (1898). Immeubles rue La Fontaine, avenue Mozart. Synagogue, rue Pavée. Entrées du métro.
Jules Hardouin-Mansart	(1646-1708) Pour bénéficier d'une gloire posthume, Jules Hardouin ajouta à son nom celui de son grand-oncle maternel. Grâce à l'amitié de Le Nôtre et à la faveur de Louis XIV, il poursuivit une carrière éclatante qui commença à Versailles. Agrandissement et aménagement de la façade sur jardin du château. Construction du Grand Trianon, de l'Orangerie, des bâtiments royaux dans la ville. Châteaux de Clagny et de Marly (disparus). Plusieurs villes de France portent sa marque et la noblesse de Cour lui passe d'importantes commandes. A Paris, son œuvre est plus limitée mais prestigieuse : place des Victoires, place Vendôme, dôme des Invalides. Il a construit pour lui-même l'hôtel de Sagonne, au Marais.
Jakob Hittorff	(1792-1867) Allemand naturalisé Français. Eglise Saint-Vincent-de-Paul (1824), Théâtre de l'Ambigu (détruit). Cirque d'Eté et Cirque d'Hiver. Aménagements des places de la Concorde et de l'Etoile (1840-1860). Gare du Nord (1863).
Henri Labrouste	(1801-1875) La Bibliothèque Sainte-Geneviève (1850) et la Bibliothèque nationale (1868) marquent le succès de nouveaux principes rationnels en architecture.
Albert Laprade	(1883) Garage Marbeuf (1921), Musée des Colonies (1931), hôtel Hilton, à Orly. Aménagement des abords de l'église Saint-Gervais (1950). Projets de mise en valeur de quartiers historiques.
Jules Lavirotte	(1864-1924) Le « Ceramic Hôtel » et surtout la maison de l'avenue Rapp (1901) témoignent d'une exubérance décorative caractéristique de l'Art nouveau.
Le Corbusier	Edouard Jeanneret-Gris dit (1887-1965) Malgré son grand renom international, a relativement peu construit à Paris où cependant il habita la plus grande partie de sa vie. Maison Ozenfant, maison Laroche (1923). Refuge de l'Armée du Salut. Pavillon suisse (1932), pavillon brésilien de la Cité universitaire, en collaboration avec Costa (1957). [Unités d'habitation à Marseille et Nantes, plan de Chandigarh, centre d'études d'Eveux, chapelle de Ronchamp, etc.]
Claude-Nicolas Ledoux	(1736-1806) Le qualificatif d'« architecte maudit » qui lui est donné aujourd'hui ne peut concerner que la dernière partie de sa vie, lorsqu'il fut jeté en prison pendant la Révolution. En réalité, il bénéficia, dès l'âge de trente ans, d'appuis à la Cour et de commandes nombreuses dans une société mondaine que ne rebutait

point son originalité. La redécouverte de son étrange génie créateur est récente. Hôtel d'Hallwyl (1736), hôtel de la Guimard et de Thélusson (disparus). Les barrières d'octroi ou « propylées de Paris » (1785-1789). [Pavillon de Mme du Barry à Louveciennes, écuries de Mme du Barry à Versailles (caserne de Noailles), châteaux d'Eaubonne, de Bénouville, théâtre de Besançon, cité industrielle des salines royales d'Arc et Senans, grandiose bien qu'inachevée (1774-1780).]

Hector-Martin Lefuel

(1810-1881) Chargé d'exécuter les nouveaux bâtiments du Louvre après la mort de Visconti et sur ses plans. Il devient l'architecte en chef du palais où il déploie une imagination excessivement décorative.

Jacques Lemercier

(1585-1654) Continue l'œuvre de Pierre Lescot au Louvre (Pavillon de l'Horloge). Palais-Cardinal (1636) pour Richelieu (Palais-Royal). Construction du Val-de-Grâce (de 1646 à sa mort), de la chapelle de la Sorbonne, du temple de l'Oratoire, de l'église Saint-Roch (façade de Robert de Cotte). [Château et ville de Richelieu.]

Pierre Le Muet

(1591-1669) Plans de l'église Notre-Dame-des-Victoires, hôtel Tubeuf (en collaboration avec François Mansart), dôme du Val-de-Grâce, plusieurs hôtels parisiens aujourd'hui disparus.

Pierre Lescot

(1510-1578) Travaille en collaboration constante avec le sculpteur Jean Goujon. Construction du nouveau Louvre en 1546 (bâtiments sud-ouest de la Cour carrée). Salle des cariatides. Commence l'hôtel de Ligneris (Carnavalet). Fontaine des Innocents.

Louis Le Vau

(1612-1666) Hôtel Lambert, hôtel Lauzun, église Saint-Louis-en-l'Isle (1657), façade sur cour de l'hôtel d'Aumont, hôtel Salé (1656), château de Vincennes (sur le bois). Participe à l'achèvement de la Grande Galerie et entreprend le pavillon de Flore, Collège des Quatre-Nations (Institut de France), terminé par d'Orbay (1682). [Transformations du château de Versailles, de 1661 à 1670.]

Victor Louis

(1731-1792) Aménagement des arcades du Palais Royal (1781-1786) et construction du Théâtre Français. [Grand Théâtre de Bordeaux.]

François Mansart

(1598-1666) Grand créateur de formes dégagées des modèles italiens. Portail des Feuillants (disparu), église de la Visitation-Sainte-Marie, couvent des Minimes (disparu), hôtel de la Vrillière (Banque de France), galeries du palais Mazarin (Bibliothèque nationale), agrandissements de l'hôtel Carnavalet (1665), hôtel d'Aumont (façade sur jardin), hôtel de Guénégaud, hôtel Fieubet, coupole de l'Oratoire, église du Val-de-Grâce (continuée par Lemercier). [Château de Blois (aile d'Orléans), château de Maisons.]

Clément II Métezeau

(1581-1652) Issu d'une lignée d'architectes drouaisiens. Collabore avec Salomon de Brosse à la construction du palais du Luxembourg et à la façade de Saint-Gervais, dont on peut croire qu'il est le véritable auteur.

Pierre de Montreuil

(1200 (?)-1267) A joué un rôle de première importance dans l'épanouissement du gothique parisien. Réfectoire et chapelle de la

Vierge (disparus) à l'abbaye de Saint-Germain-des-Prés, croisillon sud de Notre-Dame (?). Réfectoire de l'abbaye Saint-Martin-des-Champs. Sainte-Chapelle (1245-1248).

François d'Orbay (1634-1697) Remarquable dessinateur, son rôle a été récemment mis en évidence. Il fut le collaborateur de Le Vau notamment au Collège des Quatre-Nations, au château de Vincennes, et vraisemblablement le principal auteur de la Colonnade du Louvre, dite de Perrault.

Philibert de l'Orme (1512-1570) Premier des architectes du palais des Tuileries (1563) et de l'hôtel de la Reine (hôtel de Soissons disparu), vraisemblablement architecte du jubé de Saint-Etienne-du-Mont. [Château neuf de Saint-Germain-en-Laye, grande galerie du château de Chenonceaux, château d'Anet (en partie démoli).]

Claude Perrault (1613-1688) Surintendant des bâtiments, paraît avoir abusé de son rôle administratif, du soutien de Colbert et du talent de son collaborateur François d'Orbay.

Auguste Perret (1874-1954) Premier architecte du béton, dont il a su mettre à profit avec maîtrise les ressources techniques et artistiques. Immeuble rue Franklin (1903). Garage Ponthieu (démoli). Théâtre des Champs-Elysées (1913). Ecole normale de Musique (1930). Mobilier national. Musée des Travaux publics (Conseil économique). [Eglise du Raincy, église Saint-Joseph au Havre.]

Raymond du Temple († 1404) A dirigé les travaux du « Vieux Louvre » (disparu) à partir de 1364. Contribua probablement à la construction du donjon de Vincennes.

Jean Servandoni (1695-1766) Florentin de naissance, a toujours travaillé en France. Hôtel de Senneterre. Façade de l'église Saint-Sulpice, à l'exception des tours, et aménagements, non terminé, de la place.

Jacques Soufflot (1713-1780) Séjour de huit ans à Rome. Entreprend l'église Sainte-Geneviève (Panthéon) en 1756 et y travaillera toute sa vie. Quelques monuments parisiens (fontaine du Trahoir) sont bien modestes à côté de cette œuvre écrasante.

Eugène Viollet-le-Duc (1814-1879) Architecte des monuments historiques, auteur d'une œuvre théorique abondante et savante sur l'architecture du Moyen Age, il s'est consacré à la restauration, souvent abusive, des monuments anciens. Notre-Dame-de Paris en est l'exemple le plus caractéristique. La Sainte-Chapelle a été restaurée en collaboration avec Lassus. [Reconstructions du château de Pierrefonds et de la cité de Carcassonne.]

Louis Visconti (1791-1853) Romain de naissance. Tombeau de Napoléon aux Invalides, sur concours (1841). Plans du Louvre de Napoléon III, qui seront exécutés par Lefuel.

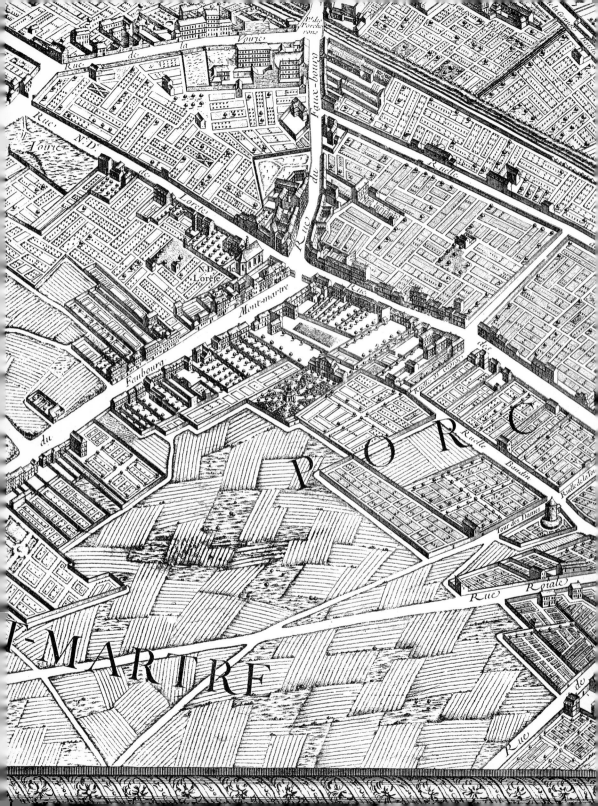

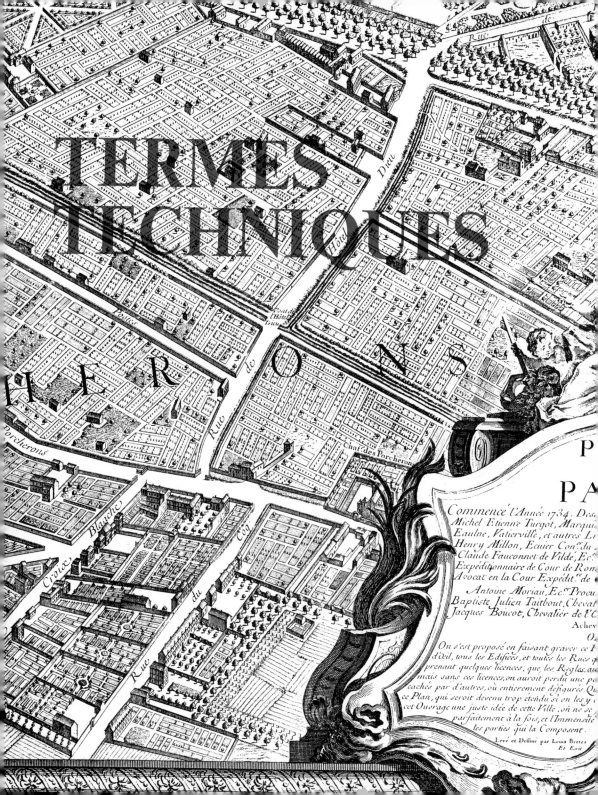

TERMES
TECHNIQUES

ABSIDE	Partie terminale d'une église, traditionnellement orientée vers le levant.
ABSIDIOLE	Chapelle en demi-cercle greffée sur une abside.
ACROTÈRE	Socle placé au sommet d'un fronton destiné à supporter des statues ou d'autres ornements.
ARC-BOUTANT	Arc destiné à contrebuter la poussée des voûtes en s'appuyant sur un contrefort.
ARCADE	Ouverture en forme d'arc supportée par des colonnes, des piliers ou des points d'appui quelconques.
ARCATURE	Série de petits arcs juxtaposés destinés à produire un effet décoratif. Simulée contre un mur, elle est dite « aveugle ».
ARCHITRAVE	Partie de l'entablement qui repose sur une colonne par l'intermédiaire d'un chapiteau.
ARCHIVOLTE	Moulures et cordons des voussures qui composent l'arc d'un portail.
ARÊTES (VOÛTE D')	Voûte composée de berceaux dont la pénétration détermine des arêtes aiguës.
ATTIQUE	Etage supérieur d'un bâtiment de moindre hauteur que les étages inférieurs.
AVANT-CORPS	Elément d'architecture en saillie sur une façade.
AVEUGLE (ADJ.)	Se dit d'une fenêtre, d'une baie, d'une arcade simulées. L'« arcade aveugle » est plaquée contre un mur plein.
BALUSTRADE	Rangée de balustres couronnant la partie supérieure d'un monument ou servant d'appui.
BARLONG (ADJ.)	Sur plan rectangulaire (architecture gothique). Ex : plan barlong, voûte barlongue.
BAS-CÔTÉ	Nef secondaire à côté de la nef centrale. Synonyme : collatéral.
BERCEAU (VOÛTE EN)	Voûte en plein cintre.

BOSSAGE	Murs de pierres taillées en saillie. Exemples : bossage en pointe de diamant (pierres taillées à facettes), bossage vermiculé (pierres gravées de sinuosités irrégulières), bossage rustique (pierres volontairement taillées de façon grossière).
CALOTTE (VOÛTE EN)	Une voûte dite en calotte est constituée par un fragment d'hémisphère aplati.
CANTONNÉ (ADJ.)	Orné en saillie. Exemple : pile cantonnée de colonnettes.
CHAPITEAU	Couronnement d'une colonne ou d'un pilastre (voir : Ordres).
CHEVET	Partie terminale d'une église vue de l'extérieur (le chevet peut être plat ou arrondi).
CINTRE	Courbure en arc de cercle formant la surface intérieure d'une voûte.
CLAVEAU	Pierre en forme de coin employée dans la construction des voûtes, des linteaux, des corniches.
CLEF DE VOÛTE	Pierre placée à la partie centrale d'une voûte pour maintenir en équilibre l'ensemble d'un arc. La clef de voûte peut être travaillée, sculptée et même devenir un ouvrage ornemental faisant fortement saillie sous la voûte (clef pendante).
COLLATÉRAL	Voir : Bas-côté.
COLONNE ENGAGÉE	Colonne dont n'apparaît qu'une partie, l'autre étant prise dans la maçonnerie.
COLOSSAL	Ordre (colonnes ou pilastres) unissant plusieurs étages d'une façade.
CONTREFORT	Massif de pierre en saillie appliqué aux murs d'un édifice pour résister à leur poussée. A partir du XIIIe siècle, les contreforts sont généralement indépendants du mur pour supporter la charge des poussées latérales de l'édifice par l'intermédiaire d'arcs-boutants. Ils deviennent des éléments essentiels de l'architecture médiévale.
COUPOLE	Voûte hémisphérique construite sur plan circulaire ou carré.
CROCHET	Ornement sculpté en saillie sur une architecture généralement composée de bourgeons ou de feuillages stylisés.
CROISÉE	Travée d'une église située au croisement du transept de la nef et du chœur.
CROISILLON	Bras du transept.
CUL-DE-FOUR (VOÛTE EN)	Se dit d'une voûte construite en quart de sphère.
DÉAMBULATOIRE	Partie des bas-côtés tournant autour du chœur.
DOUBLEAU	Arc perpendiculaire à l'axe d'un vaisseau qui en renforce la voûte.
ÉBRASEMENT	Elargissement en biais de l'encadrement d'un portail.
ÉCOINÇON	Surface déterminée par la juxtaposition de deux arcs et d'une moulure horizontale.

ENCORBELLEMENT — Construction en saillie sur un mur soutenue par des consoles.

ENTABLEMENT — Elément horizontal essentiel de l'architecture classique; il s'insère entre les colonnes et la partie supérieure de l'édifice qu'elles supportent; il se compose, en principe, d'une architrave, d'une frise et d'une corniche.

FORMERET — Arc parallèle à l'axe de la voûte.

FRONTON — Couronnement d'un édifice dominant la façade principale.

GÂBLE — Pignon aigu formant fronton, généralement très ajouré et décoré.

HYPOCAUSTE — Fourneau souterrain destiné, dans l'Antiquité, au chauffage des maisons.

JUBÉ — Tribune élevée entre le chœur et la nef, ainsi nommée parce que le diacre avant de chanter l'Evangile commençait par les mots *Jube Domine benedicere*. Le jubé surmonté d'une balustrade est généralement très ouvragé (la plupart des jubés ont été démolis au XVIIIe siècle).

LAMBRIS — Panneaux de revêtement (bois, stuc, marbre, etc.) destinés à décorer les murs des salles d'habitation.

LANTERNE — Construction circulaire supportant un dôme éclairé de hautes fenêtres.

LANTERNON — Petite lanterne couronnant un édifice.

LIERNE — Nervure d'une voûte d'ogives qui relie l'arc à la clef de voûte.

LINTEAU — Traverse horizontale posée à la partie supérieure d'une ouverture.

LOBE — Découpure en arc de cercle d'une rosace ou d'un arc polylobé.

MANDORLE — Auréole en forme d'amande où paraît en bas-relief l'image du Christ ou, exceptionnellement, celle de la Vierge.

MASCARON — Motif décoratif disposé à la clef d'un arc figurant une tête humaine ou animale.

MASQUE — Tête humaine utilisée comme motif décoratif.

MASSIF — Ouvrage de maçonnerie pleine.

MÉDAILLON — Motif décoratif circulaire ou elliptique sculpté en bas-relief.

MENEAU — Montant de pierre divisant une baie en compartiments.

MÉTOPE — Surface de pierre sculptée en bas-relief qui décore la frise d'ordre classique.

MUR-BOÛTANT — Mur évidé en forme d'arc rampant dissimulé sous les combles des bas-côtés (employé avant l'invention des arcs-boutants).

NEF — Vaisseau central d'une église qui s'étend de l'entrée au transept en son absence jusqu'au chœur).

NERVURE — Moulure d'une voûte en croisée d'ogives.

OCULUS   Fenêtre ronde.

ORDRE   Système de l'architecture antique qui permet d'en désigner les styles par les structures de la colonne, du chapiteau et de l'entablement. Les ordres grecs (perpétués par l'architecture classique) sont les ordres dorique, ionique et corinthien, auxquels s'ajoutent les ordres toscan et composite. L'ordre colossal unit plusieurs étages.

PENTURE   Bandes de fer forgé qui soutiennent la porte et permettent de la faire mouvoir sur ses gonds. Les pentures peuvent jouer un rôle décoratif important.

PIÉDROIT   Montant disposé pour recevoir la retombée des voussures d'une arcade ou d'une voûte.

PILASTRE   Colonne plate quadrangulaire engagée dans un mur ou adossée contre lui et faisant saillie.

PINACLE   Petite pyramide sculptée couronnant un contrefort.

PLEIN-CINTRE (VOÛTE EN)   Voûte en arc de cercle (en opposition à la voûte en arc brisé.)

POT-À-FEU   Elément décoratif en pierre de l'architecture civile classique.

QUATRE-FEUILLES   Ornement sculpté formé de quatre lobes.

RAMPANT   Partie inclinée d'un élément d'architecture.

REFENDS   Lignes creusées sur une façade pour marquer des assises de pierre.

REGISTRE   Chacune des parties superposées du tympan d'un portail.

REMPLAGE   Ensemble du réseau de pierre qui décore le sommet d'une fenêtre gothique.

RETABLE   Panneau peint ou sculpté placé derrière une table d'autel.

RINCEAU   Motif décoratif végétal dont les courbes sont ornées de feuillages.

ROCAILLE   Ornement généralement touffu et toujours assymétrique des décors baroques.

ROSE   Fenêtre circulaire décorée d'un réseau de pierre formant des rayons. Synonyme : rosace.

SANCTUAIRE   En terme liturgique désigne la partie du chœur où se trouve le maître-autel.

SEXPARTITE (VOÛTE)   Voûte croisée d'ogives où s'ajoute une nervure transversale déterminant six voûtains.

TAILLOIR   Pierre moulurée ou sculptée surmontant un chapiteau qui reçoit la retombée d'un arc.

TAMBOUR   Soubassement cylindrique d'une coupole.

TIERS-POINT   Un arc ogival est dit « en tiers-point » lorsque sa retombée s'exerce sur la ligne centrale.

TORE   Moulure arrondie entourant la base d'une colonne.

TRANSEPT   Nef transversale perpendiculaire à la nef axiale d'une église formant l'image de la croix. Les bras du transept se nomment aussi croisillons.

TRAVÉE   Espace compris entre les piliers alignés dans la nef.

TRIBUNE   Vaste galerie établie au-dessus des bas-côtés et bordée d'arcades sur la nef.

TRIFORIUM   Galerie de circulation établie au-dessus des bas-côtés et ouvrant sur la nef par une arcature ajourée. Si le mur est ajouré, il est dit « à claire-voix ». Le triforium a généralement remplacé la tribune au cours du XIIIe siècle.

TROMPE   Section de voûte destinée à supporter la charge d'une partie de construction en encorbellement.

TRUMEAU   Pilier généralement orné d'une statue qui divise l'ouverture d'un portail et qui supporte le linteau.

TYMPAN   Espace courbe d'un portail compris entre le linteau et l'archivolte.

VOUSSURE   Surface des arcs concentriques disposés dans l'archivolte d'un portail. Elle est généralement ornée de séries de statuettes.

VOÛTAIN   Quartier de voûte délimité par des nervures.

VOÛTE   Voir : Voûtes d'*arêtes*, en *berceau*, en *calotte*, en *cul-de-four*, en *plein-cintre*, *sexpartite*.

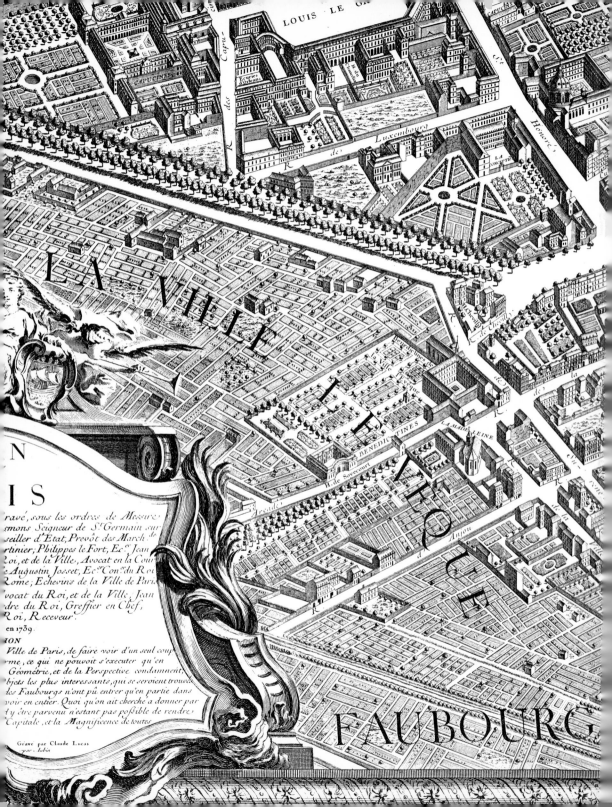

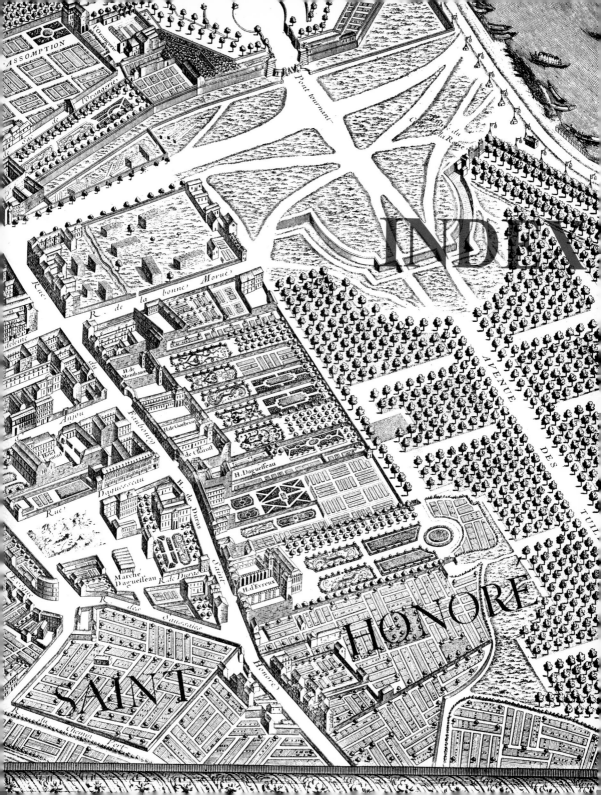

Le plan de Paris qui est intégralement reproduit dans ce livre est dit « Plan de Turgot ». Commencé en 1734, achevé en 1739, il fut levé et dessiné par Louis Bretez, puis gravé par Claude Lucas, sous les ordres de Michel Etienne Turgot, conseiller d'Etat, prévôt des Marchands, et de Henri Millon, Philippe Le Fort, J. Claude Fauconnet de Vildé, Claude Augustin Josset, Antoine Moriau, Jean Baptiste Julien Taitbout et Jacques Boucot.

Nous avons respecté la division originale du plan en « vingt feuilles », qui correspondait elle-même à la division de Paris en « vingt quartiers » au début du XVIIIᵉ siècle.

Le lecteur peut les assembler, des premières aux dernières pages de garde, selon la disposition suivante :

1 gardes/début	2 4-5	3 8-9	4 34-35
5 78-79	6 136-137	7 168-169	8 184-185
9 216-217	10 276-277	11 320-321	12 388-389
13 434-435	14 446-447	15 554-555	16 568-569
17 614-615	18 622-623	19 630-631	20 gardes/fin

Achevé d'imprimer en 1979 par l'Imprimerie-Reliure Maison Mame, Tours.
D. L. 4ᵉ TR. 1973, Nᵒ 3251-2 (7833).